Rich Boy

Uitgeverij Prometheus stelt alles in het werk om op milieuvriendelijke en duurzame wijze met natuurlijke bronnen om te gaan. Bij de productie van dit boek is gebruikgemaakt van papier dat het keurmerk van de Forest Stewardship Council (FSC) mag dragen. Bij dit papier is het zeker dat de productie niet tot bosvernietiging heeft geleid.

Sharon Pomerantz

Rich Boy

Vertaald door Anneke Bok en Jan de Nijs

2011 Prometheus Amsterdam

Ter nagedachtenis aan mijn geliefde vader, Julius Pomerantz (1926-2006), die dacht dat ik alles kon.

Oorspronkelijke titel *Rich Boy*

Omslagontwerp Tessa van der Waals
Foto omslag Getty Images
Foto auteur Myra Klarman
www.uitgeverijprometheus.nl
ISBN 978 90 446 1612 5

'We zullen arm zijn, hè? Net als mensen in boeken. En ik zal een weeskind zijn en volkomen vrij. Vrij en arm! Wat geweldig!' Ze zweeg en hief haar lippen naar hem op voor een opgetogen kus.

'Het is onmogelijk om allebei tegelijk te zijn,' zei John ernstig. 'Daar zijn mensen wel achtergekomen. En van die twee geef ik de voorkeur aan vrij zijn.'

F. SCOTT FITZGERALD, *De diamant die zo groot was als de Ritz*

I

I

Oxford Circle

Zo ver het oog reikte, had je kilometers joden, gezinnen van vier of vijf of nog veel meer, samengepakt in lange, aaneengesloten rijen bakstenen huizen – talloze 'Steins en 'Vitzes, Silvers en Golds – elk huis met zijn eigen lapje gras ervoor en een betonnen plaatsje, precies groot genoeg voor twee klapstoelen. In het blok van Robert Vishniak, het 2100-blok van Disston Street in het noordoosten van Philadelphia, woonde drie huizen verderop een Italiaans gezin. 'Italianen uit Italië,' zoals zijn moeder altijd zei, daar geboren, onbekend met de situatie, en dus vertelde niemand hun voordat het te laat was dat ze een huis kochten aan de verkeerde kant van Roosevelt Boulevard, een snelweg die voor hetzelfde geld een rivier had kunnen zijn; joden bleven er ten westen van en katholieken ten oosten.

Het gebied stond onder de bewoners simpelweg bekend als 'het noordoosten', en Roberts buurt heette Oxford Circle, genoemd naar een verkeersplein dat automobilisten alleen met de grootste moeite weer konden verlaten. Het merendeel van de vaders in Oxford Circle had een baan bij de overheid of in een fabriek, deed lichamelijke arbeid of had een kleine winkel. De moeders bleven thuis bij de kinderen en waren overdreven proper. Ze hingen hun natte wasgoed aan eindeloos lange waslijnen, die zich van huis tot huis uitstrekten langs de onafzienbare rij gedeelde opritten naar de garages achter de huizen – de dikke katoenen werkhemden waren brandschoon en de witte beddenlakens blonken je tegemoet, net als de keuken- en de badkamervloer, die door de vrouwen op handen en knieën werden gedweild, als in aanbidding.

De familie Vishniak was er in 1953 komen wonen. Voor die tijd hadden ze ingewoond bij de grootouders van Robert, Cece en Saul Kupferberg, in een drie verdiepingen tellend rijtjeshuis in het zuidwesten van Philadelphia. Robert werd de vierde generatie in dat overvolle huis, maar de volwassenen verwelkomden de geboorte van het eerste kleinkind alsof hij zijn eigen nationale feestdag verdiende. Saul – die lange dagen maakte in de leerlooierij en zo moe thuiskwam dat hij zijn eten dikwijls in bed kreeg opgediend – wilde na zijn laatste glas thee dat de baby bij hem werd gebracht, zodat hij hem een paar minuten in zijn armen kon houden voordat het bedtijd was voor de kleine. Meer dan eens werd hij met het kind in zijn armen aangetroffen, allebei in diepe slaap. Wanneer Roberts jonge oom Frank, net een jaar van de middelbare school af, thuiskwam van zijn baan bij de supermarkt, tilde hij het jongetje altijd in de lucht, paradeerde met hem door de woonkamer en hield hem hoog boven iedereen uit, waar ze vonden dat hij thuishoorde. Toen Robert groter werd, verwende zijn grootmoeder hem met allerlei zelfgemaakte toetjes, en zijn tante Lolly, die iets verderop in de straat woonde en zelf nog geen kinderen had, kwam elke middag op bezoek om met hem op schoot te zitten en hem te bedelven onder kusjes terwijl ze verkondigde dat Robert het mooiste kind was dat ze ooit had gezien.

Ze was niet helemaal vooringenomen bij haar beoordeling. Hij had een rond gezicht, met een olijfkleurige huid, net als zijn moeder, en een zwarte, rechte pony tot vlak boven zijn grote bruin-zwarte ogen. Op zijn kin en op zijn rechterwang, maar niet op de linker, had hij een kuiltje dat een bekroning leek, toen het zomaar verscheen. De jongen vertoonde vaker een vergenoegd glimlachje dan een lach, alsof hij een geheim kende dat hem elk moment kon corrumperen. Vooral vrouwen waren gevoelig voor zijn charmes. Wanneer Stacia en Cece met de kinderwagen over straat liepen, werden ze vaak staande gehouden door wildvreemden die naar hem wilden lachen en, zoals Stacia het uitdrukte, 'zichzelf voor gek wilden zetten'. Op een keer maakte een buurvrouw een foto van hem in de hoop hem te kunnen opgeven voor een plaatselijke wedstrijd voor snoezige peuters, maar zijn moeder wilde er niets van weten – er was geen geld mee te winnen, dus wat had het dan voor nut? vroeg Stacia. Zij was de enige die niet zwijmelde over haar zoon; ze kuste of omhelsde sowieso vrijwel niemand, kind noch volwassene. Maar liefde is liefde, ongeacht waar die vandaan komt, en in het huis van Cece en Saul werd Robert ermee overstelpt.

Hoewel Stacia erover inzat dat Robert verwend zou raken, kon ze niet ontkennen dat al die babysitters, koks en hulpjes haar het leven een stuk vergemakkelijkten. Ze zou het prima hebben gevonden om tot in lengte van dagen in haar ouderlijk huis te blijven wonen, vrij van huur, en anderen haar eerstgeborene met aandacht te laten overladen, maar toen Robert vijf was, kreeg Stacia nog een kind, Barry. Bij de tweede zoon was de nieuwigheid van een kleinkind eraf en hij bleek een luidruchtige baby met darmkrampjes die het huis de hele nacht uit zijn slaap hield. De volwassenen waren vijf jaar ouder, hadden vijf jaar langer op elkaars lip gezeten en waren het beu. Cece's vader, die nu vijfennegentig was en door iedereen werd aangeduid als 'de oude man', bewoonde nog steeds de zolder en maakte geen aanstalten om naar elders te vertrekken. Frank was vooralsnog ongehuwd en woonde nog thuis. In plaats van blijmoedig een plekje voor de nieuwe baby in te ruimen, vroeg de familie zich af waar ze hem in vredesnaam moesten laten. Niet dat ze liefdeloos waren of hem verwaarloosden, maar ze kweten zich deze keer met aanzienlijk minder enthousiasme van hun plichten. Toen werd Saul ziek, en zijn vrouw realiseerde zich dat Stacia en haar uitdijende gezin misschien wel nooit zouden ophoepelen en dat Saul nooit met pensioen zou kunnen gaan. En daarom zette ze hen het huis uit.

Stacia maakte er eerst ruzie over met haar moeder en daarna, voor de eerste en enige keer in haar leven, begon ze te soebatten – 'We hebben niet genoeg opzijgelegd voor een eigen huis; we zullen meer bijdragen aan de kosten van het huishouden; ik zal ervoor zorgen dat de baby stil is, dat beloof ik je' – maar Cece's besluit stond vast. Ze kruiste haar armen over haar ampele boezem, zei tegen Stacia dat ze maar een hypotheek moest nemen, net als iedereen, en verklaarde dat er niet meer aan te tornen viel.

Ze kochten het huis in Oxford Circle voor 6300 dollar, nadat de vraagprijs met 30 procent was verlaagd. Robert kende die bedragen, ook al was hij pas zes jaar oud, omdat Stacia Vishniak vond dat het voor kinderen goed was om te horen wat alles kostte, als een soort wonderolie. Nu was er een hypotheek af te lossen, en Vishniak, die overdag op het postkantoor werkte, nam 's avonds en in het weekend een bijbaantje als bewaker. Toen Barry naar de eerste klas ging, nam Stacia de baan van klaar-over bij de school aan, zodat ze na schooltijd nog steeds een oogje op haar zoons kon houden. 's Ochtends en 's middags bracht ze de kinderen van de Solis-Cohenschool veilig naar de overkant van Bustleton Avenue. Het was een merkwaardige roeping voor een vrouw die een hekel had aan auto's, die ze maar verkwistend en smerig vond. Maar geen klaar-over was ijveriger dan zij; ze hield de aan haar toevertrouwde kinderen met één blik in toom, zorgde ervoor dat de automobilisten zich aan de bij de school toegestane snelheid hielden en prentte het kenteken in haar geheugen van iedereen die te hard reed. Roberts moeder rekende het niet alleen tot haar taken om de boodschappen te doen, te koken, schoon te maken, de was en de gebruikelijke huishoudelijke karweitjes te doen, ze verrichtte ook alle reparaties in huis zelf, deed loodgietersklusjes, ontstopte afvoeren, stukadoorde, schilderde gangen en verving kapotte fittingen. Om de twee weken maaide Stacia op zondagochtend het kleine gazon met een roestige handmaaier. Ze betaalde ook alle rekeningen en draaide elk dubbeltje drie keer om. Als de buren er soms over smoesden dat ze niet erg toeschietelijk was en er weinig aantrekkelijk uitzag, trok ze zich daar niets van aan. Geen andere mening telde dan die van haarzelf.

Uiteindelijk stierf Saul, gevolgd door de oude man. Cece verkocht haar huis en betrok een woning bij Stacia in de buurt. Daarna volgde de rest van de familie haar naar Oxford Circle, zodat in 1960 de Vishniaks en de Kupferbergs – neven, nichten en grootouders, oudooms en oudtantes – weer op een steenworp afstand van elkaar woonden. En lange tijd kende Robert niet anders – de warme schoot van de familie, huizen en straten vol mensen die, als ze geen familie van hem waren, dat net zo goed wel hadden kunnen zijn. Maar inmiddels was hij ouder en had hen niet meer zo nodig als toen hij klein was. Niet dat het iets uitmaakte; ze klitten nog steeds samen en waren graag dicht in de buurt. Op straat hoorde hij te vaak zijn naam roepen, zag te veel vertrouwde, verwante gezichten die hem altijd in de gaten hielden. Toen hij de puberteit naderde en zich voorbereidde op de ceremonie die hem tot man zou bestempelen, kon hij helemaal nergens ongestraft mee wegkomen en hij verlangde er met het jaar meer naar om een vreemde te zijn.

Met al die neven en nichten was de Familieclub een gebeurtenis die werd gevreesd, maar niet kon worden genegeerd. Om de paar maanden kwamen zijn moeder, haar broer en zus en het merendeel van hun talloze neven en nichten, en soms ook alle bejaarde ouders, bij iemand thuis bij elkaar. Het systeem dat bepaalde bij wie thuis de samenkomst plaatsvond was deels een kwestie van geld en deels van willekeur – sommigen waren kort na elkaar twee keer de klos, anderen bleven helemaal buiten schot. Maar uiteindelijk, toen Robert dertien en Barry acht was, waren Stacia en Vishniak aan de beurt.

In februari maakte zijn moeder het nieuwtje aan tafel bekend. 'De Familieclub wordt volgende maand hier gehouden,' zei ze. 'Zelfs de rijke neven komen een kijkje bij ons nemen als ze terug zijn van hun luxueuze wintervakantie.'

'Wanneer was die voor het laatst bij ons?' vroeg Robert. Hij kon zich alleen herinneren dat zijn ouders op hun paasbest gekleed naar het huis van anderen gingen. Zij kwamen dan 's avonds laat terug en maakten Robert vaak wakker met hun geruzie; de avonden verliepen niet zonder enige wrijving.

'We hebben de club nog nooit gehad,' zei Stacia. 'Toen we bij Cece inwoonden, hoefde dat niet. Nu hebben we ons eigen huis en komen we er niet onderuit. Het is een familieverplichting.'

'Jezus!' zei Roberts vader, die ineens met zijn hand op tafel sloeg. De jongens en hun moeder verschoten ervan en keken hem aan, wachtend op een verduidelijking, maar hij richtte zijn aandacht weer op zijn aardappelpuree.

'Wat doet de club eigenlijk, mam?' vroeg Barry, in de hoop dat er een speciaal wachtwoord bestond of dat er tijd in een boomhut werd doorgebracht.

'Ze kaarten om geld,' zei Stacia. 'Veel te veel geld.'

'Ze eten als varkens,' voegde zijn vader eraan toe. 'Als termieten.' Hij zweeg even. 'Ze eten alsof de Russen voor Camden Bridge staan.'

'Tof!' zei Barry.

'Er is niks tofs aan,' zei Robert, die vijf jaar ouder was en meer voeling had met de algemene opinie. Maar hij was razend nieuwsgierig naar de mysterieuze rijke neven – twee tantezeggers van zijn grootmoeder die in de schroothandel hadden gezeten en die de eindjes nauwelijks aan elkaar konden knopen totdat de Tweede Wereldoorlog uitbrak en de vraag naar schroot onverzadigbaar werd. Hoe zou voorspoed eruitzien op het gezicht van een Kupferberg? Hoe waren deze neven tot bestaan gekomen? vroeg hij zich af.

Inmiddels wist Robert dat de kinderen van Cece en Saul Kupferberg weliswaar intelligent waren, maar niet begiftigd met een zakeninstinct. Ze hadden vroeg of laat allemaal geprobeerd ondernemer te worden, maar zonder succes. Met de Vishniak-kant van zijn familie was het al niet beter gesteld; zijn vaders vader had een korte periode van succesvol ondernemerschap gekend als illegale drankstoker tijdens de drooglegging, maar toen het distilleervat in zijn kelder had vlamgevat, kon het gezin maar ternauwernood ontkomen en brandde het huis vrijwel tot de grond toe af. De ervaring van Stacia en Vishniak was minder risicovol geweest, maar stemde al niet optimistischer. Vlak na de oorlog hadden ze een snoepwinkel gehad in South Philadelphia. Als liefhebber van snoep bestelde Vishniak te veel handelswaar, en meegesleept door zijn eigen enthousiasme gaf hij eindeloos veel monsters weg en hield vol dat zijn vrijgevigheid klanten zou opleveren. Stacia, die de kassa deed, stond meestal nijdig met haar armen over elkaar voor de winkel naar al die profiteurs te kijken. Vishniak nam zijn broers in dienst om voor hem te werken, en vaak zat een van hen achter in de winkel boeken te lezen voor zijn avondschool. Na drie jaar ging de winkel failliet, en het enige wat Roberts vader overhield aan zijn inspanningen was ernstige diabetes en een garage vol muffe pindatoffees.

Staken deze rijke neven op de een of andere manier anders in elkaar dan de rest van de familie? Of was het, zoals zijn moeder beweerde, puur geluk? De rijke neven woonden in het verre noordoosten, wat betekende: een stuk noordelijker aan Roosevelt Boulevard. Zelfs dat was een mysterieuze plek voor Robert, een afgelegen buurt waar, zo was hem verteld, dappere kolonisten praktisch in de wildernis vrijstaande huizen met aluminium zijpuien en een winkelcentrum uit de grond stampten.

De maand voordat de club bij hen thuis zou komen, was Stacia in een vreselijk humeur. Met twee jongens was het altijd rumoerig bij hen thuis, maar in de weken voordat de familie zou komen liet zelfs Barry het wel uit zijn hoofd om iets in de fik te steken, tijdens het eten een scheet te laten of op zijn buik naar beneden te schuiven over de met tapijt beklede trap terwijl hij uitriep: 'Wanneer kopen we in godsnaam nou eens een tweedehands auto?'

Over het algemeen kon je erop vertrouwen dat zijn moeder opklaarde wanneer zijn vader terugkwam van zijn werk met nieuwe schatten – een kapotte, maar nog bruikbare paraplu, een herenhorloge met een gebarsten glaasje dat nog steeds liep, een nauwelijks gedragen panty of een damessjaal, soms met monogram, dikwijls nog geurend naar het parfum van de eigenares – allemaal achtergelaten door de passagiers van de bus of de luchtspoorweg. Zijn ouders bewaarden deze verzamelobjecten in de laden van de servieskast in de eetkamer, waar mensen doorgaans hun goede tafelzilver en linnen servetten opborgen. In de week voordat de Familieclub bijeen zou komen, merkte Robert dat Vishniak extra zijn best deed, maar zelfs toen een van de sjaals van zijde bleek te zijn, zei Stacia nauwelijks een woord – haar ogen gingen speurend door de woonkamer op zoek naar ongerechtigheden.

Stacia poetste en zoog, niet om het haar broer of zus of moeder naar de zin te maken, en zelfs niet de hele bups neven en nichten die een paar straten verderop woonde en die ze regelmatig zag; haar bezorgdheid draaide puur en alleen om de twee rijke neven met hun vrouw, en een derde man, een zwager van hen, die tevens een ver familielid was. Uit gewoonte of traditie vonden er bij hen in de familie dikwijls huwelijken plaats tussen neven en nichten.

De langverwachte zaterdagavond brak aan, en hoewel er een chronisch tekort aan parkeerplaatsen was in de straat, wisten de rijke neven op de een of andere manier een plekje voor de deur te vinden. Robert keek uit het raam en zag drie Cadillacs achter elkaar staan: lichtblauw, zilverkleurig en roze. Zijn ouders en ooms en tantes wachtten in de woonkamer en hadden zich bij het erkerraam verzameld alsof er buiten een optocht langskwam. Hij hoorde gefluister over 'die oorbellen' en 'die jas' en 'met al dat geld zou je toch denken dat hij wel een beter toupetje had kunnen kopen'.

De rijke neven en nichten kwamen binnenvallen; de mannen voorop, gekleed in een leren jack en rinkelend met het kleingeld dat ze op zak hadden. De vrouwen hadden geelblond haar, de kleur van ongekookte maïs; alle drie droegen ze een lange bontjas in uiteenlopende kleuren en modellen. Ze schudden handen, glimlachten en deelden als filmsterren luchtkusjes uit toen de schare om hen heen dromde. Barry en Robert stonden klaar om hun jassen aan te nemen.

Nadat er snelle begroetingen waren uitgewisseld gingen de mannen naar beneden om te pokeren en de vrouwen bleven in de woonkamer, waar de bijzettafeltjes vol stonden met hapjes – gehakte lever en haring, met roomkaas gevulde olijven, kniesjes en kishke en roggebrood en allerlei soorten fruit. Dit waren pas de hors-d'oeuvres. Het echte eten werd pas opgediend als de mannen klaar waren met kaarten en zich bij hen voegden. Bij alle familieaangelegenheden gold als vuistregel dat niemand op eten beknibbelde, zijn moeder en grootmoeder al helemaal niet, zelfs niet als het inhield dat ze het komende halfjaar allemaal restjes moesten eten en er gedeukte blikken werden gekocht uit de bak met aanbiedingen.

De hele avond sjouwden Barry en Robert de trap op en af met truien en jassen, maar de lange bontmantels en de leren jacks van de rijke neven en nichten waren net zo zwaar als alle andere jassen bij elkaar en vergden twee tochtjes. De zijden voering van de twee nertsmantels rook naar sigaretten en zware parfum. Robert legde ze in een hoop bij de andere spullen op het bed van zijn ouders, een hele berg van jassen.

In de ouderslaapkamer probeerde Barry Robert te vermaken met een van zijn imitaties; daar was hij goed in. Zijn nieuwste impressie was van een oude man die verderop in de straat woonde, een epilepticus die een paar maanden geleden een toeval had gekregen terwijl hij zijn hond uitliet in Disston Street. De dramatische gebeurtenis – het blaffen, zijn vrouw die op een holletje uit huis kwam om een botermes onder zijn tong te leggen – was in de buurt wekenlang het gesprek van de dag geweest. In de middagpauze viel Barry nu regelmatig op de grond, kronkelend en kreunend en met het schuim op de mond, onder luid applaus van zijn leeftijdsgenoten; die avond herhaalde hij speciaal voor Robert zijn act, die door oefening een bestudeerd soort perfectie had gekregen, maar Robert was al uitgekeken op het beperkte repertoire van zijn broertje.

'Probeer toch eens iemand anders! Wat dacht je van je gymleraar, die altijd met zijn hand in zijn broek zit? Of het slissende kassameisje bij Shop N' Bag, dat er zo'n hekel aan heeft als ma met al haar kortingsbonnen komt aanzetten?'

Maar Barry deed alleen waar hij zelf lol in had en liet zich op de jassen vallen terwijl er koekspuug uit zijn mond vloog en hij met één been een reeks scharende bewegingen maakte en bijna van het bed af kukelde.

Robert liet zijn broertje alleen, liep de gang in en ging op de overloop zitten waar mensen hooguit zijn voeten konden zien, en luisterde naar het geroezemoes van de vrouwen beneden en naar de hoge, verrukte uitroepen. *Nép*, dacht hij, *allemaal nép*. Na de komst van de rijke neven en nichten spraken de andere vrouwen, als ze überhaupt al iets zeiden, met hoge, geknepen stemmetjes. Zijn moeder vertelde hoe goed Robert presteerde op school, dat zijn leraar had voorgesteld dat hij zich zou inschrijven bij Central, de school die als een magneet alle hoogvliegers van de stad aantrok. Wat vreemd om haar zo over hem te horen praten – dat deed ze nooit, ze zei nooit dat hij pienter was en complimenten kreeg hij al helemaal niet.

Een van de rijke nichten vertelde over een reis naar Florida die ze had gemaakt en over de plannen die haar man en zij hadden om naar Zuid-Amerika te gaan, waar gokken legaal was. Alle rijke neven en nichten waren verwoede gokkers, had zijn vader hem verteld. Was dat niet een les op zich?

Robert liep voorzichtig de trap af naar waar de vrouwen zaten. Tante Lolly knipoogde naar hem en spreidde haar armen wijd. Toen hij dichterbij was gekomen, smoorde ze hem bijna tegen haar enorme boezem. Cece sloeg haar handen om zijn gezicht en gaf hem een natte zoen, en de vrouw van oom Frank gaf hem een kus op de wang. Toen legde een van de rijke nichten een hand op zijn arm, een kleine hand met lange vingers en roodgelakte nagels.

'Wat een knappe jóngen,' kirde ze terwijl ze haar vingers om zijn pols sloeg, 'hij lijkt precies op Monty Clift.' Toen ze hem eindelijk losliet, liep hij naar de eetkamer.

'Wat heeft hij nou aan een knap uiterlijk?' vroeg Stacia. 'Daar kan hij de kost niet mee verdienen. En de meisjes lopen hem nu al achterna. Pas dertien en hij krijgt al telefoontjes. Telefóóntjes!'

De andere vrouwen moesten erom lachen, hoewel Stacia het niet grappig had bedoeld.

Robert overpeinsde hun opmerkingen terwijl hij de keuken in liep en bleef staan om een glas sinaasappelsap in te schenken. Op school had hij zijn lerares Engels, mevrouw Markowitz, tegen zijn geschiedenislerares, juffrouw Taft, horen zeggen dat Robert Vishniak op een dag een ladykiller zou worden, een term die hem als een dreigement in de oren klonk. Wanneer de jongens en meisjes paren moesten vormen tijdens de muziekles om de quadrille te leren, vlogen er vier, vijf meisjes tegelijk op hem af, zodat hij niet zo veel moeite hoefde te doen als de andere zwetende, roodhoofdige jongens. Diezelfde meisjes wilden soms dat hij uit school met hen mee naar huis liep, en twee keer had hij met Margie Cohen achter een boom op het schoolplein staan flikflooien en hij had het leuk gevonden om met haar te zoenen, maar wist niet goed hoe het dan verder moest. Juffrouw Taft, de jongste van alle leerkrachten én de mooiste, streek soms de pony uit zijn gezicht en zei dan met een lieve glimlach dat hij nodig naar de kapper moest, ook al was hij net een week geleden geweest. Er trok een aangename huivering door hem heen wanneer hij haar vingers op zijn voorhoofd en het zachte krassen van haar nagels voelde. Andere vrouwelijke leerkrachten leken graag hun handen op zijn schouders te leggen en die een vluchtig kneepje te geven. Ja, vrouwen raakten hem graag aan, maar wat zijn rol was, hoe ver hij kon gaan in reactie op hun liefkozingen, bleef onduidelijk.

Terwijl hij nadacht over de raadselen van de vrouw, daalde hij langzaam af naar het donkere souterrain, het domein van de mannen; zijn voeten maakten een hol klossend geluid op de trap. Het vertrek stond vol sigarenrook en de mannen zaten, als in een wolk, rond de tafel over hun kaarten gebogen, de schouders gespannen opgetrokken. Roberts vader had maar vier fiches voor zich liggen. Oom Frank had iets meer fiches dan Vishniak, en oom Fred stond er van hun drieën het beste voor, maar het was niets vergeleken met de fiches die de drie gasten aan de andere kant van de tafel voor zich hadden. Robert stond achter zijn vader en keek over zijn schouder wat voor hand hij had: hartentwee, ruitentwee, klavervier, schoppenacht en schoppenheer. Wat kon Vishniak met zo'n hand beginnen? Uit het glas naast hem nam Vishniak een paar slokjes mierzoete kersenbrandewijn, waarvan Robert wist dat hij dat niet mocht hebben vanwege zijn suiker.

Zijn vaders gezicht was rood, zijn voorhoofd bezweet. In tegenstelling tot de vrouwen zwegen de mannen voornamelijk – hier alleen wat gekreun, een kuch, het mompelen van een willekeurige obsceniteit.

Barry kwam even later beneden terwijl hij een amandelkoekje at, waarvan de kruimels aan zijn sweatshirt bleven plakken. Ze stonden samen te kijken naar hun vader, die drie kaarten vroeg, wat zijn hand maar weinig verbeterde, en vervolgens zwijgend een fiche in de pot gooide in het midden van de kaarttafel. 'Wint hij wat?' fluisterde Barry. 'Hij wint zeker niks, hè?'

'Hou je mond,' antwoordde Robert. Voor het eerst in zijn leven zag hij verheven kwaliteiten in zijn vader, die over het algemeen een schimmige aanwezigheid was in zijn leven, een bezwete man die mompelend groette, thuiskwam van zijn werk als zijn zoons naar school vertrokken, lag te slapen tegen de tijd dat zij hun huiswerk maakten en warm aten, en die de deur uit ging voor een tweede baan wanneer zij naar bed gingen. Maar ineens zag Robert dat zijn vader sterk kon zijn, geld kon verliezen zonder daar in woord of gebaar iets van te laten merken, zijn schaamte verbijtend.

En hij wilde hem helpen. Hij keek strak naar de neef die aan de winnende hand was, naar zijn grote, glimmende gezicht, zijn sigaar, zijn kalme gelaatsuitdrukking, het zelfvertrouwen waarmee hij de inzet verhoogde en toen even pauzeerde om zich met een zakdoek het zweet van het voorhoofd te wissen. Omdat het gewoonlijk koud was in het souterrain – slechts door een gordijn afgescheiden van de garage – had Stacia het nodig geoordeeld om geld te spenderen aan twee straalkacheltjes, die verrassend effectief bleken, en de neef die aan het winnen was trok zijn colbertje uit en hing het over de rug van zijn stoel. Robert staarde naar het jasje – marineblauw met een roze-wit gestreepte zijden voering. Hij had nog nooit zoiets gezien. Eén kant hing door van het gewicht; er zat iets bultigs in de binnenzak. *Een portemonnee*, dacht Robert, *hij heeft zijn portemonnee in zijn jasje, niet in zijn broek. Hij kan niet op zijn geld zitten, omdat hij er te veel van heeft.*

Barry, die het allemaal maar een saaie bedoening vond, liep naar de andere kant van de kamer, naar de tafel waar onaangebroken flessen drank klaarstonden, de accumulatie van tien jaar kerstgeschenken van Vishniaks opeenvolgende chefs bij het Amerikaanse Postbedrijf. Barry probeerde tevergeefs een al geopende fles te pakken, maar hij was te klein. Hij gebaarde naar Robert, maar Robert, verloren in zijn eigen gedachten, had geen oog voor zijn broertje, zodat Barry maar naar hem toe liep.

'Doe alsof je een toeval hebt,' fluisterde Robert.

'Nu?'

'Ja, een grote. Met veel spuug. Spartel met je benen zoals je boven deed.'

'Wat zit er voor mij in?' vroeg Barry. 'Ik doe het niet voor noppes.'

'Dit doe je voor pa,' zei Robert met een gebaar naar het spel. 'Denk voor één keer eens aan iemand anders.'

Vishniak had nog maar twee fiches over. Hij nam nog een slok van zijn kersenbrandewijn, trok toen een zakdoek uit zijn zak en veegde zijn voorhoofd af.

'Ik wil eerst een drankje. Dat goudkleurige spul in die chique fles.' Hij wees op de geïmproviseerde bar.

Robert ging naar de bar – de mannen hadden niets in de gaten, zaten te grommen en te krabben, een enkel gekreun toen ze hun kaarten op tafel legden – en schonk een beker voor ongeveer een derde vol met zwartekersenlimonade, Barry's lievelingsdrankje. Toen, terwijl oom Frank de kaarten deelde voor het volgende spelletje, pakte Robert de fles Crown Royal-whisky en vulde de beker snel tot aan de rand, deed de dop weer op de fles en nam de beker mee naar Barry.

Zijn broertje gooide zijn hoofd in de nek, klokte zoveel mogelijk naar binnen, draaide zich vervolgens om, kokhalsde een beetje en liet een boer.

'Oké, snel,' fluisterde Robert en hij duwde zijn broertje dichter naar de mannen toe. Barry haalde diep adem, alsof hij het water in ging duiken, en viel kreunend en stuiptrekkend op de grond, waarbij zijn voet bleef haken achter een metalen klapstoeltje dat met luid gekletter tegen de grond ging. Er ontstond enige opschudding, een paar neven kwamen overeind, maar oom Frank en Vishniak keken elkaar met een zeker begrip aan, en Frank schudde het hoofd en glimlachte voor zich heen. De rijke neven stonden niet eens van tafel op en Robert vreesde dat zijn plan zou mislukken; hoe kon hij bij het colbertje komen als niemand zich liet afleiden?

Toen draaide Barry zich kreunend om en kroop op handen en voeten naar de pokertafel, waardoor zijn optreden uitsteeg boven het niveau van methodacting. Dichtbij gekomen greep hij een stoel beet en begon zich overeind te hijsen. Hij opende zijn mond alsof hij iets wilde gaan zeggen, maar in een grote boog sproeide er kersenrood braaksel uit, dat deels neerregende op de tafel en de mensen die eromheen zaten, en deels helemaal op het gordijn belandde. Alsof ze onder vuur werden genomen zochten de mannen dekking in de garage. Vishniak zag de beker met modderkleurige vloeistof op de plek waar zijn zoon had gestaan. Terwijl Frank naar boven rende om handdoeken te halen, kwam Vishniak dichterbij. Degenen in de garage, onder wie ook de eigenaar van de marineblauwe blazer, waren nu op zoek naar een spoelbak die ergens achterin scheen te zijn, waar Stacia nog steeds de was deed. Toen ze die hadden gevonden, maakten de leidingen een luid piepend geluid terwijl er enigszins roestig water uit de kraan begon te stromen.

Robert wist dat het slechts een kwestie van minuten zou zijn voordat zijn vader had uitgedokterd wat Barry had gedronken en wie hem dat had gegeven. Aan de andere kant van het vertrek zat Barry op de grond met zijn handen tegen zijn maag gedrukt, te verbijsterd om commentaar te leveren op wat hij teweeg had gebracht. Vishniak hees Barry aan één arm overeind en terwijl hij in de lucht hing, gaf zijn vader hem een paar flinke klappen op zijn achterwerk.

'Aushitgodverdomme!!' schreeuwde Barry aan één stuk door, zodat Vishniak geen andere keuze had dan hem opnieuw te slaan, dit keer in het gezicht.

Nu zijn vader en broertje het zo druk hadden met elkaar, liet Robert een hand in de blazer glijden en durfde niet om zich heen te kijken of zelfs maar te ademen. Hij tastte naar de bult, voelde de kortstondige opluchting toen hij het gladde leer van een goedgevulde portemonnee tevoorschijn haalde, nam de helft van de inhoud eruit, liet één biljet op de grond vallen en stopte toen de portemonnee weer terug. Snel griste hij het briefje van vijf van de grond en schoof het geld voor in zijn broek, juist toen de mannen terugkwamen uit de garage, hun gezicht, haar en kleding kletsnat van het water. Ze keken geen van allen blij.

De fletse ogen van zijn slachtoffer leken Robert scherp in de gaten te houden toen hij de trap van het souterrain op holde naar de keuken; daarna liep hij zo kalm mogelijk door de woonkamer waar de vrouwen nog steeds zaten. Hij ontweek de blik van zijn moeder en holde de trap op naar de eerste verdieping. In zijn slaapkamer viste hij de verlepte biljetten uit zijn broek. Ze roken naar zijn huid, naar de nieuwe, penetrante pubergeur van vochtig verlangen, zweetsokken en Ivory-zeep. Hij telde drie biljetten van vijf, een van twintig, twee van tien en vier eendollarbiljetten en legde de biljetten op zijn bureau om ze te bekijken. Hij was rijk.

'Klootzak!' schreeuwde Barry, die de trap op kwam rennen. Toen hij Roberts slaapkamer binnenkwam, klom hij op een stoel en stortte zich op zijn broer. Hij rook naar braaksel, zwartekersenlimonade en whisky en Robert moest zijn uiterste best doen om niet te kokhalzen toen ze samen over de vloer rolden. 'Je hebt me erin geluisd!' zei Barry huilend terwijl hij zijn broer stompte en schopte.

Het duurde enige tijd voordat Robert zijn woedende broertje met zijn armen boven zijn hoofd tegen de grond kon drukken. 'Luister naar me. Ik heb geld voor ons gejat. Heel veel geld.'

Barry verzette zich nog een poosje, totdat hij de verfrommelde biljetten op het bureau in de gaten kreeg. 'Ik wil er ook wat van,' zei hij. Robert liet hem gaan en Barry stond op om het geld aan te raken. 'De helft daarvan is van mij. Ik wil mijn deel.'

'Ik moet nadenken,' zei Robert. 'We moeten voorzichtig zijn.'

In zijn korte leven was Barry nog nooit voorzichtig geweest en hij was niet van plan daar nu verandering in te brengen. Gillend van blijdschap sprong hij op het bed. Zo ellendig als hij zich drie tellen geleden had gevoeld, zo triomfantelijk was hij nu. Hij gebruikte de matras als een trampoline, landde met een harde dreun op de grond, sprong weer op het bed en weer op de grond. Plotseling hoorden ze de snelle, driftige voetstappen van hun moeder op de trap. Robert en Barry pakten het geld en stopten het in een la, maar Barry hield één biljet achter, dat hij in zijn broekzak stopte.

'Wat is híer aan de hand?' vroeg Stacia terwijl ze aan de deur trok die niet dichtging, maar eerder dichtklemde, omdat de deurlijst kromgetrokken was van het vocht, zodat hij met een pats! open ging.

De jongens stonden in de houding naast het bed, als soldaten tijdens een inspectie. Vishniaks woede stelde niet veel voor – een paar klappen die nauwelijks pijn deden – maar hun moeder gebruikte een riem met een grote, opzichtige metalen gesp. Erger nog was de klank van haar schelle stem, en haar teleurstelling.

'We konden jullie beneden horen springen. De mensen dachten dat het plafond naar beneden kwam,' zei ze terwijl ze naar het bed liep en haar handen in de zij zette. 'Barry, ik had toch gezegd dat je je gezicht moest gaan wassen en een schone sweater aantrekken! Robert, kam je haar. Jullie hebben zeker gevochten? Ik kan jullie nog geen vijf minuten alleen laten...' Ze kwam snel op Robert af, maar in plaats van hem te slaan, zoals hij verwacht had, ging ze ineens op het bed zitten en staarde naar de muur tegenover haar. 'Christus,' liet ze erop volgen en ze liet haar hoofd op haar handen steunen, 'wat een ramp, van het begin tot het eind!'

Het was zo stil in de kamer dat Robert de plastic wekker op het bureau kon horen tikken en de *klik* toen de grote wijzer halftien aanwees. Zijn moeder trok even aan haar korte zwarte haar en toen bleef ze stil zitten. Misschien had ze net zo weinig zin om naar beneden te gaan als zij. Robert liep naar de la, trok hem open, haalde er twee verkreukelde briefjes van tien uit en ging toen schoorvoetend naar zijn moeder. 'Hier,' zei hij en hij legde de biljetten op haar schoot.

'Mijn helft krijgt ze niet, hoor!' zei Barry, maar toen liep Robert terug naar de la, haalde de rest eruit, liet die op Stacia's schoot vallen en trok zich terug bij de muur tegenover het bed.

Stacia keek naar het geld en begon de verfrommelde biljetten glad te strijken. 'Waar...?' vroeg ze, maar toen moest haar de commotie in het souterrain te binnen zijn geschoten. Er waren maar weinig mensen in hun familie die zo veel geld op zak hadden. Vaak liepen die pokerspelletjes uit op een drukke uitwisseling van schuldbekentenissen die altijd werden voldaan, zij het soms pas na enige tijd.

'Heb je alles gepakt?' vroeg ze.

'Ik heb de helft erin gelaten,' zei Robert. 'Als goedmakertje voor pa. Zodat je niet kwaad op hem zou worden.'

'Zo heb ik je toch niet opgevoed,' zei ze, maar toen keek ze Robert aan en gebeurde er iets vreemds, iets wat hij zelden zag – ze glimlachte. Een halve glimlach, eigenlijk, want zijn moeder had, jaren geleden, een verlamming van de aangezichtszenuw gekregen en haar gezicht was nooit volledig hersteld, zodat haar mond soms twee kanten tegelijk op ging – en op dat moment was één kant van haar gezicht geamuseerd, maar de andere kant trok omlaag, een mengeling van schaamte en gekwetstheid die Stacia de hele avond zou blijven voelen, zodat ze vanaf het moment dat ze het eten opdiende tot het moment dat de laatste gast zijn jas had gepakt en was vertrokken, met niemand meer oogcontact maakte.

Maar dat was later. Nu stonden de jongens bij het bed en vroegen zich af wat hun boven het hoofd hing. Robert gaf zijn broertje een por met de elleboog om duidelijk te maken dat hij ook het laatste bankbiljet moest teruggeven, maar Barry piekerde er niet over. Op achtjarige leeftijd stond Barry al zijn mannetje, hoewel zijn gedrag moeilijk te voorspellen was. Net als hun moeder wilde hij altijd krijgen wat hem toekwam – maar anderzijds kon hij zomaar omslaan, net als hun vader, en je zonder enige reden alles geven wat hij had.

Stacia's handen trilden licht toen ze de bankbiljetten op een stapeltje legde, het stapeltje vervolgens dubbelvouwde en in een zak van haar schort stak.

'Ga je het geld teruggeven?' vroeg Barry.

'Ik zie niet in hoe dat zou kunnen,' zei ze, 'zonder dat jullie moeten opbiechten wat je hebt gedaan. En jullie gaan dat zootje geen excuses aanbieden. Dat stelletje schurken met hun overheidscontracten.'

'Ik wil dat niet,' zei Barry. 'Excuses aanbieden.'

'Goed dan,' zei ze. 'De mannen komen nu boven om met ons te eten, dus ga je handen wassen. En vergeet niet om zeep te gebruiken.'

2

Huiselijke taken

De meisjes bleven Robert bellen om te vragen of hij ze wilde komen ophalen om samen naar school te lopen, en hij zoende zelfs met nog een paar meisjes op afgelegen plekjes van het schoolplein, maar aan dat alles kwam een eind toen hij zich, op aanraden van de decaan, aanmeldde voor Central High School en werd toegelaten. Central trok de beste leerlingen van de hele stad aan, maar het was wel een school voor uitsluitend jongens. Aan de overkant zat zijn tegenhanger, de Philadelphia High School for Girls, die kortweg de meisjesschool werd genoemd, maar de twee scholen hadden weinig dagelijks contact, zodat de enige leden van het vrouwelijk geslacht met wie Robert in de tweede klas in aanraking kwam de meisjes en vrouwen waren waar hij soms tegenaan werd gedrukt tijdens de ochtenddrukte in de bus waarmee hij elke dag naar school ging.

Dit had een trotse, gelukkige tijd moeten zijn voor Stacia en Vishniak, maar vanaf het moment dat Robert werd toegelaten tot Central, zaten ze in zak en as. Veel leerlingen van Central gingen studeren. En als Robert naar Central ging, zou Barry er ook naartoe willen; de resultaten van zijn eerste schoolonderzoek waren verrassend goed en hij haalde even goede cijfers als zijn broer, zonder er al te veel voor te doen. Twee zoons die gingen studeren – hoe konden ze zich dat in vredesnaam veroorloven? Ze gingen ervan uit dat Robert naar Temple University zou gaan, de goedkoopste, dichtstbijzijnde staatsuniversiteit, en dan moest er niet alleen collegegeld worden betaald, een paar honderd dollar per jaar, als het niet meer was, maar hij moest er ook nog zien te komen en zou waarschijnlijk een tweedehands auto willen om op en neer te rijden.

Alleen al bij de gedachte aan zo veel uitgaven raakte Stacia Vishniak volledig van de kook. Haar man maakte zo veel mogelijk overuren en Stacia knipte twee keer zoveel kortingsbonnen uit. 's Avonds zette ze de thermostaat zo laag dat Robert en Barry 's ochtends bij het opstaan zwoeren dat ze hun adem konden zien. Ze stond erop dat ze alles hergebruikten, van aluminiumfolie tot tandzijde. Voor zijn veertiende verjaardag kreeg Robert een verjaardagskaart, ondertekend door zijn ouders, samen met verscheidene paren sokken en wat ondergoed. Nadat Robert hem had gelezen, ging de kaart terug in de la, waar hij een jaar later weer uit tevoorschijn werd gehaald voor de volgende verjaardag, en het jaar daarna opnieuw.

Blij haar overvloedige zorgen te kunnen delen spoorde Stacia Robert, en later ook Barry, aan om zo veel mogelijk geld te verdienen. De baantjes die Robert in de buurt kreeg – boodschappen bezorgen, boeken op de plank zetten in de bibliotheek, sneeuwruimen in de winter en bladeren harken in de herfst – waren haar nooit goed genoeg. Elke zaterdagochtend boog ze zich over zijn slapende gestalte, schudde hem wakker en bezwoer hem telkens weer: *Je moet geld verdienen, je moet geld verdienen, het is hier geen liefdadigheidsinstelling. Je moet geld verdienen.*

Hoewel Stacia Vishniak haar huishouden runde met het gezag en de efficiëntie van een generaal in oorlogstijd, hield ze er ook een hobby op na. Net als de meeste vrouwen in Oxford Circle spaarde ze groene zegels. En omdat ze een ongewoon fanatieke spaarder was, spaarde ze niet alleen de zegels die ze zelf kreeg, voornamelijk bij de supermarkt, maar ook van iedereen die ze kende en een auto had, benzine tankte en kon worden overgehaald om de zegels aan haar af te staan. Eerst geleidelijk, en toen ineens heel snel, werd de stapel zegelboekjes op de buffetkast in de eetkamer steeds hoger. In het eerste jaar dat Robert op Central zat, waren de stapels zegelboekjes zo torenhoog geworden dat ze het licht tegenhielden dat door de enige ramen van de kamer binnenkwam. En net toen ze op de grond dreigden te vallen, verdwenen de zegeltjes, per post opgestuurd met een raadselachtige bestemming.

Het doel van haar nieuwe project, vertelde ze haar gezin op een avond toen ze aan tafel zaten, was het huis te verfraaien en het nodige cachet te verlenen. Robert vroeg zich af of de aankondiging van zijn moeder iets te maken had met feit dat hij tot Central was toegelaten. Hij leerde nu kinderen uit alle delen van de stad kennen – had al uitnodigingen gekregen van kinderen die in Chestnut Hill, Germantown en nog verder weg woonden. Hij was zelfs een keer platen gaan luisteren bij Andrew Malkin, een jongen die in een vrijstaand huis helemaal aan de rand van de stad woonde, een huis zo dicht bij de westelijke buitenwijken dat je vanuit de voortuin over City Line Avenue uitkeek op de buitenhuizen van de Main Line. Hoewel het huis tegenover een snelweg lag, had Andrews huis een ronde oprit en een gazon dat zo groot was dat je er een wedstrijdje *touch football* op gras kon spelen, in tegenstelling tot het beton of het asfalt waar Robert zich thuis tevreden mee moest stellen. Binnenshuis maakte Robert voor het eerst kennis met houten lambrisering en iets wat de tv-kamer werd genoemd. Maar na het eerste bezoek had hij een smoes bedacht om verdere uitnodigingen af te slaan. Zonder auto duurde het een eeuwigheid om thuis te komen, omdat hij met het openbaar vervoer drie keer moest overstappen, en met zijn huiswerk en wat hij verder allemaal nog moest doen, had hij er domweg de tijd niet voor. Hij had de ouders van de jongen kunnen vragen of ze hem wilden wegbrengen, maar dan had hij moeten toegeven dat zijn eigen familie geen auto had, en hoe graag hij zijn vleugels ook wilde uitslaan buiten Oxford Circle, niet ten koste van zijn waardigheid.

Zou zijn moeder zich, voor het eerst in haar leven, iets aantrekken van de mening van andere mensen? Was ze bang dat hij, nu hij in de betere kringen verkeerde, zou vinden dat hun eigen huis er niet mee door kon? Of erger nog, dat Robert op een middag Andrew Malkin zou uitnodigen in Disston Street? Piekerend over dit raadsel kwam hij al snel tot de conclusie dat zijn moeder zich geen seconde iets gelegen zou laten liggen aan een type als Andrew Malkin. Dit was gewoon een uitvloeisel van haar obsessieve netheid, waardoor ze van 's ochtends vroeg tot 's avonds laat de vloeren boende en de tapijten zoog. Nu ze eindelijk een huis had gekocht, ging zijn moeder net zo op in haar investering als alle andere vrouwen in de buurt. Dit was haar kans om het huis te verfraaien – gratis – en elk project dat haar aandacht afleidde van de financiën kon alleen maar goed zijn.

Na veel soesa arriveerde per post het eerste schilderij, verpakt in bruin papier, en het werd met veel ceremonieel onthuld. In de badkamer hing nu een Afrikaanse vrouw met ontbloot bovenlichaam, geschilderd op fluweel, haar haar samengebonden met een hoofddoek, haar borsten rond en hoog, met opvallende, donkerpaarse tepels. Het schilderij werd de vloek van Roberts bestaan. Als hij de keus had gehad, zou hij de badkamer niet meer uit zijn gekomen en in gedachten telkens weer die borsten hebben gestreeld, maar er was maar één badkamer – waar nog drie anderen gebruik van moesten maken – en hij had na school een baantje bij de supermarkt, en heel veel huiswerk. Dan waren er nog de maaltijden die hij van zijn moeder niet mocht overslaan, huishoudelijke karweitjes, vrienden die soms aan de deur kwamen en zijn aandacht vroegen – met andere woorden, een leven dat hij nu dromerig inpaste tussen de keren dat zijn begeerte hem naar de badkamer dreef. En daar zou het bij gebleven zijn, maar weken later arriveerde er per post een nieuw schilderij. Het was groot en rechthoekig en zat in een brede, vergulde lijst, een schildering in acryl, uitgevoerd met stevige penseelstreken die Robert aan opgeklopt eiwit deden denken. Barry en hij vergaapten zich eraan, gebiologeerd door de man en vrouw die hun onderlichaam tegen elkaar aandrukten, beiden geknield voor een palmboom. Om hen heen waren vreemde wervelende kleuren, die volgens zijn moeder beweging suggereerden.

'Waarom bewegen ze dan?' vroeg Barry. Maar Stacia zei dat hij zijn mond moest houden en vroeg Vishniak om het schilderij in hun kamer op te hangen, boven het bed. Van hun familie, die er al snel de lol van inzag, kregen ze nu allerlei cadeaus – niet in de laatste plaats omdat Stacia en Vishniak dat jaar twintig jaar getrouwd waren. Na verloop van tijd hing er een hele reeks inheemse vrouwen met ontbloot bovenlichaam, gekleed in een rieten rokje, in het trapportaal naar de bovenverdieping, vrouwen die, zoals Vishniak het monter noemde, de Hoochie Coochie dansten. Vervolgens werd er boven de bank een grote rozerode bloem opgehangen. Die vertoonde zowel qua kleur als qua vorm een opmerkelijke gelijkenis met de vrouwelijke genitaliën.

Robert begon zich af te vragen of zijn moeder eropuit was hem te kwellen in plaats van het huis te verfraaien; er was nauwelijks nog een hoekje over dat hem niet tot een heftige, niet te negeren reactie prikkelde. Maar ze verzekerde hem dat naaktheid als kunst werd beschouwd in Tahiti, in de Provence en elke andere plek die ze nooit had kunnen bezoeken, maar dat naaktheid in Bustleton Avenue gewoon schunnig was. Hij putte weinig troost uit haar filosofie; Roberts leven thuis werd ondraaglijk, een aaneenschakeling van momenten van fysieke gêne, en het leven op school was al niet veel beter, want hij was behept met een levendige verbeelding. Al snel kwam hij tot de conclusie dat wat hij nodig had een meisje van vlees en bloed was.

Vrijwel elk aantrekkelijk meisje van vlees en bloed zou volstaan. Ze hadden vroeger interesse voor hem getoond, toen hij nog in een gemengde klas zat, dus hij moest er nu toch vast wel een kunnen strikken. Hij liet de keus vallen op Margie Cohen, hetzelfde meisje dat hij had afgelebberd in de middagpauze van de zesde klas van de lagere school. Hij had al een voorgeschiedenis met haar en het mooiste van alles was dat ze 's ochtends meestal net als hij op de bus stond te wachten. De meisjes Cohen stonden er in de buurt om bekend dat ze intelligent waren, net als de beide Vishniaks. Margie zat op de meisjesschool, net als haar zus een paar jaar eerder. Ze was een lang, spraakzaam meisje, met lichtbruin haar, ver uiteenstaande bruine ogen en lange benen. En ze woonde in Knorr Street, slechts enkele straten verderop, wat haar tot een handige keuze maakte.

Robert stelde een plan op. Na school werkte hij drie dagen per week bij Shop N' Bag, waar zijn werk vooral draaide om het tweede deel van de winkelnaam, het inpakken, zoals hij vaak tegen Barry zei. Maar de andere twee dagen was hij meestal om kwart over drie thuis en Stacia pas tegen vier uur. Hij zou proberen om Margie op een van zijn vrije middagen mee naar huis te nemen en te zien wat hij gedaan kon krijgen.

De ochtend dat hij het haar ging vragen, stond hij voor de enige spiegel in huis, die van het medicijnkastje boven de wastafel. Doordat er zo dichtbij, aan de muur rechts van het toilet, een topless vrouw hing, had hij nauwelijks notitie genomen van iets anders in het vertrek, en ook nu kostte het hem moeite om zijn blik van haar af te houden. Ze staarde hem aan met een klein lachje, alsof ze hem goed kende. Maar heel even slaagde hij erin om zijn blik van haar los te maken en naar zichzelf te kijken in de spiegel. Hij borstelde zijn haar met een brede houten borstel van stug varkenshaar en zag ineens de donkere haartjes op zijn bovenlip en rond zijn kaken. Binnenkort moest hij zich gaan scheren, misschien moest hij zich nú al scheren. Zijn lichaam was steviger geworden, minder spichtig, en zijn schouders werden breder; zijn moeder had onlangs gemopperd dat hij te snel uit zijn overhemden groeide. Zijn neus was vrij lang en kromde zich iets naar links – het was alsof hij de ene dag een kleine, kinderlijke dopneus had gehad en de volgende dag, nu, de neus van een man (hoewel zijn neus in feite opvallend veel op die van zijn moeder leek). Hij vond het niet erg. Integendeel, de neus gaf hem het gevoel dat hij volwassen en wereldwijs was, als een beroepsbokser, en de neus voorkwam dat zijn gezicht op een bepaalde manier mooi was – de volle lippen hielpen niet, net zomin als het kuiltje in zijn kin en wang – want als mooie jongen kon je het wel schudden bij hem in de buurt. Hij hield zijn hoofd iets achterover en keek in zijn neusgaten om te zien of beide luchtwegen schoon waren, of er niets uit hing, daarna poetste hij zijn tanden en ging naar school.

Het was dinsdagochtend, en de bus kwam zoals altijd om kwart over zeven. Hij was al afgeladen met mannen die een thermosfles of een papieren zak met hun twaalfuurtje bij zich hadden en met vrouwen van uiteenlopende leeftijden – schoonmaaksters en kantoorpersoneel, winkelmeisjes en een enkele onderwijzeres – die om de paar minuten wegdoezelden op hun zitplaats of die zich staande vastklampten aan de lus boven hun hoofd alsof hun leven ervan afhing. Handig manoeuvrerend kwam hij dicht tegen Margie aan gedrukt te staan en dwong zich ertoe om niet te denken aan het schilderij in de badkamer of aan elk willekeurig ander schilderij bij zijn moeder thuis. Hij fluisterde haar geen complimenten in het oor – Steve McQueen gaf ook geen complimenten, maar kreeg toch vrouwen. In plaats daarvan zei hij, met krachtige en dramatische stem, dat hij het niet zonder haar kon stellen na schooltijd, zo simpel lag het gewoon, hij kon niet leven zonder haar te zien.

Margie keek aandachtig naar hem op, alsof ze zijn gezicht en zijn intenties onderzocht onder een microscoop. Zijn zwart-bruine ogen, die naar haar terug staarden, waren zo donker dat iris en pupil bijna één leken, de uitdrukking erin broeierig en onleesbaar, bijna boos, maar toen verzachtten zijn ogen zich ineens en vulden zich met verlangen. Door variaties van die blik, en de smekende kwetsbaarheid die erin lag – de kwetsbaarheid van een jongen wiens eigen moeder hem zo dikwijls had genegeerd dat hij elders om liefde moest bedelen – hadden vrouwen zich tot hem aangetrokken gevoeld, en dat was al begonnen in het huis van Cece, waar tantes en nichten hem op schoot hadden genomen, hem hadden gezoend en geknuffeld wanneer hij zich in de kussenachtige zachtheid van royale dijen en grote borsten nestelde. Hij voelde nu die sensaties weer opleven, zij het in een gevaarlijker vorm; zonder er zelfs maar moeite voor te doen kon hij nog steeds die jongen zijn. De schilderijen in het huis van zijn moeder hadden slechts iets in hem gewekt wat hij altijd al had geweten, zelfs als kind, en hij besefte nu met de kracht van een openbaring dat hij van vrouwen hield. Hij hield van hun geur, van hun ritmische manier van lopen en van hoe hun stem heel hoog kon uitschieten wanneer ze verrast lachten of iets nadrukkelijk duidelijk wilden maken om vervolgens moeiteloos over te gaan tot een opwindend laag gefluister. Hij hield van al hun mysterieuze geheimen die nog ontdekt moesten worden, en sinds hij de schilderijen bij Stacia aan de muur had gezien, hield hij van de rondingen van hun naakte lichaam, ook al had hij nog nooit een vrouw aangeraakt. En als tegenprestatie zouden zij ook van hem houden, zoals ze altijd hadden gedaan, omdat hij ze zo ontzettend nodig had.

Margie stemde eindelijk toe, goed, ze zou na school naar zijn huis komen, maar toen draaide ze zich om, of om uit het raam te kijken of om na te denken over andere opties, en toen ze zich weer naar hem toekeerde, was haar gezicht een en al zakelijkheid. Zij had vragen: Mocht ze zijn telefoon gebruiken? Zou hij haar helpen bij het essay dat ze moest schrijven over *Great Expectations*? Was er taart?

De busrit bood nauwelijks voldoende tijd om alle vragen te beantwoorden, maar hij was volhardend, praatte snel, liet zijn hand om haar taille glijden, likte met zijn tong aan haar oorlelletje. 'Laat dat,' zei ze giechelend. 'Je lijkt Ruff, onze hond, wel.' Ze zweeg. 'Hij is vorig jaar doodgegaan. Ik deed de deur open voor oma en toen schoot hij de straat op en werd aangereden door een auto. Vreselijk, toch?'

Hij knikte.

Toen hij om acht uur in de klas zat, vroeg hij zich af hoe hij in godsnaam de volgende zeven uur moest doorkomen. De hele dag – tijdens zijn proefwerk voorbereidende algebra, daarna bij een broodje salami waar hij geen trek in had tijdens de middagpauze en tijdens een partijtje volleybal in de gymzaal, waar hij, afgeleid, een bal tegen zijn hoofd had gekregen die recht op hem afkwam – kon hij aan niets anders denken dan aan de bel die zou aangeven dat het laatste lesuur afgelopen was. Hij had een geheim, en ook dat werkte als een afrodisiacum – wat niet?

Op weg van de bushalte naar zijn huis moest Margie stevig aanpoten om hem bij te houden. 'Kun je niet wat langzamer lopen? Van mijn moeder mag ik niet met een jongen mee naar huis gaan als er niemand thuis is, maar omdat ik jou al mijn hele leven ken, ik bedoel...' Ze zweeg even om op adem te komen. Ze waren bijna bij de deur. 'Hoe dan ook, zo ben jij niet, ik bedoel, is er iets te eten?'

Hij nam haar mee naar de keuken van zijn moeder en haalde allerlei ingrediënten tevoorschijn voor een boterham. 'Waarom maak jij er niet een voor ons klaar?' vroeg hij.

Dat deed ze en ze vond er niets raars aan dat haar, als gast in zijn huis, werd gevraagd haar eigen eten klaar te maken. Bij geen enkel vriendinnetje waar ze wel eens over de vloer kwam, maakten vaders of broers hun eigen boterhammen klaar en ze konden zelfs niet met de broodrooster overweg. Ze stond bij het aanrecht en besmeerde roggebrood met mosterd. Hij stond achter haar, eerst bedeesd, maar toen schoof hij haar dikke bos bruin haar opzij en drukte zijn lippen tegen haar hals. Ze giechelde, alsof het kietelde, en toen legde hij zijn handen langzaam rond haar middel en hield haar van achteren vast. Zijn handen schoven onder haar blouse en raakten haar buik aan terwijl zijn erectie tegen haar onderrug drukte. Ze draaide zich onthutst om en hij kuste haar. Het was een onhandige kus, nogal nat, weinig anders dan een liefkozing die ze misschien van Ruff had gekregen voor zijn ontijdige dood. Robert dacht niet aan romantiek of aan een lange, ontspannen opbouw; hij wilde haar gewoon mee naar boven zien te krijgen en zo snel mogelijk uitkleden. Het was al halfvier. Maar toen hij haar bh probeerde los te maken, zei ze dat hij dat moest laten.

'We kunnen dit alleen doen als je belooft mijn vriendje te worden,' zei ze. 'En dan mag je alleen oog voor mij hebben en niet voor andere meisjes. En we gaan het niet doen.'

Die beloften waren snel gedaan en hij zei dat ze haar boterham maar mee moest nemen – nee, antwoordde hij, hij had geen honger – terwijl hij haar meetrok naar boven. Ze was nog aan het kauwen toen hij het bord uit haar hand pakte, op zijn bureau zette en de deur dichtdeed. Hij trok hem hard aan, zoals de noodzaak vereiste. Als de deur stevig genoeg werd dichtgetrokken, klemde hij, zodat Robert een waarschuwingstijd van een paar seconden zou hebben. Hij liep haastig naar haar toe. Hij gebruikte allebei zijn trillende handen om haar blouse los te knopen en betastte toen het dikke katoen van haar meisjes-bh. Hij kon het ding niet los krijgen en moest vragen of ze zelf haar ondergoed wilde uittrekken. Het was een martelend conflict, zijn verlangen om een stapje achteruit te doen en toe te kijken – in zich op te nemen wat zijn eerste, rasechte, topless meisje was, het echte werk, met een niervormige moedervlek bij haar sleutelbeen en kleine borstjes met roze, ontluikende tepels – en zijn behoefte om het proces te versnellen. Ze hadden nog tien minuten over. Ze weigerde haar rok uit te trekken en toen hij het probeerde, schudde ze haar hoofd.

'Toe nou,' zei hij met zijn blik op de klok, 'alleen tot op je broekje dan', en zonder af te wachten of ze zou meewerken, schoof hij haar rok omhoog en begon aan haar kousen te sjorren. Hij deed kennelijk niet iets wat heel fout was, hield hij zichzelf voor, want ze onderbrak hem steeds om een kus te eisen. Maar toen hij haar slipje omlaag trok, herinnerde ze hem aan zijn belofte.

'Heel even maar,' hijgde hij in haar oor. 'Ik zal voorzichtig zijn. Dat beloof ik.' Maar ze was een vrouw van haar woord en duwde zijn hand weg, stond op en begon haar kleren weer aan te trekken. 'Denk aan je belofte,' zei ze terwijl ze haar panty optrok – die ze pas sinds kort naar school aan mocht van haar moeder, liet ze hem weten – en maakte toen snel haar bh vast. 'Ik heb een heleboel vriendinnen die ik het nu ga vertellen.'

'Wat precies?' vroeg hij.

‘Dat we verkering hebben,’ zei ze terwijl ze haar trui over haar hoofd trok, waarna haar gezicht weer tevoorschijn kwam. ‘We zijn nu een stel.’

‘O ja?’

‘Ja,’ zei ze triomfantelijk en ze wrong zich langs hem heen. Ze was opvallend sterk en slaagde erin de deur met beide handen na slechts twee pogingen open te wrikken, toen was ze verdwenen.

Het duurde nog twee dinsdagen voordat hij eindelijk zijn maagdelijkheid verloor, om dertien minuten over halfvier. Zij was, gek genoeg, degene die hem na eindeloze ochtenden soebatten bij de bushalte mee naar boven nam, met neergeslagen ogen haar kleren uittrok en op haar onderlip bijtend naakt voor hem kwam staan.

‘Als ik je geef wat je wilt,’ zei ze, ‘moet je beloven dat je van me houdt.’

Ze volgde een merkwaardige handleiding. Ze zegde hem plechtige eden voor die hij werktuiglijk namompelde, zich nauwelijks meer bewust van de woorden dan als herhalende geluiden. Waar haalde ze die kennis vandaan? Beslist niet uit ervaring. Ze was ook opvallend praktisch over het hele gedoe; zo vroeg ze bijvoorbeeld om een handdoek en vertelde hem dat er bloed aan te pas zou komen.

‘Bloed?’

‘Van mij,’ zei ze terwijl er angst in haar stem sloop. Hij ging naar de linnenkast om een handdoek te pakken. Hij kwam vliegensvlug terug en was binnen enkele seconden uit de kleren. Hij zoende haar en zijn hand dwaalde over haar zachte huid, zijn vingers streelden onhandig haar dijen tot ze begon te lachen en zei dat ze niet tegen kietelen kon. ‘Daar moet je me niet aanraken,’ zei ze. ‘Doe het nou maar gewoon als je er zin in hebt.’

‘Echt waar?’ vroeg hij. Hij had een vage notie van het begrip voorspel, maar begrijpelijkerwijs niet hoe een man dat daadwerkelijk in praktijk bracht, met name niet een man wiens moeder over zeventien minuten thuis zou komen. Niet dat hij er meer dan twee nodig had. Toen was het voorbij. Hij loosde de last van zijn maagdelijkheid over heel haar bleke, witte buik en lag toen ademloos en in vervoering naast haar.

‘Kus me,’ zei ze, ‘op mijn mond.’ Dat deed hij met alle plezier, want hij voelde een combinatie van dankbaarheid en warmte voor haar die je toch heus wel liefde zou kunnen noemen. Maar de liefde was, zoals Margie hem al had gewaarschuwd, een natte en bloederige bedoening. Ze smokkelden de handdoek het huis uit in haar schooltas en stopten hem diep weg in de vuilnisemmer van een buurman, in de hoop dat zijn moeder hem daar niet zou gaan zoeken.

De volgende keer dat ze het deden, had ze op de een of andere manier een condoom weten te bemachtigen. 'Die heeft mijn zus me gestuurd,' liet ze hem weten.

Robert hoorde haar als van heel ver weg. Hij haastte zich om zijn eigen kleren uit te trekken terwijl zij onder de dekens van zijn eenpersoonsbed gleed. 'Doe de gordijnen dicht. Het is veel te licht,' zei ze.

Hij deed wat ze vroeg, sprong snel in zijn jongensbed en trok Margies lichaam dicht tegen zich aan. Maar toen hij haar borstjes aanraakte, een van haar kleine tepels zachtjes in zijn mond nam, begon ze vragen te stellen over de poster van de Brooklyn Bridge die boven het bed hing. Met zijn vingertoppen streelde hij de binnenkant van haar dijen terwijl zij praatte over een reis die ze een keer met haar moeder had gemaakt, toen ze op bezoek gingen bij een tante in New York. Hij stak een vinger tussen haar benen om het gebied te verkennen terwijl zij het had over Barnard College en over een kennisje van haar zus dat daar naartoe ging en van haar ouders in een flat mocht wonen. Hij wist nergens haar aandacht mee te trekken, totdat hem geen andere keuze restte dan te doen waar ze op aandrong en zich snel van zijn taak te kwijten. Tijdens de daad zelf was ze stil. Alles wat ze van hem vroeg, was de kus na afloop, op de mond, en dat was het enige deel waar ze een beetje enthousiasme voor opbracht. Toen kleedde ze zich aan.

Precies zoals ze die eerste middag al had aangekondigd, verspreidde het nieuws dat Robert en Margie officieel 'verkering hadden' zich onder alle jongens, meisjes en volwassenen in de buurt. Zelfs meisjes die hij nooit eerder had gezien, Margies vriendinnen van de meisjesschool of van haar balletles, meisjes die helemaal in Welsh Road woonden, zo veel meisjes dat hij het niet eens bij kon houden, hielden hem op straat aan om een praatje met hem te maken en wisten hoe hij heette. Waren die hier allemaal komen wonen terwijl hij met uitsluitend jongens op school zat, zijn huiswerk maakte en bij de Shop N' Bag werkte? Had hij gewoon niet goed genoeg opgelet? Al pratend streken ze met hun vingers door hun haar, raakten hun hals aan en trokken verleidelijk aan hun kleding, tot hij het nauwelijks meer hield. Menig meisje gaf hem haar telefoonnummer, maar nu hij was gestrikt, behoorde hij iemand toe en kon hij alleen maar in zijn verbeelding over die andere meisjes mijmeren. Het was zijn eigen schuld; hij had een belofte gedaan.

Op zaterdagavond, voordat het te koud werd, werd hij geacht Margie op te halen, haar vader een hand te geven en per bus met haar naar Adams

Lanes te gaan voor bowling en snoep; ze hield van chocoladeflikken. Of ze gingen naar Lenny's Hot Dogs om sinas te drinken. Toen het winter was geworden, zaten ze soms bij haar ouders thuis op de bank en keken naar *Perry Mason*, maar doorgaans reed haar vader hen naar een eethuisje aan de Boulevard, waar ze een grote groep vriendinnen van haar troffen, en later kwam een van hun ouders om hen allemaal weer naar huis te brengen. Toen hij Margie uitkoos, had hij zich niet gerealiseerd hoeveel waarde ze hechtte aan haar maatschappelijke status. Zij en haar vriendinnen deden alles als groep. Zelfs als ze huiswerk maakten, hingen ze met elkaar aan de telefoon, en Margie vertelde een keer dat ze in slaap was gevallen met de hoorn aan haar oor. Hoeveel kon één meisje te vertellen hebben? vroeg hij zich af.

Margie was de eerste van haar groep die een vast vriendje had en als ze dit feit hardop uitsprak, maar vooral wanneer een van haar vriendinnen dat deed, begonnen haar ogen te glanzen en verscheen er een blos op haar wangen. Hij vroeg zich af of er een manier bestond om dat voor haar te bewerkstelligen wanneer ze met z'n tweetjes waren, maar hij begon het te betwijfelen. Net zoals zij tegemoetkwam aan zijn verlangens in de slaapkamer, zonder te klagen, maar met weinig enthousiasme, vertoonde hij zich in het weekend met haar wanneer ze hem dat vroeg, en dat was altijd in drukke gelegenheden waar Robert en Margie de halve avond doorbrachten met groepjes vriendinnen van haar en nauwelijks een woord met elkaar wisselden. Wanneer bij hen aan tafel in het eethuisje een van haar vriendinnen dicht tegen hem aan kwam zitten of haar hand op zijn arm legde als ze iets te berde bracht, dan en uitsluitend dan kwam Margie heel dicht bij hem zitten of legde ze onder tafel een paar plagerige seconden haar hand op zijn dij.

Haar ouders leken er blij mee te zijn dat Margie een vriendje had, zonder enig idee te hebben wat er werkelijk speelde. Ze zagen hem als een betrouwbare jongen, intelligent, voorbestemd om te gaan studeren, afkomstig uit een fatsoenlijke, zij het wat eigenaardige familie. En zij hadden elkaar ook op de middelbare school leren kennen, net als zo veel mensen bij hen in de straat. Zijn eigen ouders waren minder enthousiast. Stacia zwoer dat ze hem nooit een cent zou geven om een meisje mee uit te nemen – was dit de manier waarop hij zijn loon erdoorheen ging jagen? Hij wees haar erop dat vrijwel al zijn loon naar haar ging, voor het studiefonds, maar dat maakte geen indruk. Een meisje, vervolgde ze, zou hem alleen maar van zijn huiswerk houden. Als hij op zaterdagavond laat thuiskwam, keek ze naar hem alsof ze zijn gedachten kon lezen en tot in zijn ziel kon kijken, en ze hield hem meer dan eens voor dat hij dit meisje, of welk meisje dan ook, niet mee naar boven mocht nemen. Maar toen Vishniak Robert op een ochtend tegenkwam in de woonkamer – de uitgeputte vader op weg naar bed, de slaperige zoon op weg naar school – legde hij zijn hand op Roberts schouder, stopte hem een paar dollar toe en zei zonder verdere uitleg dat Robert het rustig aan moest doen.

Seks met Margie nam Roberts verlangen naar andere meisjes niet weg, maar het maakte hem wel rustiger, zodat hij thuis kon functioneren. Binnen een paar maanden raakte hij gewend aan de activiteit op zijn moeders muren. Hij was nu in de ban van echte meisjes. Na een paar weken van koortsachtig studeren had hij zijn eerste proefwerken van die winter achter de rug. Gedurende die tijd lieten de andere gezinsleden hem met rust, en als hij aan het leren was, kon hij eisen stellen, zelfs aan zijn moeder: in zijn eentje boven eten, niet het vuilnis buiten hoeven te zetten, een beetje rust in huis. Hij bracht uren in zijn kamer door met het lezen van Britse romans en dikke geschiedenisboeken, maakte aantekeningen, loste algebravraagstukken op, en om de paar uur trok hij zich af om de spanning te ontladen die hij voelde bij de gedachte aan zo veel proefwerken.

Die winter leverden zijn goede cijfers en de twintig cent loonsverhoging die hij kreeg van zijn baas bij Shop N' Bag hem de eerste waardering op die hij ooit van Stacia had gekregen. Dat leidde hij grotendeels af uit toevallig opgevangen telefoongesprekken die ze wel eens voerde met andere familieleden. Het was Cece die op bezoek kwam en hem zoende, complimenten gaf en een dollar toestopte.

Op een middag kort voor de kerstvakantie vertelde Margie hem dat haar familie de week zou doorbrengen aan de kust van Jersey, waar ze op bezoek gingen bij haar grootmoeder. Ze was zich op dat moment aan het aankleden en hij keek toe terwijl ze de dikkere winterpanty langzaam optrok over haar lange, welgevormde benen.

'Dat is niet eerlijk,' zei hij. 'Bijna een week. Wat moet ik nou zonder jou?' Hij was zich er inmiddels van bewust dat hij dingen zei die hij niet helemaal meende wanneer hij tegen haar sprak. Daar voelde hij zich schuldig over, want hij was gesteld geraakt op Margie en er waren momenten waarop hij zich afvroeg of hij van haar hield. Hij had in elk geval respect voor haar meningen over dingen; ze was ervan overtuigd dat ruimtereizen onvermijdelijk waren en dat de mensen in de toekomst zouden inzien dat Truman een veel betere president was dan Eisenhower. Ze liet hem kennismaken met haar lievelingsboeken, *Franny and Zooey* van J.D. Salinger, en *On the Road* van Jack Kerouac. Maar ondanks haar fascinatie voor excentriciteit in de literatuur was ze geen avontuurlijk meisje – verbazingwekkend dat ze voor het huwelijk haar maagdelijkheid had opgegeven – en ze leek aan één stuk door te praten, behalve als hij wilde dat ze praatte; wanneer ze met elkaar naar bed gingen, zweeg ze als het graf.

Na vandaag zouden ze elkaar ruim een week niet zien en terwijl ze haar rok aantrok en over haar schouder op de klok keek, legde hij zijn hand op haar rug en vroeg: 'Doe ik iets verkeerd?' Hij had nog steeds geen idee.

'Is het niet genoeg dat ik je je gang laat gaan?' vroeg ze. 'Moet er ook nog over gepraat worden?' Ze trok haar trui aan, deed voor de spiegel haar haar goed en liep naar de deur.

'Het spijt me,' zei hij toen hij zag dat ze op de rand van tranen verkeerde. 'We moesten maar naar beneden gaan. Ik voel me gewoon rot omdat we zes dagen mislopen.'

'Wat loop je dan mis?' vroeg ze. 'Mij of dat we het doen? Zul je mij missen?'

Hij zei wat ze graag wilde horen, zich ervan bewust dat hij een programma moest volgen, zich ervan bewust dat de waarheid en de leugen in zijn hoofd nu al zo met elkaar verweven waren dat hij ze niet meer van elkaar kon scheiden. Nadat hij snel met haar naar beneden was gelopen, pakte hij zijn jas, trok de voordeur achter hen dicht en legde de sleutel, zoals altijd, onder de mat. Ze liepen zwijgend het korte stuk naar haar huis en toen ze voor de deur stonden, kuste hij haar ten afscheid. Pas op de terugweg drong het tot hem door dat zijn moeder ook thuis zou zijn met Kerstmis, net als zijn broer. Wat raar dat hij daar helemaal niet bij had stilgestaan. Alles werd tegenwoordig volkomen overschaduwd door zijn begeerte, zelfs zijn denkvermogen en zijn gezonde verstand. Zijn begeerte was als een reusachtige tank, die onbemand en nietsontziend voortrolde naar zijn bestemming. Zou hij zichzelf ooit weer in de hand krijgen? vroeg hij zich af.

Tijdens de kerstvakantie probeerde hij alle gedachten aan seks uit zijn hoofd te bannen. Hij kreeg extra uren in de supermarkt en hielp de hele dag oude dames om volle tassen in hun boodschappenkarretje te zetten en droeg dozen frisdrank naar auto's. Het was ijskoud weer en omdat de deuren van de supermarkt telkens weer opengingen, moest hij de hele dag zijn jas en zijn handschoenen aanhouden. Voor zijn harde werk werd hij beloond met kerstfooien, en op zijn enige vrije dag ging hij bij wijze van uitje met zijn broer en Stacia naar dezelfde supermarkt om de boodschappen voor haar naar huis te kunnen dragen. Het was in elk geval een dag waarop je extra korting kreeg als je een kortingsbon inleverde, wat bij haar een goed humeur garandeerde.

Ten slotte resteerden er nog maar twee dagen voordat Margie zou terugkomen. Hij had een ansichtkaart gekregen met Mr. Peanut erop – de reusachtige plastic pinda met pootjes en een hoge hoed die, weer of geen weer, op de Promenade stond. Ze beklaagde zich erover dat het te koud was om naar het pretpark Steel Pier of naar het strand te gaan. Ze zou toffees meebrengen, schreef ze en ze besloot met 'liefs'.

Op nieuwjaarsdag had Roberts vader vrij en alle anderen ook; de hele familie zou komen eten en samen naar het football gaan kijken. Zijn moeder had extra klapstoelen nodig en ze stuurde hem naar een neef die twee straten verderop woonde om er een paar te gaan halen.

Daar zou hij nooit aankomen.

Hij liep over Bustleton Avenue toen hij een vertrouwde gestalte zag die hem tegemoetkwam; het was Margie, gekleed in haar lichtblauwe jas en de witte wollen muts die ze de afgelopen twee maanden elke winterdag had gedragen. Gekker nog, ze liep op haar dooie gemak alsof er niets aan de hand was.

'Wat is er in godsnaam gebeurd?' riep hij. 'Ben je eerder teruggekomen? Waarom heb je me niet gebeld?' Had ze gelogen? Waarom had ze gezegd dat ze tot na nieuwsjaarsdag weg zou zijn? Kon de ansicht door iemand anders zijn verstuurd? Het ene scenario vol verraad na het andere vloog door zijn hoofd, als vlammende steken.

Margie zei niets, geheel tegen haar aard in, en ze kwam zelfs niet met dramatisch uitgestrekte armen naar hem toe hollen, zoals ze dikwijls deed, in nabootsing van een parfumadvertentie die ze prachtig had gevonden in een tijdschrift. Ze liep gewoon langzaam door, in een ritme dat hij niet herkende. En toen ze nog maar een meter of vijf bij hem vandaan was, besefte hij dat er iets totaal niet klopte. Het was Margie helemaal niet.

'Robert Vishniak, zeker?' vroeg het meisje terwijl ze haar muts afzette. Ze had lichtroze lippenstift op en er zaten wat blonde plukken in haar achterover gekamde haar. Margie was met haar een meter zevenenzestig een van de langste meisjes uit haar klas, maar dit meisje was minstens een meter vijfenzeventig, ongeveer van Roberts lengte, zodat ze oog in oog met elkaar stonden. Haar gezicht was breder en haar hele figuur was voller, alsof Margie maar een potloodschets van een vrouwelijk figuur was. 'Ik ben Donna. Haar zus. Ik heb al veel over je gehoord.' Ze haalde een sigaret tevoorschijn en stak hem aan. 'Het kwam vast door die jas. Ik mocht hem lenen voor de tijd dat ik thuis ben.'

Hij zag dat de jas haar heel anders zat en dat de knopen aan de voorkant spanden.

'Ben jij ook veertien?' vroeg ze.

Hij knikte.

'Je ziet er ouder uit. Je zou makkelijk voor achttien kunnen doorgaan.'

'Dat komt denk ik doordat ik zo lang ben,' zei hij, blij met het compliment. 'Heb je vrij van school?'

'Ik studeer aan Penn State. Ik heb net mijn eerste semester erop zitten.'

Robert had nog nooit iemand ontmoet die het huis uit was gegaan om te studeren. De weinige studenten die hij in de buurt kende, gingen naar een plaatselijke universiteit, zoals Temple of Drexel, en een doodenkele keer naar de University of Pennsylvania, en reisden op en neer. Penn State had een nabijgelegen campus, maar Donna was naar de hoofdcampus gegaan, op uren afstand. Hij wilde haar van alles vragen, maar voordat hij daaraan toe kwam, kondigde ze aan dat ze op weg was naar het restaurant op de hoek voor een biertje – had hij zin om mee te gaan?

'Ik ben minderjarig.'

'Je komt wel binnen,' zei Donna en ze gaf hem een arm. Hij was zich bewust van de doordringende geur van haarlak, het knerpende geluid van sneeuw onder hun laarzen en van een heerlijke spanning die omhoogkroop langs zijn ruggengraat toen ze haar hand in zijn jaszak stak – ze had geen handschoenen bij zich.

Bij het restaurant gekomen hield hij de deur voor haar open en liep toen achter haar aan naar de kleine bar. Ze gingen zitten en Donna wenkte de barkeeper. Het was een woensdagavond, niet erg druk. Ze bestelde een biertje voor hen beiden en vroeg om een portie pinda's.

'Mag hij al drinken?' vroeg de man. Ze gaf hem haar identiteitsbewijs. 'Ik betaal ze allebei,' voegde ze eraan toe en lachend boog ze zich over de bar en wapperde met een bankbiljet. Er werden twee flesjes lauw bier en twee glazen voor hen neergezet. Ze schonk de helft van het flesje in het glas, dat ze vakkundig schuinhield om niet te veel schuim te krijgen. Ze had op school leren drinken, zei ze, en op de universiteit dronken ze bier alsof dat even noodzakelijk was als de lucht die ze inademden. Voordat hij een slok nam, vroeg hij of ze hem meer wilde vertellen over Penn State en hij bestookte haar met vragen over hoe moeilijk het was en hoe ze haar ouders zover had gekregen dat ze het huis uit mocht.

'Studeren,' zei ze met een zucht, toen draaide ze zijn barkruk om zodat hij tegenover haar kwam te zitten en hun knieën elkaar raakten. Ze vertelde over footballwedstrijden en feesten in studentenhuizen, die ze als oerstom betitelde, en over mensen die dachten dat ze meer wisten dan ze feitelijk deden. Toen pakte ze een sigaret; de barkeeper kwam haar een vuurtje geven en zette met een klap een asbak neer. Robert maakte er mentaal een aantekening van: een aansteker op zak hebben, zodat je ze een vuurtje kunt geven.

'Misschien kun je wel een beurs krijgen,' liet ze erop volgen en ze nam een trekje van haar sigaret, 'als je goede cijfers haalt en hoog genoeg scoort op het centrale toelatingsexamen. En dan nog is het een berg papierwerk, massa's formulieren.'

'Ik heb er alles voor over om hier weg te komen,' zei hij.

'Dat kan ik me voorstellen.' Ze leunde achterover en richtte haar gezicht naar het plafond, zodat haar gladde keel zichtbaar werd toen ze een reeks ingewikkelde rookkringels blies. Maar ineens ging de deur open en werden haar kringels weggeblazen door de koude lucht.

'Waarom ben je niet meegegaan met de rest van je familie?' vroeg hij.

'Nu ik op de universiteit zit, doe ik wat ik wil. In hun ogen ben ik een soort god.' Ze nam nog een slok van haar bier en voegde eraan toe: 'Ik geloof niet dat ze er veel aan vindt.'

'Wie?'

'Margie,' zei ze. 'Mijn zus. Met hoeveel andere meisjes doe je het?'

'Alleen met haar,' fluisterde hij geschokt. Hoeveel wist Donna over zijn tekortkomingen?

'Ze had het nooit goedgevonden als ik me er niet mee had bemoeid.'

Hij staarde haar aan. 'Heb jij haar verteld wat ze moest doen?'

'Ze wilde dolgraag een vriendje – dat heeft iets te maken met die trutjes waarmee ze omgaat. Ik heb gezegd dat je haar ongetwijfeld zou dumpen als ze het niet met je zou doen.'

Hij had nog nooit een meisje zoals zij ontmoet. Ze zei de waarheid, moeiteloos, alsof het niets voorstelde.

Donna had gelijk; als Margie nee had gezegd, zou hij iemand anders hebben gezocht. Hij was een vreselijk mens. Een vreselijk mens, die het niet kon laten om naar de borsten van de zus van zijn vriendin te staren, die nu tegen de knopen van haar roze blouse spanden. De knopen stond scheef omhoog, alsof ze er elk moment af konden springen en ontbloten wat hij zich alleen maar kon voorstellen. Hij voelde zich duizelig.

'Maar ik kon er natuurlijk niet bij zijn om haar instructies te geven,' zei ze terwijl ze haar sigaret uitmaakte in de glazen asbak. 'Eerlijk gezegd kan ik haar niet uitstaan. Ze weet mijn ouders altijd helemaal hoteldebotel te krijgen. Ze maakt zich druk over alles. Altijd aan het concurreren.' Ze boog zich dichter naar hem toe. 'Ik dacht dat het haar misschien zou helpen om een beetje los te komen, weet je, door de regels eens een keer aan haar laars te lappen. En nu begrijp ik waarom ze jou koos; je hebt fysieke aantrekkingskracht.'

Vanuit de diepten van een dikke wolk van wellustige gedachten hoorde hij haar woorden, en zijn trots werd gekrenkt. 'Ik heb háár gekozen,' zei hij.

'Jullie kiezen óns niet,' zei ze. 'Wij kiezen jullie altijd. Wist je dat nog niet?' Ze lachte, en haar lach was diep en had iets sensueels. 'Ik ben helemaal alleen thuis en heb niks anders te doen dan roken en tv-kijken,' zei ze. 'Waarom ga je niet mee? Als je een uurtje over hebt?'

Toen hij haar in haar jas hielp, was zijn verlangen ondraaglijk, zo erg zelfs dat hij geen woord meer kon uitbrengen. Ze gooide nog wat dollars op de bar en toen vertrokken ze.

Wat een opluchting, dacht hij, toen hij met haar naar haar ouderlijk huis liep – Margie volkomen uit zijn gedachten verdreven. Misschien had het meer om het lijf dan je zou denken. En iemand ging het hem laten zien. Hij pakte haar hand en ze holden naar haar huis.

Eenmaal in de woonkamer deed ze niet alsof ze hem iets te drinken wilde aanbieden of wilde praten; ze keek alleen over haar schouder en liep de trap op naar boven in de verwachting dat hij haar zou volgen, wat hij deed. Hun huis was van hetzelfde type als het zijne, en het was een raar gevoel, zowel vertrouwd als volstrekt nieuw, om dezelfde met tapijt beklede trap naar de slaapkamer op te lopen die, bij hem thuis, van zijn broer was. 'Het eerste wat je moet leren,' zei ze, toen ze voor hem stond in haar slaapkamer, 'is dat je niet zo naar mijn borsten moet staren. Daar houden vrouwen niet van. We laten ze op ontelbare manieren zien, maar je moet doen alsof je niet kijkt.' Langzaam knoopte ze haar blouse open. Daaronder zat een piepklein, kantachtig hemdje zoals hij nog niet eerder had gezien, en daaronder een zwartkanten bh. Hij stond op en strompelde naar haar toe, maar ze hield hem tegen. 'Kom achter me staan om hem los te maken.'

'Dat kan ik niet,' zei hij. 'Trek hem gewoon uit.'

'Nee.' Haar stem was vastberaden. 'Op een dag zul je me er dankbaar voor zijn.'

Hij gehoorzaamde, maar het kostte hem een paar pogingen.

'Rustig aan, dan gaat het makkelijker. Probeer het nu eens met één hand. Als je dat onder de knie hebt, gaan we verder met de volgende les. Het slipje: hoe trek ik het uit.'

Er was geen limiet van dertig minuten, geen angst dat zijn moeder de trap op zou komen rennen of dat zijn broer uit school zou komen. De uren vlogen voorbij als minuten. Haar lichaam was als de lichamen bij zijn moeder aan de muur, die zijn eerste verleiding waren geweest, haar borsten waren rond en zwaar, haar heupen welfden zich vanuit haar taille en dijden uit om plaats te bieden aan de ronding van haar billen. Dat alles fascineerde hem alsof ze de enige naakte vrouw was die hij ooit had gezien of ooit zou zien. Ze stond voor hem, zich bewust van wat ze in huis had, liet hem een poosje kijken, en toen ineens, zonder waarschuwing, bevochtigde ze twee vingers en liet die tussen haar benen glijden, sloot haar ogen, begon ritmisch te bewegen en kreunde op een manier die hij zowel beangstigend als mooi vond, totdat haar stem luider werd en toen, na een lange zucht, werd ze stil.

'Wat was dát?' vroeg hij.

'Dat is het doel. Het doel, en jouw taak. En nu gaan we aan de slag, voordat je klaarkomt over het kleed.'

Hij begon zich af te vragen of wat hij met Margie had gedaan eigenlijk wel seks was geweest, zoveel verschilde het van deze andere, luidruchtige, natte en overweldigende choreografie. Ze leerde hem om de Amerikaanse presidenten op te noemen zodat hij niet te snel zou klaarkomen, en wat het betekende om een vrouw te beffen – fellatio was in veel staten nog steeds verboden, zei ze terloops, was dat niet spannend? Toen werd hij voor het eerst gepijpt.

Dat had ze allemaal te danken, vertelde ze, aan een serie vieze boekjes die haar vader in het souterrain had weggestopt in de bezemkast in een boodschappentas van Korvette. Praktische ervaring had zich aangediend in de vorm van de onderwijsassistent filosofie, die uit Canada was gekomen. Haar moeder stond er natuurlijk op dat ze maagd zou blijven, maar iets wat haar moeder wilde, kon onmogelijk goed zijn. De enige die het harder nodig had om op het juiste spoor gezet te worden dan haar moeder, beweerde ze, was haar zus.

Bij Robert kwam de gedachte op dat het misschien allemaal gewoon een manier was om Margie een hak te zetten. Was hij betrokken geraakt bij een merkwaardige concurrentiestrijd tussen twee zussen? Hij wist het niet, en een groot deel van de middag kon het hem ook niet schelen. Hij zou misschien nooit meer een meisje zoals zij tegenkomen, en dus was hij verplicht om de gelegenheid te baat te nemen totdat hij, toen de zon achter een ver raam onderging, het gevoel had dat hij op de een of andere manier zijn lichaam was ontstegen, het op haar bed had achtergelaten alsof hij zich van een nutteloos omhulsel had ontdaan.

Vlak voor etenstijd liep hij terug naar huis, zonder de stoelen die hij had moeten halen – Stacia's verzoek leek weken geleden – en hij kreeg een luide, publieke uitbrander van zijn moeder terwijl Cece haar het zwijgen probeerde op te leggen en Robert smeekte of hij naar boven mocht om te gaan slapen. Zijn broer zat in een hoekje gemeen naar hem te grijnzen alsof hij precies wist wat Robert de afgelopen drie uur in beslag had genomen. Waarom was Barry die stoelen niet gaan halen? Waarom moest hij altijd alles doen? 'Wil je helemaal niets eten?' vroeg Cece.

'Ik heb geen honger,' mompelde hij. Overal in de kamer zaten zijn familieleden hem verbaasd en onthutst aan te kijken. Waarom wilde hij zich afzonderen? Hij was nu al langer dan de meeste mannen uit de familie, en zelfs als hij een tree lager stond, leek hij vanaf een grote hoogte op hen neer te kijken, en ze vroegen zich af of hij zich te goed voor hen voelde.

Hij liep naar het midden van de kamer en maakte een begroetingsrondje terwijl hij zich bukte om zijn ooms en tantes te kussen en allerlei neven en nichten gerust te stellen. Maar ze hadden gelijk; hij voelde zich afgescheiden van hen, en al een hele tijd. Hij hoorde hier niet thuis. Boven liet hij zich volledig gekleed in bed vallen en liet de gebeurtenissen van die dag de revue passeren, zeker van één ding terwijl hij in slaap viel: ongeacht wat er allemaal bij kwam kijken, hij ging studeren en op kamers wonen.

De volgende dag was Donna weer naar de universiteit vertrokken en werd hij zonder enthousiasme herenigd met Margie. Het sneeuwde hard en ze brachten het laatste weekend van de vakantie in de bioscoop door. Toen de school weer begonnen was, drong hij er niet meer op aan dat ze naar zijn slaapkamer zou komen, omdat hij van haar zus wist dat ze er niet veel aan vond – dat was eigenlijk altijd wel duidelijk geweest, maar hij had het gewoon niet willen zien. Zijn ogen waren nu geopend voor vrouwen, voor hoe ze in elkaar zaten, voor hun begeerlijkheid boven meisjes. Maar na twee weken school, dag en nacht met zijn gedachten bij Donna, dag in, dag uit in de klas met een stijve, was zelfs het flauwste surrogaat beter dan niets. Op een middag haastte hij zich als een bezetene naar huis en belde Margie.

'Zou je hier nu naartoe kunnen komen?' vroeg hij.

'Ik dacht,' zei ze met gespannen stem, 'dat je misschien iemand anders had.'

Hij gooide alle vleierijen in de strijd die hij kon bedenken en zei tegen haar dat hij het kalm aan deed omdat hij haar beter wilde leren kennen, omdat hij misschien iets serieuzers met haar wilde.

'Iets serieuzers?' vroeg ze. 'Je hebt de hele week amper wat tegen me gezegd.'

'Dat is niet waar en dat weet je.'

'Hoe dan ook, het is kwart voor vier. Tegen de tijd dat ik er ben...'

'Rennen dan,' zei hij. In zijn verbeelding sprak hij met Donna, die haar tong in langzame cirkels steeds hoger over zijn dijen liet gaan, hem plagerig zoende, haar vinger omhoog liet gaan tot in zijn... 'Het is een kwestie van leven en dood!'

Toen ze kwam, nam hij haar snel mee naar zijn slaapkamer, in de wetenschap dat ze het huis niet lang voor zichzelf zouden hebben. Hij sloeg de deur hard dicht, maar gunde zich niet de tijd om er iets voor te zetten. Haastig kleedde hij haar uit; vakkundig maakte hij met één hand haar bh los, vervolgens zoende hij haar terwijl hij haar corduroy broek uittrok en haar broekje omlaagschoof. Hij begon, op een nogal gehaaste manier, wat technieken toe te passen die Donna hem had geleerd, maar Margie duwde alleen zijn hand weg en fluisterde dat hij moest voortmaken. Ze gingen naar het bed. Hij had iets meer begrepen van timing, van de voordelen van ongehaast te werk gaan, maar toch tikte de klok elke keer als hij zijn ogen opendeed weer een minuut weg. Hij speelde met vuur, maar hij had het niet meer in de hand, en toen schreeuwde hij haar naam uit zoals hij een paar weken geleden pas had geleerd, de naam waaraan hij nu al dagen non-stop had gedacht – Donna. Met gesloten ogen, zijn lichaam verstrakt van genot, riep hij haar telkens weer aan, totdat Margie, die onder hem lag, begon te huilen.

Terwijl hij boven op haar lag, even zonder enig benul van wat er gebeurd was of zelfs van waar hij was, hoorde hij als van heel uit de verte zijn eigen naam. 'Ga verdomme van me af,' siste Margie hem toe, vlak voordat ze het vreselijke gepiep hoorden en de deur op zijn vervormde scharnieren open schoot, toen schreeuwde Margie zijn naam, schreeuwde zijn moeder zijn naam, en liet zijn broer, die onder de gebogen arm van zijn moeder door tuurde om het beter te kunnen zien, hun vaders akelige, rauwe Vishniaklach horen.

'Trek je kleren aan, jullie allebei! Margie, reken maar dat je moeder dit te horen krijgt,' zei Stacia met een zenuwtrek op haar gezicht. Margie schoot met neergeslagen ogen snel haar broek aan terwijl Stacia Barry bij de elleboog greep en hem naar zijn kamer duwde. 'Ik wil geen woord van je horen!' zei ze, maar dat was tevergeefs. Barry riep aan één stuk door kreunend Donna's naam, voor het geval dat Margie, die langs rende, was ontgaan wat er de eerste keer precies was gebeurd.

Robert had alleen zijn boxershort aan toen zijn moeder op hem afvloog. Ze gaf hem een harde klap in het gezicht, en toen nog eens. Zijn neus begon te bloeden, maar hij verroerde geen vin.

'Je hebt te veel vrije tijd,' zei ze en ze gaf hem een tissue. 'Ik dacht dat je zei dat je dat je bij de debatclub ging!'

'Dat is in de tweede klas. Je moet me niet meer slaan.' Hij zweeg. 'Het spijt me. Ik had haar niet mee naar huis moeten nemen.' Hij drukte de tissue tegen zijn neus.

'Waag het niet om haar zwanger te maken, jongeman. Ik ga geen baby's meer grootbrengen.'

'Dat heb je de eerste keer ook niet gedaan.'

Ze hief haar hand op en deze keer was het geen klap, maar een regelrechte dreun. Hij zakte in elkaar tegen de muur, maar was niet van plan er te blijven liggen. Zijn kaak deed pijn, maar hij stond op en liep terug naar waar ze stond en keek haar aan; hij in zijn onderbroek en zij nog steeds in haar marineblauwe uniform met het insigne op de borstzak. De kamer verschoof een beetje onder zijn voeten. Hij raapte zijn bebloede tissue op en zwaaide ermee naar haar. 'Als je me nog een keer slaat,' hijgde hij, 'sta ik nergens meer voor in.' Hij zou zijn moeder nooit hebben geslagen, maar ze snapte het, en ze lieten zich allebei uitgeput op het bed zakken. Robert hoorde een hoog geluid en besefte dat het van hemzelf afkomstig was omdat hij het vreselijk benauwd had. Hij had een gevoel alsof zijn longen zich langzaam sloten en hij begon in paniek te raken en hoestte en hoestte tot hij naar de badkamer liep en begon over te geven. Toen hij terugkwam, zwak en vermoeid, maar wel weer in staat om te ademen, zat zijn moeder nog steeds op het bed. Ze gaf hem zijn broek aan.

'Je grootvader klonk vroeger ook zo als hij last van hooikoorts had.'

Robert herinnerde zich nog dat de dokter was gekomen, en Sauls hulpeloze gepiep. Maar dokters waren nu niet aan de orde. Stacia had geen vertrouwen in ze – dokters hadden niet veel gedaan voor haar vader, en ze waren er allemaal alleen maar op uit om geld te verdienen. Hij hoopte dat de onderbreking haar van haar à propos had gebracht, maar zodra hij weer kon ademen, pakte ze de draad weer op.

'Al dat rare gedoe met meisjes houdt je alleen maar van je schoolwerk af,' zei ze. 'Ik wil dat je goed terechtkomt. Kijk naar je vader die twee banen heeft en zich afbeult om geld opzij te zetten voor jou en je broer. Is dit zijn dank?'

Hij wou maar dat ze hem weer ging slaan. Dat zou draaglijker zijn. Hoe had hij ooit kunnen denken dat ze niet het laatste woord zou hebben? Ze stond op, streek met haar vingers door haar haar en liep naar de deur. Toen riep ze over haar schouder naar hem: 'Je neus bloedt weer. Ga met je hoofd achterover zitten, dan zal ik wat ijs voor je halen.'

Hij deed de deur achter haar dicht en herinnerde zich toen ineens Margie weer. Hij had haar gekwetst, en hoewel zijn verontschuldigingen aanbieden het er waarschijnlijk alleen maar erger op zou maken, moest hij het wel proberen. Hij besefte dat het afgelopen was tussen hen, en toen kwam er een andere, ijzingwekkender gedachte in hem op: *Ze zal het aan al haar vriendinnen vertellen en die zullen me op de zwarte lijst zetten. Ik zal worden uitgestoten en nooit meer kunnen neuken.*

Robert probeerde zich de dagen daarna op school zo onopvallend mogelijk te gedragen. Hij belde een paar keer naar het huis van Margie, maar ze wilde niet met hem praten en ging zelfs naar een andere bushalte om te voorkomen dat ze hem op de hoek van de straat zou tegenkomen. Ook in de buurt ontliepen ze elkaar. Als hij aan haar dacht, voelde hij zich beroerd, alles deed hem pijn, alsof schuldgevoel een virus was. Maar zijn angst dat de meisjes in de buurt hem zouden uitstoten bleek volkomen ongegrond. Hij werd juist door meer meisjes benaderd, en nu wist hij precies wat hij met ze aanmoest. In de vierde klas had hij geleerd om niet zo te staren en had hij controle gekregen over de intensiteit en de verzachting van zijn blik. Hij hoefde alleen maar zo te kijken, en als bij toverslag voelde vrijwel elk meisje zich tot hem aangetrokken. Door al het fysieke genot dat hem ten deel viel, leek hij alleen maar langer, zelfverzekerder en aantrekkelijker te worden. Meisjes nodigden hem nu uit om na schooltijd en in het weekend bij hén thuis te komen, en de meesten hielden er geen regels op na en eisten geen eed van trouw.

Op zijn zestiende had hij gezoend met bijna alle meisjes boven de dertien in Oxford Circle; een groot aantal had hem afgetrokken en menigeen was met hem naar bed geweest. Hij was uitgegroeid tot wat zijn lerares Engels had voorspeld, een rasechte ladykiller, vol vertrouwen in zijn kunnen, en hij begreep eindelijk dat zijn uiterlijk weliswaar niet iets was om prat op te gaan of woorden aan vuil te maken, maar het had zo zijn voordelen en hij moest het optimaal benutten. Hij zou nooit meer tegen een meisje liegen – dat had hij zich toen in elk geval voorgenomen – niet wanneer je het merendeel van de tijd prima uit de voeten kon met de waarheid.

Vlak voordat hij aan het centrale toelatingsexamen begon, liet hij zijn ouders weten dat hij zich zou inschrijven bij universiteiten die helemaal in New England zaten. Het sierde hen dat ze hem dat niet uit het hoofd probeerden te praten. Zijn moeder zei simpelweg dat hij financiering moest zien te krijgen in de vorm van een studiebeurs en dat ze geen invloed hadden op de uitkomst, het was gewoon een gok. Hij kon winnen en hij kon verliezen. Misschien lieten ze het hem wel proberen omdat ze niet echt geloofden dat een Kupferberg of Vishniak zo'n triomf zou kunnen beleven. Hoewel Robert niet in God geloofde, bad hij elke avond in het donker: Alstublieft, alstublieft, zorg er in jezusnaam voor dat ik het ouderlijk huis uit kan.

Zijn gebeden werden verhoord. Hij werd tot diverse universiteiten toegelaten, kreeg studiefinanciering en een beurs aangeboden en zelfs wat geld van de vrijmetselarij – de mysterieuze bijeenkomsten waar zijn vader om de paar weken opgewekt naartoe ging, hoewel hij volhield dat hij alleen maar lid was geworden vanwege de goedkope levensverzekering. Waarom zouden de vrijmetselaars hem willen helpen? Zijn dankbaarheid kende geen grenzen. Voor zijn familie was het nieuws al even opzienbarend. Hoe moesten ze omgaan met het gegeven dat een van hen was uitverkoren? En hoe moesten ze dat rijmen met het motto van oom Frank dat aardige jongens nooit in de prijzen vielen?

Robert koos voor de beste studiebeurs die hem was aangeboden, van Tufts University in Boston. Een universiteit had hem geaccepteerd en daarna had hij hun aanbod geaccepteerd. Het was zo'n bevredigende, wederkerige relatie dat hij zonder het te willen enigszins achterdochtig werd, al was het maar voor even, toen hij de papieren ondertekende. De volgende avond nodigde Stacia de familie uit om het te vieren. Goed nieuws! Dat bracht weer kleur op hun wangen, en er werd zo hard gepraat en gelachen dat de muren leken te daveren van vreugde. Iedereen zag er blij uit, behalve Barry, die stilletjes op de bank zat met een glas zwartekersenlimonade. Hoe kon Robert hem alleen achterlaten? Hier?

'Misschien kom je wel een keer op bezoek in Boston,' zei Robert tegen hem, hoewel hij wist dat het nooit zou gebeuren. Stacia zou er niet over piekeren om het buskaartje te betalen of een dertienjarige met de Greyhound weg te laten gaan om de beest uit te hangen, en dat wisten ze allebei. 'En over een paar jaar ben jij aan de beurt. Jij hebt vast ook mazzel.'

Even leek Barry hem niet te horen. Hij was afgeleid, zijn donkere ogen staarden langs de trap. Was Barry bang dat Robert het beetje geluk dat de familie had helemaal in z'n eentje had opgesoupeerd, net zoals hij als kind alle genegenheid en liefde van de hele familie al had opgesoupeerd voordat Barry er was? Barry nam een slok van zijn drankje en er kleefde een rode snor van belletjes in het voller wordende dons op zijn bovenlip. Toen liet hij een boer, alsof hij zijn hoofd wilde leegmaken. 'Ik geloof niet in geluk, broer,' zei hij. 'Mensen maken hun eigen geluk.'

Toen Vishniak het glas hief op zijn zoon, nadat hij ieders papieren bekertje had bijgeschonken met kersenbrandewijn, kwam de inmiddels bijna dove Cece naast Robert zitten. 'In de stad waar wij woonden toen ik klein was,' schreeuwde ze terwijl ze haar kleine bruine hand op zijn knie legde, 'vochten de mensen erom wie de schoenen van de dokter mocht poetsen. Dat was een eer!' Haar droom was dat Robert degene zou worden wiens schoenen gepoetst werden in plaats van de schoenpoetser te zijn. Toen Vishniak zijn kersenbrandewijn achterover had geslagen en er nog een inschonk, zei hij dat je veel te lang moest leren om dokter te worden, waarom niet advocaat?

'Advocaten zijn boeven,' flapte een neef eruit. 'Als je een ongeluk op het werk hebt, komen ze zomaar uit het niets opduiken.'

'Effectenmakelaars,' zei tante Lolly. 'Die zijn bevoegd om te stelen.'

'Politici!' snoof oom Frank.

'Het is allemaal gewetenloos tuig,' riep Stacia vanuit de keuken. Iedereen wist hoe ze over dokters dacht. Toch raadde ze Robert aan om naar Cece te luisteren; geneeskunde was een lucratief zwendelzootje, beter had je niet, en waarom zou hij er niet van meeprofiteren?

Robert stond er niet zo bij stil dat de familie bij elkaar gekomen was om te vieren dat hij zijn entree ging maken in de wereld van de hogeropgeleiden, een wereld die volgens hen bol stond van corruptie en oneerlijkheid. Alleen de wereld van de arbeidende klasse – de wereld van de schlemielen, zoals Vishniak het noemde – was eerlijk. Maar voor hem wilden ze een gemakkelijker leven.

'Het is beter een baas te zijn dan een baas te dienen,' zei Vishniak, en iedereen hief het glas voor een toost. Robert dronk mee en geloofde elk woord.

Een paar maanden later reed Frank hen naar het busstation. Vishniak kocht een kaartje voor Robert en daarna brachten ze hem met zijn allen naar de bus. De buschauffeur laadde zijn plunjezak in terwijl Stacia hem op het hart drukte om zuinig met zijn geld om te springen en hard te werken. Zijn vader klopte hem op de rug en knikte; Barry wreef met de binnenkant van zijn elleboog over zijn gezicht in een poging zijn tranen te verbergen. Toen de bus vertrok van het station in Market Street en zijn familie beneden op het trottoir naar hem stond te zwaaien, wist Robert dat hij nooit meer in Oxford Circle zou wonen.

3

Kamergenoten

Nadat hij de Greyhound-bus had genomen, toen met de metro naar Davis Square was gegaan en vervolgens met zijn plunjezak over College Avenue had lopen zeulen en de universiteitspoort was binnengegaan, bleef Robert Vishniak even staan om op adem te komen. Hij was ongeveer een meter tachtig lang, en doordat hij zo slank was, leek hij nog langer, maar zijn schouders waren breed en zijn rug gespierd na vele winters sneeuwschuiven en jaren zware tassen met boodschappen dragen voor de klanten van Shop N' Bag. Doordat zijn moeder erop had gestaan dat Barry en hij op dansles zouden gaan bij de joodse jongerenorganisatie – een bijverschijnsel van haar cultuuroffensief dat hij met grote vrees tegemoet had gezien – had Robert een uitstekende houding en beschikte hij over een zekere elegantie, zo niet op de dansvloer, dan wel in het algemeen, in zijn gedrag en zijn manier van lopen. Hij had zich die ochtend om halfzeven geschoren en nu het bijna vier uur in de middag was, zat er een vage schaduw rond zijn kaken. Hij droeg zijn enige nette broek, die donkergrijs en iets te kort was, met een wit overhemd. Vanwege de hitte en de drukte van de bus had hij zijn mouwen opgerold.

Robert bukte zich om de plunjezak over zijn schouders te hijsen en liep toen in de richting van de heuvel waar vermoedelijk het studentenhuis in West Hall was – in de bus, met alle tijd van de wereld, had hij ijverig de plattegrond van de campus bestudeerd uit het informatiepakket dat ze hem bij zijn toelatingsbrief hadden meegestuurd. Met die plunjezak over zijn schouders had hij best een figurant kunnen zijn uit *On the Waterfront* of, doordat hij zo slank was, een van de dansers uit *West Side Story*, eerder Shark dan Jet. De algehele indruk die hij maakte door zijn lengte en de intensiteit rond zijn ogen, de sensualiteit van zijn volle lippen die contrasteerde met de tamelijk grote, licht gebogen neus, en niet te vergeten het kuiltje in zijn kin, als het laatste sublieme accent van het mes van een beeldhouwer, had tot gevolg dat hij niet volledig onopgemerkt door een menigte kon lopen. Een enkele moeder bleef staan om te kijken, en ook een enkele dochter, maar de meeste mensen liepen gehaast voorbij: eerstejaarsstudenten die volledig opgingen in hun bezigheden, snauwden naar vaders en broers en zussen, geëmotioneerde moeders troostten, tegen elkaar mopperden over de hitte en sjouwden met stereoboxen, koffers, schrijfmachines, bureaulampen, kledinghoezen, ski's, tennisrackets, golfclubs en hockeysticks. Hij had nog nooit zo veel spullen bij elkaar gezien. Afgezien van drie broeken, met inbegrip van de broek die hij nu aanhad, bezat hij welgeteld vier T-shirts, twee overhemden, een paar schoenen, ondergoed, een paar sportschoenen en een tweedjasje waarvan de mouwen al te kort werden, dat hij had overgehouden aan de diploma-uitreiking van de middelbare school. Zijn moeder was uiteraard heel selectief als het ging om nieuwe aanschaffen. Verzot als ze was op afdankertjes, had ze haar zoons nooit vergeven dat ze geen kleren konden delen – Robert was lang en dun, en Barry kort en mollig. Ze had net zo goed een dochter kunnen hebben, zei ze dikwijls, als je bedacht hoeveel spullen haar twee zoons verlangden.

Hoewel het over de dertig graden was, droegen de jongens om hem heen allemaal een jasje, een stropdas, een gesteven katoenen overhemd, een broek en glimmend gepoetste instappers. Zijn broek was in elk geval niet gekreukt, dankzij zijn moeder, die heilig geloofde in blijvende persing, maar hij had cola gemorst toen de bus onverhoeds hard had geremd, en zijn benen voelden nogal plakkerig. De plunjezak begon nu toch wel zwaar te worden en toen hij een paar poorten verder was, zag hij dat het stormliep bij de dienstlift; hij zou hem drie trappen op moeten zeulen. Hij vond zijn sleutel in een postvakje bij de trap en liep snel naar boven, omdat hij de laatste etappe van zijn reis zo gauw mogelijk achter de rug wilde hebben.

Hij zag zijn naam op de deur staan, samen met die van zijn kamergenoot, Sanford Trace, die op het allerlaatste moment voor iemand anders in de plaats was gekomen. Hij was pas een paar dagen geleden van die wijziging op de hoogte gesteld, zodat ze nog geen brieven of nadere informatie hadden uitgewisseld. Aanvankelijk zou hij een kamer delen met een zekere David Hersh uit Bayonne, New Jersey, maar Hersh was verleden tijd en Sanfords naam was nu op de deur aan de zijne gekoppeld, in voor- en tegenspoed. Zijn kamergenoot had het bed bij het raam al in beslag genomen, zodat Robert, nu hij zijn bestemming had bereikt en aan het eind van zijn krachten was – hij had in de bus geen oog dichtgedaan en de hele nacht daarvoor nauwelijks – de plunjezak liet vallen, hem naar het bed bij de muur sleepte en hem toen op de kale matras hees.

Hij liep naar het bed van zijn kamergenoot. Ernaast stond een rij van vijf koffers in afnemende grootte, allemaal uitgevoerd in bleek, roomkleurig kalfsleer met rode stiksels. Ze waren allemaal in goudreliëf voorzien van de letters TSA en het Romeinse cijfer III. Hij tilde er een op; de koffer was al uitgepakt. Op een tafeltje naast het bed lag een aantal boeken. Een ervan was *The Fountainhead* van Ayn Rand, een ander was een Frans woordenboek en de derde was getiteld *Folie et déraison: Histoire de la folie à l'âge classique* van Michel Foucault. Hij pakte het woordenboek om sommige van de Franse woorden op te zoeken – hij had Spaans gehad op school – en wist uit te dokteren dat het boek een geschiedenis van de waanzin was.

Nou, hij is een lezer, dacht Robert, *tweetalig en mogelijk krankzinnig.*

Hij liep terug naar zijn bed, ging liggen en gebruikte de onuitgepakte plunjezak als hoofdsteun. Zijn hele lijf deed pijn. Wat hij echt nodig had, was een douche. Nee, hij moest slapen. Nee, douchen. Hij bleef op twee gedachten hinken, niet in staat om te beslissen, totdat hij geen keus meer had en toegaf aan zijn uitputting.

Hij werd wakker van een luide knal en schoot geschrokken overeind terwijl hij zich afvroeg waar hij was. Iemand schreeuwde het woord 'punt' en toen 'mijn beurt!' Een bal stuiterde hard tegen de andere kant van de dunne scheidingswand; Robert voelde hem bij elke worp dreunen. Toen hield het lawaai op en viel hij weer in slaap. Nu riep iemand zijn naam en schudde hem tot hij bij bewustzijn kwam. Er stond een lange jongeman over hem heen gebogen. Hij had vierkante kaken, hier en daar bespikkeld met acne. Zijn ogen, neus en mond stonden dicht bij elkaar, waardoor zijn kin en zijn voorhoofd veel groter leken, en hij droeg zijn blonde haar, zo licht dat het bijna wit was, glad achterover gekamd. Zijn kleren waren geperst en nieuw, maar niet té nieuw – wit overhemd, onberispelijke kakibroek en een geel met blauw en wit gekleurde tennistrui om zijn schouders geknoopt. 'Vishniak?' vroeg hij, wijzend op het woord dat in grote blokletters op Roberts plunjezak was geschreven, naast de plek waar hij nu zijn hoofd liet rusten.

Robert vroeg zich af of hij wel echt wakker was. 'Wie ben jij in godsnaam?' vroeg hij.

Hij hoorde luid gegrinnik en gesnuif; bij het andere bed stonden nog twee jongens. De jongen die over hem heen gebogen stond glimlachte; hij had een mond vol oogverblindend witte tanden. 'Ik ben je kamergenoot, Sanford Trace. In de wandeling Tracey.'

'O,' zei Robert, die op één elleboog overeind kwam. 'Ik moet in slaap gevallen zijn.'

'Je hebt de introductie gemist.'

'Hoe was het?'

'Ik heb geen idee,' zei Tracey. 'Ik ben ook niet geweest. Iets over blauwe en bruine petjes, geen leden van het andere geslacht voorbij de hal, niets nieuws.' Hij zweeg even en fronste zijn voorhoofd. 'Mag ik vragen waar je gisternacht geslapen hebt?'

Robert staarde hem verbaasd aan.

'Sorry, Robert, maar je stinkt.'

De twee vrienden van Tracey begonnen luid te lachen.

'Ik zou maar even gaan douchen als ik jou was,' vervolgde Tracey, toen Robert eindelijk opstond, zich uitrekte en bij Tracey vandaan liep terwijl hij zich afvroeg of zijn opmerking uitsluitend vernederend of ook een tikkeltje geestig bedoeld was. Hij wist het niet goed, maar besloot niet te boos worden.

'Hoe dan ook, ik kwam even langs zodat we het voorstellen maar achter de rug hebben voordat ik terugga met die twee nietsnutten daar.'

'Terug naar waar?' vroeg Robert.

'Harvard,' zei de kleine jongen die nu op Traceys bed in *The Fountainhead* zat te bladeren. Hij was een kakelbonte verschijning – een geruite broek, een gestreept, half in zijn broek gestopt overhemd en canvas bootschoenen. 'Ik ben trouwens Mark. Mark Pascal,' vervolgde hij. 'Die clown daar is Cates. Zijn voornaam is Benoit, maar zo noemen we hem alleen als hij zich misdraagt of als zijn moeder op bezoek is.'

Cates, lang, mager, met bruin haar en een zongebruinde huid die rijkelijk was bezaaid met sproeten, zag er net als zijn metgezellen heel fleurig uit in zijn rood-wit gestreepte poloshirt, witte shorts en witte tennisschoenen die net sleets genoeg waren om aan te tonen dat hij daadwerkelijk tenniste, maar hij was lang niet zo opgewekt als zijn vrienden en minder lachgraag. Cates, die nog steeds tegen de muur stond geleund, knikte bijna onmerkbaar in Roberts richting en zei toen: 'Dit is een verdomd klein kamertje voor twee personen. Wij hebben eerstejaarskamers die drie keer zo groot zijn.'

'Als je een kamer moet delen met Tracey,' zei Pascal, die klonk als een overijverige reisgids, 'dan word je schoon op je lijf, of je het nou leuk vindt of niet. Vraag het maar aan Van Dorn. Hoe vaak liet je die per dag douchen?'

'Wie is Van Dorn?' vroeg Robert.

'Mijn kamergenoot op school,' antwoordde Tracey, 'en ik heb Van Dorn nooit gedwongen een douche te nemen. Het was zijn eigen initiatief om, eh, zijn hygiëne te verbeteren.'

Pascal bleef bladeren in *The Fountainhead*: 'Je leest al die boeken, Tracey, en toch wilden ze je niet toelaten, hè?'

Nog meer gelach. Robert vroeg zich af wat ze nou precies hadden om zo vrolijk over te zijn. 'Toelaten tot wat?' vroeg Robert.

'Nogmaals Harvard,' zei Pascal. 'Sanford Trace is de enige in vijf generaties die is afgewezen.'

'Ik had slechte cijfers op de middelbare school,' liet Tracey opgewekt weten.

'Wie kan dat nou wat schelen? We gaan zo een paar biertjes drinken. Waarom kom je niet langs als je je hebt opgeknapt?'

'Ik moet ergens zijn om acht uur.'

'Ergens, hè?' zei Cates, die nu rechtop was gaan staan en naar de deur keek. 'Heel mysterieus.'

'Kom dan daarna,' drong Tracey aan. 'Je kunt er rustig van uitgaan dat we er dan nog zijn. Kom op. Eén drankje? Om erop te proosten dat we goede kamergenoten zullen worden en zo.'

Robert was er zeker van dat zijn nieuwe kamergenoot alleen maar beleefd deed, als je zijn manier van doen tenminste beleefd kon noemen, maar hij wilde hem niet meteen tegen de haren instrijken. Het was hem opgevallen dat Cates en Pascal vrijwel al hun opmerkingen tot Sanford Trace hadden gericht, alsof ze zijn goedkeuring nodig hadden. Ongewild voelde hij zich enigszins gefascineerd door een type dat tot zulk gedrag inspireerde.

Tracey stond nu bij zijn bureau en krabbelde iets op een papiertje. 'Ik schrijf voor je op hoe je bij het café komt,' zei hij, 'dus wie weet zien we je straks nog wel.'

'Wie weet,' zei Robert toen de drie jongens weggingen, eerst Tracey met zijn ontspannen, zelfverzekerde loopje, meteen daarachteraan Cates, de handen in zijn zakken, zijn mond afkeurend vertrokken tot wat kennelijk zijn natuurlijke uitdrukking was, en ten slotte Pascal, nog steeds verdiept in *The Fountainhead*, dat hij meenam toen hij met gekromde schouders de kamer uit slenterde.

Robert ritste snel de plunjezak open. Zijn kleren, die door zijn moeder zorgvuldig waren gevouwen, waren nu een verkreukeld zootje. In één hoekje had ze wat handdoeken en washandjes weggestopt, dun en ruw, waarvan sommige van een bejaarde neef waren geweest, een Kupferberg, die onlangs was overleden aan een hartaanval. Wanneer er bij hem in de familie iemand doodging, werden de handdoeken en lakens onder iedereen verdeeld, en niemand verscheen sneller op de onheilsplek dan Stacia, haar armen beladen met lege boodschappentassen. Hij nam een handdoek, een schoon overhemd en ook wat ondergoed mee, en een stuk zeep en shampoo die vanuit een veel grotere fles was overgegoten in deze kleine, waar het etiket was afgepulkt, ongetwijfeld een nieuw systeem van zijn moeder om te bezuinigen op shampoo. Toen ging hij de deur uit en liep door de gang naar de badkamer.

Het was er stralend wit, de tegels glommen onder het felle kunstlicht. Er was niemand bij de urinoirs, en ook de wc's en de douches lagen er verlaten bij. Kennelijk was iedereen aan het eten of uitgegaan met familie. De bewoners van de etage hadden hun handdoeken opgehangen aan een onafzienbare rij haakjes. Op een lange plank boven de handdoeken lagen hun scheerschuim en scheermesjes, haarcrème en tandpasta. Goed van vertrouwen, dacht Robert, ze deden nu al of ze hier thuis waren.

Er was één haakje over als Robert plaatsmaakte door al die grote, ruim uitgehangen, dikke, opzichtige badhanddoeken wat opzij te schuiven. En daar zou de zijne komen, vermoedelijk ooit bruin geweest, maar nu nog amper beige, rafelend langs de randen, met franje aan de onderkant. Hij pakte de handdoek en trok eraan; hij scheurde vrijwel meteen en Robert smeet de stukken in de prullenbak. Bij de eerste de beste gelegenheid zou hij een nieuwe kopen; ook al kwam hij maar bij Woolworth vandaan, hij zou in elk geval nieuw zijn. Hij keek slechts heel even over zijn schouder voordat hij de handdoek van een van zijn buren pakte en naar de douche liep.

De afspraak waar hij heen moest was een bijeenkomst voor de studenten die in een van de twee cafetaria's op de campus gingen werken. Hij kwam een paar minuten te laat. Bij de ingang van de keuken stond een grote drom jongens. Robert ging bij een groepje staan dat zich in een hoek wat afzijdig hield. Ze stelden zich aan elkaar voor. Zinnelli kwam van buiten Providence, Rhode Island, uit een plaatsje dat Warwick heette. Goldfarb kwam uit Brooklyn. 'Flatbush Avenue,' zei hij, en als een rasechte New Yorker vertrouwde hij erop dat Robert zou weten wat dat betekende. De jongen naast Goldfarb was Cyril Dawkins. Hij was de enige zwarte student die Robert de hele dag had gezien. Dawkins rechtte zijn schouders toen hij Robert een hand gaf; zijn vader, vertelde hij hun, was marinier. Hij hield zijn handen ineengeslagen voor zich en zei verder geen woord meer.

Rechts van hen stond een grote metalen kast. 'We krijgen een demonstratie van dat ding,' zei Goldfarb. 'Dat heb ik tenminste horen vertellen.'

'Ik heb al eens met zo'n afwasmachine gewerkt,' zei Zinnelli. 'In de bar van mijn vader hebben we er zo een. Het is een oudje. Ze zullen de grotere, modernere wel achter hebben staan.'

'Waarom leren ze ons die dan niet bedienen?' vroeg Goldfarb.

'Omdat ze niet willen dat we op onze eerste dag al iets belangrijks kapotmaken, slabberdewatski,' antwoordde Zinnelli.

'Ik heb geen idee wat slabberdewatski betekent,' zei Goldfarb, en Zinnelli zei dat hij het maar moest opzoeken.

Net als Robert droegen de jongens een overhemd dat deels uit polyester bestond om het wassen en strijken gemakkelijker te maken. Ze droegen veterschoenen, omdat instappers onpraktisch waren en minder steun gaven. Ze hingen tegen kasten en muren en probeerden nonchalant te kijken, hoewel ze allemaal in meer of mindere mate nerveus waren. Niemand wilde op de eerste dag al iets verkeerd doen. Niemand wilde sowieso iets verkeerd doen; ze hadden het zover geschopt door nooit iets verkeerd te doen.

Eindelijk arriveerde het hoofd van de keuken. Ze was een kleine, gedrongen, oudere vrouw in een grijskatoenen jurk en een haarnetje. Haar naam was Agnes; ze had een accent dat hem aan Cece deed denken en het accent wekte de indruk dat ze een aardige baas zou zijn. Agnes vertelde dat de borden eerst moesten worden afgespoeld en vervolgens trok ze een slang omlaag die boven haar hoofd hing. De kast kon met een hendel worden geopend en gesloten, zodat de jongen die de afwas deed de onderkant kon volladen met borden en bestek. Nadat ze de gigantische kast weer had dichtgedaan, drukte ze op een knop onder de gootsteen. Stoom uitwasemend verplaatste de kast zich via een metalen rail over het lange aanrecht. Ze drukte hun op het hart om niet te dichtbij te staan wanneer ze aan de hendel trokken en om de schone borden er niet meteen uit te halen, anders zouden ze hun vingers branden. Ze drong aan op het gebruik van rubberhandschoenen voor iedereen die borden leegschraapte of de machine inlaadde, en vooral bij de gootsteen, waar je met de hand enorme bakplaten en pannen van industrieel formaat moest schoonmaken die te groot of te aangekoekt waren om te kunnen toevertrouwen aan het mechanische proces. Die werkplek was achterin, met dozen staalwol. Voor handschoenen werd gezorgd.

Agnes ging weg om werkformulieren te halen. Terwijl ze op haar wachtten, probeerden een paar van de anderen het olifantenloopje te doen dat ze hadden geleerd bij de introductie die Robert gemist had, en aan niemand in het bijzonder vroeg Zinnelli of ze er bezwaar tegen hadden dat hij rookte, ook al hing er pal boven zijn hoofd een bord dat het verbood en stak hij de sigaret niet daadwerkelijk op. Goldfarb keek Robert aan en vroeg of hij ook van plan was om de medische vooropleiding te gaan doen. Cyril Dawkins bleef zwijgen.

Hij had nu al het gevoel dat hij deze mensen kende. Goldfarb had dezelfde bril als zijn oom Fred en neef Harry, het enige montuur dat werd vergoed door het ziekenfonds voor werknemers bij de nutsbedrijven. En Zinnelli, die deed alsof hij de regels ging overtreden, hoewel hij dat natuurlijk nooit zou doen. Deze jongens waren de uitblinkers van de openbare middelbare scholen met de beste leerlingen van de stad die, omdat ze intelligent waren, per bus uit hun gemeenschap werden weggevoerd en elke middag weer terugkwamen en die probeerden op goede voet te blijven met hun buren en gezinsleden, van wie ze stiekem alleen maar afstand wilden nemen. Hij kende hen, omdat hij een van hen was. Het was pijnlijk om dergelijke dingen te zien en te beseffen hoe andere mensen hém zouden zien. Thuis zou dit allemaal niet pijnlijk zijn geweest; het zou hem niet zijn opgevallen. Nu wilde hij zich voor hen verbergen, maar dat ging niet.

Snel vulde hij op het formulier in dat hij de komende week drie diensten wilde draaien, in de wetenschap dat Goldfarb hetzelfde zou doen – dat hoefde hij niet eens te vragen. Hij liep naar buiten met Goldfarb, Zinnelli en een paar anderen. Op de trap bleven ze staan.

'Zijn er liefhebbers voor een pizza in Porter Square?' vroeg Zinnelli. 'Ik weet een tent waar je een extra grote kunt krijgen voor twee dollar.' Dat nieuwtje verspreidde zich snel en ongeveer de helft van de oorspronkelijke keukenhulpen in spe liep gezamenlijk in de richting van de universiteitspoort. Robert zei tegen Zinnelli dat hij graag had willen meegaan, maar dat hij andere plannen had. Goldfarb keek teleurgesteld. Zinnelli stak eindelijk de sigaret op die hij al zo lang in zijn hand had en zei: 'Dat moet je zelf weten.' Robert liep met hen mee naar de Red Line, maar toen ze een eindje bij de universiteit vandaan waren, liet hij de anderen voor zich uit lopen en keek hoe ze over straat banjerden toen ze College Avenue in sloegen. Toen hij voor een voetgangerslicht bleef staan, hoorde hij iets en toen hij omkeek, zag hij over zijn schouder dat Cyril Dawkins er ongemerkt tussenuit kneep in de tegenovergestelde richting.

Het was al bijna donker toen hij uit het metrostation kwam. Harvard Square bruiste van het leven. Op de hoek bracht een gitarist een slechte vertolking ten gehore van 'I Wanna Hold Your Hand'; zijn gitaarkoffer stond open naast hem voor kleingeld. Studenten stonden buiten op de terrasjes, liepen arm in arm of gingen gewoon op de stoeprand zitten. Een magere jongen zat met gekruiste benen op een deken en probeerde ernstig kijkend nummers van *Life* en *Look* aan de man te brengen. Het was de eerste man met lang haar die Robert ooit had gezien. Twee jaar later hadden vrijwel alle jongens op dat plein hem nagevolgd.

Van de mensen die hij kende, was niemand ooit verder geweest dan Atlantic City in New Jersey. Waarom zou je die moeite doen, hadden zijn ouders altijd gezegd, terwijl je alles wat de wereld te bieden heeft hier in Bustleton Avenue kon vinden? Hier was het onmiddellijke bewijs van wat hij altijd had vermoed, maar nooit zeker had geweten: waar hij vandaan kwam, was alles onveranderlijk en grauw, vervuild door de stank van de nabijgelegen raffinaderijen, ingeperkt door de teleurstelling van te veel mensen die te dicht op elkaar woonden. Waar hij nu naartoe ging, zei hij tegen zichzelf, was het fris en open, een en al muziek, kleur en eindeloze mogelijkheden; de lucht rook schoon en iedereen was jong en mooi.

Maar in werkelijkheid ging hij nu naar een steegje dat naar pis rook, waar hij langs een koffiebar en een afvalcontainer naar een café met een verlichte bierpul aan de pui liep. Binnen hoorde hij het kabaal van luide stemmen en rook vele tientallen jaren frituurvet vermengd met sigarettenrook. Hij begon te hoesten. Aan de bar zaten drie meisjes borrels te drinken, maar de meeste klanten waren jonge mannen.

Hij vond het gezelschap, opgelucht toen Tracey hem met een armgebaar uitnodigde. Op tafel stonden verscheidene bierkannen en een paar extra lege glazen. Tracey, Cates, Pascal en een vierde jongen die Robert niet kende, hadden borden voor zich staan, bezaaid met de glimmende restanten van hamburgerbroodjes, verdwaalde stukjes overgebleven rundvlees en hier en daar een eenzaam frietje. Robert ging zitten op de vrije stoel tussen Tracey en Mark Pascal, schonk zichzelf vervolgens een glas bier in en hoopte maar dat het hoesten zou overgaan als hij wat dronk.

'Alles goed?' vroeg Tracey, die hem op de rug klopte.

'Het komt door de rook,' zei Robert. 'Dat heb ik soms.'

Tracey had een grote sigaar zitten roken en keek naar het brandende uiteinde alsof hij overwoog hoe het leven zou zijn zonder een dierbare vriend en drukte hem toen op de tafel uit. Hij stelde de jongen voor die naast hem zat: het was de vroeger zo vieze, maar nu onberispelijk schone Van Dorn, Traceys kamergenoot van de middelbare school. Hij had een breed, opvallend alledaags gezicht met dunne lippen en smalle grijze ogen, die omlaag wezen aan weerskanten van een platte neus. Het was een boom van vent en hij schudde Roberts hand, die helemaal tussen zijn dikke worstenvingers verdween. Cates had het over iemand die Harkness heette en niet was komen opdagen voor de introductie, en dan was er nog de kwestie van vier anderen die de volgende week werden verwacht. Terwijl zij zaten te praten, schonk Van Dorn Traceys waterglas bij en veegde het bier op dat vlak naast hem was gemorst. Was dat iets wat Tracey van een kamergenoot verlangde? Robert piekerde er niet over andermans rotzooi op te ruimen, ongeacht hoe mooi zijn kleren waren.

Verder ging het gesprek alleen maar over Harvard. De studentenkamers in Harvard waren een lachertje, maar voor het tweede jaar zouden ze in een van de studentenhuizen proberen te komen. Eliot werd geacht het beste te zijn, samen met Lowell, maar Dunster moest je mijden – dat zat vol met theatermensen. Ze bespraken de footballwedstrijd tussen Harvard en Yale – er werd met geen woord gerept over de wedstrijd tussen Harvard en Tufts – en de verschillende studentenverenigingen. Onderwijl bestelde het groepje het ene rondje whisky na het andere om het bier mee weg te spoelen. Robert dacht dat de politiek misschien een ingang tot het gesprek zou zijn en vroeg wat ze ervan vonden dat Westmoreland had gevraagd meer troepen naar Zuidoost-Azië te sturen. Niemand kwam met een mening.

'Let maar niet op deze analfabeten,' zei Mark Pascal luidkeels om boven het kabaal uit te komen. 'Ze lezen geen kranten.'

'Johnson had beloofd een einde aan de oorlog te maken,' zei Robert. 'Maar daar ziet het helemaal niet naar uit.'

'Ik wil eigenlijk niet dat iemand de oorlog beëindigt,' zei Pascal.

'Waarom niet? Wil je dan naar Vietnam?'

'Niet als soldaat,' antwoordde Pascal. 'Als oorlogscorrespondent, om vanuit het heetst van de strijd verslag uit te brengen.' Hoewel hij klein van stuk was, leek Pascal ouder dan de anderen. Hij begon al kaal te worden en had de bleke gelaatskleur van iemand die niet veel buitenkwam.

'Ben je journalist?' vroeg Robert.

'Ik begin bij de *Crimson*. En ik heb ook gesolliciteerd naar een vakantiebaan bij de *Globe*, zij het in de postkamer,' zei hij en toen voegde hij eraan toe: 'Mijn vader kreeg een beroerte.'

'Waarom?'

'Hij wil dat ik bij hem in de zaak kom, vastgoed,' zei Pascal. 'Het is één grote valkuil, vraag het Tracey maar. Onze vaders hebben de pest aan hun werk en willen dat wij net zo worden als zij, alsof we onze ogen in onze zak hebben zitten.'

'Wat doet Traceys familie?' vroeg Robert op zachtere toon; Tracey had zijn aandacht volledig bij zijn drankje en deed een spelletje met Cates en Van Dorn, maar het gaf Robert een raar gevoel om het iemand anders te vragen terwijl de betrokkene zelf aan de andere kant van hem zat.

'Schepen. Koopvaardijschepen, marineschepen,' zei Pascal. 'Tenminste, daar zijn ze mee begonnen, maar nu zijn ze gediversifieerd.' Robert knikte en deed alsof hij wist wat dat inhield. Pascal boog zich dichter naar hem toe en fluisterde Robert in het oor: 'Traceys familie ís het militair-industrieel complex.'

Robert wilde Pascal er meer over vragen, maar er was tumult losgebarsten aan de andere kant van de tafel. Cates probeerde het telefoonnummer te krijgen van een serveerster, maar ze rolde met haar ogen en liep snel weg.

'Cates is een lomperik,' zei Pascal zachtjes, 'maar hij heeft één goede kant.'

'Wat dan wel?' vroeg Robert met een tersluikse blik op de reeds benevelde betrokkene.

'Zijn zus. Echt een stuk. Vrouwen! Prachtige raadselachtige wezens, vind je niet?'

Met zo'n instelling krijg je nooit een vrouw het bed in, dacht Robert, al was hij dankbaar voor de aandacht die Pascal aan hem besteedde. De anderen deden geen enkele moeite. Waarom had Tracey hem überhaupt uitgenodigd?

'Hebben jouw ouders al iets voor je in gedachten?' vroeg Pascal.

'Nee, die hebben niet echt verwachtingen,' zei Robert. 'Behalve dat ik afstudeer. En niet word uitgezonden.'

Tracey draaide zich met een ruk om en keek hem aan. 'Een stelletje pacifisten, die familie van je, Vishniak?'

'Nee,' zei Robert, 'lafaards.'

Iedereen moest lachen. Hij had ze aan het lachen gemaakt door zijn familie af te vallen. Er school iets bevredigends in hun goedkeuring, maar hij voelde zich er ook een beetje onpasselijk bij. Ter bemoediging nam hij een slok bier. Ze begonnen over meisjes. Cates maakte zijn sigaret uit en stak een nieuwe op. Van Dorn stak er ook een op en hield toen Robert het pakje voor, die bedankte, maar Tracey wilde er wel een.

'Zie je dat ze allemaal nicotine beginnen binnen te zuigen zodra het over vrouwen gaat?' zei Pascal. 'Oraal gefixeerd.'

'Bedankt voor dit staaltje psychologie van de kouwe grond,' snauwde Tracey. Dat was de scherpste opmerking die hij de hele avond had gemaakt. Hij keek naar Robert. 'Hoe dan ook, Vishniak kan niet tegen rook. Dus blaas die niet in zijn gezicht. Van Dorn, waarom zet je de deur niet even open? Het is hier zo warm als de pest.'

Cates pakte een tweede sigaret uit Van Dorns pakje dat op tafel lag. Nu had hij er in elke hand één. 'Jawel, meneer!' zei Cates, saluerend naar Robert. 'Ik zal het uw reet in blazen, meneer!'

Robert wees met zijn middelvinger naar Cates en stak die toen naar hem op. Er werd nog meer gelachen en hij had het gevoel dat hij een nieuwe test had doorstaan.

Cates stond langzaam op, schoof zijn stoel achteruit en wierp Robert een woedende blik toe. Hij bleef hem doordringend aankijken en nam een uitdagende houding aan. Robert stond ook op, net zoals hij thuis zou hebben gedaan. Hij leunde op de tafel, probeerde dreigend te kijken en wachtte op wat komen ging.

'Hé, idioot,' zei Cates. 'Het is *High Noon* niet. Ik ga gewoon naar de plee.'

En nu lachte iedereen om hem. Hij had iets verkeerd geïnterpreteerd. Of misschien ook niet. Hoe het ook zij, Cates mocht hem nu al niet. Robert ging schaapachtig zitten.

Van Dorn kwam hinkend terug, want hij had zijn schoen als deurstop gebruikt. 'Je kunt zeggen wat je wilt over het studentencorps,' verkondigde hij, niet beseffend dat ze op een ander onderwerp waren overgestapt, 'maar ze krijgen wel meisjes op hun feesten.'

Robert vroeg zich af of Van Dorn eigenlijk wel eens een meisje had gesproken. Pascal herhaalde dat Cates bofte; zijn zus studeerde aan Smith en kon hem uitnodigen voor weekenden en hem aan vrouwen voorstellen. Toen werd hij helemaal lyrisch over Cates' zus, iets wat hij waarschijnlijk achterwege zou hebben gelaten als Cates niet naar de plee was gegaan. Tracey had onlangs een verloving verbroken met een meisje dat Annabeth heette. Verloofd op je achttiende? Tracey? Het leek een belachelijk idee. Was het meisje soms zwanger geraakt? vroeg Robert. Tracey glimlachte.

'Nee, het was gewoon... We kenden elkaar al sinds we vijf waren en we zouden gaan trouwen of, nou ja...' Zijn stem stierf weg.

'Ik vind dat je er verkeerd aan hebt gedaan om het uit te maken met haar,' zei Pascal. Van Dorn mompelde iets over beter één vogel in de hand, maar Tracey zei dat ze hun mond moesten houden. De tafel viel meteen stil. De serveerster kwam de rekening brengen en Tracey pakte hem op, trok toen zijn portemonnee en gooide een handvol biljetten op tafel. Robert maakte een snelle schatting – minstens vijftig dollar, misschien nog wel meer. Hoe konden vier jongens op één avond zoveel eten en drinken?

'Zal ik niet een paar dollar meebetalen voor mijn aandeel?' vroeg Robert.

'We betalen om de beurt,' zei Tracey terwijl Cates terugkwam van de wc en Van Dorn en hij naar de deur liepen. 'Dat is traditie. Dan hoeven we niet als een stel onderwijzers te zeiken over een dollar meer of minder.'

Robert bedankte hem en ze liepen de warme, zwoele augustusavond in. Met zijn baantje in de keuken zou hij ongeveer zeventig dollar per maand verdienen. Hij wist niet goed of hij een leuke avond met hen had gehad, maar hij vond het een vervelend idee dat hij niet de kans zou krijgen dat nader te onderzoeken. Nou, wat dit aanging, net als met alle andere dingen op de universiteit, hij zou zijn oordeel opschorten en gaandeweg wel uitmaken wat de moeite waard was.

4

Robert steekt het een en ander op

De herfst viel al vroeg dat jaar, een New England-herfst met zijn palet van rood en zalmroze, lichtgeel en dieporanje. Robert liep over de wandelpaden, voelde de frisse herfstlucht op zijn gezicht en staarde omhoog naar de reusachtige bomen, eerst zo weelderig en toen, ineens, zo kaal. Hij hield van de rijp 's ochtends op de ramen en van de vage geur van bladeren die werden verbrand en hij vond het heerlijk dat hij de keus had om niet naar college te gaan, en daarom miste hij er nooit een, want opgegroeid onder het strikte regime van zijn moeder, had hij de neiging ontwikkeld om als het even kon het tegenovergestelde te doen van wat er van hem verwacht werd. Hij vond zowel de inleiding tot de psychologie als de biologie interessant en had een haat-liefdeverhouding met economie, maar zijn lievelingsvak was Europese geschiedenis. Hij las over het nihilisme en vond dat het als een manier om de wereld te beschouwen in zekere zin vertrouwd voelde, aangezien het afkomstig was uit Rusland, waar zijn familie oorspronkelijk vandaan kwam, maar nee, hij was opgevoed door gelovigen – zijn grootvader was in zijn jonge jaren opgeleid tot rabbijn – wier geloof in God in Amerika op z'n kop was gezet door het kapitalisme en de strijd om het dagelijks bestaan, maar nee, nu was hij solipsistisch bezig. Of had het te maken met inteelt? Was de genenpool verzwakt door al die huwelijken tussen neven en nichten? Het hield niet op, nieuwe woorden, nieuwe gezichtspunten en filosofieën ricocheerden door zijn hoofd totdat hij het gevoel kreeg dat zijn hersenen zouden exploderen.

Ondertussen kreeg hij maar sporadisch een brief van zijn familie – zijn moeder gaf de voorkeur aan de goedkopere briefkaarten, waarop ze hem instructies gaf over de was doen of over geld besparen. Ze gebruikte alleen een envelop als ze kortingsbonnen meestuurde en dat deed ze ongeveer twee keer per maand. Barry had het geduld niet om te schrijven. Alleen zijn vader verraste hem met woorden, brieven over het reilen en zeilen op het postkantoor, bijzonderheden over Roberts talloze ooms Vishniak. Hij vroeg Robert honderduit over hoe de universiteit eruitzag en hoe het eraan toeging in een collegezaal, vragen die Robert niet beantwoordde, want hij schreef amper naar huis. Voor de allereerste keer liet Vishniak Robert weten dat hij van hem hield, woorden die hij wel aan het papier kon toevertrouwen, maar niet kon zeggen, woorden die Robert tot tranen roerden, hoewel hij toch maar een paar regels terugschreef. Iets weerhield hem. Het kostte hem al moeite genoeg om zich aan te passen aan dit volslagen nieuwe leven; zijn vader op sleeptouw nemen, al was het maar per brief, leek te slopend om het zelfs maar te proberen, alsof je een loodzware zak een steile heuvel op moest sjouwen.

Een van de uitdagingen van dat jaar bestond eruit dat hij in een kleine ruimte moest leren samenleven met een jongen die drie keer per dag douchte en de gewoonte had om Robert kritisch op te nemen wanneer hij daar het minst op bedacht was. De eerste keer dat dit gebeurde was kort na de eerste collegeweek. Robert had aan zijn bureau een syllabus zitten lezen; toen hij even pauzeerde, voelde hij Traceys ogen op zich gericht. 'Is er iets?' vroeg Robert. 'Waarom kijk je zo naar me?' Hij was hun eerste ontmoeting niet vergeten, toen Tracey Robert had laten weten dat hij stonk. Tracey had gelijk gehad – hij had die dag gestonken – maar Robert wilde niet dat een dergelijk moment zich zou herhalen.

'Eerlijk gezegd keek ik langs je heen, naar buiten,' zei Tracey, 'dat probeerde ik tenminste. Denk je dat ze die ramen ooit lappen?'

Maar het kwam wel vaker voor. Hij was in zijn la op zoek naar een paar bij elkaar passende sokken of zat gewoon een boek te lezen en voelde dat Tracey hem bekeek. Robert speurde dan meteen zijn overhemd af om te zien of er vlekken op zaten. Of had hij misschien geneuried zonder het in de gaten te hebben? De twee gingen een enkele keer samen eten – ze gingen dan altijd de stad in of aten in de mensa, omdat Tracey de cafetaria maar niks vond. Bij die gelegenheden sloeg Tracey zijn ogen soms op van zijn bord en keek Robert aan, vervolgens weer naar zijn bord en dan weer naar Roberts gezicht. Deze keer wist Robert precies waar Tracey naar keek; hij had zijn hele jeugd gegeten als een varken.

Ze konden er niets aan doen. De mannen kwamen hongerig thuis na een lange werkdag; de vrouwen konden lekker koken. En aan de eettafel ging het erom met zo min mogelijk inspanning zo veel mogelijk voedsel naar binnen te werken. De vork was niet zozeer een instrument om voedsel mee op te prikken, maar eerder een schop of een vorkheftruck. Maar nu zag hij hoe zijn kamergenoot met een opmerkelijke verfijning zijn vlees sneed. Tracey hield zijn ellebogen dicht tegen zijn lichaam en liet de tanden van zijn vork omlaag wijzen, hield de groenten altijd dicht bij elkaar en gebruikte het mes om het voedsel te schikken en te snijden, maar niet meer dan dat – het mes werd niet afgelikt en er werd niet mee over het bord geschraapt. En dan de manier waarop Tracey eten en praten wist te coördineren – opmerkelijk! Er vloog niets uit zijn mond en er rolde niets over zijn tong. Hij leek eigenlijk nauwelijks te eten, alsof het allemaal maar een handigheidje was.

Toen Robert dat tot zich liet doordringen, was het alsof iemand een rolgordijn had opgetrokken in een donkere kamer. Dit was iets wat hij aan zichzelf kon verbeteren, maar zijn vingers verzetten zich tegen de nieuwe manier van bewegen en vasthouden. Hij wilde het mes altijd in een andere hand houden en de vork in een andere richting bewegen, zodat zijn tafelmanieren een tijd lang nergens op leken en hij zelfs bij zoiets simpels als eten in verwarring raakte.

Vaak, wanneer Robert terugkwam naar hun kamer, trof hij Tracey liggend op bed aan, nog steeds in zijn pyjama, zijn wangen rood van een lome, aangename dronkenschap. Was hij eigenlijk wel naar college geweest? Onder zijn bed had hij verschillende soorten drank en een grote fles Wild Turkey liggen, die hij dronk uit een borrelglas dat hij elke avond voor het slapengaan afwaste, ongeacht in welke toestand hij verkeerde. In het begin bood hij Robert ook altijd een glaasje aan, maar daar hield hij algauw mee op. Meer dan van de drank zelf hield Robert van de alcoholparafernalia; hij vond de martinishaker en de driekantige glazen die Tracey op zijn boekenplank had staan prachtig. En ook de zilveren flacon die hij soms bij zich had, cadeau gekregen van zijn grootvader.

Tracey bracht een groot deel van zijn tijd lezend door, maar niet voor de colleges. Robert vond Traceys voorkeur zowel divers als verwarrend – hij kon er geen enkele samenhang in ontdekken. De eerste helft van het eerste semester vorderde Tracey langzaam door Prousts *À la recherche du temps perdu*, wat hij voor Robert vertaalde als *In Search of Lost Time.* Robert was geïnteresseerd in elk boek dat een hoofdstuk bevatte met de titel 'Sodom en Gomorra', maar toen Robert vroeg of Tracey hem wilde vertellen waar het boek over ging, kreeg hij als antwoord dat hij het zelf maar moest lezen.

'Zo'n dik boek in een taal die ik niet begrijp, daar kom ik nooit doorheen,' zei hij. 'Is het op zijn minst schunnig?'

'In het gedeelte dat ik nu aan het lezen ben,' zei Tracey, 'staat het een en ander in over die Dreyfus van jullie.'

'Hoezo, van ons?' zei Robert kribbig, verbaasd dat Tracey wist wie Alfred Dreyfus was – verbaasd ook dat Tracey wist dat Robert joods was. Hoewel hij dat natuurlijk kon afleiden uit Roberts naam en gezicht. Zijn hele leven al staarden varianten van dat gezicht naar hem terug vanuit Cece's fotoalbums, de foto's die tientallen jaren geleden waren opgestuurd door verre familieleden – jongens die viool speelden, ernstig kijkende vrouwen met een hoofddoek om – mensen bevroren in de tijd. Hij had leren verwachten dat elke opmerking van een buitenstaander vijandig zou zijn, maar er school niets onvriendelijks in Traceys opmerking, slechts de constatering van een feit. 'Sorry,' zei Robert. 'Ik bedoel gewoon dat hij al overleden was voordat ik geboren werd.'

'Ik vertel alleen maar wat er in het boek staat,' zei Tracey, 'je hoeft niet meteen op je achterste benen te staan. De verteller is een slim mannetje dat zich verschuilt achter pilaren en mensen afluistert en bespioneert.'

'Het lijkt me niks voor mij,' zei Robert. 'Waar is Ayn Rand gebleven met de eenzame worsteling van de mens – waar is Howard Roarke gebleven?'

'Dat boek heb ik aan Pascal gegeven – ik geloof dat ik Rand al ben ontgroeid. Ze was beter op haar plaats in de jaren veertig. Ik heb een beweeglijke geest, Vishniak. Daarom hoor ik helemaal niet thuis op de universiteit. De universiteit is de dood voor een beweeglijke geest.'

'Waarom ben je hier dan?' vroeg Robert. 'Als je er zo over denkt?'

'Omdat mijn ouders me dan met rust laten,' zei hij. 'Hoe dan ook, ik kan me ergere plaatsen voorstellen dan hier; er is een goede bibliotheek en ik kan doen wat ik wil.'

Robert bewonderde Traceys beschaving, zijn beheersing van het Frans, de glans die zelfs zijn kleinste handelingen omgaf, maar wanneer Tracey sprak over de wereld, kreeg Robert soms het gevoel dat zijn kamergenoot hem de afloop wilde vertellen van een verhaal dat Robert eerst nog zelf wilde lezen.

'Wat zou ik graag zo kunnen schrijven,' zei Tracey, nadat hij Proust had weggelegd en *Germinal* van Zola ter hand had genomen. 'Ongelofelijk hoe tastbaar hij het lijden van die mensen maakt, van de mijnwerkers, bedoel ik.'

Robert keek op van de aantekeningen die hij had gemaakt; hij moest een essay schrijven over de Frans-Indiaanse Oorlog. 'Je leest in elk geval veel,' zei Robert, hoewel hij zich afvroeg of het meewoog dat Tracey de boeken nooit helemaal uitlas. 'Misschien word je wel schrijver.'

'Vergeet het maar,' zei Tracey.

'Waarom in vredesnaam niet?'

'Ik ben er nooit goed in geweest om iets langer dan een dag of twee te willen. Ik kan bijvoorbeeld het verlangen oproepen naar een zeilboot of een ijsje. Maar zodra ik het heb, is het weg.'

O, dat is iets wat ik je wel zou kunnen leren, dacht Robert, *verlangen.*

'Ik denk dat ik er huiverig voor ben een bepaald soort mens te worden,' zei Tracey.

'Wat voor soort mens?'

'Zo iemand die zijn hele leven probeert iets heel zinvols en belangrijks te doen, maar daar nooit helemaal in slaagt en ongelukkig wordt, altijd iets najaagt wat net buiten zijn bereik ligt. Of jarenlang naar iets streeft en eindelijk die bijzondere taak volbrengt, die ziekte geneest, die symfonie schrijft, en dan om zich heen kijkt en zegt: "Is dit alles?"'

'Er zal toch wel een derde optie zijn?' vroeg Robert. 'Ik bedoel, kom op, zeg! Wat dacht je van iets doen omdat je het gewoon leuk vindt?'

'Zoals wat precies?' vroeg Tracey.

'Ik weet het niet, daar ben ik nog niet uit,' zei Robert. 'We zitten pas in het eerste semester.' Er was uiteraard seks, maar dat was nou niet bepaald een broodwinning te noemen.

'Denk er maar eens over na,' zei Tracey, die zijn boek weer oppakte. 'Op een dag zul je zien dat ik gelijk heb.'

Het enige college dat Tracey nooit oversloeg was Franse literatuur; het enige essay dat Robert hem dat eerste semester zag schrijven ging over *La nausée* van Sartre. Tijdens het typen, met twee vingers op een gloednieuwe elektrische typemachine, beklaagde hij zich er bij Robert voortdurend over dat het probleem met het schrijven van essays was dat al het leven uit boeken werd weggezogen en dat de hele leeservaring werd verpest. 'Zonde van m'n tijd,' zei Tracey, toen hij het essay had ingeleverd en er een 7,5 voor kreeg. Robert vroeg zich af wat Tracey precies met zijn tijd zou doen als hij geen essays hoefde te schrijven.

Daarna vond Tracey een jongen die bereid was zijn essays uit te typen voor vijfenzeventig cent per pagina en het hele ding te schrijven voor twintig dollar. Die jongen, ontdekte Robert later, was Goldfarb, die zijn klusjes soms uitbesteedde aan zijn collega's in de keuken. Robert had het geld goed kunnen gebruiken, maar hij weigerde altijd, niet vanuit een gevoel van eerlijkheid, maar meer omdat de hiërarchie hem niet lekker zat. Toen Goldfarb een keer zo'n essay naar hun kamer kwam brengen, knikte hij Robert toe, net zo beschaamd om door hem gezien te worden als Robert het vond om hem te zien. Alleen Tracey was joviaal en gastvrij en hij blikte noch bloosde toen hij zijn portemonnee trok.

Toen het kouder begon te worden verkondigde Tracey dat het hem niet kon schelen wat zijn ouders ervan vonden, maar dat hij er niet over piekerde zijn eigen was te doen. Robert bood aan hem te laten zien hoe de wasmachines werkten die in de kelder stonden, waar je voor een kwartje een lading wasgoed kon doen, maar je moest er wel je jas bij aanhouden, omdat de verwarming het er nooit leek te doen.

'Ik vind het een verspilling van mijn tijd om overhemden te wassen als een werkster,' zei Tracey, en Robert vroeg zich wederom af wat Tracey precies uitvoerde met zijn tijd. Een paar avonden per week ging hij uit met zijn vrienden, maar meestal was hij op de kamer. Robert reageerde niet op Traceys wasgoedproclamatie, uit angst dat Tracey dan zou voorstellen hem in dienst te nemen, want dan zou hij voor een dilemma komen te staan; ook nu kon hij het geld goed gebruiken, maar zijn trots liet het niet toe.

Traceys oplossing was om een overhemd een paar keer te dragen, totdat hij het niet schoon genoeg meer vond en het dan in de vuilstortkoker te gooien en een nieuwe te kopen. Robert lette op de tussenpozen waarmee dat gebeurde en zorgde ervoor dat hij tijdig naar de vuilstortkoker ging, 's avonds laat wanneer er niemand op de gang was of vroeg in de ochtend voordat Tracey opstond. Vuilnis bleef vaak dagen in de stortkoker zitten en hij kon zijn hand erin steken en het overhemd eruit vissen, wassen en het dragen alsof het van hemzelf was. In het begin deed hij dat stiekem en verborg hij de overhemden in een doos onder zijn bed en droeg ze alleen wanneer hij wist dat Tracey weg zou zijn. Naarmate de verzameling zich uitbreidde, merkte Robert dat hij zich anders voelde wanneer hij Traceys overhemden droeg, zelfverzekerder. Toen wilde hij ze de hele tijd dragen. Het was onvermijdelijk dat hij door de mand zou vallen, maar toen Tracey hem eindelijk een keer zag in een van zijn afgedankte overhemden, gaf hij geen enkel blijk van herkenning. 'Nieuw overhemd?' vroeg hij, en Robert mompelde een onzeker ja. Hoe kon het Tracey, die anders altijd zo opmerkzaam was, zijn ontgaan? Op sommige van de overhemden stonden zelfs Traceys initialen, maar ze waren zo zacht en zo mooi dat Robert ze niet bij het vuilnis kon laten liggen.

5

Robert gaat op reis

In 1965 werd Tufts als een gemengde universiteit beschouwd, en de meisjes van Jackson College woonden weliswaar op de campus, maar in een studentenhuis dat onder toezicht stond van huismoeders die hun taak uiterst serieus namen. Officieel mochten er op zondagmiddag jongens op bezoek komen; dan zaten ze in de woonkamer, praatten met hun meisje, dronken niet-alcoholische punch en aten koekjes onder het toeziend oog van een chaperonne. De meisjes moesten het melden als ze 's avonds weggingen en terugkwamen; na een afspraakje op zaterdagavond mochten de jongens niet verder komen dan de hal van het studentenhuis, die bekendstond als de vissenkom, waar ze afscheid van elkaar konden nemen in het volle zicht van iedereen die in- en uitliep.

Het eerste studiejaar had hij nog minder privacy en vrijheid dan bij zijn ouders thuis, in elk geval op het gebied van meisjes. De enige seks die hij dat eerste semester had, was met zichzelf. En hij niet alleen. De gangen van zijn studentenhuis puilden uit van de seksueel gefrustreerden; 's ochtends was er een run op de toiletten en douches en durfden ze elkaar nauwelijks aan te kijken. Nervositeit over cijfers maakte het er allemaal niet gemakkelijker op, net zomin als het hebben van een kamergenoot. Robert kon niet meer in slaap komen zonder zich af te trekken, maar hij moest wachten tot hij aan de andere kant van de kamer een zacht gesnurk hoorde. Soms was hij er vast van overtuigd dat Tracey sliep, maar dan hield het snurken ineens op. Was Tracey wakker geworden? Hij was een onrustige slaper. Op een keer meende hij dat hij Tracey zijn naam hoorde fluisteren. Was het in zijn slaap? Of stoorde hij zich aan het geritsel van de lakens? Het lichte gepiep van het bed?

Hij had nog maar amper de implicaties van dit probleem overwogen toen de kans zich aandiende om op bezoek te gaan bij een campus met uitsluitend meisjes. Vlak na Thanksgiving nodigde Tracey Robert uit om mee te gaan naar Smith College voor het decemberfeest. Ze gingen in twee auto's: Robert en Tracey in Traceys MG, en Van Dorn en Cates reden achter hen aan in Cates' Citroën, met Pascal dubbelgevouwen achterin. Tracey en zijn vrienden hielden van kleine, snelle en enigszins oncomfortabele sportwagens. De MG was donkergroen en de Citroën lichtgeel met een zwart-wit geblokte racestreep. Beide jongens hadden de auto als tweedehandsje van hun vader gekregen, en bij Traceys MG zat er een deukje in het portier en op de auto van Cates zat een stel lange krassen op de motorkap. Omdat ze hun auto als een afdankertje zagen, sprongen de eigenaars er slordig mee om. Robert had gezien dat Tracey hem dubbelparkeerde en snel even een paar winkels binnenliep terwijl hij het sleuteltje in het contact liet zitten, en hij reed er het gazon van de campus mee op, zodat de banden onder de modder kwamen te zitten, en hij mikte zijn sigaret wel eens naast de asbak, wat een gat in de vloermat opleverde. Die avond scheurde Tracey door regen en strooizout en hij negeerde stopborden, het gaspedaal diep ingedrukt, zonder zich ook maar iets aan te trekken van de beruchte verkeersfuiken op de I-91, tot net buiten Springfield, waar de regen overging in sneeuw en de auto's om hen heen bijna stapvoets gingen rijden.

Ruim twee uur nadat ze uit Boston waren vertrokken, reden ze het stadje Northampton binnen door Main Street, waar in de kleine winkeletalages de kerstverlichting volop brandde, vervolgens een heuvel op en toen door de hoge metalen poort de campus op. Robert keek uit het raampje naar de merkwaardige mengeling van architectonische stijlen: de houten en bakstenen huizen met grote veranda's en schuine daken, vervolgens de bibliotheek met zijn statige zandstenen zuilen en ten slotte een groep moderne, vierkante gebouwen. Langs de straten stonden oeroude eiken, hun kale takken berijpt met een dun laagje wit. De auto volgde een gebogen weg langs een bevroren vijver die zo glad als een spiegel was; twee schaatsers, de armen ineengehaakt, draaiden rondjes als in een sneeuwbol.

Tracey zette de auto op een groot parkeerterrein – de anderen waren er al en zaten te wachten – en eenmaal uitgestapt vormde hun adem wolkjes voor hen uit toen ze een groot vierkant plein op liepen, het soort plein dat Robert associeerde met steden in Europa, en daarna sjokten ze de hoge trap op naar de neo-Griekse ingang van Gardner House. Binnen werden hun namen op een lijst afgevinkt door een huismoeder op leeftijd, die zei dat ze hun natte schoenen moesten uittrekken. Ze wees naar een open haard in de woonkamer waar ze hun voeten konden warmen, zei ze. Voorbij de openslaande deuren verzamelden zich rond de vleugel stelletjes die 'White Christmas' zongen, hoewel het pas over drie weken Kerstmis was. Voor een reusachtige kerstboom poseerden twee stellen voor foto's.

Ze trokken allemaal hun schoenen uit en terwijl Robert het advies van de huismoeder ter harte nam en voor de open haard ging staan, verspreidden de anderen zich algauw om hun meisje te gaan zoeken. Er stegen blauwe vonkjes op uit de vlammen en de warmte lekte langzaam aan de uiteinden van zijn verkleumde tenen. Hij was altijd al gefascineerd geweest door vuur; als jongens hadden Barry en hij in het souterrain soms stukken papier aangestoken, die ze in een oude asbak lieten vallen. Waarom zou hij zelf op een dag niet een open haard hebben? Als hij dat echt wilde? Hij ontdekte een gat in zijn sok, de enige aanwijzing die hem verraadde – Tracey had hem een marineblauwe blazer geleend om te dragen bij de overhemden die hij nu regelmatig inpikte. Zijn broek kon ermee door en viel in elk geval niet op. Hij bukte zich en trok de stof om de teen die uit zijn sok piepte.

'Zeg eens cheeseburger!' riep iemand, en er werd geflitst.

Niemand thuis zou hebben geloofd dat zo'n wereld bestond, anders dan in films. Ze zouden zijn woorden in twijfel hebben getrokken als hij hun probeerde te vertellen over de glanzend gewreven vloeren en Perzische tapijten, het zachte fluisteren en het beleefde lachen. In de top van de boom zat een gouden engel, die gevaarlijk scheef hing. In een hoekje stond een vrouw van middelbare leeftijd in een donker uniform, met een doorgroefd gelaat, die glazen volschepte met eierpunch en uitdeelde aan de dorstige gasten.

Die avond ontmoette hij de mysterieuze Annabeth, met haar blonde haar hoog opgestoken, als een groot vlechtbrood, en Claudia Cates, wier grote bruine ogen sereen onder een donkere pony uitkeken, haar benen lang en welgevormd in een kanten panty onder een korte roze jurk. Er waren nog een paar andere meisjes bij hen, maar aan hen werd Robert niet voorgesteld; Tracey bracht zijn avond met Annabeth door terwijl Cates, Van Dorn en Pascal de anderen in een dichte kring om zich heen hielden.

Maar er waren nog genoeg mooie meisjes over, meisjes met een roomkleurige huid, in weelderige stoffen als kasjmier en fluweel, die zinspeelden op de beloning van nog meer zachtheid eronder. Zou hij het lef heben om een van hen te kussen? Hij moest het gewoon maar proberen. Het waren immers meisjes, en hij wist alles over meisjes. Maar hij kreeg de kriebels van de omgeving. Tracey en Annabeth liepen gearmd rond over de benedenverdieping en fluisterden met elkaar. Ze leken reuzevriendschappelijk voor een stel dat net hun verloving had verbroken; hij vroeg zich af of hij er ooit achter zou komen wat er werkelijk had gespeeld.

Hij was niet de enige die nieuwsgierig was. De eetkamer deed ook dienst als dansvloer, en in de hoek stond een jongen platen te draaien. De muziek was geweldig dat jaar – The Beatles, The Rolling Stones en Roy Orbison – muziek waar studenten nog generaties lang op zouden dansen. Robert vroeg het ene meisje na het andere ten dans en tot zijn verrassing zeiden ze allemaal ja en wisten ze allemaal dat hij Traceys kamergenoot was.

'We zagen jullie binnenkomen,' zei een meisje dat Audra heette en met hem danste op 'The Look of Love' van Lesley Gore. 'Hoe is het om een kamer te delen met Sanford Trace?'

'Hij is best aardig,' mompelde Robert.

'Is het uit tussen hem en Annabeth? Ze kwam naar de universiteit met een ring, maar een paar dagen later had ze hem niet meer om.'

'Daar weet ik niets over.'

'Ik wil niet roddelen, hoor, maar zij is zo gesloten dat ze het uitlokt. En hij is, ik bedoel...'

'Wat?' vroeg Robert.

'Zeg, weet jij wat voor soort koekjes hij lekker vindt?'

'Koekjes?' vroeg Robert, die een lach niet kon onderdrukken. 'Ik denk dat je met chocoladekoekjes altijd goed zit. Maar waarom vraag je het hem zelf niet?'

Alle meisjes met wie hij die avond danste – zelfs degenen met wie hij heel close danste, zelfs een meisje dat was meegegaan naar het balkon om met hem te zoenen – zagen toch kans om te informeren naar Tracey en Annabeth, of alleen naar Tracey. Tot hij uiteindelijk alleen maar kon concluderen dat de meisjes van Smith College de hele dag niets anders deden dan met elkaar kletsen, of dat Tracey een belangrijker persoon was dan hij zich had gerealiseerd. Sommige meisjes spraken over Roberts kamergenoot zoals ze over de zoon van een filmster of een rockmuzikant zouden doen. Ze vertelden hem dat Tracey Annabeth had vergezeld toen ze debuteerde bij een gelegenheid die het Herfstbal werd genoemd, en dat zijn moeder regelmatig in de societybladen opdook, maar ze stelden vooral vragen: Naar wat voor soort meisje was Sanford Trace precies op zoek? Blond of bruin? Uit het noorden of het zuiden? Sportief? Of een boekenwurm?

Wist Tracey dat meisjes op deze manier over hem spraken? Was dat de reden waarom hij zo weinig mensen toeliet tot zijn kring? Als Robert in zijn positie had verkeerd, zou hij zijn populariteit wel beter hebben benut.

Een groot deel van de avond probeerde Robert stilletjes Claudia Cates te benaderen. Haar broer liep voortdurend achter haar aan, trok haar mee telkens wanneer Robert naar haar toe kwam of schoof haar in de richting van Pascal of Van Dorn om met hen te dansen. Robert zag eindelijk zijn kans schoon toen de zangvereniging van Amherst samen met de zanggroepen van Smith kwam zingen in de woonkamer en de dansvloer begon leeg te stromen. Cates liep weg om een goede plaats te bemachtigen en Robert ging naar Claudia, die bij de deur bleef dralen. 'Je broer heeft een pesthekel aan me,' zei hij. 'Dus hoe erg kan ik zijn?'

Tot zijn opluchting begon ze te lachen. 'In mijn ogen kun je er best mee door. Prima mee door zelfs.'

'Zin om te dansen?' vroeg hij. 'Voordat ze ermee stoppen voor vanavond?'

Ze knikte en volgde hem naar de dansvloer. Ze hoorden de openingsmaten van 'The Shoop Shoop Song', door Betty Everett, eerst vervormd, daarna luid en duidelijk. Hij pakte haar hand en bedankte Stacia er in gedachten voor dat ze Barry en hem die vreselijke danslessen had laten volgen. Dansen, dat had hij zelfs toen al geweten, was gewoon een manier om een bepaald soort meisje aan te raken – het soort meisje bij wie je anders misschien niet in de buurt kon komen. Robert liet Claudia in de rondte tollen en ze lachte en wierp haar hoofd op een aantrekkelijke manier achterover.

'Voor alle duidelijkheid, Robert,' zei ze ademloos. 'Ik ben verloofd met een jongen van West Point.'

'Gefeliciteerd,' zei Robert. 'Daar gaat mijn plan om je ten huwelijk te vragen zodra dit nummer afgelopen is.'

'Was het verkeerd van me om het zo snel te zeggen?'

'Je houdt vast van hem en je wilt het juiste doen,' zei Robert. 'Wanneer is de grote dag?'

'In april.'

'Zo gauw al?'

'Zodra hij is afgestudeerd vertrekt Charlie naar Vietnam.'

'Maak je je zorgen?'

'Helemaal niet,' zei ze. 'Hij is ervan overtuigd dat het over een paar maanden allemaal achter de rug is.'

Robert liet haar halfkomisch achteroverbuigen en trok haar toen overeind. Ze was even heel dicht bij hem, maar daarna nam ze gracieus wat afstand. Hij keek naar haar terwijl haar slanke heupen bewogen op de muziek en haar hoofd meeknikte. Verloofd of niet, hij vroeg zich af of hij met haar alleen zou kunnen zijn.

'Ik wed dat vrouwen bij bosjes voor je vallen,' zei ze.

'Ja, ik wind ze om mijn vinger,' zei Robert terwijl hij dichterbij kwam. 'Misschien wilde daarom elk meisje waarmee ik heb gedanst alleen maar over Tracey praten.'

'Ze proberen hem allemaal aan de haak te slaan. Niemand denkt aan die arme Annabeth. Het ene moment was ze verloofd, het volgende moment weer alleen.'

'Ze lijkt er niet onder te lijden,' zei Robert. Juist op dat moment stonden Tracey en Annabeth aan de rand van de dansvloer te beraadslagen. Tracey keek op alsof hij zijn naam had gehoord en zwaaide spottend naar hen, waarna die twee de kamer verlieten. 'Ik neem aan dat ze allemaal naar die castraten van Amherst gaan luisteren.'

'Iedereen is dol op die zanggroepen,' zei ze. 'Het is een traditie.'

'Maar jij bent hier met mij en het duizelt je,' zei hij en hij liet haar nog eens ronddraaien.

'Jouw charmes moeten die van de sterfelijke mens ver ontstijgen,' zei ze terug, maar toen struikelde ze en ze greep zijn arm vast voor steun. 'Tracey heeft na de eerste klas van de middelbare school geen nieuwe vrienden meer gemaakt.'

'Ik weet niet zeker of Tracey mij als een vriend beschouwt, meer als een aanhangsel.'

'Hij zou je niet hebben uitgenodigd,' zei ze terwijl ze zijn hand losliet, 'als hij je niet mocht.'

'Mag ik je iets vragen? Waarom doen die jongens, je broer, Van Dorn, Tracey, waarom doen ze álles samen?'

'Ik neem aan dat jij niet op kostschool hebt gezeten,' zei ze. 'Krankzinnige loyaliteit, als familie in zekere zin. Ik denk dat het bij de jongens nog erger is dan bij de meisjes, en bij die jongens helemaal. Van Dorn werd als kind gepest omdat hij er raar uitziet, en Tracey heeft hem onder zijn hoede genomen en hem beschermd. Voor mijn broer is Tracey de alfa en de omega. De bedoeling was dat ze allemaal samen op kamers zouden gaan in Harvard.'

'En ik heb alles verpest, zoals je broer me dikwijls laat weten.'

'Het is niet jouw schuld dat Tracey zijn examen verpestte,' zei ze. 'Terwijl we allemaal weten hoe slim hij is, met al die diepzinnige boeken van hem. Het is alsof hij wílde zakken.'

'Misschien wilde hij niet van de middelbare school af,' zei Robert. 'Als hij zo populair was.'

Het nummer was bijna afgelopen. Hij stak zijn hand uit en eindelijk liet ze zich helemaal door hem in de armen nemen. Hij bewoog zijn vingers langzaam over haar rug omhoog, voelde de spieren spannen. Ze maakte zich van hem los en schudde haar hoofd naar hem en wees hem half spottend terecht.

'Kunnen we misschien ergens gaan zitten? Niet in de woonkamer. Ik heb het niet zo op die meerstemmige Rice Krispies.'

'Je bent erg cynisch voor iemand die zo jong is,' zei ze, toen ze naar de rand van de dansvloer liepen.

'Dit heeft met muzikale smaak te maken,' zei hij terwijl hij zijn arm om haar middel schoof. 'Ik ben niet cynischer dan jij.'

'Dat is waarschijnlijk waar,' zei ze toen hij zijn hand van haar heup haalde. 'Maar ik geloof wel in de ware liefde.'

'Dus je hebt er geen spijt van dat je met hoe-heet-ie-ook-alweer gaat trouwen?'

'Charlie? Absoluut niet,' zei ze. 'Veel meisjes verloven zich alleen omdat ze niet bij de laatsten willen horen die nog niemand hebben als ze afstuderen. Je ziet het aan hun ogen, wist je dat?'

'Maar jij niet.'

'Ik zou drie jaar geleden al ja tegen hem hebben gezegd,' zei ze, 'toen we elkaar voor het eerst ontmoetten.'

'Charlie is een bofkont,' zei hij en hij boog zich voorover om haar heel licht op de mond te kussen. Heel even liet ze hem begaan, maar toen ging het licht aan en begon de jongen die platen gedraaid had zijn spullen in te pakken. Ze wierp een snelle blik over haar schouder en nam hem tot zijn verbazing door een achtergang mee en toen een trap op die uitkwam naast de keuken, naar een stille overloop waar ze naar de kerstliedjes konden luisteren.

'Je mag niet voorbij die tree,' zei ze, wijzend op de tweede tree van boven. Toen ging ze zelf op de bovenste tree zitten. 'Ik blijf hier zitten. Het spreekt vanzelf dat je je eerzaam zult gedragen.'

'Op mijn eer als padvinder,' zei hij.

'Ik betwijfel of je ooit padvinder bent geweest,' zei ze. Hij wist wanneer er met hem geflirt werd en besefte dat dat nu al een poosje aan de gang was. Hij deed wat hij thuis zou hebben gedaan, stond op en ging bij haar zitten, wrong zich naast haar op dezelfde tree. Ze zei niet dat hij weg moest gaan en daarom kuste hij haar nog eens op de mond, heel zachtjes, zoals hij wist dat het beste was bij meisjes als je ze voor het eerst zoende. Juist als je het allerliefst een beetje haast wilde maken, moest je je inhouden, had de ervaring hem geleerd. En je moest naar hen luisteren, ook als je daar helemaal geen zin in had. Luisteren was als een wondermiddel – dan deden ze alles wat je vroeg. Zou zij hetzelfde zijn als alle anderen? Ze kuste hem terug en hij nam haar onderlip zachtjes tussen de zijne voordat ze zich van hem losmaakte en snel en nerveus begon te praten over Elizabeth Taylor en Richard Burton. Die twee hadden de vorige zomer op de campus gelogeerd toen ze een film aan het draaien waren vlak voor een huis in Green Street.

'Waar gaat die film over?' vroeg Robert. In beslag genomen door zijn verlangen en haar nabijheid nam hij zich voor om het rustiger aan te doen, zijn arm nu rond haar taille.

'Iets over Virginia Woolf,' zei Claudia, die zich van hem wegboog.

'Lijkt me nogal saai.' Hij legde zijn neus tegen haar hals, snoof haar parfum op.

'Een meisje dat ik ken kwam vroeg terug van vakantie en zag Elizabeth, ik bedoel miss Taylor, ik bedoel, mevrouw Burton...' Ze zuchtte. 'Hou daarmee op, je leidt me af. In elk geval, ze zag haar uit haar trailer komen in een badjas en slippers.'

'Hoe zag ze eruit?'

'Slonzig. Mijn vriendin zei dat ze er een beetje dik en heel slonzig uitzag.' Dat vond ze wel amusant. Ze glimlachte naar hem, keek hem eindelijk aan en zei dat hij nodig naar de kapper moest. Toen hief ze haar hand op en streek met twee vingers het haar weer op zijn plaats dat, met een kleine slag, over een van zijn wenkbrauwen had gehangen. Hij kuste haar nog eens en raakte haar tong aan met de zijne. Vlak beneden hen zongen diepe mannenstemmen heel zacht 'I'll Be Home for Christmas'.

'O, ik ben dol op dit lied,' zei ze en ze maakte zich weer van hem los, boog zich naar voren en zette haar ellebogen op haar knieën. 'Dan kiezen ze een meisje uit het publiek en zingen het voor haar.'

'Meestal voor jou, durf ik te wedden.'

'Dit jaar zal het wel voor Annabeth zijn,' zei ze. 'Ze is eerstejaars. Een nieuw gezicht.'

Ze leunde achterover en toen begonnen ze serieus te zoenen, lippen en tongen raakten elkaar en schoten heen en weer. Hij streelde de holte van haar knie en daarna kropen zijn vingers langzaam omhoog over haar dij. Ze fluisterde dat hij waarschijnlijk beter kon ophouden, maar hij bleef haar zoenen. Hij kon het nauwelijks meer uithouden en daarom was hij gehaaster dan hij zelfs een paar maanden geleden zou zijn geweest, toen de meisjes talrijker waren en hij niet het gevoel zou hebben dat ze het laatste mooie meisje op aarde was. Hij had zijn armen nu stevig om haar heen, zijn hand onder haar trui. Zijn erectie schampte langs haar dij.

'Stop daarmee,' zei ze, en toen luider: 'Doe niet zo walgelijk!' Ze duwde hem krachtig van zich af en ze kwamen allebei opgelaten overeind.

'Claudia,' stamelde hij. 'Dat was, ik was...'

Ze zei niets, maar ging alleen bijna op de overloop van de volgende verdieping staan. Hij ging een tree lager staan en hing tegen de trapleuning alsof hij gewond was. 'Ik geloof dat ik de signalen verkeerd heb begrepen,' mompelde hij. 'Ik bedoel...' Hij kon het allemaal van haar gezicht aflezen: daarnet nog had ze hem fascinerend gevonden, iemand zoals ze nog nooit had ontmoet, en nu was hij een vreemde.

'Vertel het alsjeblieft niet aan Charlie,' zei ze. 'Aan niemand.'

'Natuurlijk niet.'

'Je kunt van iemand houden en met hem willen trouwen en toch nieuwsgierig zijn, ik bedoel...' Haar woorden stierven weg en ze begon te huilen. 'Meisjes die meer doen dan zoenen, daar trouw je niet mee. Dat is wat Tracey tegen Annabeth heeft gezegd!' En toen draaide ze zich om en holde de trap op.

Pas later zou Robert zich afvragen waarom Tracey een meisje zoiets belachelijks, zoiets contraproductiefs had verteld. Misschien had Annabeth het verkeerd begrepen. Dat, of Tracey had stiekem ergens een ander meisje en had een snelle uitweg gezocht.

Beneden in de woonkamer was het zingen afgelopen, de zanggroepen waren vertrokken, en stelletjes waren gepassioneerd afscheid aan het nemen op de gangen en buiten op het balkon terwijl de huismoeder beneden alles in de gaten liep te houden. Cates bleek te dronken om zich zorgen te maken over zijn zus, of over wie dan ook trouwens; Van Dorn en Tracey lagen allebei uitgeteld aan een kant van de chintz bank. Ze hadden zich allemaal afgemeld bij het studentenhuis en werden verondersteld hier te overnachten; Annabeth had kamers voor hen geregeld, maar ze was nergens te bekennen, en Mark Pascal, die zich nu bij Robert had gevoegd, wilde teruggaan naar Boston. Ze zouden te laat terugkomen om nog te worden toegelaten, en het zou hun niet lukken om Tracey en de anderen hun kamer binnen te smokkelen, maar ze konden naar een eethuisje gaan dat de hele nacht openbleef, drong hij aan, zich volstoppen met koffie en eten, en bij het krieken van de dag teruggaan en dan de hele dag slapen.

Robert was opgelucht dat hij Claudia niet meer onder ogen hoefde te komen, maar ze moesten eerst de anderen naar de auto's zien te krijgen. Pascal en hij zeulden eerst met Cates, daarna met Tracey en als laatste met de kolossale Van Dorn tussen hen in de glibberige trap af en over het parkeerterrein naar de auto's.

'Ik hoop dat je een rijbewijs hebt,' zei Pascal en hij hield hem Traceys sleuteltjes voor. 'Ik heb echt een kloteavond gehad. Wat een stel vreselijke meisjes.' Hij zweeg even. 'Ik zag je weggaan met Claudia.'

Robert griste de sleuteltjes uit Pascals hand. 'Ze heeft het alleen maar over Charlie gehad.'

Pascal lachte, opgemonterd omdat Robert het ook niet naar zijn zin had gehad. Robert was bekaf; het leeuwendeel van het zware gezeul was op hem neergekomen, en nadat hij Van Dorn de trap af had geholpen, was hij echt kapot. Maar nu had hij Traceys autosleuteltjes in zijn hand en het idee de MG te kunnen besturen hielp aanzienlijk om al het voorafgaande uit zijn hoofd te verdrijven. Hij had pas drie keer in zijn leven gereden, als je zijn rijexamen meetelde, en dat was in de oude Oldsmobile van zijn oom, die om de haverklap kuren vertoonde en afsloeg.

Kon Barry hem nu maar zien. Hoe gemakkelijk was het niet om gewend te raken aan een prachtige auto, om de touwtjes in handen te hebben. Het was al een hele poos geleden opgehouden met sneeuwen, en om een uur 's nachts was er weinig verkeer. Hij scheurde naar het oosten over de I-91 met de radio keihard aan en trok zich niets aan van Pascals waarschuwingen over verkeersagenten die verdekt langs de weg stonden opgesteld, trok zich niets aan van waarschuwingsborden die hem tot voorzichtigheid maanden, en trok zich niets aan van Traceys gesnurk op de passagiersstoel. Waarom zóu Tracey hem eigenlijk als vriend hebben uitgekozen? Het was een raadsel. Ze waren hem allemaal een raadsel, deze mannen en vrouwen, zo cryptisch en toch zo zeker van hoe alles hoorde te zijn. Wie precies had hun regels opgesteld en waarom kende hij ze niet? Hij genoot veel te veel om lang bij de vraag stil te staan, trapte gewoon het gaspedaal in en scheurde zo snel hij kon door de duisternis.

6

Een tweede thuis

Dat eerste jaar kreeg de keuken achter de eetzaal precies dezelfde betekenis die keukens zijn hele leven al voor hem hadden gehad: een toevluchtsoord, een plek geregeerd door oudere vrouwen die hem verwenden. Drie of vier avonden per week at hij een vroege warme maaltijd achterin en ging dan aan de slag als bordenwasser. In oktober was het werk zo'n routine geworden dat Robert er voldoening uit putte, want wat had er op de universiteit verder nou een begin, een midden en een eind? Vaak werkte hij samen met Zinnelli die, net als Robert, meestal alle diensten aanpakte die hij krijgen kon. Sinds Goldfarb met zijn essayhandeltje was begonnen, vertoonde hij zich nauwelijks meer in de keuken, omdat hij de voorkeur gaf aan het schonere werk van ghostwriter.

De studenten die Robert hun bord aanreikten door het doorgeefluik konden gedeeltes van hem zien – zijn ogen en haar en handen, bijvoorbeeld – maar hij keek zelden op. Mensen liepen snel langs, en hij bedacht dat zelfs de mensen die wisten wie hij was hem waarschijnlijk niet herkenden omdat ze maar een deel van zijn gezicht zagen en over het algemeen haastig langsliepen op weg naar elders. Tracey had hem nooit in de keuken gezien; hij at er maar zelden. Dat kwam Robert wel goed uit.

Zinnelli vond het leuk om zich te verkleden voor bepaalde feestdagen. Voor Thanksgiving had hij een plastic hanenkam gedragen die als een muts over zijn oren sloot en nu, de week voor de kerstvakantie, droeg hij een kerstmuts die slap over één oog hing. Terwijl Robert de vaatwasser inlaadde, pakte Zinnelli zijn theedoek, sprong op één voet door de keuken, verloor zijn muts en bukte zich om hem op te rapen.

'Ik begrijp niet wat al die ophef is over The Beatles,' zei Zinnelli. '*If money can't buy you love*, dan toch wel prostituees, wat jij?' Robert deed dergelijke vragen maar af als retorisch. Zinnelli was een geboren dwarsligger en vond het leuk om te choqueren. Zijn vader droomde over een rechtenstudie voor zijn zoon, maar Zinnelli had Robert onlangs toevertrouwd dat hij eigenlijk politieagent wilde worden, in die tijd een impopulaire keus. Hij vertelde het op een fluistertoon en vroeg Robert toen om strikte geheimhouding. Maar meestal praatte Zinnelli over meisjes. Dat was het enige wat alle jongens die hij kende gemeen hadden – ze praatten over meisjes. Gedwarsboomd door de regels van de studentenhuizen overwoog Zinnelli nu middelbareschoolmeisjes. 'Makkelijker te benaderen,' zei hij terwijl hij een theedoek pakte. 'Boston Latin School? Leuke meiden in de bovenbouw.'

Robert had zijn jachtterrein tegenwoordig verlegd naar de bibliotheek, de laatste plaats waar iemand op zoek leek te gaan naar meisjes; alle jongens die hij kende, liepen in het weekend feesten af van studentencorpsen of vrouwelijke studentenverenigingen, of reden naar naburige universiteiten. Maar in de universiteitsbibliotheek kon Robert zijn potlood laten vallen, het oprapen en aan een aantrekkelijk meisje vragen of het van haar was. Of hij kon tegenover haar gaan zitten aan een van de werktafels en zijn hand naast de hare leggen in de hoop dat ze haar hand niet zou wegtrekken. Misschien was het de romantische verlichting die hem moed gaf, maar de risico's die hij nam, pakten vaak goed uit. Hij had al met verschillende meisjes staan zoenen achter de boekenrekken. Eén meisje had gevraagd of hij een wandeling met haar wilde maken en toen was het achter een boom aardig uit de hand gelopen, en als het niet zo koud was geweest, had het nog een bijzondere avond kunnen worden. Maar Robert besprak die ontmoetingen niet met Zinnelli of met iemand anders.

'Een auto zou een groot pluspunt zijn,' vervolgde Zinnelli terwijl hij een stapel droge borden op de plank zette. 'En nu we het daar toch over hebben, ik zag je laatst over College Avenue rijden. Dat was toch zeker zijn auto? Die groene MG?'

'Ik mag hem soms lenen,' zei Robert. Hoewel Robert buiten de kamer zelden tijd doorbracht met Tracey, was zijn kamergenoot vrijgevig met zijn spullen.

'Mijn kamergenoot leent me nog niet eens een metromuntje,' zei Zinnelli nijdig. 'Vertel eens, hoe slaagt het militair-industrieel complex er als eerstejaars in om er een auto op na te houden op de campus?'

'Hij zet hem in een garage op Davis Square.'

'Dat moet prettig zijn,' zei Zinnelli. 'Je zag er trouwens goed uit in die auto.'

'Laat me niet lachen,' zei Robert, hoewel hij wist dat het waar was. In de auto van Tracey voelde hij zich, net als in de overhemden van Tracey, een betere versie van zichzelf. Op een keer had hij Tracey aan de telefoon op de gang tegen Mark Pascal horen zeggen: 'Je hebt nog nooit iemand ontmoet die zo graag boodschappen doet als mijn kamergenoot. Die jongen gaat schrijfmachinepapier kopen of wanten, en komt fluitend terug.'

Toch kostte het geld om Traceys kamergenoot te zijn. Hij tankte bij als hij te lang met de auto had gereden, en nu hij Traceys chique overhemden droeg, had hij het nodig gevonden om een paar broeken te kopen. Verder ging hij soms uit eten met zijn kamergenoot, waarbij Robert er altijd op aandrong dat ze de rekening deelden omdat hij het niet prettig vond om Tracey er altijd voor op te laten draaien. Boeken waren ook duurder dan hij had verwacht, en zo ging het maar door.

'Bijna vier weken vrij,' zei Zinnelli en hij floot toen ze buiten in de kou liepen.

'Niet bij mij thuis,' zei Robert, die keek hoe zijn adem bevroor en toen verdampte.

'Bij mij thuis ook niet,' zei Zinnelli. 'Je hebt nooit vrij als je een café hebt. Mijn vader is een echte slavendrijver.'

Robert knikte. Zinnelli trok een want uit en schudde Robert formeel de hand. 'Laten we hopen op een goed 1966,' zei hij. 'Laten we hopen dat er een eind komt aan de oorlog.'

Thuis was nu iets heel anders voor hem, ook al bleek niets en niemand ook maar een spat veranderd. De geuren waren hetzelfde, het familiefeestje om zijn komst te vieren, het eten waar dagenlang voor gekookt was in het krappe huis, zijn grootmoeder die met uitgestoken handen naar hem toe kwam. De eerste dag was het een en al blijdschap en gelukwensen, maar hij had nauwelijks zijn chique overhemden uitgepakt of het was weer het oude liedje.

Hij was zo lang mogelijk op de campus gebleven en had goed verdiend met sneeuwschuiven en klusjes doen voor het onderhoudspersoneel. 'Ze betaalden zo goed,' zei Stacia, 'had je niet langer kunnen blijven?'

'De gebouwen gaan dicht,' zei hij. 'Jezus, mam, zelfs conciërges krijgen kerstvakantie.'

'Is dat hoe ze je leren praten op die universiteit van je?'

In de daaropvolgende drie weken kwam ze er telkens weer op terug als hij ook maar het kleinste foutje maakte: 'Voor een jongen die studeert, gedraag je je als een idioot.' Of: 'Hé, studiebol, doe dat eens opnieuw!' Hij had het gevoel dat ze op een bepaalde manier trots op hem was omdat hij niet meer wist waar ze dingen opborg of hoe ze sommige klusjes gedaan wilde hebben, alsof zijn verstrooidheid een teken van zijn superioriteit, van zijn opleiding was – en ze hem tegelijkertijd strafte omdat hij was weggegaan. Op nieuwjaarsdag, voor het familiediner, gaf ze hem een lijstje met dingen die hij moest doen. Hij mopperde dat hij het toch wel had verdiend een paar dagen uit te slapen, dat Barry bijna geen klap uitvoerde in huis, en dat ze bovendien geen idee had hoe zwaar zijn studie was. Als reactie daarop wees ze slechts op de luie stoel in de woonkamer waar Vishniak snurkend onder zeil was gegaan, omdat hij zo kapot was dat hij meteen wegdommelde als hij ook maar een minuutje ergens ging zitten.

's Avonds werkte Robert weer als inpakker in de supermarkt, maar overdag werkte hij in het reparatiebedrijf voor huishoudelijke apparaten van zijn oom Frank, dat duidelijk tot mislukken gedoemd was, net als alle zakelijke ondernemingen in zijn familie. Er waren maar weinig klanten, en Frank liet hem zo weinig doen dat Robert zich schuldig voelde om er geld voor aan te nemen. Hij probeerde de stoffige ruimte achter de winkel schoon te maken en te ordenen, en hoewel dat leidde tot hoesten en ademhalingsproblemen, was hij ervan overtuigd dat hij zijn oom zo in elk geval hielp, maar hij zag algauw in dat hij de zaken alleen maar had verergerd – nog weken daarna kon Frank de helft van zijn spullen niet terugvinden, en hij raakte zelfs klanten kwijt, omdat hij dacht dat hij een broodrooster of een mixer had gerepareerd en teruggegeven terwijl die er al die tijd gewoon nog had gestaan.

Maar het ongemakkelijkst was de omgang met zijn broer, die zonder dat hij van toeten of blazen wist ineens in de puberteit was beland. Toen Robert op een middag thuiskwam omdat hij een uur vrij had tussen twee baantjes in, zat Barry in de keuken met een meisje dat Mary Ryan heette; de twee hadden een glas melk voor zich en zaten koekjes te eten. Barry probeerde te profiteren van het hiaat van drie kwartier voordat hun moeder thuiskwam, maar hij deed het niet zo succesvol als Robert had gedaan, en Mary Ryan was niet de makkelijkste. Robert had op Central gezeten met haar broer, Owen, die nu aan Villanova studeerde; Mary zat op de meisjesschool. De Ryans, die aan de andere kant van de Boulevard woonden, waren intelligent en sarcastisch, en als Mary ook maar enigszins op haar broer leek, zou Barry haar nooit zover krijgen dat ze zwichtte voor zijn wensen. Robert ging even bij hen zitten en verbaasde zich erover dat Barry nauwelijks in staat was oogcontact met het meisje te maken of een gesprek met haar te voeren. Hij gaf hoog van zijn broer op in een poging Barry's werk te vergemakkelijken. Mary draaide haar stoel naar hem toe en luisterde, vrijwel zonder een woord te zeggen. Toen hij naar haar broer informeerde, zei ze dat Robert een keer langs moest komen nu Owen en hij allebei thuis waren. Robert zei dat hij dat zou doen, hoewel hij wist dat er niets van zou komen; hij stond op om weg te gaan en dacht er verder geen moment meer over na. Maar volgens Barry ging Mary vanaf dat moment elke dag uit school vandaan naar huis, in de vurige hoop dat Robert langs zou komen. Zij gaf Barry er de schuld van dat Robert niet kwam, en Barry gaf Robert er de schuld van toen Mary zei dat ze alleen vrienden met hem wilde zijn.

'Wat moet ik nou met een puisterige veertienjarige?' vroeg Robert, geërgerd dat zijn goede daad onopgemerkt was gebleven. Bij wijze van reactie stak Barry zijn middelvinger naar hem op en holde vernederd naar boven. Wanneer had zijn broer zich ooit vernederd gevoeld? Waar was zijn pit gebleven? Toen Robert op Barry's deur klopte, kreeg hij te verstaan dat hij de kolere kon krijgen.

'Het spijt me,' zei hij tegen de deur. 'Het is een heel aantrekkelijk meisje.'

Was hij alleen maar thuisgekomen om als zondebok voor de hele familie te dienen?

Zelfs zijn oude bed voelde te klein voor hem. Zijn voeten staken eruit, en het was ondenkbaar dat zijn moeder ooit een groter bed zou kopen – hij vroeg het haar niet eens. Elke ochtend van zijn vakantie werd hij wakker met een stijve nek, en toen de dag aanbrak dat hij terugging naar Boston, had hij het gevoel dat hij weer helemaal opnieuw was gered.

7

Mevrouw Trace

Tegen het einde van het eerste jaar kondigde Tracey aan dat zijn moeder naar Boston kwam. 'Mijn vader stuurt haar,' zei hij, 'waarschijnlijk om ervoor te zorgen dat ik harder ga studeren. Dat wordt een vergeefse missie, Vishniak.' Maar vergeefs of niet, ze wilde Tracey en zijn kamergenoot mee uit lunchen nemen.

Tufts en Harvard hadden hun officiële bezoekweekend in oktober al gehad, maar veel ouders kwamen ook in andere weekenden. Vlak na de kerstvakantie had Robert de vader van Mark Pascal ontmoet, en Van Dorns moeder kwam in maart. Allebei hadden ze een grote groep vrienden van hun zoons mee uit genomen, onder wie Robert en Tracey en nog een stuk of vijf anderen. De groep was zo groot geweest dat Robert niet opviel en tegen de volwassenen aan tafel niet veel meer hoefde te zeggen dan 'Leuk u te ontmoeten' en 'Bedankt dat u me hebt uitgenodigd'. Beide keren gingen ze naar een populair steakrestaurant in Cambridge, waarvoor een jasje met stropdas vereist was, en tot Roberts verbazing betaalde de betreffende ouder zonder blikken of blozen de rekening voor een stuk of acht hongerige jongens.

Ze zouden mevrouw Trace treffen in een Chinees restaurant, ergens tussen Chinatown en de hoerenbuurt in. Dat verbaasde en intrigeerde Robert, want het was niet bepaald een chic deel van stad. Hij was nog nooit naar een Chinees restaurant geweest en wist niet wat hij kon verwachten; het was al moeilijk genoeg om Amerikaanse gerechten te eten in het bijzijn van Tracey, en hij kon alleen maar hopen dat hij de middag zou doorkomen zonder zichzelf voor schut te zetten.

'Mijn moeder is op de oosterse toer,' verklaarde Tracey, toen hij de MG parkeerde bij een naar vis ruikend steegje. 'Toen ik zes was, was het astronomie; ze moest en zou een telescoop hebben. Twee jaar later schreef ze zich in bij een kookschool. Zo kan ik nog wel even doorgaan. Ze heeft veel energie.'

Robert wist niet wat hij daarop moest zeggen, maar toen waren ze aangekomen op de plaats van bestemming, een onopvallende rode deur. Binnen waren de tafels gedekt met witte tafelkleden, de borden en tere theekopjes versierd met ingewikkeld dessins. Naast elk bord lag een paar rode keramische eetstokjes. Aan de wanden hingen ingelijste stukken perkament, elk met een Chinees karakter in het midden. De in een rood jasje geklede kelners slopen geluidloos langs de gepolitoerde donkere lambrisering. Toen mevrouw Trace de twee jongens zag, stond ze op om hen te begroeten. Ze was lang en mager, had een geprononceerde kaaklijn en een lange nek, geaccentueerd door steil, spierwit haar, dat net tot haar kin reikte. Ze nam Roberts hand in haar beide handen, en haar handpalmen voelden warm. De ober kwam, en ze bestelde in haperend Chinees eten voor de tafel; ze was Chinees aan het leren, vertelde ze Robert, en ze zou over een paar weken naar Hongkong vertrekken. Ze beklaagde zich erover dat je in de vs niet veel authentiek Chinees eten had, en deze zaak hier in Boston, aanbevolen door een Chinese vriend, kwam er nog het dichtst bij.

Robert vond dat ze leuke sproetjes op haar smalle neus had en vond het leuk dat ze op en neer wipte in haar stoel wanneer ze iets met nadruk zei, wat vaak gebeurde. Als zij zei: 'Je moet beslist de eendenpootjes proberen!', klonk het alsof de wereldvrede ervan afhing. Tracey zei niet veel, zodat Robert zich hetzelfde kon veroorloven en zij haar aandachtig luisterende gehoor werden.

De obers vulden hun glazen met witte wijn – had er dan ook wijn op de menukaart gestaan? Vervolgens brachten ze kommen heldere soep met groenten en stukjes vis. Tracey pakte zijn eetstokjes en Robert deed hetzelfde; hij had moeite met de eerste pogingen en één eetstokje belandde op zijn schoot, maar uiteindelijk slaagde hij erin Tracey te imiteren en de vaste bestanddelen uit de bouillon te pikken. Na een paar minuten pakte mevrouw Trace haar kom, blies op de inhoud en zette de kom aan haar mond. Robert keek naar Tracey voor aanwijzingen toen Cates binnenkwam. Toen hij dichterbij kwam, klopte mevrouw Trace op de vrije stoel links van haar. Tracey had niet verteld dat Cates ook was uitgenodigd.

Cates ging zitten en bedankte voor de soep, omdat er juist dat moment twee kelners verschenen met een eindeloze stroom gerechten, afgedekt met cloches, die één voor één werden opgetild om de volgende delicatessen te onthullen: een hele vis, dikke paarse plakken aubergine overdekt met sjalotjes, bergen gebakken inktvisringen in een pikante bruine saus, een schaal met groente die aan door elkaar gehusselde grassprietjes deed denken, en stukken kip op een bedje van transparante noedels, zo dun als mensenhaar. Robert keek hoe mevrouw Trace rijst schepte in een kommetje naast haar bord en dat aanvulde met bescheiden porties van de andere schotels. Tijdens het eten praatte ze over de bruiloft van Claudia Cates, die de week daarvoor in een buitensociëteit in Baltimore had plaatsgevonden. Ze was opgetogen en gebaarde als een dirigent met haar eetstokje door de lucht. De bruid zag er prachtig uit! De bruidegom had voortdurend een grijns van oor tot oor! Prille liefde, zo verfrissend! Tussen dergelijke uitroepen door vernam Robert ook dat het echtpaar Cates gescheiden was en tijdens de receptie niet eens aan één tafel had willen zitten. 'Je zou toch denken dat ze omwille van Claudia...' zei ze terwijl Cates naar zijn bord staarde en Tracey tegen haar zei dat ze op een ander onderwerp moest overstappen.

'Je hebt gelijk, lieverd,' zei mevrouw Trace, maar ze praatte gewoon in dezelfde trant door. 'Claudia en Charlie! Zo gelukkig! Zo chic! Bij geen van beiden iets te bespeuren van "nu is het uit met de pret", zoals je zo vaak ziet. Tracey, je had je vader moeten zien op onze bruiloft. Het zweet brak hem uit en hij keek voortdurend om zich heen waar de nooduitgangen waren, alsof hij de benen wilde nemen.' Ze keek naar Robert. 'Ik heb voor hem mijn geloof opgegeven, moet je weten. Ik ben Russisch-orthodox opgevoed, maar dat vond hij maar niks. Te veel hocus pocus! Te veel Byzantium! Bovendien was het zijn tweede huwelijk, en mijn kerk stond afkeurend tegenover echtscheiding...'

'Moeder,' onderbrak Tracey haar terwijl hij zijn wijn opdronk en zijn glas nog eens bijschonk.

'Dus meneer Trace had alle reden om te vrezen dat het op niets uit zou lopen. En ik had alle reden om te vrezen voor het eeuwige vagevuur.' Ze lachte luid. Was ze dronken? Of was dit haar natuurlijke staat? 'En bovendien vinden mannen het verschrikkelijk om te falen en, nou ja, hier zijn we dan, twintig jaar later.' Ze zweeg even. 'Robert, vertel jij eens iets over jezelf.' Zonder hem de tijd te geven om te antwoorden, liet ze erop volgen: 'Waar kom je vandaan? Wat is je hoofdvak? Je hebt vast wel een vriendin, misschien wel meer dan één?' Ze nam een hapje rijst en een plakje aubergine uit het ronde kommetje naast haar bord, en Robert dacht al dat hij vergeten was, maar toen voegde ze eraan toe: 'En je familie? Wat doet je vader?'

Robert keek naar de vis die midden op tafel stond, ontdaan van zijn vlees, zodat de kop met zijn waterige zwarte oog alleen nog door een lange graat en een paar flinters glanzende huid met de staart werd verbonden. Een kelner schonk nog eens thee bij en kwam meer wijn brengen. Cates en Tracey richtten hun volle aandacht op hem. Mevrouw Trace wachtte voor de verandering zwijgend af. Niemand veranderde van onderwerp.

'Mijn ouders werken voor de overheid,' antwoordde Robert ten slotte.

'O? Aan mijn kant van de familie hebben we ook een lange staat van dienst bij de overheid,' zei mevrouw Trace. 'Ik zeg voortdurend tegen Tracey dat een diplomatieke carrière een prachtige manier is om veel van de wereld te zien.'

'Ik heb al veel van de wereld gezien,' mompelde Tracey.

Was ze gewoon beleefd? Ze leek oprecht te geloven dat hij een diplomatenkind kon zijn. Hij richtte zijn blik op een spiegelwand en toen hij zijn gezicht zag, kreeg hij bijna de neiging om te knipogen naar zijn eigen spiegelbeeld.

'Jullie moeten weer aan de studie,' zei ze, en van het ene moment op het andere was het afgelopen met haar interesse voor hen. Robert had geen idee waarom. Cates verontschuldigde zich en ging naar de wc. Mevrouw Trace stond op, streek haar kleding glad en liep naar de deur. Robert pakte Tracey bij de arm. 'Moeten we niet betalen?'

'Dat regelt ze vooraf,' fluisterde hij. 'Ze heeft er de pest aan om een rekening onder ogen te krijgen. Je maakt je veel te druk.'

Buiten voegde Cates zich weer bij hen. Het was een onbewolkte vroege lentedag en mevrouw Trace wilde nu per se naar het park om de zwanenbootjes te zien. Ze verontschuldigde zich ervoor dat er geen plek was in Traceys auto om hun allebei een lift te geven, maar Cates wees haar erop dat hij zelf een auto had. Ze kuste de beide jongens op de wang toen ze haar bedankten voor de lunch. Robert keek het tweetal na toen ze wegreden en vroeg zich af hoe het was om zo'n mondaine, aantrekkelijke moeder te hebben, ook al sprong ze wel erg van de hak op de tak.

Cates en hij liepen zwijgend verder. Ze passeerden een stripclub. De neonletters die SEXY MEISJES en NAAKTSHOWS beloofden, waren niet aan, zodat de woorden niet meer dan holle glazen buizen waren. 'Je zult wel honger hebben, Vishniak,' zei Cates. 'Je hebt de helft van je lunch op de grond laten vallen.'

Robert, die zich nog steeds opgelucht en triomfantelijk voelde over hoe hij het eraf had gebracht tijdens de lunch, begon te lachen. 'Nu je het zegt: ik heb inderdaad wel trek.'

Cates liet het er niet bij zitten nu hij zo weinig reactie kreeg. 'Knap hoor, hoe je al die gratis maaltijden regelt.'

'Het is me opgevallen dat jij altijd net naar de wc bent als de rekening komt,' zei Robert.

Ze waren bij de auto van Cates gekomen en hij haalde zijn sleuteltjes tevoorschijn. Robert stak hem zijn hand toe – hij was in een veel te goede stemming om Cates zijn dag te laten bederven – maar Cates staarde in de verte en leek Roberts gebaar niet op te merken of negeerde het doelbewust.

'Hé, Vishniak,' zei Cates een ogenblik later, alsof hij zich ineens herinnerde dat Robert er stond. 'Niet doorvertellen, hoor. Je weet wel, over mijn ouders?'

Voordat Robert iets kon terugzeggen, stapte Cates in zijn auto, sloeg het portier dicht en startte de motor, klaar om weg te rijden. Robert liep snel om naar de bestuurderskant en klopte hard en herhaaldelijk op het raampje tot Cates het omlaagdraaide.

'Wát?'

'Je wilt een gunst? Zou je dan niet even mijn antwoord afwachten?' vroeg Robert. 'Of me een lift aanbieden?'

'Ik ga jouw kant niet op,' antwoordde Cates met een lachje. 'En nu moet je als de donder opzijgaan, voordat ik je omverrij.' Toen gaf hij vol gas en liet Robert verbaasd en geërgerd op de stoep achter. Die Cates en zijn zus waren me een stel – ze wilden dat hij hun geheimen bewaarde, maar stelden er niets dan minachting tegenover.

Uren later kwam Robert terug van de bibliotheek; Tracey lag op bed met de leeslamp aan, hoewel hij niet scheen te lezen. Op zijn borst balanceerde een borrelglaasje met een klein laagje goudkleurige drank erin. 'Hoe laat sta je tegenwoordig op, Vishniak? Om zeven uur?'

Robert knikte, en tot zijn verbazing zei Tracey dat hij hem ook op die tijd moest wakker maken. Hij ging naar de bibliotheek. 'Laat je niet afpoeieren,' voegde hij eraan toe, 'wat ik ook zeg.'

Tracey zag er niet zo goed uit. Zijn gezicht stond ongewoon ernstig, alsof hij tot inkeer was gekomen na het bezoek van zijn moeder, dus kennelijk was haar missie toch niet vergeefs geweest. Robert liet zich op zijn bed vallen en de vering maakte een akelig geluid onder zijn gewicht. 'Hoe lang ben je hier al in je eentje?'

'Uren.'

'En wat doe je?'

'Nadenken.'

'Waarover?'

Tracey ging rechtop zitten en dronk zijn glas leeg. 'Het verhaal dat mijn moeder tijdens de lunch vertelde? Dat ze afstand heeft gedaan van haar geloof? Dat is waar. Ze was gelovig, maar dat heeft ze opgegeven voor mijn vader. En sindsdien grijpt ze elke afleiding aan om maar niet te merken hoe ellendig ze zich voelt.' Hij stond op en schonk een drankje voor Robert in, hoewel Robert daar niet om had gevraagd. Daarna liep hij naar Roberts bed en hield hem het glas voor, zodat Robert het wel moest aannemen, ook al had hij er geen zin in. Tracey trok een stoel bij en ging zitten. Hij legde zijn voeten op de rand van Roberts bed, boog zich voorover en keek hem onderzoekend aan. Had Tracey gemerkt hoeveel eten hij op de vloer van het restaurant had achtergelaten? Had hij niet moeten vragen hoe het met de rekening zat? Misschien had Cates iets tegen hem gezegd. Wat de moeder betrof, kon Roberts gedrag door de beugel, maar dat gold duidelijk niet voor de zoon. Dus waarom vertelde hij hem dit allemaal?

'In feite heeft mijn vader haar nooit gevraagd haar geloof op te geven,' vervolgde Tracey. 'Hij heeft er nooit iets over gezegd.'

'Waarom heeft ze het dan gedaan?' vroeg Robert en hij sloot zijn ogen in de hoop verlost te zijn van Traceys doordringende blik. Geen wonder dat Van Dorn drie douches per dag had genomen.

'Mijn vader kan je op zo'n speciale manier aankijken,' zei Tracey zacht, 'dat je er algauw van overtuigd bent dat hij alles weet wat er mis met je is of wat er ooit mis met je zal zijn, je hele leven lang. En je wilt alles doen wat maar mogelijk is om die blik te laten verdwijnen. Die kan een mens tot waanzin drijven, Vishniak. Neem dat maar van mij aan.'

'Ik geloof dat ik het wel begrijp,' zei Robert terwijl hij zijn ogen opendeed.

'Echt waar?' vroeg Tracey, en zijn vraag bleef dankbaar in de lucht tussen hen in hangen.

'Ja,' antwoordde Robert. Hij leefde nu al maanden met die blik, hopend dat hij die kon laten verdwijnen door aan zichzelf te werken.

Tracey stond op, pakte de deken aan het voeteneind van Roberts bed en dekte hem er, tot Roberts verrassing, mee toe en bedankte hem; Robert wist niet waarvoor.

8

De zomer van '66

Toen hij thuiskwam, had zijn moeder al een plan klaarliggen voor hoe hij meer geld kon verdienen tijdens de zomer. Hij was nog geen dag thuis of ze herinnerde hem er al aan dat hij zoveel mogelijk moest zien te verdienen, net zoveel als alle andere jaren bij elkaar, omdat hij veel te veel had uitgegeven. Had ze maar geweten hoeveel feestjes, films en drankjes hij had laten schieten, maar zij zag alleen het banksaldo en de vierhonderd dollar die van hen verlangd werd voor het volgende jaar, plus de boeken die hij moest aanschaffen als hij de medische vooropleiding zou gaan doen. Hij had zijn oom Frank beloofd dat hij weer voor hem zou komen werken, maar Stacia had Frank overgehaald om in zijn plaats Barry in dienst te nemen.

Ze had contact opgenomen met het jongste zusje van Vishniak, die door iedereen Henry werd genoemd, en haar man, Danny, een muzikant, die taxi reed in New York en altijd wel zwarte baantjes wist. Het echtpaar woonde in West Village, omdat het daar toen goedkoop was, en Danny zei dat hij Robert wel kon helpen om aan een taxivergunning te komen. Vishniaks broers en zussen waren erop gebrand om iets terug te doen voor hem en zijn gezin, die ze heel wat verschuldigd waren – Vishniak had hen allemaal jarenlang met raad en daad bijgestaan, ook na zijn huwelijk, door hen te adviseren en soms wat geld toe te stoppen. Zelfs Stacia had daar nooit bezwaar tegen gemaakt – familie is nu eenmaal familie. Maar nu was de tijd aangebroken om die gunsten te verzilveren.

Robert kon bij hen thuis op de bank slapen, zei Henry, in West 4th, tussen Sixth Avenue en Washington Square Park. Frank probeerde hen ervan te overtuigen dat het veel te gevaarlijk was om een jongeman van die leeftijd 's nachts in zijn eentje door een stadsdeel als Manhattan te laten rondrijden. Stacia negeerde hem. Ze leek in geen enkel opzicht op de andere vrouwen in haar familie, die hun kinderen zo lang mogelijk aan de leiband wilden houden.

Robert was blij dat hij een excuus had om weg te gaan; hij zou die zomer uit een vliegtuig zijn gesprongen of vuur hebben verzwolgen om dat dwingende, verbeten refrein van haar maar niet te hoeven horen: *je moet geld verdienen, geld verdienen, geld verdienen*, met de bijbehorende preken. Barry ontliep Stacia door zich voornamelijk in het souterrain schuil te houden. Barry had al jong drugs ontdekt, en die zomer liet hij zijn oudere broer zien hoe je een joint draaide.

Het appartement op de derde verdieping, zonder lift, was een zweethok, zelfs Henry en haar man noemden het liefdevol zo. Ze waren zo verliefd op elkaar dat niets hun leek te deren. Al voor zijn aankomst had Robert geweten dat hij bij hen in goede handen zou zijn. Henrietta, de jongste van zeven kinderen en het enige meisje, was zo genoemd omdat haar ouders na zes jongens weinig optimistisch waren en een naam wilden die flexibel was. Thuis werd ze altijd Henry genoemd, deels als bijnaam en deels als ironische grap. Als kind was ze in de watten gelegd door haar oudere broers, en als volwassene was ze gemakkelijk in de omgang en optimistisch, niet in staat om anderen of zichzelf te bekritiseren. Het huis was een puinhoop, maar Henry noch haar man leek zich daaraan te storen – de kakkerlakken kropen langs de plinten, de vuile vaat stond in de gootsteen en het douchegordijn zat onder de schimmel. Alle stoelen waren bezaaid met kranten. 'Je mag hier doen wat je wilt,' had ze gezegd toen hij net een paar minuten binnen was, 'zolang je maar niet gearresteerd wordt.'

'Hij zal geen tijd hebben om zich te laten arresteren,' had Danny gezegd terwijl hij zijn plunjezak overnam. 'Hij zal het veel te druk hebben.'

Ze waren pas twee jaar getrouwd, niet veel ouder dan Robert, en meteen vanaf het begin benijdde hij hen. Dit was dus liefde. Hun ogen volgden elkaar hongerig, begerig, zelfs in het appartement. Ze zaten dicht naast elkaar aan tafel, hoewel Robert tijdens zijn eerste maaltijd bij hen af en toe even moest pauzeren om zich met een servet het zweet van het gezicht te wissen, anders zou het in zijn eten zijn gedropen. Op hun vrije dagen, vertelde Henry, gingen ze naar de bioscoop aan de overkant van de straat. 'Airconditioning,' fluisterde ze, alsof ze Gods naam uitsprak. *Duel at Diablo* met James Garner en Sidney Poitier draaide in Waverly, en Robert zou hem die zomer minstens twintig keer zien; sommige nachten, na zijn werk, konden zelfs de luidruchtige, bloederige vechtscènes niet verhinderen dat hij op de achterste rij in slaap viel.

Die eerste avond sliep hij op de bank die je kon uittrekken tot een bed, ademde de geur van joints uit het park in, vermengd met industriële zeep en stoom uit de wasserette op de benedenverdieping. Het was trouwens toch te warm om langer dan een paar uur te slapen, en hij wilde als eerste gaan douchen, terwijl het echtpaar nog sliep, zodat hij hen niet voor de voeten zou lopen en klaar was om aan het werk te gaan.

Om zes uur 's ochtends was Robert al geschoren en aangekleed, en hij zat in het donkere appartement oploskoffie te drinken met zijn jonge oom. Danny schoof hem iets toe over de ontbijttafel. 'Stop hem bij je,' zei Danny. 'Hij is geladen en klein, maar er zit een veiligheidspal op. Je bindt hem om je been, zie je de holster? En als je bang bent voor iemand, buk je je heel terloops en zwaait ermee rond. Daar schrikken ze van en dan binden ze wel in...'

'Denk je dat ze me zullen overvallen?' vroeg Robert.

'Dat overkomt de meeste mensen minstens één keer,' zei Danny. 'Het is net een soort ontmaagding. Je weet wel, een soort inwijdingsritueel.' Hij glimlachte. 'Wees maar niet bang, jongen. Je gaat vijftig dollar per dag verdienen, als het niet meer is. Dus zit er maar niet over in.'

Tijdens zijn eerste maand werd hij alleen al zo volledig in beslag genomen door het vinden van de weg, het vermijden van verkeersopstoppingen, het selecteren van klanten die eruitzagen alsof ze een flinke fooi zouden geven, het wakker blijven op vreemde tijdstippen – zijn lichaam stijf van de adrenaline en de angst – dat hij elk besef van tijd kwijtraakte en zijn werk erop zat voordat hij zich realiseerde dat hij twaalf uur onafgebroken had taxi gereden. Begin juli was hij nog steeds niet overvallen en had hij nog geen lekke band gehad; het ergste wat hem was overkomen, was dat hem zo nu en dan een fooi door de neus werd geboord. Hij maakte zich nog maar zelden bezorgd over wie hij oppikte, wist instinctief welke klanten de moeite waard waren, wanneer hij het beste de hoofdstraten kon volgen en wanneer hij beter de snelweg kon nemen. Hij werd nonchalant, en daarin school hem de fout.

Ze waren met zijn drieën die avond: twee jonge knullen met vies blond haar, lang en mager – hun kleren slobberden om hen heen – de derde man met zwart haar, stevig gebouwd. De twee jongens gingen achterin zitten. Ze wilden naar 88th en Amsterdam Avenue, indertijd een ongure buurt, niet het beroemde Upper West Side dat het later zou worden. De grootste van het stel wilde voorin stappen.

'Ik heb liever dat je achterin gaat zitten,' zei Robert.

'Ja, dat kan wezen. Maar ik vind ze irritant, en ik zit nu al, dus rijen maar.' Hij trok het portier dicht.

Het was een zaterdagavond en ze zaten in het drukke verkeer van Midtown, een en al toeterende auto's. Hij had het recht de man te verzoeken om uit te stappen, maar het leek belachelijk om een ritje kwijt te raken op basis van een gevoel. Hij hield zich voor dat hij niet zo paranoïde moest worden als de jongens die dit werk al jaren deden. Zij beweerden dat paranoia je beschermde: als je een raar gevoel had, moest je de rit weigeren. Maar hij bleef rijden.

Toen ze bij het adres in 88th Street waren gekomen, een herenhuis, rekenden de twee jongens met Robert af. Ze tipten flink, want ze gaven hem een briefje van twintig en zeiden dat hij het wisselgeld mocht houden. Hij pakte het geld aan en er ging door zijn hoofd dat hij er goed aan had gedaan om geen heisa te maken. Er was niets om bang voor te zijn; ze waren van zijn leeftijd, jonge jongens, die hem vertelden dat ze naar een eersteklas bordeel gingen.

De man die voorin zat, wilde een eind verder worden afgezet. Inmiddels was Robert niet meer op zijn qui-vive, geholpen door de fikse fooi van de andere twee. Het was een dikke vent, weldoorvoed, een blanke man in een zwart pak die laat op de avond naar Harlem ging – vermoedelijk een politieman of in het slechtste geval een bookmaker – niets om zich druk over te maken, dacht Robert. Bij een rood stoplicht viel hem op dat de man de onderste helft van zijn oor miste.

Zwijgend reden ze het hele eind naar Broadway. In 122nd Street werd de metro bovengronds, kwam tevoorschijn en reed in een slakkengang naar de Bronx. Onder die bovengrondse sporen stonden kleine groepjes van een man of twee, drie bijeen, die een fles lieten rondgaan. Hij sloeg rechts af bij 126th Street. Aan de overkant was een braakliggend terrein en in de buurt van Amsterdam Avenue stonden wat bouwvallige panden, de bestemming van de man. De klant wees op een deur, waar Robert stopte en de ritprijs noemde. Toen de man zijn portemonnee uit zijn achterzak wilde halen, maakte hij een onverhoedse beweging naar voren, alsof hij iets wilde pakken wat bij zijn voeten lag. Robert interpreteerde het gebaar verkeerd, raakte in paniek en trok zijn pistool.

Zodra hij het gedaan had, wist hij dat hij een vreselijke vergissing had begaan. De passagier keek hem aan en grijnsde. 'Als ik je kwaad had willen doen, zou ik dat een heel eind terug al gedaan hebben,' zei hij. Robert wilde zich net verontschuldigen toen de man hem het pistool uit de hand rukte en Roberts vingers achteroverboog tot hij het uitschreeuwde. Hij hield de koude loop onder Roberts kin. Robert verontschuldigde zich en smeekte om genade – hij had veertien uur achter elkaar gereden. De man gaf een rukje aan het pistool en Robert hoorde een klik en de kogel die op zijn plaats viel. 'Zin in een gokje, jochie?' Seconden later ging het schot af; de kogel doorboorde de linkerbovenhoek van de voorruit van de taxi, zodat er in alle richtingen fijne barsten in sprongen; Robert was ervan overtuigd dat hij de kogel op een handbreedte langs zijn gezicht voelde suizen. De man smeet het pistool op het dashboard en ging er zonder te betalen vandoor. Toen hij weg was, vergrendelde Robert het portier, keerde de auto en overschreed de maximumsnelheid helemaal tot aan Broadway en daarna verder tot Eighth Avenue. In het centrum sloeg hij een steegje in achter een eethuisje waar veel chauffeurs kwamen, liet zijn armen op het stuur rusten en begon te huilen. Zijn knieën trilden zo vreselijk dat het lastig was om de pedalen te bedienen. Toen hij terugreed naar de zuidpunt van de stad, vroeg hij zich af of hij de gebarsten voorruit zou moeten vergoeden. Wat zou dat kosten? Hij was op dat moment te moe om zich er druk over te maken.

Rond drie uur 's nachts kwam hij terug in de Village; zijn benen voelden beverig toen hij uit de metro kwam. Het enige wat hij wilde was een douche en die ongemakkelijke klotebank. Zijn kleren en haar waren kletsnat van het zweet en hij stonk. Toen hij de straat overstak, hoorde hij een bekende stem zijn naam roepen. Over zijn schouder zag hij Tracey Sixth Avenue oversteken, verwoed zwaaiend terwijl hij een meisje achter zich aantrok, een meisje in een korte groene cocktailjurk.

'We gingen naar de Vanguard. Voor een zangeres. Kan me haar naam niet herinneren. God, Vishniak,' zei Tracey, die ineens stond te tollen op zijn benen en zijn armen om de taille van het meisje sloeg voor houvast en toen weer rechtop ging staan, 'geen idee dat je in de stad was. Waarom heb je niet gebeld? Dit is Crea, trouwens. Crea zit nog op de middelbare school, dus let een beetje op je woorden...'

Onder de zachte gloed van een straatlantaarn knikten Robert en het meisje naar elkaar. Ze had een bleke huid en lang, rossig blond haar.

'We snoven net een beetje couleur locale op, hè, schat? Ze noemde het... hoe ook alweer?'

'Een freakshow,' zei Crea lachend.

'We gaan nog een afzakkertje nemen in een tent die zij leuk vindt,' zei

Tracey. 'Kom op, Vishniak, één drankje? Je ziet eruit alsof je het wel kunt gebruiken. Laat ik eerlijk zijn: je ziet er belabberd uit.'

'Ik heb geen zin om het vijfde wiel aan de wagen te zijn. Ik moet ervandoor,' mompelde Robert, die haastig West 4th insloeg. Toen, zich bewust van zijn lompheid, bleef hij even staan en riep over zijn schouder: 'Ik bel je morgen!'

Tracey was te dronken om te beseffen dat Robert geen telefoonnummer van hem had; de Traces stonden niet in het telefoonboek, en Tracey, zatter dan gewoonlijk, zou zich niets van die avond herinneren. Alleen Robert en het meisje met de vreemde naam zouden zich de ontmoeting herinneren.

Toen hij voor de Dag van de Arbeid thuiskwam voor een bezoek, merkte hij dat hij nog meer afstand voelde tussen hem en zijn ouders dan van de winter. Hij kuste geen van beiden toen hij aankwam, hoewel zelfs Stacia zo'n gebaar wel verwachtte na maanden afwezigheid. In de dagen daarna uitte hij alleen maar kritiek. 'Hoeveel geld kun je nou besparen met die belachelijke kortingsbonnen?' vroeg hij die zondag aan zijn moeder toen ze met haar schaar en een krant in de eetkamer haar voorraad bonnen zat aan te vullen. 'Godsamme, als je dat per uur omrekent, zit je mooi je tijd te verdoen.'

Toen ze zei, zoals ze al eerder had gedaan, dat hij op zijn woorden moest letten, zei hij dat hij nu een echte kostwinner was en kon zeggen wat hij wilde. Zijn vader had altijd kleurrijke taal gebruikt. Barry vloekte al sinds de kleuterschool als een bootwerker. Waarom was Robert dan zo speciaal? De hele week gingen Barry en hij naar het souterrain om high te worden. Waar haalde Barry al die wiet vandaan? Barry wilde het hem niet vertellen. Barry werd geestiger en ontspannener van marihuana, maar Robert alleen maar humeuriger. Het huis had dunne muren, en op een avond, toen hij wakker lag in zijn kamer, hoorde hij zijn ouders praten.

'Dit is toch wat we wilden?' vroeg Vishniak. 'Dat hij te geleerd zou worden om nog met ons te praten.'

'Zo heb ik hem toch niet opgevoed; het is een verwaande kwast,' zei Stacia. 'Hij is altijd moeilijk geweest. Ze zijn allebei verwend.'

'Jezus, Stacia, mag ik alsjeblieft slapen!' schreeuwde Robert. 'Je inzichten zijn echt reuzediep, maar deze muren flinterdun!'

Waar kwam die woede vandaan? Terwijl hij een man had moeten worden, voelde Robert die zomer een puberaal soort boosheid die hij maar niet van zich af kon zetten. Wanneer hij zijn vader laat en uitgeput thuis zag komen na een avonddienst, kon hij Vishniak niet negeren zoals hij als kind had gedaan, kon hij zijn hoofd niet over zijn ontbijt buigen en de krant lezen. Hij had inmiddels enig zicht gekregen op wat zijn vader was overkomen, begreep iets van de onmenselijkheid van werken en van wat mannen moesten verdragen. Hoe kon zijn vader, jarenlang, zulke offers brengen voor zijn gezin?

Na de Dag van de Arbeid vertrok hij met niet meer dan een rugzak. Hij kon vanaf New York een lift krijgen van een jongen uit zijn studentenhuis die met de auto terugreed naar de universiteit. Nu waren zijn ouders degenen die opgelucht leken hem te zien vertrekken. Zijn vader stopte hem tien dollar toe en zei dat hij ervoor moest zorgen dat hij goede cijfers bleef halen, maar zijn moeder sloeg haar armen over elkaar. In een plotselinge opwelling van spijt stak hij zijn armen uit en wilde haar omhelzen, maar ze legde haar hand tegen zijn borst en hield hem op een armlengte afstand. 'Zorg ervoor dat je de volgende keer wat manieren hebt,' fluisterde ze, 'anders kun je wel wegblijven.' Toen glimlachte ze, een afgemeten, gereserveerde glimlach, om hem te laten weten dat ze weer eens gewonnen had – totaal niet van haar stuk gebracht.

9

De wereld stort in

In het najaar van 1966, het tweede studiejaar, leerde Robert begrijpen wat angst was. Hij was begonnen met organische scheikunde. Hij bracht zijn tijd door met het opnieuw uitvoeren van mislukte rekristallisaties en het uitdokteren van onzinnige NMR's. Hij volgde ook colleges analyse en liep met gebogen hoofd formules te repeteren. Hij schreef naar huis dat Vishniak misschien wel gelijk had; dat je veel te lang moest leren om arts te worden.

In het tweede semester nam hij een keuzevak – modeltekenen, een populaire cursus, die in de plaatselijke krant was gehekeld omdat er gebruik werd gemaakt van echte modellen. Zijn docent zei dat hij wel enig talent had, maar zoals Barry schreef in een brief aan Robert: 'Je bent nou niet bepaald het type kunstenaar dat op een zolderkamertje wil wonen.' Robert wist dat hij gelijk had – de herinneringen aan zijn zomer stonden hem nog goed bij, ook al wist hij dat de komende zomer niet anders zou zijn. Maar een heel leven van zulke zomers? Alleen zodat hij de vrijheid zou hebben om in zijn vrije tijd te tekenen en te schilderen? Niets voor hem. Tegen het einde van het semester begon hij te betwijfelen of hij evenveel van de lessen in de tekenstudio zou hebben genoten als hij de ellende van het lab niet als vergelijkingsmateriaal had gehad. Hoe kon hij op zijn negentiende nou kiezen wat hij de komende veertig jaar wilde doen? Hoe was dat in godsnaam mogelijk?

Als hij niet kon kiezen, als hij geen carrière op het oog had waar een propedeuse voor nodig was, wat zou er dan met hem gebeuren? Tijdens de eerste twee jaar probeerde hij niet al te veel over de oorlog na te denken en hij hield zich voor dat die misschien wel voorbij zou zijn voordat hij afstudeerde. Tufts, weggestopt op een bosrijke campus in een buitenwijk, stond meer bekend om zijn medische vooropleiding en de studentenfeesten met een Hawaïaans *luau*-thema dan om zijn radicale studenten. Als eerstejaars had hij slechts af en toe iets gemerkt van een voorspelbare uitbarsting – een kleine groep studenten die postte vanwege een populaire hoogleraar filosofie die geen vaste aanstelling kreeg; een redactioneel artikel in de krant over het eten op de campus – maar in 1967, aan het einde van zijn tweede jaar, begon de sfeer op de campus te veranderen, al ging het maar om kleinigheden. Het ledental van Studenten voor een Democratische Samenleving nam toe; bij steeds meer evenementen op de campus werden sprekers uitgenodigd die tegen de oorlog waren. Toen Robert in de herfst van het eerste jaar op weg naar college was, passeerde hij een tiental zwarte en een paar blanke studenten die voor Ballou Hall stonden. Een man in een leren jack en een wollen pet stond op een stoel in een megafoon te brullen. 'We leven al veel te lang in de negerhut van oom Tom!' scandeerde de diepe stem; het kleine gehoor begon te klappen en te juichen. Robert liep er dichter naartoe, en de man liet de megafoon zakken, schoof zijn pet wat naar achteren en knikte naar hem. Het was Cyril Dawkins.

Ook Tracey maakte een transformatie door, hoewel die meer esthetisch dan politiek van aard was. Als derdejaars was hij verschenen met langer haar en hij droeg flanellen werkmanshemden zoals Vishniak op koude dagen onder zijn uniform aantrok. Dat was de nieuwe mode onder degenen die de mode bijhielden, en Tracey wilde niet achterblijven. Hij reed nog steeds in zijn begerenswaardige groene MG over de campus, maar als om het goed te maken had hij hem voorzien van een serie bumperstickers van de antioorlogsbeweging. Robert vond dat vreemd, met in zijn achterhoofd wat Pascal hem over het militair-industrieel complex had verteld. Maar Tracey vertelde Robert in vertrouwen dat hij zijn familiegeschiedenis nu pijnlijk vond en of Robert aan geen mens wilde vertellen dat een bedrijf met zijn achternaam oorlogsschepen bouwde?

Vlak na de vrije dagen rond Thanksgiving kwam Robert terug van de bibliotheek en trof Tracey languit op bed aan in zijn gebruikelijke pose terwijl hij een joint rookte. Dat was op zich niet verrassend; wiet was tegenwoordig overal verkrijgbaar, en sterker spul niet zo moeilijk te vinden, en geleidelijk was Tracey drank gaan afwisselen met drugs en soms combineerde hij die twee. Maar naast hem op de grond lag een jongeman, iemand die Robert nog niet eerder had gezien. Hij was blond en mager en had kleine blauwe ogen. Hij had een afgedragen spijkerbroek en een gestreept T-shirt aan en lag op het kleed een gitaar te strelen, zonder erop te spelen. Zij waren naar een album aan het luisteren en Tracey zei tegen Robert dat hij binnen moest komen en de deur dicht moest doen. Hij stelde de jongen niet aan hem voor – die inderdaad eerder een jongen dan een man was en Robert niet ouder voorkwam dan zestien – en toen Robert iets wilde zeggen, legde Tracey een vinger tegen zijn lippen en wees op een stoel. Maar Robert ging op zijn eigen bed liggen. De muziek was vreemd en prachtig – een krachtige elektrische gitaar begeleidde een vrouwenstem die triest en smekend klonk, verlangend en boos tegelijk. Hij vroeg wie de zangeres was.

'Het is Janis,' zei de jongen en hij legde zijn gitaar op de grond. 'Janis Joplin. "Ball and Chain" van *Cheap Thrills*, man, zo heet het album. *Cheap Thrills*. Wat een titel.' De jongen had een hoge, krassende stem, als een enge kabouter uit een sprookje.

Tracey hield het album voor hem omhoog, met de cartoons erop. 'Ze is blank. Heb je ooit in je leven iets gehoord wat minder blank klonk?'

Robert vroeg zich af wat Tracey daar eigenlijk vanaf wist. Hij was naar de universiteit gekomen met een enorme verzameling van de Dave Clark Five. Het nummer liep ten einde. Joplin schreeuwde dat morgen misschien nooit komt en dat het allemaal één lange dag was. 'Wil je dat nummer nog eens draaien?' vroeg Robert.

Tracey boog zich opzij en zette de naald op het begin van de plaat. Toen streek hij door het haar van de jongen terwijl hij Robert met een lachje aankeek. Toen de eerste joint op was, pakte de jongen een volgende uit zijn zak en stak hem aan. Tracey en hij gaven hem aan elkaar door, toen kwam de jongen naar Robert en gaf hem de joint. Hij ging op Roberts bed zitten terwijl Robert hem oprookte, toen strekte de jongen zich uit en maakte het zich gemakkelijk. Zijn knokige knie schampte even langs Roberts dij.

'Ga daar maar weer heen,' zei Robert. Hij kreeg de kriebels van die jongen. Zijn nagels waren vies en zijn ogen stonden wild, maar het was vooral zijn stem waar Robert niet tegen kon, alsof zijn woorden in de lucht bleven hangen en steeds proberen te beslissen of ze al dan niet zouden breken.

'Weinig lol te beleven met hem,' zei de jongen terwijl hij opstond.

'Moet je niet naar huis, naar je ouders?' vroeg Robert. 'Het is bijna een uur 's nachts en ik heb morgen een tentamen economie.'

'Vishniak, gedraag je een beetje,' zei Tracey, maar hij gehoorzaamde en stond op om zijn gast uit te laten. Robert liep achter hen aan om naar de badkamer te gaan. Toen hij een paar minuten later weer binnenkwam, klaar om naar bed te gaan, was Tracey nog steeds niet terug.

Er verstreken twee weken waarin Robert Tracey niet zag. Hij nam aan dat hij tijd doorbracht met zijn vrienden – hij kwam in elk geval heel laat thuis en vertrok alweer vroeg, of misschien kwam hij wel helemaal niet thuis. Robert maakte nu volop gebruik van Traceys typemachine en draaide zijn platen. Tracey was er weliswaar niet om hem toestemming te geven, maar hij had nooit bezitterig gedaan over zijn spullen. Ook al kon hij de verleiding niet weerstaan, toch had Robert telkens weer last van zijn geweten als hij iets gebruikte wat niet van hem was.

Dit was het jaar dat de studenten begonnen te protesteren tegen de regels van de studentenhuizen. Robert ging naar bijeenkomsten om te discussiëren over hoe er een eind kon worden gemaakt aan de scheiding van de seksen en hij merkte dat de sfeer iedereen amoureus maakte. Hij pikte er net zo gemakkelijk meisjes op als hij in Oxford Circle had gedaan; ze waren bereid stiekem naar zijn kamer te komen en benutten daarvoor de brandtrap of kropen naar binnen door een raam op de benedenverdieping. Mensen verleenden hun medewerking; er hing een sfeer van maatschappelijke ongehoorzaamheid in de lucht en hij was er ineens dankbaar voor dat hij zo goed als geen kamergenoot had. Op een van die middagen had hij stiekem een wulps roodharig meisje, Jill Jamison genaamd, meegenomen naar zijn kamer. Ze lagen te vrijen op zijn bed. Ze had hem al verteld dat ze aan de pil was, Gods meest recente geschenk aan de mensheid, en hij had net haar bh uitgetrokken toen er hard op de deur werd geklopt. Met zijn handen op haar borsten zei hij dat ze het moest negeren, maar toen werd het kloppen luider, agressiever.

'Vishniak! Doe verdomme de deur open!' Er klonken verschillende stemmen. Toen werd er weer gebonsd.

'Verroer je niet!' beval hij het halfnaakte meisje, dat boven op hem lag en haar heupen zo heerlijk tegen de zijne drukte. Maar toen begon het gebons opnieuw en hield niet meer op. 'Doe nou maar open,' zei ze en ze rolde van hem af. Robert gehoorzaamde en mompelde dat het maar beter belangrijk kon zijn.

'Neemt niemand bij jullie op de verdieping de telefoon op?' vroeg Cates. Van Dorn stond achter hem. 'We hebben al dagen achtereen gebeld. Wij zijn op zoek naar Tracey.'

'Die is hier niet,' zei Robert terwijl Jill, inmiddels aangekleed, haar jas om zich heen trok.

'Je kunt best blijven,' zei hij, maar ze stond al hoofdschuddend bij de deur. De twee jongens gingen opzij om haar te laten passeren; Cates zag er voldaan uit en Van Dorn keek haar hongerig na toen ze de trap af liep.

'Ik kan verdomme wel zien waar jij de kamer voor hebt gebruikt,' zei Cates terwijl Van Dorn hem opzijduwde en binnenkwam, mompelend dat het er bloedheet was.

'Onze verwarming staat te loeien of doet het helemaal niet,' mompelde Robert, die probeerde niet aan zijn gemiste kans te denken. 'Zoals ik al zei: hij is er niet.'

Van Dorn ging aan Traceys bureau zitten en liet zijn gezicht in zijn handen zakken. Niemand wist waar Tracey was. De decaan wilde hem spreken. Hij stond op het punt om weggestuurd te worden en zijn ouders bestookten Van Dorn, Cates en Pascal met telefoontjes.

'Als Tracey wil verdwijnen, kun je niets doen om hem tegen te houden,' zei Robert. Hij wist zeker dat Tracey al een paar keer terug was geweest. 'Ik was er toen niet,' zei hij, 'maar het is duidelijk dat hij is langsgeweest om kleren en post op te halen.'

'Waarom zou hij dan geen contact met ons opnemen?' vroeg Cates.

'Ik weet het niet,' zei Robert. 'Misschien is hij de hort op met een meisje, misschien is-ie high aan het worden in een hotelkamer, misschien heeft hij een nieuw stel vrienden opgedoken die hij leuker vindt.'

'Sodemieter toch op,' zei Cates, maar in zijn stem klonk door dat hij bang was dat Robert gelijk had.

'Waar is Mark Pascal, de stem van de rede?' vroeg Robert.

'Die is een stuk voor de *Crimson* aan het schrijven over ondergoed jatten uit het studentenhuis van de meisjes,' zei Cates, die met zijn voet tegen een kromgetrokken vloerplank schopte. Van Dorn mopperde dat ze geen moer aan Pascal hadden. 'Bel me als hij terugkomt,' voegde Cates eraan toe en hij schreef zijn telefoonnummer op. Ooit had hij zijn energie verspild door een hekel aan Cates te hebben, hem zelfs te haten, maar toen hij Cates en Van Dorn zag weggaan, kreeg Robert de indruk dat ze waren blijven steken in de tijd, verloren zonder hun leider, en plotseling leken ze heel jong.

Een paar dagen later dook Tracey eindelijk weer op. Robert had een reeks natuurkundeopgaven ingeleverd waar hij vreselijk mee had geworsteld. Hij was opgelucht geweest dat hij de opgaven in elk geval had ingeleverd, ongeacht de uitkomst. Om het te vieren waren Zinnelli en hij na het werk gaan stappen. Ze hadden wat gedronken in een plaatselijk café en waren toen naar Roberts kamer gegaan om een joint te roken, die Zinnelli bij een van de fulltimekeukenmedewerkers had gekocht. De verwarming liet het weer eens afweten, zodat ze met hun jas aan zaten. Toen Zinnelli wegging, was Roberts lichaam, ondanks de verkwikkende temperatuur, zwaar van uitputting.

Nadat hij snel op en neer naar de badkamer was gerend om zijn tanden te poetsen, legde hij Traceys dekbed op het zijne en stapte in bed. Zijn ogen waren loom en hij lag met opgetrokken benen onder het warme dek. Plotseling was Margie Cohen bij hem. Ze had haar kleren aan, maar lag boven op hem, zoende hem en knoopte zijn broek los. Hij was opgewonden, maar ook gefrustreerd, omdat ze niet wilde dat hij haar aanraakte. 'Je hebt me verraden,' fluisterde ze in zijn oor. 'En ik ga de dienstplichtcommissie bellen.'

Een luid fluiten drong tot zijn bewustzijn door. Hij werd in het donker wakker, met een bonzend hart. In de verte danste er een schaduw over de muur, veroorzaakt door een lamp onder hun raam, die brandde om de laatste nachtbrakers veilig naar hun kamer te loodsen. Toen kwam de radiator weer tot leven en de leidingen suisden en klopten. Hij lag wakker in zijn eigen kamer. De verwarming deed het ineens weer. Omdat hij het nu warm had, gooide hij het bovenste dekbed van zich af en draaide zich op zijn zij.

'Laat het dekbed maar liggen,' zei een bekende stem zacht.

Er lag een arm om hem heen in de duisternis, een lichaam drukte zich tegen het zijne. 'Niet bewegen, Vishniak,' smeekte de stem. Het was Tracey. Hij liet zijn arm omlaagglijden en begon Roberts dijbeen te strelen. 'Ik geef je alles wat je wilt,' zei hij. 'Alles wat ik bezit. Maar blijf alsjeblieft liggen.'

Kon het een droom zijn? *Maar jezus christus, ik ben wakker en Traceys hand ligt op mijn dij.*

Traceys aanraking was licht en voorzichtig. Hij rook naar alcohol. 'Doe maar net alsof, Robert, alsof ik een meisje ben.' Tracey kwam zacht kreunend tegen hem aan liggen, zijn erectie drukte tegen Roberts onderrug. Zijn hand bewoog zich langs de band van Roberts boxershort. 'Alles wat je wilt,' herhaalde hij, en Robert vroeg zich af: *Wat ben ik bereid te doen voor die MG?*

'Het spijt me,' zei Robert terwijl hij uiteindelijk Traceys pols vastpakte. 'Ik denk niet dat er veel zou gebeuren, zelfs niet als ik me ertoe kon brengen...' Hij ging rechtop zitten en duwde het dekbed weg.

Tracey keerde zich naar de muur.

'Het spijt me,' herhaalde Robert terwijl hij uit bed stapte en de bureaulamp aan deed.

'Doe uit!' snauwde Tracey. Hij had zijn knieën opgetrokken tegen zijn borst, als een kind. 'Doe uit! Ik wil nu niet naar je kijken. Ik heb al tweeënhalf jaar naar je moeten kijken. Godsamme, tweeënhalf jaar!'

Robert deed het licht uit, liep naar de andere kant van de kamer, pakte de fles van Traceys bureau en kwam ermee terug. Helaas zat er niet veel meer in. Waarom was het idee nooit bij hem opgekomen? Hij was er zo van overtuigd geweest dat Tracey hem kritisch zat te bekijken, hem corrigeerde, zelfs medelijden met hem had. Hij liep naar het bed waar Tracey, nog steeds opgekruld en met zijn gezicht naar de muur, nu zachtjes lag te huilen.

'Er staat bourbon voor je op mijn bureau,' zei Robert. 'Misschien helpt dat.'

'Ik hoef niet.'

Het was nu erg warm in de kamer en het stonk er naar de joints die er waren gerookt, naar alcohol en vuil wasgoed. Robert liep naar de ramen en begon ze één voor één open te schuiven. Wat moest hij zeggen? Hij had al die tijd niet geweten wat er gaande was – maar ja, hoe had hij dat kunnen zien? Hij had niet geweten dat hij moest kijken.

Tracey draaide zich eindelijk om en greep naar de fles. 'Beloof dat je het niemand zult vertellen,' fluisterde hij.

'Dat beloof ik,' zei Robert, maar toen er een gedachte bij hem opkwam, draaide hij zich om. 'De anderen, weten die het?' Natuurlijk moesten ze het geweten hebben.

'Pascal heeft geen idee. De andere twee, die zijn niet zoals ik,' zei Tracey. 'Voor hen was het anders.'

Robert zei niets en wachtte tot Tracey verder zou gaan.

'Cates moest straalbezopen zijn; Van Dorn wilde gewoon dat iemand hem aardig vond. Zij zijn het allang ontgroeid. Je kúnt het ontgroeien. Toch?'

'Ik zou het niet weten,' zei Robert. 'Waar ben je al die weken geweest?'

'In een hotel. Dat vieze knaapje heeft vijftig dollar uit mijn portemonnee gejat. Dreigde het mijn vader te vertellen. Alsof mijn vader een telefoontje van hem zou aannemen. Alsof hij niet al langer dan ik weet dat...'

Robert liep naar zijn bureau, nam een teug bourbon uit de fles en deed de bureaulamp aan. Tracey zat nu op zijn bed met het dekbed opgetrokken tot aan zijn nek, ondanks de hitte, alsof hij zich in een cocon probeerde te wikkelen. Zijn haar zat in de war en zijn gezicht zag spookachtig bleek onder het felle licht. Robert wierp zijn hoofd achterover en liet het laatste restje drank in zijn keel branden. Toen zette hij de lege fles neer, deed het licht uit, liep naar Traceys bed en ging liggen.

'Je zult er toch niemand iets over vertellen – over dit allemaal?' vroeg Tracey nog eens.

'Nee,' herhaalde Robert. 'Ik beloof het.'

'Oké dan,' mompelde Tracey. 'Ik geloof je.' Binnen een paar minuten lag hij te snurken, maar het duurde enige tijd voordat Robert in slaap viel. Hij lag op Traceys matras in de duisternis te staren. De afgelopen tweeënhalf jaar was Robert ervan overtuigd geweest dat er iets mis was met zijn gedrag, zijn manier van spreken en eten, en met zijn manieren. Wat hij als bedenkingen en kritische blikken van Tracey had beschouwd, was in feite een soort verkapte liefde. En nu kon hij eindelijk zichzelf zijn. Alleen was hij zo rigoureus in die andere persoon veranderd – had zich ontdaan van de lange klinkers die bij het accent van Philadelphia hoorden, hield zijn mes en vork anders vast, kleedde zich anders, liep anders – dat hij zijn oude zelf, de jongen die hij geweest was toen hij hier aankwam met zijn plunjezak, niet meer zou kunnen terughalen, zelfs niet als hij het zou proberen.

De volgende dag deden ze alsof er niets was gebeurd. Tracey deed wat hij altijd deed aan het eind van het semester – probeerde halsoverkop goed te maken wat hij allemaal had nagelaten, en putte zich uit met stampwerk. Er werd niet over gesproken of ze het komende jaar weer een kamer zouden delen. Er werd daarna eigenlijk helemaal niet meer gepraat, over wat dan ook. Tracey stopte demonstratief compleet met drinken, maar hij leek altijd wel uit het raam te hangen om de rook van een joint de binnenplaats op te blazen. En wanneer Tracey in de kamer was, kwam Robert niet langer met alleen een handdoek om terug van de douche op de gang. Hij kocht een badjas, als een man uit een vervlogen tijdperk.

10

De inboorlingen zijn onrustig

Er waren die dag uiteindelijk maar weinig mensen komen opdagen voor de antioorlogsdemonstratie. Ze waren uiteraard tegenstanders van de oorlog – weinig mensen van hun leeftijd steunden die – maar de meesten waren geen organisatoren of schreeuwlelijken, waren niet boos of idealistisch genoeg of misschien hielden ze gewoon niet van spreken in het openbaar. Robert, bijvoorbeeld, sliep met een van de organisatrices en was gekomen omdat ze hem gesmeekt had er te zijn en vrienden mee te brengen. Hij was van plan haar te dumpen en vond dat hij haar in elk geval nog wel een laatste dienst kon bewijzen. En Tracey kwam omdat Robert hem uitnodigde en omdat het voor begin april een uitzonderlijk warme dag was; het leek hem wel wat om buiten te zitten aan de oever van de Charles en naar muziek te luisteren en bovendien waren zijn zeilplannen niet doorgegaan. En als Tracey ergens heen ging, dan waren Cates, Pascal en Van Dorn niet ver uit de buurt, niet alleen omdat ze hem nu eenmaal overal volgden, maar ook omdat Tracey tegenwoordig altijd wel een voorraadje drugs op zak had. Goldfarb kende een jongen die in een van de bands zou spelen, en Zinnelli had beloofd zijn gezicht te laten zien omdat Robert het altijd met prachtige meisjes aanlegde, en prachtige meisjes hadden meestal prachtige vriendinnen; dit soort bijeenkomsten, waar iedereen zo geëngageerd en emotioneel was, waren een geweldige gelegenheid om meiden op te pikken.

Ze stonden allemaal bij elkaar – Robert, Zinnelli, Goldfarb, Tracey, Cates, Van Dorn en Pascal. Ze vertoonden nu meer overeenkomsten dan verschillen met hun lange haar, gescheurde spijkerbroeken en met slogans bedrukte T-shirts – slogans die meestal, in allerlei variaties, het belang van de individualiteit verkondigden. Flyers voor de protestbijeenkomst beloofden een optreden van een beroemdheid; het gerucht ging dat Peter, Paul and Mary een verrassingsbezoek zouden brengen. Iemand anders beweerde bij hoog en laag dat ze had gehoord dat Country Joe and the Fish zouden komen. Maar die middag werd er alleen gespeeld door een studentenbandje, en niet al te best bovendien. Het geluidssysteem deed het niet en de meeste studenten die het woord voerden, degenen die überhaupt te verstaan waren, raakten hun stem kwijt omdat ze moesten schreeuwen. Ondertussen gleed de roeiploeg van Harvard voorbij over de Charles, zonder zich iets gelegen te laten liggen aan de kleine drom mensen op de oever. Met rechte schouders werden de riemen ingepikt in een strakke synchroniciteit die elke individuele behoefte uitvaagde; in Roberts ogen zagen ze eruit alsof niets hun kon deren.

Tegen de middag had de protestbijeenkomst meer weg van picknickende mensen, die op dekens of kartonnen protestborden zaten, broodjes aten en joints draaiden. Robert was dat semester in de ban geraakt van speed. Zijn longen begonnen geïrriteerd te raken door de marihuana, en van Quaaludes werd hij slaperig op momenten dat hij toch al veel te slaperig was. Hij had het gevoel dat hij goed bij de les moest blijven en zich tijdens de colleges niet kon veroorloven om gehypnotiseerd te raken door het opwaaien van een gordijn of door lijnen die in een tafel gegrift waren. Hij hield van de energie die speed hem gaf en merkte dat hij het zonodig een dag zonder eten kon stellen, dat hij met opmerkelijke helderheid essays kon schrijven en als een asceet geen enkel ander verlangen had dan in beweging te zijn; zijn gedachten gingen razendsnel, alle onzekerheid verdwenen.

Maar die middag bonsde zijn hart en zijn handen trilden. 'Heb je iets kalmerends voor me?' vroeg hij Tracey, die net zo vrijgevig was met zijn drugs als met zijn andere bezittingen.

'Hier,' zei Tracey en hij gaf Robert een Quaalude. Toen stond hij op en overzag de menigte. 'Hallo, Boston,' schreeuwde hij. 'Hier is mijn bijdrage aan maatschappelijke gelijkheid!' Hij deed een greep in zijn rugzak en gooide handenvol pillen in de verveelde, stonede menigte. Om hen heen ging een woud van handen de lucht in en de mensen klauterden duwend en trekkend over elkaar heen. Tracey, de aanstichter van de chaos, ging zitten en keek toe. 'Moet je nou kijken, man, als vliegen op de stroop,' zei hij. 'Nou, dat houdt ze in elk geval in beweging.'

Twee rijen voor hen keek een meisje speurend rond waar de gulle gaven vandaan waren gekomen, draaide zich om en lachte naar hen terwijl ze meerdere pillen tegelijk in haar mond stak en wegspoelde met een groene vloeistof uit een fles die naast haar stond. Toen ging ze staan en tuurde tegen de zon in.

'Moet je zien,' zei Cates.

'Ze is een engel,' voegde Pascal eraan toe.

'Kolere,' mompelde Zinnelli.

Ze was het mooiste meisje dat hij ooit had gezien, dacht Robert, toen en de rest van zijn leven. Heel even vroeg hij zich af of hij misschien hallucineerde. *Kom deze kant op*, dacht hij. *Kijk me aan*. Hij deed een wens, stak zijn hand uit en hoopte vurig, *lieve God*, dat zijn uiterlijk in zijn voordeel zou kunnen werken, net als vroeger. Ze zag het verlangen op zijn gezicht, de rimpels die in zijn voorhoofd verschenen, alsof hij haar door wilskracht naar zich toe kon laten komen, en vervolgens zag ze dat zijn lippen bewogen, als in gebed. Struikelend over benen, hoofden en konten kwam ze naar hem toe en liet zich min of meer in zijn schoot vallen.

'Sorry,' zei ze en ze schoof door naar een plekje tussen Robert en Tracey in. Robert kon geen woord uitbrengen, beleefde nog steeds het moment dat ze op hem was beland, de zachtheid van haar haar dat langs zijn gezicht had gestreken, de geur van haar lavendelshampoo. Tracey fluisterde iets. Het meisje draaide zich naar hem om. 'Hartstikke bedankt,' zei ze. 'Wat gul van je.'

Ze had een Brits accent, haar huid was roomachtig glad en haar wangen vertoonden een blos. Ze pakte een half leeggegeten zak chips uit haar rugzak en hield die Robert voor. Hij staarde in haar honingkleurige ogen, maar kon nog steeds geen woord uitbrengen. Toen hij niet reageerde, pakte ze er zelf een, at hem op en likte het vet van haar vingers. Eindelijk boog hij zich voorover en pakte wat chips terwijl hij in haar blouse omlaagkeek in de gleuf van haar decolleté. Geen bh. Het leek alsof er uren verstreken en nog steeds kon hij zijn ogen niet van haar afhouden.

'Dit is gewoon vreselijk,' zei ze.

'Wat?' vroeg hij met zijn handen in zijn schoot, bang om haar aan te raken terwijl hij dat zo ontzettend graag wilde.

'Dit hele gedoe. Die verschrikkelijke muziek, een bijeenkomst die niet echt een doel heeft. De oorlog is nauwelijks aan bod gekomen. Het is gewoon een excuus om high te worden en nieuwe vrienden te maken. Er sterven mensen in Vietnam, maar in Boston is het allemaal één groot feest.'

'Er zijn ergere dingen,' zei Robert. Ze keek niet naar zijn gezicht zoals vrouwen meestal deden, maar leek over zijn schouder naar de roeiers te staren.

'Welja, joh, wat kan het jou schelen dat ze zo veel zwarte jongens de dood insturen, hè? Jullie hebben allemaal uitstel gekregen omdat jullie studeren, en als je studie erop zit, verzinnen jullie wel weer wat anders. Het ergste is nog dat jullie allemaal dénken dat je zo geweldig bent.'

'Ik vind mezelf helemaal niet geweldig,' zei Robert. Hij had de afgelopen drie jaar mensen bestudeerd om aanwijzingen te vinden over hun herkomst. Ondanks de veranderende tijden had hij die gewoonte niet opgegeven – zelfs niet als hij high en vreselijk geil was; het was een reflex, net als slikken. Door haar accent, door de nonchalante manier waarop ze haar sjofelheid droeg, door de frisse, schone geur die om haar heen hing, wist hij dat ze een van hen was. Een welgesteld meisje dat zich anders voordeed. Maar ze had ook iets kwetsbaars over zich. Haar polsen waren zo smal dat hij ze als takjes had kunnen breken. Hij pakte haar hand, draaide hem om op zijn schoot en keek naar de blauwgroene aderen die onder haar bleke huid liepen. Hij wilde haar beschermen, maar hij had geen idee waartegen. 'Wat is je vader, een hertog of zoiets?' fluisterde hij, en hoewel dat niet zijn bedoeling was, kwamen zijn woorden er sarcastisch en geërgerd uit.

'Nee, hij doet iets met warenhuizen,' zei ze. 'Maar mijn moeders afkomst is wel iets deftiger, geloof ik. Maar hoe heet je eigenlijk?'

'Robert Vishniak.'

'Ik ben Gwendolyn Smythe.'

'Nou, Gwendolyn Smythe,' zei hij terwijl hij al zijn moed bij elkaar raapte en diep inademde. 'Zullen we hier weggaan?'

Voor het oog van alle anderen hielp hij Gwendolyn overeind. Nu was zij wat beverig, maar hij voelde zich plotseling heel helder. Een jongen die voor hen lag, pakte haar enkel beet en wilde niet loslaten. Robert trapte hard op de pols van de jongen en trok zich niets aan van zijn gekerm toen hij Gwendolyn meetrok. Toen legde hij zijn hand om haar middel en voelde de blikken van iedereen die keek.

Cates liet zich naast Tracey neerploffen op de plek waar Robert en Gwendolyn hadden gezeten. Robert hoorde zijn stem opklinken in de menigte. 'Het waren jouw pillen, Tracey,' zei Cates. 'Wat een klootzak, die Vishniak. Na alles wat je voor die gluiperd hebt gedaan.'

11

Gwendolyn

Gwendolyn vertelde Robert dat ze aan Boston University studeerde en ze nam hem die eerste dag mee naar een ruim vierkamerappartement met twee badkamers in een gebouw met portier aan de chique kant van Commonwealth Avenue, ver van de lawaaierige studentensociëteiten en de drukke studentenhuizen op de campus. In Roberts ogen was het appartement heel volwassen: de woonkamer had een sierschouw en was ingericht met een bloemetjesbank, een koffietafel, een leunstoel en een abrikooskleurig vloerkleed. Het blanke vloerhout leek zelfs in het licht van de late namiddag nog te glanzen.

'Is dit allemaal van jou?' vroeg Robert.

'Ik huur het.' Ze pakte hem bij de hand en nam hem door een lange gang mee naar een reusachtige witte slaapkamer, groot en hoog, met een hemelbed, als iets uit een sprookje. Voor hem had ze echt een prinses kunnen zijn, net zo'n fata morgana als in verhalen, met haar Engelse accent en hoe ze schijnbaar uit het niets boven op hem was gevallen. Hij ging dicht bij haar staan en vroeg zich af waarom de stank van de middag zich niet aan haar had gehecht. Hij kon zijn eigen zweet ruiken en de rook die overal om hen heen had gehangen en geneerde zich daarvoor, maar iedereen die in Gwendolyns buurt verkeerde, nam iets van haar geur over, een mengeling van haar lavendelshampoo, een mysterieuze buitenlandse zeep die ze in bad gebruikte, een met lavendel geparfumeerde talkpoeder, en tot slot haar lichaam zelf met zijn eigen specifieke geur, even individueel als een vingerafdruk.

'Waarom bewogen je lippen?' vroeg ze, als uit het niets.

'Wat?'

'Je lippen. Daar bij het concert, toen je je hand naar me uitstak, bewogen je lippen. Ben je gelovig?'

Hij lachte. 'Nee, maar ik geloof wel dat ik aan het bidden was.'

'Voor de wereldvrede?' vroeg ze serieus. Ze kwam dichterbij, haar heupen bijna, maar niet helemaal tegen zijn dijen, haar hand nu in zijn nek, licht strelend met haar vingertoppen.

'Dat jij me zou zien en naar me toe zou komen,' zei hij ademloos.

'Wat lief,' zei ze. 'Wat mij opviel, waren je lippen. Die volle lippen, alsof je net iets heel sappigs had gegeten. Ik vroeg me af hoe het zou zijn om die lippen te voelen over mijn hele...'

Hij kuste haar, streek met zijn vingers door haar haar, trok de mouwen van haar wijde blouse omlaag om de blankheid van haar schouder, haar sleutelbeenderen en hals te ontbloten.

'Je neemt er behoorlijk de tijd voor,' zei ze en over haar hoofd trok ze haar blouse helemaal uit.

De eerste paar weken brachten ze hoofdzakelijk in bed door; hij kon niet van haar afblijven, maar daar had ze geen enkel probleem mee. Niemand stoorde hen. Niemand bonsde op de deur of kwam binnenvallen. Er werd nauwelijks gebeld, en als de telefoon ging, reageerden ze niet. Hij had achter vrouwen aangezeten en vrouwen hadden achter hem aangezeten, maar dikwijls, als hij ter zake kwam, leken veel vrouwen het maar een beetje te ondergaan. Zelfs de meisjes die hadden verteld dat ze aan de pil waren, die iets nieuws en moderns wilden, bezorgden hem nog het gevoel dat ze alleen maar toegaven om hem een plezier te doen en niet zichzelf. Dat had hem er nauwelijks van weerhouden om zelf te genieten, maar na afloop ging er vaak een lichte steek door hem heen, van het ego, de eigenaardige, heimelijke onzekerheid van de man – had hij ten opzichte van haar wel juist gehandeld? Hoe moet je reageren als een vrouw ja zegt vanwege iets groters dan zijzelf – een goede zaak, de pil, een dominante zus of de zachte dwang die uitgaat van de voortdurende begeerte van de man?

Maar Gwendolyn zei ja omdat ze hem wílde; dat voelde hij, hij voelde de heerlijke zelfzuchtigheid van haar begeerte die naast de zijne bestond. Ze was niet agressief en nam zelden het initiatief, maar wanneer ze de liefde bedreven, kreunde ze en fluisterde obsceniteiten in zijn oor, rukte aan zijn kleren en soms snikte ze zelfs, overweldigd door haar climax. Na het vrijen hield hij Gwendolyn in zijn armen, overdonderd door de emotie van de hele ervaring, en hij zei dat hij haar nooit zou verlaten – woorden die hij al menige vrouw had toegefluisterd – maar hoe bijzonder was het niet om het ineens te menen.

In het begin vertelden ze elkaar niet veel over zichzelf. Net als veel leeftijdsgenoten maakte Gwendolyn nauwelijks onderscheid tussen het politieke en het persoonlijke, en daarom luisterden ze naar platen, spraken over artikelen in de krant en probeerde zij hem haar politieke opvattingen duidelijk te maken – een mengelmoesje dat deels socialistisch en deels gewoon eigenaardig was. Ze wist bijvoorbeeld alles over Vietnam, maar van Laos had ze nooit gehoord; ze was kapot van de recente dood van Martin Luther King en geloofde dat de Black Panthers met iets belangrijks bezig waren – de boekhandel waar ze werkte was de eerste in de stad met een afdeling boeken van zwarte schrijvers – maar wist niets af van Jim Crow. Hij schreef het toe aan het feit dat ze een buitenlandse was; ze las de kranten, maar voor iemand die haar hele leven op dure scholen had doorgebracht leek haar kennis vol met hiaten, verbrokkeld. Maar die eerste weken waren ze voornamelijk aan het vrijen, douchten samen, keken naar de televisie en zeiden heel weinig. Het was fantastisch om bij een vrouw te zijn en niets te hoeven zeggen. Hij was altijd doodmoe geworden van al dat geklets van meisjes, maar het samenzijn met Gwendolyn was een en al bedaarde rust en kalmte. Hij kon zichzelf zijn.

Ze hadden elkaar begin april ontmoet en aan het eind van de maand trok Robert bij haar in; hij woonde er toch al min of meer en ze had alle ruimte. Gelukkig resteerden er nog maar drie weken van het semester, en de universiteit maakte zich hoofdzakelijk druk over meisjes die samenwoonden. Hij dacht niet aan Tracey, die hij nooit tegen het lijf liep wanneer hij terugkwam op zijn kamer. Hij dacht niet aan Cates of Zinnelli of wie dan ook. In zijn hoofd was slechts ruimte voor één persoon; het was alsof die anderen nooit hadden bestaan.

Maar toen hij eenmaal al zijn spullen uit het studentenhuis had overgebracht en zich in het appartement had geïnstalleerd, zag hij Gwendolyn minder vaak dan hij had verwacht. Ze hield er een druk leven op na en draafde van de ene activiteit naar de andere. Er was haar baan bij de boekhandel en ze ging naar allerlei politieke bijeenkomsten, waaronder die van de groep mensen uit Arlington, die zich verzette tegen de dienstplicht en een jaar geleden in Roberts studentenhuis was geweest. Dat zij, als buitenlander en vrouw, een toerist was in het geheel en nooit zou worden opgeroepen, leek er voor haar niet toe te doen.

Toen vier leden van haar groep in Boston voor het gerecht werden gedaagd, met inbegrip van dokter Benjamin Spock, de beroemde kinderarts, kende Gwendolyns inzet geen grenzen. Ze bracht uren door met het fabriceren van posters, ging rond met petities en bezocht de betogingen voor het gerechtsgebouw. Iedereen in hun omgeving leek erbij betrokken en de hang naar verandering was zelfs overgeslagen naar Europa. In Frankrijk braken studentenrellen uit – op de televisie leken ze veel op de rellen en bezettingen in Berkeley, Columbia en nu ook Harvard, alleen in een andere taal, met ondertiteling en mooiere meisjes. President Johnson kondigde aan dat hij zich niet verkiesbaar zou stellen voor een nieuwe ambtstermijn en beloofde dat er een eind zou komen aan de bombardementen op Noord-Vietnam, maar een paar weken daarvoor had Westmoreland om nog eens 200.000 manschappen gevraagd.

Robert wilde graag geloven dat de acties van zijn generatie daadwerkelijk tot verandering konden leiden, maar hij merkte vooral dat hij zoekende was, niet naar een hogere waarheid, maar naar een maas in de wet, een uitweg, een mogelijkheid om te ontkomen aan zijn dilemma. Hij probeerde voor ogen te houden dat hij nog steeds tijd had, dat hij vindingrijk was en wel een oplossing zou vinden. Zinnelli vertelde hem dat hij als nutteloos zou worden afgekeurd wanneer hij tien kilo afviel en onder de vijfenvijftig kilo kwam. De rabbijn van de campus stelde voor dat hij zich zou laten wijden. Hij was nog altijd een Vishniak, ervan overtuigd dat hij de pineut zou zijn als hij ook maar één moment zijn waakzaamheid liet verslappen of zijn eigenbelang zou opgeven voor dat van het collectief.

Zijn liefde voor Gwendolyn kwam voor hem nog het dichtst in de buurt van een goede zaak. De revolutie liet hij over aan degenen die het zich konden veroorloven. Toen Gwendolyn vroeg of hij wilde meegaan naar haar bijeenkomsten, zei hij dat hij zich niet op zijn gemak voelde in een kerk en vermoedelijk weinig troost zou putten uit een groep die bepleitte dat mensen de gevangenis in moesten gaan. De gevangenis leek hem een plek waar hij het niet zou rooien, dat wist hij gewoon.

Maar Gwendolyn leefde ervan op en stortte zich helemaal op de actuele zaken. Robert had eigenlijk geen idee wat ze studeerde. Toen hij ernaar vroeg, zei ze dat ze een heel scala aan colleges volgde. Maar er waren geen studieboeken van haar in huis, alleen allerlei bladen en tijdschriften. Ze had een abonnement op minstens drie kranten – de *Globe*, *The New York Times* en de *International Herald Tribune* – en toch was het zelden rommelig in huis. Oude kranten verdwenen als er nieuwe kwamen. Hij nam aan dat de werkster die wegdeed, maar Gwendolyn nam niet eens boeken mee naar huis uit de boekhandel waar ze werkte, hoewel ze die vrijwel voor niets kon krijgen. Toen hij probeerde te bedenken waar hij de zware dozen met zijn eigen boeken moest laten die nu in de gang langs de muur stonden, vroeg hij haar uiteindelijk op een ochtend tijdens het ontbijt, omdat hij niet precies wist wanneer hij haar die dag weer zou zien, wanneer ze in vredesnaam studeerde? Waar waren haar boeken?

'Ik heb mijn boeken in de studiecel van de bibliotheek,' zei ze tegen hem. 'Hier is het te stil om te studeren.'

Robert moest lachen. 'Zijn er soms festiviteiten in de universiteitsbibliotheek waar niemand me over heeft verteld?'

'Niet zo plagen,' zei ze. Maar ze keek hem nerveus aan en beet op de huid van haar duim, wat ze dikwijls deed, zodat ze helemaal vereelt waren; het enige lelijke aan Gwendolyn waren haar handen, de vingers roze en vereelt, de nagelriemen gescheurd, alsof kleine diertjes er herhaaldelijk aan hadden geknaagd.

'Zet je boeken maar op de lege planken in de woonkamer. Dan we hebben tenminste boeken om ons heen. Zoals past bij jouw vooringenomen ideeën over de aankleding van een huis.'

Hij haalde diep adem. Hij was niet gewend om echte informatie prijs te geven over zijn familie of hoe hij was opgegroeid, maar Disston Street zat op de een of andere manier altijd in zijn achterhoofd – vergelijken/contrasteren/vergelijken/contrasteren; toen en nu, toen en nu, als een ellenlang eerstejaarsessay over literatuur. 'Wij hadden thuis geen boeken,' zei hij rustig. 'De planken waren voor de televisie of voor prulletjes. In mijn jeugd had niemand die ik kende zelf boeken.'

'Hoe ben je dan met boeken in aanraking gekomen?'

'Door de bibliotheek,' zei hij. 'We gingen elke week boeken ruilen.'

'Bibliotheken zijn veel éérlijker, vind je ook niet?' Ze stond op en begon meteen zijn boekendozen uit te pakken. 'Ik kan vandaag best wat later gaan,' zei ze. 'Ik zet ze er zelf wel even neer.'

Hij deed graag alsof ze alleen op de wereld waren, op een eiland met zachte, gebloemde lakens, met geurige zeepjes in de badkamer en dikke, superdikke badhanddoeken. Zelfs de lucht voelde anders bij Gwendolyn thuis. Hij had nog geen goed beeld van de ernst van de allergieën uit zijn jeugd, zijn overgevoeligheid voor huisstofmijt en allerlei goedkope, chemische schoonmaakmiddelen. Hij stond niet stil bij het studentenhuis, waar tienerjongens dicht op elkaar gepropt zaten, de lucht bedompt, vies en doortrokken van sigarettenrook. Hij legde ook geen verband tussen de wekelijkse komst van Dana, Gwendolyns Tsjechische werkster, een vrouw van middelbare leeftijd, die het stof verjoeg en met strikte regelmaat de vloeren dweilde met een zelfgefabriceerd schoonmaakmiddel en dennenolie, en het feit dat zijn neus en ogen nauwelijks nog geïrriteerd raakten en dat hij minder benauwd was. Hij begreep alleen het eindresultaat: voor het eerst in zijn leven kon hij vrij ademen.

Een portier hield de deur voor hem open wanneer hij beladen met boodschappen aan kwam lopen, en op de dagen dat hij geen college had en niet in de keuken hoefde te werken, was die portier, op Gwendolyn na, de enige die hij zag. De weinige vrienden die hij op Tufts had gehad zag hij alleen tijdens de colleges en soms voor een biertje na het werk. Tracey nodigde hem een paar keer uit, maar Robert bedankte, omdat het een van Gwendolyns vrije avonden was of omdat Gwendolyn had gevraagd of hij iets wilde doen – en later vroeg Tracey het hem niet meer. Robert merkte dat het hem een opgelucht gevoel gaf, blij van ze af te zijn. Had hij de afgelopen drie jaar alleen maar gedaan alsof? Kwam het door de liefde? Of was het een reactie op wat er zich allemaal afspeelde?

De enige over wie Gwendolyn met enige regelmaat sprak, was Bruno, de bedrijfsleider van de linkse boekhandel waar ze drie avonden per week werkte. Toen Robert een paar weken met haar samenwoonde, vroeg hij of hij Bruno een keer kon ontmoeten en de winkel kon zien waar ze met zo veel liefde over praatte. Ze zei dat hij komende donderdagavond naar de winkel kon komen; Bruno was er tot sluitingstijd.

De boekhandel was vlak bij Brattle Street. In de etalages hingen posters van Voorzitter Mao, Che Guevara en Malcolm X; hun gezicht staarde hem aan, van achteren beschenen door fel neonlicht. Er hing een bordje aan de deur dat de winkel gesloten was; er brandde wel licht, maar de winkel leek verlaten. Hij merkte dat de deur niet op slot was – was dat voor hem gedaan? – draaide de deurknop om en stapte binnen. Een windorgel klingelde. 'Hallo! Is daar iemand?'

Vanaf de muur bij de ingang keek paus Paulus VI op Robert neer, zijn handen uitgestrekt boven het opschrift DE PIL IS VERBODEN.

Achter in de winkel kwam Bruno tevoorschijn; hij schoof een gordijn opzij en kwam naar hem toe. Hij was groot en dik, met wild krullend haar en kleine, ietwat schele blauwe ogen. Zijn buik puilde over zijn spijkerbroek heen, die zo te zien op zijn plek werd gehouden door het enorme vredesteken die de gesp van zijn riem vormde. Hij stak zijn hand uit, maar alleen om hem tot een vuist te ballen. Robert wist dat hij geacht werd hetzelfde te doen, maar hij gaf hem gewoon een hand. Hij had geen zin in dat Black Panther-gedoe.

'Gwen, hij is er! Die droomprins van je!' riep Bruno, en Gwendolyn kwam haastig achter datzelfde gordijn vandaan. Hadden ze daar samen in het donker gezeten? Voordat ze naar Robert toe kon lopen, deed Bruno een paar stappen naar voren, onderschepte haar halverwege en raakte haar arm aan. 'Morgen moeten we die tassen met boeken nog uitzoeken.' Hij draaide zich om naar Robert. 'Cadeau gekregen van een prof van Harvard. Voornamelijk moderne Sovjetfictie. Daar hebben we niet zoveel van.'

'Over de gelukkige Sovjetlandarbeider? Of verslagen uit de Goelag?' vroeg Robert. 'Daar stoppen ze toch al hun schrijvers weg?'

'Onze regering liegt ons voor over Rusland,' antwoordde Bruno. 'De hele Koude Oorlog is gewoon één grote opstapeling van leugens.'

Robert ging bij de deur staan in de hoop dat Gwendolyn, die de stapels nieuwe boeken bekeek, zou opschieten en haar jas zou pakken. De winkel rook naar oude boeken, stof en ongewassen klanten. Zijn nekharen gingen recht overeind staan toen Bruno zijn ogen op en neer liet gaan over Gwendolyns lichaam.

'Je ziet het echt helemaal verkeerd,' vervolgde Bruno. 'In Rusland heeft iedereen meer dan genoeg te eten, gratis gezondheidszorg, mooie woningen. Ze hebben de hoogste levensverwachting op aarde. Waarom denk je dat dat is?'

'Ik weet het niet,' zei Robert, die gebaarde dat Gwendolyn moest voortmaken.

'Ik zal je vertellen waarom,' zei Bruno en hij sloeg zo hard met zijn hand op een plank dat de boeken stonden te schudden. 'Ze hoeven niet de machthebber te gehoorzamen! Die bestaat niet.'

Robert hoorde zijn hele leven al over machthebbers. Hij was ervan overtuigd dat hij daar meer over wist dan Bruno. Robert moest de laatste tijd steeds vaker tegen heug en meug discussies voeren over het kwaad van het kapitalisme en hoe geweldig het was om arm te zijn. Op Harvard Square stevende iedereen met een pamflet over klassenonderdrukking regelrecht op hem af, alsof zijn gezicht verried dat hij een immigrant van de overkant was, een verrader van iets wat hij niet eens begreep. Of was dat alleen omdat hij onnozel keek? 'En hoe zit het dan met de geheime politie en de zuiveringen?' vroeg Robert. 'Een mens kan daar niet eens naar Miles Davis luisteren zonder gearresteerd te worden.'

'Praten is zinloos met iemand zoals jij!' brulde Bruno. 'Ga toch naar huis, rijkeluiszoontje!'

'Graag,' zei Robert, zich ervan bewust dat hij een benauwd gevoel op de borst had en dat Bruno makkelijk veertig kilo zwaarder was dan hij. 'Wat is jouw vader trouwens?' vroeg hij. 'Tandarts zeker? Naar je accent te oordelen zou ik zeggen: Great Neck.'

Bruno greep Robert bij zijn kraag en duwde hem achteruit tegen een plank met lp's. 'Je ziet ineens een beetje grauw, man,' zei hij terwijl Robert gesuis in zijn oren hoorde.

'Bruno, we gaan nu,' zei Gwendolyn kalm. 'Ga maar naar achteren en rook wat dope. Relax.' Ze legde haar hand op Bruno's arm. 'En ik maar denken dat jullie wel goed met elkaar zouden kunnen opschieten.'

Eenmaal op straat foeterde ze hem uit omdat hij Bruno had tegengesproken. 'Het is een slimme man.'

'Nee,' zei Robert. 'Het is een dikke man.' Nu wist Robert waarom Gwendolyn er zulke verwarde denkbeelden op na hield. Het was duidelijk de schuld van Bruno. 'En het is een idioot.'

'Je begrijpt het niet. Hij heeft me ingewerkt en zorgt goed voor me.'

'Ja, dat zal best.'

'Hij is een vriend van me!' zei ze. 'Ik heb je niet horen klagen toen we al die wiet van hem kregen, en ook nog eens hasj.'

'Als ik het me goed herinner, heb je voor dat spul betaald.'

'Ik kreeg korting. Hij moet ook eten,' zei Gwendolyn met stemverheffing. 'Je hebt geen idee wat deze baan voor me betekent. Robbie, wat is er? Je ziet ineens helemaal bleek.'

'Heb ik wel eens,' hijgde hij hoestend. Het was nog nooit zo erg geweest als nu. Meestal trok het benauwde gevoel na een paar minuten weg, maar nu kon hij niet eens meer een beetje lucht krijgen, alsof iemand zijn hoofd onder water hield. Hij hoorde het geluid, het verschrikkelijke, piepende geluid van zijn wanhopige pogingen om te ademen.

'Probeer je te ontspannen,' zei ze en ze pakte hem bij de elleboog en plantte hem neer op een bankje in de buurt. Hij zonk. Hij zonk nog dieper weg. De trottoirs en de mensen tolden en draaiden.

Zij nam zijn hand in de hare, begon de binnenkant te masseren en oefende druk uit op het midden, en daarna ging ze alle vingers af en masseerde de knokkels en gewrichten. 'Ademen, Robbie. De lucht is zo lekker fris vanavond. Rustiger. Doorademen.' Ze legde haar vingers om zijn duim en terwijl ze die tussen haar vingers masseerde – sterke vingers die iets in hem los leken te maken – merkte hij dat hij kalmer werd en dat het gesuis afnam. Lucht. Hij voelde het eerst geleidelijk, als door de kieren van een oude muur. Toen begon zijn borst uit te zetten.

'Dat heeft een verpleegkundige me een keer geleerd. Een hand heeft een heleboel zenuwen.'

Hij boog zich voorover en kuste haar terwijl zij doorging met het kneden van het aanhechtingspunt van zijn duim en vervolgens van zijn vingers. Ja, een hand had inderdaad een heleboel zenuwen en nu was hij zo geil als boter. 'Zullen we naar huis gaan?'

Dat vond ze prima en ze liepen snel naar de metrohalte.

Misschien beviel het haar zo goed in de boekhandel vanwege het gezelschap, ook al behoorde Bruno tot dat gezelschap. Ze leek zo vreselijk op zichzelf aangewezen. Geen telefoontjes van haar ouders, geen brieven en zelfs geen rekeningen bij de post. Hij had geen idee waar haar geld vandaan kwam en na een maand begon hij zich daar zorgen over te maken. Als zijn moeder had geweten dat hij zijn kamer op de campus niet gebruikte – een kamer die aan het begin van het studiejaar vooruit was betaald – zou ze woedend zijn geweest, maar er was weinig kans dat ze erachter zou komen. Ze zou het niet in haar hoofd halen om naar het studentenhuis te bellen.

Nu zijn huur daar afliep, hoorde hij te gaan meebetalen aan het appartement van Gwendolyn, maar hij had geen idee wat dat inhield – hoeveel, hoe weinig, of wat hij haar misschien al verschuldigd was. Hij had over de financiën willen praten voordat hij bij haar introk, maar toen was er die eerste, heerlijke euforie geweest over het samenzijn en het bedwelmende effect van seks. Ze hadden zonder woorden geweten dat ze niet gescheiden konden worden, en hij had geen belemmeringen willen opwerpen; alles draaide om snelheid en doortastendheid. Maar waarom had zíj het niet ter sprake gebracht? Misschien wachtte ze wel tot hij het zou doen, omdat hij een man was. Zou dat kunnen? Hij had geen idee. Als er één ding was waar iedereen in zijn familie over sprak, dan was het wel over hoeveel iets kostte en wat iedereen eraan mee moest betalen. Dat soort gesprekken waren nooit emotioneel; niemand aarzelde of haperde. Het was juist beschamend om er níet over te praten. Maar sinds hij het huis uit was, sprak het merendeel van de mensen om hem heen alleen fluisterend over geld of helemaal niet – en hij had dat overgenomen, zoals hij zo veel dingen had overgenomen – zodat hij er niet zomaar iets kon uitflappen en hij het optellen en aftrekken van dollars en centen voor zichzelf hield, alsof zijn hoofd een reusachtige kassa was, gecamoufleerd door een menselijk gezicht.

Er stond nog dertig dollar op zijn bankrekening waar hij het mee moest uitzingen tot hij geld ving van zijn baantje op de campus en er vijfenzeventig dollar zou binnenkomen. Zijn moeder wilde dat hij weer naar New York zou gaan om taxi te rijden. Maar hij kon Gwendolyn toch niet alleen achterlaten? Zou hij hier kunnen blijven? Benadrukkend dat het voor een vriend was, had hij geïnformeerd naar een pas vrijgekomen tweekamerappartement op een verdieping beneden hen. De portier had gezegd dat het al verhuurd was, voor vijfhonderd dollar per maand. Hun appartement lag op een hogere verdieping en was groter, ruim negentig vierkante meter. Dan zou het toch vast wel zeshonderd dollar kosten? Zelfs met een fatsoenlijke baan zou hij maar weinig overhouden als zijn helft van de huur zoveel bedroeg. Hoe kon hij aanbieden wat hij niet bezat? Maar op de een of andere manier zou het wel moeten, wilde hij zijn zelfrespect niet verliezen.

April liep ten einde en de kwestie van de financiën speelde voortdurend door zijn hoofd. Buiten regende het voor de vierde dag achtereen en Gwendolyn was verkouden. Hij stond vroeg op en zette voor hen allebei sterke thee met citroen; haar beker stond op het nachtkastje, de zijne op de vensterbank. Ze was de vorige avond thuisgekomen uit de boekhandel met een grote zak snoep – van een klant gekregen – die nu naast haar op het bed lag. Tijdens het theedrinken voerde ze hem stukjes van een reep, haar vingers glibberig van de smeltende chocolade.

'Niet ons gezondste ontbijt,' zei hij, toen ze een stukje in haar eigen mond stak.

'Heeft je moeder je dat nooit verteld?' antwoordde ze. 'Chocola helpt goed tegen verkoudheid.'

Hij pakte de zak snoep en legde hem op de grond. 'We moeten iets bespreken.'

'Iets wat niet beter zal worden met snoep? Robbie, geef terug!'

'Ik meen het. We moeten het over geld hebben.'

'Nou, liever niet.'

Daar had je dat toontje weer. Traceys toon als iemand over de rekening begon. 'We hebben het er niet over gehad voordat ik hier kwam wonen, maar straks is het weer de eerste van de maand en ik voel me er niet prettig bij,' zei hij. 'Ik moet beslissen wat ik van de zomer ga doen. Weet je...'

'Je weet niet of je het je kunt veroorloven om hier te blijven,' zei ze.

'Maar waarom zou je daar over inzitten terwijl ik geld zat heb? Als ik er niet was, zou je niet eens overwegen om hier te gaan wonen, toch?'

'Ja, maar daar gaat het niet om,' zei hij terwijl hij haar logica probeerde te volgen. 'Je bestaat, en dus denk ik er wel over. Ik wil niet van je profiteren. En ik wil niet bij je weg.'

'Bovendien is het mijn geld niet,' zei ze. 'Eerlijk gezegd, Robbie, weet ik niet eens hoe het precies op mijn rekening komt. Ik wou dat ik het niet van ze hoefde aan te nemen...'

'Kun je niet opschieten met je ouders?' vroeg hij. 'Je hebt het nooit over ze.'

'Ach, het gaat wel,' zei ze na nog een slok thee. 'Maar we zijn alle drie beter af op verschillende continenten. Dat zouden zij in elk geval zeggen. Kom, laten we niet alles bederven met dat gepraat. Als mijn ouders wisten dat je hier was, zouden ze je waarschijnlijk geld toegeven, alleen al om als oppas voor mij te dienen.'

'Stop eens met die grapjes,' antwoordde hij. 'Ik heb een antwoord nodig.'

'Hou erover op!' zei ze terug, en voor het eerst verhief ze haar stem tegen hem. Ze duwde een plukje haar voor zijn ogen weg en kuste hem op het voorhoofd. 'Zullen we buiten de deur gaan ontbijten? Mijn eetlust begint terug te komen en ik heb enorme trek in eieren met geroosterd brood.'

Hij las personeelsadvertenties en briefjes op het prikbord van de campus en informeerde bij iedereen die hij kende of ze vakantiewerk wisten. Toen hij terugging naar zijn oude kamer in het studentenhuis in de hoop dat Tracey er zou zijn, zag hij dat zijn oude matras nu volgestapeld lag met Traceys T-shirts en dat Traceys boeken nu aan zijn kant van de kamer lagen, alsof hij er nooit had gewoond. Tracey zou toch vast wel blij zijn dat hij de kamer voor zich alleen had? Hij ging zitten en schreef zijn vroegere kamergenoot een briefje en vroeg hem of hij werk wist in Boston. 'Je bent altijd zo royaal geweest met alles en ik zou je dankbaar zijn,' voegde Robert eraan toe en hij zette zijn naam eronder. En daaronder Gwendolyns adres. Hij wist dat het ongemanierd was; je vroeg geen gunsten aan iemand die je al in geen maanden had gezien, en zeker niet in een briefje. Maar dat alles, de gedragscode die hij zich met zo veel moeite eigen had gemaakt, gold nu echt niet meer. De tijden waren nu anders. Hij ging proberen te doen wat hij thuis had geleerd – gewoon vragen en je er niets van aantrekken hoe mensen dat zouden opvatten, nee, hoe Tracey het zou opvatten.

Drie weken later kreeg Robert een getypt briefje op zijn nieuwe adres. Er stond in dat Tracey het vierde studiejaar naar een appartement ging verhuizen; hij wenste Robert geluk, en dan zijn naam. Geen woord over Roberts verzoek. Allemaal heel beleefd en formeel. Robert kon het hem niet echt kwalijk nemen en gooide het briefje in de prullenbak en vroeg zich af of hij Tracey ooit nog zou zien.

Hij had zijn studiebeurs voor het volgende jaar al gekregen en die was inclusief maaltijden en huur. Hij wilde de mogelijkheid behouden om in de keuken te werken en wilde ook geen afstand doen van de gratis warme maaltijd voor het werk en af en toe een ontbijt wanneer hij haast had, en dat betekende dat het voor hem simpeler was om te doen alsof hij nog in het studentenhuis woonde. Hij vroeg of Zinnelli zijn kamergenoot wilde zijn; Zinnelli vond het prima om zijn afwezigheid te camoufleren en een tweepersoonskamer te krijgen voor de prijs van een eenpersoons.

In mei kreeg hij een baantje in de bediening bij een chic visrestaurant in Newton Center, waarvan een van zijn docenten een stille vennoot was. Gwendolyn en hij hadden het niet meer over de huur, en toen Robert op 1 juni zijn helft van de huur, iets meer dan driehonderd dollar, op een tafel in de woonkamer legde, bleef het geld daar zo lang liggen dat hij zich uiteindelijk genoodzaakt zag het weer in zijn zak te steken en het maar op te geven en voortaan vrij van huur in dit paradijs in Commonwealth Avenue te wonen. Ongeacht het schuldgevoel dat hij over het geld had, ongeacht de angst een oproep voor het leger te krijgen, wist hij dat hij eindelijk iets te pakken had – iets even ongrijpbaars als de lucht – dat hij niet wilde loslaten, zelfs niet voor een zomer. Tegen Stacia zei hij dat hij de hele zomer op een huis paste in ruil voor de huur. Hij kon doen wat hij wilde, schreef ze terug, zolang hij haar het laatste studiejaar maar niet om geld vroeg. Ze kon niet mopperen over zijn cijfers, die dat semester een stuk verbeterd waren; hij had eindelijk het plan laten varen om medicijnen te gaan studeren en volgde vrijwel uitsluitend colleges in het hoofdvak dat hij had gekozen: geschiedenis. Andere studierichtingen waren, inhakend op de tijdgeest, moderner van aanpak geworden, met rapsessies en docenten die bij de voornaam werden genoemd. Maar de geschiedenisfaculteit hield nog vast aan bepaalde restanten van discipline – net als Robert. Hij was vastbesloten om af te studeren met een fatsoenlijk gemiddelde, ook al was de toekomst onzeker.

En daarom kon hij aan het begin van de zomer alleen maar denken aan de ellende van de afgelopen twee zomers, van zijn tijd in New York, met zijn warmte en viezigheid, en aan de tijd daarvoor, in de kleine woning in Disston Street. Zelfs zijn kamer in het studentenhuis leek hem nu lachwekkend oncomfortabel. Hoe was het allemaal zo gekomen? Gwendolyn die elke avond naast hem lag in een ruim tweepersoonsbed, een appartement met zo'n uitstekende airconditioning dat ze in juli onder een dekbed sliepen, en een goedbetaalde baan die hem ook nog een warme maaltijd opleverde. Hij besefte dat hij nog nooit zo gelukkig was geweest. Nee, hij besefte dat hij voor de allereerste keer gelukkig was, en elke middag wanneer hij naar zijn werk ging, wachtte hij, als een rasechte zoon van zijn moeder, op het slechte nieuws dat zou komen.

12

Het laatste studiejaar

In de herfst van 1968, Roberts laatste studiejaar van zijn propedeuse, zaten er een half miljoen soldaten in Vietnam en werd er melding gemaakt van duizenden gewonden en gesneuvelden. Zijn najaarssemester glipte hem als zandkorrels door zijn handen en zijn hoofd stroomde vol met ontsnappingsplannen. Stacia's brieven stonden bol van de nieuwtjes: een jongen met wie hij op de Hebreeuwse school had gezeten, had zijn eigen duim afgehakt om eronderuit te komen; een verre neef Vishniak deed alsof hij waanzinnig was en werd tot ieders verbazing geestelijk gezond verklaard. Stacia had de hele familie ingeschakeld; alle Vishniaks en Kupferbergs informeerden bij collega's en buren, slagers en bookmakers of ze iemand kenden die kon helpen om Robert buiten de oorlog te houden.

Hij werd dusdanig door het probleem in beslag genomen dat hij aanvankelijk nauwelijks opmerkte welke veranderingen zich in Gwendolyn voltrokken. Haar bezigheden hadden, zo mogelijk, een nog hogere vlucht genomen; vanuit de boekhandel organiseerden Bruno en zij allerlei lokale protesten tegen de dienstplicht en een betoging naar het Statengebouw. Toen Robert op een dag thuiskwam, was Gwendolyn in hun woonkamer bezig Bruno's grote bos haar af te scheren; de dikke zwarte krullen vielen op de houten vloer. De twee zouden de deuren langsgaan om campagne te voeren voor Eugene McCarthy, lichtte Gwendolyn toe. Het ergerde Robert dat die twee nu nog vaker samen waren. En ze leek niet te kunnen slapen zonder pillen, en niet alleen pillen om te kunnen slapen, maar ook pillen om op te staan. Hij maakte zich er zorgen over dat ze niet at. Hun appartement lag nu vol met protestaffiches; 's ochtends kwam Robert een zonovergoten woonkamer binnensloffen die hem leek toe te roepen:

Weg met de politie! Stop Amerikaans imperialisme! Vergeet Chicago niet!

Gwendolyn zat 's ochtends urenlang te lezen – wanneer ging ze dan in vredesnaam naar college? – en knipte dikwijls artikelen uit waarin ze met balpen passages onderstreepte. De tijdschriften verdwenen niet langer geruisloos; ze lagen overal en hoopten zich in rap tempo op onder tafels, puilden uit de boekenkasten en belandden in de keukenkasten, en, eenmaal, in de vriezer. De werkster kon het niet bijbenen. Ook zij voelde zich ellendig. Studenten in Praag hadden de universiteit bezet om te protesteren tegen de Sovjettanks die de stad waren binnengerold; een neef van haar werd vermist. Toen won Nixon de strijd om het presidentschap, en op 9 november, om een uur of drie 's ochtends, maakte Gwendolyn hem wakker uit een diepe slaap.

'Robbie, ik heb een idee.'

'Kan het niet tot morgen wachten?'

Ze deed het licht aan en hij zette zich schrap voor nieuws over weer een of ander evenement of project. Hij was de tel kwijtgeraakt en vroeg zich af wanneer hij ooit weer haar volle aandacht zou krijgen.

'Ik wil naar Philadelphia gaan,' zei ze. 'Voor Thanksgiving.'

'O, alsjeblieft,' kreunde hij en hij trok het kussen over zijn hoofd. Dat niet. 'Over een halfjaar ontmoet je ze toch al. Ze komen over als ik afstudeer.' Dat zou al moeilijk genoeg zijn, maar in elk geval kort en krachtig; hij was van plan geweest om in Boston blijven met Thanksgiving. 'Mag ik nu weer verder slapen?'

'Ik wil nu gaan,' zei ze. 'Ik wil ze bij hen thuis ontmoeten.'

'Nou, dat zie ik helemaal niet zitten,' zei Robert. 'Ik heb momenteel al genoeg aan mijn hoofd; dat mag je niet van me verlangen.' Hij kuste haar en smeekte haar weer naar bed te komen, maar ze ging terug naar de woonkamer.

Robert haatte Bruno inmiddels – ja, het gevoel was haat – omdat hij Gwendolyn van al die pillen voorzag, waardoor hij haar aan zich verplichtte, en vooral omdat hij zulke idiote ideeën in haar hoofd plantte. Hij was ervan overtuigd dat Bruno haar had aangepraat om naar Roberts familie te gaan. Hij wist dat het irrationeel was, maar zijn jaloezie kende geen grenzen. De volgende dag, toen hij zeker wist dat Gwendolyn niet werkte, ging hij naar de boekhandel om Bruno te vertellen dat hij moest oprotten uit zijn leven, maar de winkel was gesloten voor de middag, de deur op slot. Hij liep om naar de zijkant van het pand; er was een raam in de berging en als hij op zijn tenen ging staan, kon hij naar binnen kijken.

Daar was Bruno; hij liep al pratend heen en weer, alleen kon Robert niet zien wie er verder nog was. Liep hij tegen zichzelf te tieren? Of waren er anderen, die Robert vanuit zijn positie niet kon zien omdat de dozen hem het zicht benamen? Hij sloeg hard tegen het bevroren raam, maar Bruno leek het niet te horen. Robert bleef het proberen, maar zonder succes. Hij was zijn handschoenen vergeten en ten slotte stak hij zijn handen in zijn zakken, liep terug naar de voorkant van de winkel, klopte opnieuw aan en bekeek de etalage. Er waren exemplaren van een boek uitgestald, met een zwartfluwelen doek als achtergrond. Gwendolyn deed de etalages en ze waren altijd artistiek. Te goed voor de winkel, dacht hij. De titel van het boek kwam hem bekend voor: *Madness and Civilization*, van Michel Foucault. Het was de Engelse vertaling van een van de boeken die Tracey had gelezen, of had proberen te lezen, toen ze eerstejaars waren. Rondom de uitstalling hingen vragen, in oranje letters op wit karton: 'Getuigt het van gezond verstand om krankzinnig te zijn in krankzinnige tijden?' En 'Wie zijn de echte gekken? De burgermannetjes in de metro? De jongens met een machinegeweer en een weekendpasje? Kijk om je heen, broeder – misschien ben jij het wel.'

Hij liep snel de straat door en zei tegen zichzelf dat hij terug zou komen om dit allemaal te ontrafelen. Er was hier iets niet in haak, met Gwendolyn en Bruno, met deze winkel, net zoals destijds met Tracey. Ook nu kon hij de tekenen niet duiden en wist hij niet wat erachter stak. Hij kreeg er hoofdpijn van toen hij terugstrompelde naar de metro – hij wilde wat eten en dan naar de bibliotheek; het appartement was hem te onrustig geworden. Het simpelste was om de ene voet voor de andere te zetten, te doen wat er gedaan moest worden.

Na middernacht kwam hij thuis en trof het appartement nog steeds verlaten aan. Hij at een stuk koude pizza en kroop in bed. Gwendolyn had het slaapkamerraam open laten staan. Een koude wind blies de vitrages door de lucht als geestverschijningen, maar Robert hield van een koele slaapkamer. Hij kroop onder het dekbed, heel licht en toch opvallend warm. Hij viel gemakkelijk in slaap, maar werd toen wakker van een brandweerwagen die met loeiende sirenes over Commonwealth Avenue scheurde. Hij ging rechtop zitten en keek om zich heen in de donkere kamer. Er klopte iets niet. Zijn blik werd getrokken door een bult op de grond. Even dacht hij dat er een dier het appartement was binnengekomen, maar toen hij opstond en ernaartoe liep, besefte hij dat het Gwendolyn was die op de grond lag bij het voeteneind van het bed, zonder kussen of deken, haar benen opgetrokken als een kind.

'Schat, wat doe je daar?' vroeg hij. Hij pakte het dekbed en ging naast haar op de grond zitten. Ze huiverde helemaal en hij sloeg het om haar heen, ging toen dicht tegen haar aan liggen en probeerde haar warm te houden. 'Wat is er aan de hand?'

'Ik ben het niet waard om in bed te slapen, Robbie. Ik heb het niet verdiend. Niets van dit allemaal. Ik ben schuldig, weet je, ik ben vreselijk schuldig.'

'Lieverd, je hebt te veel naar het nieuws gekeken op de tv.'

'Al die brandende kinderen en die gillende vrouwen, en als ze er niet meer zijn, staan er machinegeweren achter hen. Ze deelden geen bloemen uit, ze werkten voor de Vietcong.'

'Wie werkte voor de Vietcong?'

'Ik had ze kunnen tegenhouden, weet je, dat had gekund.'

'Wat had je kunnen tegenhouden?'

'Al die zielen. De zielen verdwijnen in het niets. Waar blijven die...?'

Zo brabbelde ze maar door en hij kon haar niet kalmeren. Ze scheen te denken dat ze iets ergs had gedaan, iets ergers dan alle anderen. 'Als iemand het verdient om te leven zoals jij doet, Gwendolyn, dan ben jij het wel. Jij verdient alles wat mooi is in de wereld,' bezwoer hij haar, maar ze wilde niet naar bed komen. Hij kon haar niet alleen op de grond laten liggen, en dus sliep hij naast haar, zijn lichaam om haar heen geslagen. De volgende ochtend was het enige wat haar kalmeerde, de enige manier waarop hij haar kon overhalen om iets te eten, zijn belofte om te vragen of ze mee mocht naar zijn ouders. Hij wist dat Stacia zou zeggen dat het geldverspilling was, dat hij hen met Kerstmis zou zien en dat ze er niet van hield dat er vreemden bij haar thuis sliepen. Dan zou hij de voldoening hebben dat hij het gevraagd had, en de opluchting niet te hoeven gaan.

Maar zijn moeder was in een goede bui toen hij belde en toen hij vroeg of hij kon komen, zei ze dat hij dat maar moest doen. 'We zijn met zijn vijftienen, als het niet meer is.' Ze zweeg. 'Hoe kom je hier?' Er klonk achterdocht in haar stem door, zoals altijd als ze vermoedde dat het haar geld zou gaan kosten. Maar hij vertelde dat hij met een meisje kwam en dat ze een auto zouden huren.

'Is dat niet duur?' vroeg ze. 'Een auto huren?'

'Het is haar geld,' zei Robert. En toen: 'Zeg tegen mijn broer dat hij maar beter zijn fatsoen kan houden.' Hoe kon hij uitleggen wie Gwendolyn was en wat ze gewend was? Het was allemaal gedoemd op een fiasco uit te lopen vanaf het moment dat hij eraan begonnen was. Het weekend zou rampzalig worden.

'Wij weten hier hoe we ons horen te gedragen, jongeman,' zei Stacia en toen hing ze op.

13

Een feestdag

Ze vonden een parkeerplek in de straat, vlak bij huis, en Gwendolyn bestempelde dat tot een goed voorteken. Ze bleef maar vragen welk huis het nu precies was.

'Wat maakt dat nou uit als ze er allemaal hetzelfde uitzien?' snauwde hij.

'Omdat het jouw huis is, liefje.' Ze kneep in zijn hand. 'Jij bent er opgegroeid.'

Ze kwamen 's avonds aan, net na achten. De kleine gele terraslichtjes waren aan en wierpen hun flauwe schijnsel door de straat en tegen het huis. Ze waren onderweg gestopt om wat te eten; Robert had zijn moeder bezworen dat ze beslist niet eerder konden komen terwijl hij in werkelijkheid die dag geen tentamens had en de collegezalen er verlaten bij stonden, maar hij wilde deze beproeving niet langer laten duren dan noodzakelijk was.

Barry stond op de uitkijk in de erker. Hij had een bruine trui aan en at een boekweitkniesj, en toen Robert hand in hand met Gwendolyn het pad naar de voordeur op liep, zag hij dat de trui van zijn broer onder de graankruimels zat. Toen kwam Vishniak ook voor het raam staan en ze zwaaiden allebei – zijn vader had een onderhemd en, hoopte Robert vurig, een broek aan – en vervolgens ging de deur open en stond Stacia daar, haar armen over elkaar geslagen, haar gezicht een en al zenuwtics.

'O, christus,' fluisterde hij tegen Gwendolyn, die vooruit was gelopen en de hordeur vastpakte die voor haar werd opengehouden. Ze liep naar binnen en bleef vlak bij de deur staan toen Vishniak, op pantoffels en in pyjamabroek, klaar om naar bed te gaan, zich op Robert stortte en hem omhelsde en kuste. Barry, die meestal de eerste was die naar hem toe kwam, hield zich wat afzijdig en likte zijn vingers af. Stacia nam Robert eens goed op, verkondigde dat hij veel te mager was, vroeg of hij honger had en hoorde zijn antwoord met een afkeurend gezicht aan.

'Je moet die auto achterom rijden en daar neerzetten,' zei ze. 'Ik begrijp niet waarom je dat niet meteen hebt gedaan.'

Omdat hij Gwendolyn niet voor de deur had willen afzetten zodat ze hen in haar eentje had moeten begroeten, omdat ze nooit een auto hadden gehad en het hem op dat moment even was ontschoten dat ze überhaupt een garage hadden – voor hem was het een souterrain – en omdat alle rationaliteit altijd uit hem wegvloeide als hij ergens tegenop zag. Al die dingen gingen door hem heen, maar hij hield ze voor zich. Gwendolyn trok haar ski-jack uit, dat wit was met bont rond de capuchon, en daaronder droeg ze een zwarte coltrui en een donkere spijkerbroek en laarzen, haar gezicht schoongeboend, zonder make-up, en lichtroze van de kou. Haar mond glansde van de lipgloss, iets uit een doorzichtig tubetje dat ze had opgedaan vlak voordat ze uit de auto stapten. Hij zag dat iedereen eerst naar haar keek en vervolgens naar de grond, onzeker wat te doen – was het haar schoonheid, hoe naturel ze was? Of het feit dat ze maar heel weinig mensen op bezoek kregen die geen familie waren? Iets maakte dat ze ter plekke verstarden.

Gwendolyn liep op Vishniak toe, zei hallo en kuste hem op de wang; toen stak ze Barry de hand toe. Hij keek langzaam op van de grond, zijn ogen nog groter en donkerder dan gebruikelijk, en gaf haar een hand. Barry's ogen bleven zo hongerig, zo wellustig op Gwendolyn rusten dat Robert tussen hen in ging staan. 'Laat verdomme je ogen niet uit hun kassen rollen,' fluisterde hij.

'Krijg de tyfus,' antwoordde Barry en hij holde de trap op.

'Ik weet niet wat die jongen de laatste tijd mankeert,' zei Stacia hoofdschuddend. 'Hij vliegt voortdurend naar boven of naar het souterrain.'

'Tieten,' verkondigde Vishniak. 'Die jongen weet zich gewoon geen raad als er tieten in de buurt zijn. Hoe mooier ze zijn, hoe radelozer hij wordt.' Hij zweeg veelbetekenend, alsof hij Gwendolyn de gelegenheid wilde bieden het compliment tot zich door te laten dringen. 'Heb ik je al eens verteld over de keer dat Jayne Mansfield het postkantoor kwam binnenlopen? Ze wilde, denk ik, postzegels kopen, maar ze stevende recht op ondergetekende af...'

Robert wreef in zijn ogen. Hij voelde een vreselijke hoofdpijn opkomen.

'Wat aardig dat ik mee mocht komen,' zei Gwendolyn zacht. 'Ik hoop dat het niet te veel gedoe geeft.'

Stacia wist niet wat ze aanmoest met zo veel welgemanierdheid. Moest ze toegeven dat een logé in een huis zo klein als dat van hen inderdaad enig gedoe gaf? Of zeggen dat een extra mond om te voeden niets uitmaakte als er zo veel mensen kwamen eten? Ze stak haar handen in haar schortzak en haalde ze er weer uit. 'Als we het niet aankonden, zou ik niet gezegd hebben dat hij je mee moest nemen,' antwoordde ze en tegen Robert zei ze dat hij Gwendolyns tas naar Barry's kamer moest brengen.

'Laat één ding duidelijk zijn,' zei Robert. 'Ze slaapt bij mij op de kamer.'

'Het maakt mij niet uit waar u me hebben wilt, hoor,' zei Gwendolyn.

'Gwendolyn heeft een eigen appartement. Denk je nou echt dat we thuis niet neuken wanneer we maar willen?' vroeg Robert. 'Ik heb geen zin om hypocriet te doen.'

'Hypocriet!' zei Vishniak lachend. 'Noemen ze dat tegenwoordig zo?'

Gwendolyn schudde geërgerd haar hoofd naar Robert, pakte haar tas van hem over en liep naar de trap. Het was een Hermès, genoemd naar prinses Gracia. Hij had hem in een winkel gezien voor meer dan een maand huur. Hij had een meisje mee naar huis genomen dat even nonchalant met zo'n tas rondliep als zijn moeder het vuilnis buitenzette. 'Ik vind dat ik moet slapen waar je moeder zegt. Het is haar huis.' Ze liep de trap op, met haar hand op de leuning. Hij keek haar na tot hij alleen nog de hakken van haar laarzen kon zien.

'Doe waar je zin in hebt,' zei zijn moeder, 'dat doe je immers altijd.'

Had hij deze slag nou eigenlijk gewonnen? Of maakte hij de kwestie groter dan hij was? Hij had Stacia even apart moeten nemen, alleen zij met zijn tweetjes, om er iets over te zeggen. Hij had Gwendolyn in verlegenheid gebracht – zij wist niet hoe ze met elkaar spraken, begreep niet dat er iets in hem vaarde zodra hij dit huis betrad; hij had zijn taal en zichzelf niet altijd in de hand. Hij was hier krap vijf minuten en hij maakte er nu al een puinhoop van.

'Zeg eens tegen dat meisje dat ik cake heb gebakken. Die ga ik dadelijk aansnijden, dus als ze trek heeft, kan ze een plak krijgen met een glas melk erbij.'

'Ze heet Gwendolyn,' zei hij. 'Niet meisje, kind, hé, jij of jij daar. Een voornaam om iemands identiteit mee aan te duiden! Dat moet je eens proberen. Reuzebeschaafd. 't Is maar dat je het weet.'

Stacia draaide zich om en liep weg. 'Zeg het nou gewoon maar tegen haar en maak er niet zo'n toestand van.'

Gwendolyn zat in Barry's kamer op zijn bed, met haar tas aan haar voeten. Barry zat naast haar, duidelijk geboeid terwijl ze zachtjes praatten, maar Robert kon niet horen waarover.

Robert schraapte zijn keel. 'Mag ik even storen?' vroeg hij. 'Ik moest van ma zeggen dat er beneden cake en melk voor je is, als je trek hebt.'

'Lekker,' zei Gwendolyn. Barry keek teleurgesteld toen Gwendolyn opstond om de kamer uit te gaan. Hij staarde naar haar kont. Robert voelde zich woedend worden, maar hij herinnerde zich hoe het was om zestien te zijn. Hij vroeg zich af of Barry al ervaring had opgedaan met een meisje. Hij betwijfelde het.

Gwendolyn bleef bij de deuropening staan om hem een kus op de wang te geven, toen liep ze elegant de trap af.

'Ze wilden Gwendolyn in jouw kamer laten slapen,' zei Robert terwijl hij binnenkwam en op de stoel in de hoek ging zitten, 'maar dat heb ik ze uit het hoofd gepraat.'

'Ik geloof niet dat het Stacia veel uitmaakt,' zei Barry. 'Ze heeft deze kamer amper schoongemaakt. Niet zoals ze de rest van het huis heeft geboend. Volgens mij verwachtte ze helemaal niet dat Gwendolyn hier zou slapen. En nu sta je bij haar in het krijt. Zolang je hier bent, zul je moeten vliegen bij elk wissewasje dat ze bedenkt. Omdat je zo dankbaar bent dat je in je eigen huis je vriendin kunt naaien.' Barry glimlachte. 'Als je het mij vraagt, ben jij degene die genaaid is.'

'Ben je kwaad op me?' vroeg Robert terwijl hij Gwendolyns tas oppakte en ging staan.

'Nee, kwaad niet,' zei Barry. 'Ik wil gewoon weten hoe je het in godsnaam voor elkaar krijgt. Zo'n goede vangst ben je nou ook weer niet.'

'Hoe ik wát voor elkaar krijg?'

'Om zo'n meisje te strikken.'

'Wat voor meisje dan?' vroeg Robert, op weg naar de deur.

'Perfect,' zei Barry. 'Hartstikke perfect! In elk opzicht.'

Een paar uur later kwam Gwendolyn terug uit de badkamer in een katoenen pyjama die hij nog niet eerder had gezien, een broek en jasje. 'Handen thuis,' zei ze, toen ze in bed stapten. 'Ik zou het gewoon niet kunnen. Niet met iedereen zo dichtbij.'

'De muren zijn dik,' loog hij. 'Niemand hoort wat.'

'Welterusten, Barry!' riep Gwendolyn vrolijk naar de muur van de kamer naast hen.

'Welterusten, Gwenny!' riep Barry terug.

Gwenny? Wanneer was dat erin geslopen? 'Oké, oké,' zei Robert, 'je hebt gelijk.'

Ze stond hem precies genoeg lichamelijke interactie toe als nodig was voor twee lange mensen die zich als sardientjes in een eenpersoonsbed moesten wringen. Het grootste deel van de nacht lag hij naar het plafond te staren, met zijn hoofd tegen de muur terwijl zijn voeten buiten boord hingen, toen stond hij op, ging naar de badkamer om zich af te trekken en stapte weer in bed, maar uiteindelijk sliep hij de rest van de nacht op de koude grond.

Robert kon zich niet herinneren dat Gwendolyn ooit een hele nacht had doorgeslapen. Ze stond altijd op, kwam terug, lag te woelen en te draaien en knarste met haar tanden. Maar in zijn oude kinderbed sliep ze als een blok. Ze stond ook al vroeg op, terwijl hij lang doorsliep omdat hij pas tegen de ochtend in slaap was gevallen, en nu was het al over tienen. Hij waste zich en schoot snel zijn kleren aan, omdat hij wist dat zij alleen met hen was, en stormde de trap af. Gwendolyn was in de keuken, bij de gootsteen, waar ze met een pincet de laatste stoppelveren uit een grote eend stond te trekken.

In de afgelopen paar weken waren Gwendolyns handen gaan trillen, maar nu waren ze zo vast als die van een chirurg. Ze droeg een roze, wijdvallende blouse van dunne stof, zo een die ze in allerlei kleuren had, en een afgedragen spijkerbroek met knieën waar haar huid doorheen schemerde en een paar teenslippers. Ze kon zich nog zo bescheiden kleden, toch zag hij de contouren van haar lichaam, elke ronding ervan, alsof ze hier naakt in de keuken stond. Hij zei tegen zichzelf dat dit niet het moment was om opgewonden te raken, niet nu, maar hij had haar al twee dagen niet aangeraakt. Ze had haar mouwen opgestroopt en had haar haar in een paardenstaart gedaan met een elastiekje van de krant die zijn vader nu aan de keukentafel zat te lezen.

Zat zijn vader te lezen in de keuken? Door de eigenaardigheid van dit detail schrok Robert op uit zijn erotische dagdroom. Het was al vreemd genoeg om Vishniak midden op de dag thuis te zien – had hij een vrije dag genomen? Nee, het was een feestdag. Nog vreemder was dat hij niet in zijn luie stoel zat te lezen met de tv aan. Al die saamhorigheid in zo'n kleine ruimte, en zonder dat zijn moeder tekeerging of iemand wegstuurde. Ze stond aan het andere aanrecht eieren te breken boven een schaal warme noedels.

'Robbie!' riep Gwendolyn uit. 'Je moeder gaat me vandaag laten zien hoe je allerlei dingen maakt, al je lievelingsgerechten.'

Zijn moeder draaide zich niet om, maar ging door met mengen.

'Er zit nog net een kopje koffie in de pot,' zei Vishniak, opkijkend uit de krant. Hij wees naar een lege beker op tafel. 'Die heb ik voor je gered.'

Stacia draaide zich om, ging achter Gwendolyn staan en zei bedaard: 'Als je daarmee klaar bent, kun je de wortelen en uien gaan snijden.'

Jezus, wie waren deze mensen?

'Zit niet zo te staren!' zei Stacia. 'Omdat jij met de auto bent, dure meneer, kun je mooi extra stoelen gaan halen bij Lolly, daarna wil ik dat je je grootmoeder gaat ophalen. Ze komt me helpen.'

Zijn grootmoeder was dol op deze Amerikaanse feestdag, ook al verving ze kalkoen door eend, en dunne cranberrysaus en smakeloze aardappelpuree door kishke en kasha verpakt in korstdeeg, recepten die van generatie op generatie waren doorgegeven, alleen mondeling, nooit op papier, de officiële Mondelinge Thora van zijn familie. De Mondelinge Thora van voedsel. Zou Gwendolyn worden ingewijd? Nee, vreesde hij, ze zouden haar alleen laten zien hoe onmogelijk haar lidmaatschap was.

'Goed, ik ga Cece wel halen,' zei hij terwijl hij zich een kop koffie inschonk. Die was koud.

'Ik ben nog niet klaar,' zei Stacia. Eerst kon hij haar beste schroevendraaier en de WD-40 gaan halen bij een buurman, die die spullen weken geleden had geleend. De voordeur piepte, zei ze, een geluid dat naar Roberts idee voor niemand hoorbaar was, behalve voor haar en de Duitse herder van de buren. Maar ze had ook nog een hele reeks andere klussen voor hem.

'Als je dat allemaal gedaan wilt hebben, had ik gisteren moeten beginnen,' zei hij. Zijn broer had gelijk, hij was nu haar slaaf. Hij liet zijn stem dalen. 'Ik heb dat andere ook nog, je weet wel.'

'Dat andere?' vroeg Gwendolyn, opkijkend.

'Niets,' zei hij.

'Je hebt tijd genoeg voor alles,' zei Stacia. 'Iedereen komt pas tegen vieren.'

'En Barry?' vroeg Robert. 'Waar hangt die uit?'

'Die is bij Victor,' zei zijn moeder. Victor Lampshade was Barry's beste vriend, een jongen die op zijn zestiende al twee meter tien was, met een enorme bos wijd uitstaand blond haar. Als ze naast elkaar stonden, deden ze Robert denken aan het getal tien. Terwijl Robert naar Stacia's pijpen danste, lag zijn broer waarschijnlijk stoned op de grond in het souterrain bij Victor Lampshade de plafondtegels te tellen en te luisteren naar Jimi Hendrix – hoe kon het toch dat Barry zich altijd wist te drukken?

'Victor komt eten,' zei Stacia. 'Zijn ouders en Ocky zijn naar Miami, maar hij wilde niet mee.' Ze snoof, een geluid dat speciaal was voorbehouden aan mensen die naar een warm klimaat vlogen om geen andere aanwijsbare reden dan te genieten.

'Drie hoofdgerechten!' kwam Gwendolyn tussenbeide. 'Kip, eend en een braadstuk. Twintig mensen! Wat een fantastische overdaad!'

Roberts ouders keken haar aan alsof ze een vreemde taal sprak, toen keken ze elkaar aan. Die gedachte was nog nooit bij hen opgekomen. Dat zelfstandig naamwoord en alle implicaties daarvan. *Overdaad.*

De afspraak die hij had was met dokter Oppenheim, de reeds lang gepensioneerde huisarts van zijn oma. Hij had ingestemd Robert te zien als een gunst aan Cece, net zoals hij eerder Roberts medische formulieren voor de universiteit had ingevuld en zich had uitgegeven als zijn huisarts, hoewel hij Robert nog nooit als patiënt had gehad en in de loop van de jaren alleen wel eens over hem had gehoord.

De praktijk van dokter Oppenheim zat aan de andere kant van de straat tegenover het visrestaurant waar Robert met Donna Cohen was geweest. Vandaag opende de dokter zijn praktijk uitsluitend voor hem. De ruimte grensde aan het hoekhuis en zat in het souterrain: twee donkere kamers, een wachtkamer en een praktijkruimte. Ooit was het hier bomvol geweest met patiënten, maar nu stonden de kamers er verlaten bij. Volgens Cece was de vrouw van dokter Oppenheim het jaar ervoor overleden en stond hij op het punt om het huis op de markt te brengen en zijn intrek te nemen in een bejaardentehuis.

De bejaarde arts droeg een jasje en een stropdas en stond kaarsrecht toen hij Robert de hand schudde. In het begin van de jaren dertig was hij uit Duitsland overgekomen en had zich in Southwest Philly gevestigd, niet ver van Cece en Saul. Een man met geluk en kundigheid, had Cece gezegd, maar bovenal historisch gezien een uitstekende timing. Zijn vrouw was Amerikaanse van geboorte. Ze waren hier komen wonen in de tijd dat iedereen er was komen wonen en hadden zelf nooit kinderen gekregen, maar hij was van oudsher dé huisarts van Oxford Circle. Als kind had Robert horen vertellen dat Oppenheim een pepermuntje gaf nadat hij je had onderzocht, en dat hij je gemeen pijn kon doen. Maar vindt niet ieder kind, per definitie, dat een dokter je gemeen pijn doet?

'Tjonge, wat ben jij groot geworden. En je grootmoeder is zo'n klein vrouwtje.' De dokter grinnikte, wees hem de spreekkamer en zei dat hij zich tot op zijn ondergoed moest uitkleden. Robert gehoorzaamde en stond er in zijn lichtblauwe boxershort, zijn ogen tranend van het stof. Dit leek hem een ideale omgeving voor zijn missie. Wat er ook met hem aan de hand mocht zijn, het zou zich hier beslist manifesteren.

De dokter kwam een paar minuten later terug en vroeg Robert wat hem precies scheelde. Robert probeerde de mysterieuze aanvallen te beschrijven die hij af en toe had, momenten waarop hij zeker wist dat zijn longen zich sloten. Vaak leek dat gevoel te verergeren door stof en sigarettenrook, soms door koud weer.

De dokter schudde zijn hoofd. 'Ik kan je niet verstaan! Wacht even!' riep hij terug. 'Ik haat hoortoestellen! Haat dat gezoem.' Hij ging naar een la en haalde uit zijn bureau een lange spreekhoorn tevoorschijn en hield die toen tegen zijn oor.

Werd hij onderzocht door een victoriaanse arts uit een toneelstuk? 'U bent de enige dokter die een status van me heeft!' schreeuwde hij. 'Ze zeggen dat ik documentatie nodig heb. Die jaren teruggaat.'

'Documentatie van wat?' vroeg de dokter met zachte stem. Alleen Robert hoefde te schreeuwen.

'Dat moet u mij maar vertellen!' antwoordde Robert. 'Er is iets mis met mijn longen!'

De dokter beklopte zijn borst en beluisterde hem met een stethoscoop. Hij keek met behulp van een lampje in Roberts oren, stak een tongspatel in zijn mond, drukte zijn tong omlaag en scheen met zijn lampje in zijn keel. Robert moest hoesten. Vervolgens moest hij op een weegschaal gaan staan, een ouderwetse, en tot slot vijf minuten hollen op de plaats en terugtellen van honderd.

'Je grootvader had last van hooikoorts,' zei Oppenheim, toen Robert klaar was. 'Jouw familie was de eerste die airconditioning had in Southwest Philly. We gingen er allemaal naar kijken. Een enorm gevaarte. Zo groot als een koelkast. De mensen dachten dat de Kupferbergs rijk waren geworden. Maar het was nodig, na die keer dat ze hem per ambulance hadden thuisgebracht. Jij was toen nog heel klein.'

Hij is oud, dacht Robert. *Het verleden en het heden lopen door elkaar.* Hij vroeg zich af of hij daar misschien zijn voordeel mee kon doen.

'Hoe dan ook,' vervolgde de dokter, 'misschien is het hooikoorts, misschien komt het door stof.' Hij zweeg. 'Niet erg genoeg om je weg te houden uit Vietnam.'

'Hoe zit het met mijn longen?!' schreeuwde Robert luider.

'Heb je wel eens een longontsteking gehad?'

'Niet dat ik weet.'

'Infecties van de luchtwegen toen je klein was?' vroeg hij.

'Ik weet het niet. Het zal wel. Waarschijnlijk wel.'

'Ik zou natuurlijk een röntgenfoto kunnen maken, maar ik hoor niets.'

'Wat dacht u van een specialist?!' schreeuwde Robert. Natuurlijk hoorde hij niets.

'Kleed je maar aan,' zei de dokter. 'En kom zo naar de woonkamer.'

Robert was blij dat hij niet langer met zijn blote voeten op het ijskoude linoleum hoefde te staan en deed wat hem was opgedragen. Een verdieping hoger zag het huis er vrijwel precies zo uit als het huis waarin hij was opgegroeid, maar met de trap aan de andere kant. Het meubilair was barok en donker; de kamer deprimeerde hem. De dokter zat in een leunstoel. Voor hem op een ronde tafel stond een blauw porseleinen theepot, met twee kopjes.

'Ik heb niet zo veel tijd,' zei hij, maar toen zag hij dat Oppenheim zijn spreekhoorn niet had meegenomen.

'Mooi zo, ik zal thee inschenken. Daar warm je van op. Ga zitten. Neem er je gemak van.'

Robert deed wat hem gezegd werd, maar zijn ene been bewoog ongeduldig op en neer.

'Ik weet waarom je gekomen bent,' zei de dokter terwijl hij thee voor Robert neerzette.

'Ik heb geen medische documentatie!' schreeuwde Robert. 'Dat is een probleem. Maar het zou ook een oplossing kunnen zijn...'

'Jij bent niet de eerste die het vraagt,' zei hij. 'Ze zijn tegenwoordig heel achterdochtig. Als je een paar maanden voor de keuring ineens een aandoening hebt, gaan ze vragen stellen.'

'Maar als ik documentatie had?' schreeuwde Robert. 'Als het een aandoening was die jaren teruggaat...'

'Maar die heb je niet,' zei de man. 'Je hebt geen aandoening. Voor zover ik het kan bekijken.'

'Maar waar heb ik dan al die jaren last van gehad?'

'Allergieën, voor stof,' zei hij. 'Dat zei ik toch al.'

'Ik ben opgegroeid in een brandschoon huis,' zei Robert. 'Ze was dag en nacht aan het schoonmaken.'

'Sommigen zeggen dat dat het probleem kan zijn,' zei hij.

'Dus als ik in een viezer huis was opgegroeid, zou ik niets mankeren?'

De man glimlachte geheimzinnig. Had hij het überhaupt gehoord?

'U gaat met pensioen,' zei Robert, om het over een andere boeg te gooien. 'U gaat hier weg.'

'Het heeft jaren geduurd voordat ik hier in Amerika mijn vak mocht uitoefenen,' zei hij. 'Ik wil tot aan mijn dood geen schandaal.' Hij zweeg. 'Ik hou van dit land.'

Robert liet zijn hoofd in zijn handen rusten.

'Misschien valt het allemaal wel mee.'

'Jij hebt makkelijk praten, ouwe knakker,' zei Robert en hij stond op. De arts stond ook op en glimlachte beleefd toen Robert zich omdraaide en wegging.

Cece deed de deur open in een knalroze jurk, pantoffels en een schort. Ze woonde in een klein appartement met een tuin. Doordat ze voortdurend aan het bakken was, was die aromatische zoete geur deel gaan uitmaken van de muren, het tapijt en het meubilair, alsof zijn grootmoeder in een reusachtig brood woonde. Hij boog zich voorover en kuste haar. 'Kom mee naar de keuken,' zei ze. 'Dan maak ik een omelet voor je.'

'We gaan over twee uur al warm eten.'

'Je hebt trek, ik weet dat je trek hebt. Ik ga een lunch voor je maken.'

Hij haalde zijn schouders op en zwichtte. Hij had eigenlijk best trek. Ze pakte een fles melk. Er stond al een glas op tafel. Op een bordje deed ze een stuk zelfgemaakte apfelstrudel voor hem, die op het fornuis had gestaan, en kwam aan met een paar plakken roggebrood en een pakje boter, alsof hij tijdens het wachten het loodje zou kunnen leggen van de honger. Toen haalde ze eieren en kaas uit de koelkast en bukte zich om een koekenpan te pakken. Haar keuken was koosjer, in tegenstelling tot die van zijn moeder. Dat was de enige rebellie die hij had bespeurd bij de generatie van zijn ouders: zij hielden zich niet aan de spijswetten. Op haar oude dag kon Cece niet meer zo scrupuleus zijn in haar keuken; ze verloor haar gezichtsvermogen aan staar en glaucoom. In haar eigen huis wist ze zich op de tast te redden, maar ze had opgebiecht dat ze soms haar pannen door elkaar haalde. En ze moest haar hand boven de vlam houden om te weten hoe hoog die stond, wat Robert doodeng vond. Ze hield de kom in haar armen en klutste de eieren met een vork.

'*Nu*, wat zei hij?' vroeg ze. 'Oppenheim?'

'Het heeft niks opgeleverd,' zei hij en hij hoorde de eieren sissen toen die in de pan gingen. 'Hij zei dat het te laat is, dat een brief ze achterdochtig zou maken.'

Ze schudde haar hoofd. 'Je moeder zei al dat hij het niet zou doen. Ze heeft hem nooit gemogen. Misschien kunnen we iemand anders vinden.' Ze boog zich dicht over de pan en keerde de omelet. Een paar tellen later kreeg hij hem voorgeschoteld, druipend van de kaas, en toen kwam ze heel dicht bij hem zitten om te kijken hoe hij at. Bij de laatste paar happen voelde hij zich misselijk, maar toch at hij hem helemaal op. Daarna stond ze op, nam het bord in haar hand en ging op de tast naar de gootsteen.

Toen ze klaar was, volgde Robert haar naar de grote slaapkamer. Er lagen kleren uitgespreid over het bed. De ladenkast lag vol met make-upborsteltjes, poeder, parfum en een paar sjaaltjes, alles door elkaar. In het midden van de kamer lag een enkele schoen. Hij pakte hem snel op.

'Een schoen, Cece,' zei hij, terwijl hij hem haar voorhield. 'Donkerblauw.'

Hij zette hem op de ladenkast. Als kind had hij gedacht dat ze niet stuk te krijgen was, de vrouw die op zondag een lunch klaarmaakte voor dertig man, de enige die zijn moeder kon commanderen. Nu werd haar bestaan bedreigd door een verdwaalde schoen.

'Kijk eens in de inloopkast. Zoek een zilverkleurige schoenendoos,' zei ze, op bed zittend. 'Er staan Engelse letters op.' Zijn grootmoeder kon geen Engels lezen of schrijven en had zijn hele leven zijn verjaardagskaarten met een kruisje getekend. Hij schoof een massa jurken aan de kant, waarvan de plastic stomerijhoezen aan zijn armen en gezicht bleven plakken. Een mens zou kunnen stikken in zo'n kast. 'U moet Barry eens vragen of hij u komt helpen opruimen!'

Boven zijn hoofd hing een gloeilamp. Hij deed hem aan. 'Hoe kunt u bij uw schoenen? U klimt toch niet op een trapje, hè?'

'De schoenen die ik draag, zitten aan de binnenkant van de deur,' zei ze. 'Dat zijn extra paren.'

Hij vond twee zilverkleurige dozen en nam ze mee naar het bed. In de eerste doos zat een paar witte sandalen. Ze schudde het hoofd. Hij vermoedde dat de tweede leeg was – zo voelde de doos toen hij hem van de plank pakte. Ze glimlachte en zei dat hij het deksel eraf moest halen.

Een doos vol geld.

'Tel jij maar,' zei ze. 'Ik heb gespaard sinds het begon. De dienstplicht.'

Allemaal dollarbiljetten. Hij deed wat ze had gevraagd en legde de biljetten op het bed.

'Je mag het hebben, lieverd,' zei ze. 'Zoek iemand.'

'Wat voor iemand?' vroeg hij. 'Een andere dokter?' Het leek om en nabij honderd dollar. Hoe kon je een dokter omkopen met honderd dollar in briefjes van één? De dokters waar hij over had gehoord kostten vijftig keer zoveel.

Ze boog zich dichter naar hem toe en liet haar stem dalen. 'Je moet tegen niemand zeggen dat je gaat.'

'Waarheen?'

Ze zweeg. 'Wees heel stil. Hij zal de deken neerleggen, zodat ze je voetstappen niet zullen zien. Dat is belangrijk. En zorg ervoor dat je zusje niet niest.'

'Cece?' Hij zette de doos neer. 'Waar ben je?'

Ze pakte zijn handen en kuste ze.

'Het komt allemaal goed,' zei ze. 'Alleen de oude vrouwen werden zeeziek.'

14

Openbaringen

Cece leunde op zijn arm. Hij dacht aan bruiloften en begrafenissen, de enige gelegenheden dat vrouwen nog op een dergelijke manier door mannen werden begeleid. Hij moest langzaam lopen. Zijn moeder kwam naar de voordeur om haar van hem over te nemen. 'Zet de auto achter het huis en breng de stoelen door het souterrain naar boven,' zei Stacia.

'Waar is die niksnut van een broer me?'

'Boven,' zei zijn moeder terwijl ze Cece meezeulde naar de woonkamer. 'Bij haar.'

'Ik neem aan dat je met "haar" Gwendolyn bedoelt en niet, laten we zeggen, Lady Bird Johnson of Marianne Faithfull of misschien mevrouw Lepcheck, de juf die ik in de vierde klas had?'

'Vergeet de stoelen niet boven te brengen.'

Hij zette de auto achter, ging naar binnen via het souterrain, liep de trap op en ging door de keuken naar de woonkamer. Zijn vader zat in zijn vaste luie stoel – dat leek er meer op – naar football te kijken, zich niet bewust van zijn aanwezigheid. Robert liep de trap op naar boven. Zijn slaapkamerdeur stond open, maar Gwen was er niet. Toen hoorde hij stemmen achter de deur van Barry's kamer. Die stond op een kiertje en hij bleef op de gang staan en keek naar binnen.

Zijn broer zat op het bed en opende een platte witte doos met een breed, rood lint eromheen. Gwendolyn stond een meter van het bed glimlachend toe te kijken. Barry had nog nooit een cadeautje gekregen dat in zo'n doos zat, een doos die zowaar de juiste grootte had voor het cadeau, niet iets geïmproviseerds. Hij trok het papier eraf en hield een overhemd omhoog, een wit linnen hemd, zonder kraag, een mannelijker versie van het soort blouse dat Gwendolyn zelf mooi vond. Zij deed haar inkopen in merkwinkels. In boetiekjes. Er stond een naam op de doos die hij niet kon lezen, maar hij wist dat Barry nog nooit zo'n overhemd in zijn handen had gehouden – met zorg gestikt, een overhemd dat mooi viel en goed paste. Hoe had ze geweten wat zijn maat was? Van de foto van hen beiden, die hij thuis met plakband op de spiegel had geplakt?

'Wow,' zei Barry. Hij zat met grote ogen naar het overhemd te staren, toen naar Gwendolyn, toen weer naar het overhemd. Maar hij kon zijn ogen niet lang van haar afhouden. Vishniak had gelijk. De jongen zag maar één deel van een vrouw, maar leek geen flauw idee te hebben hoe je nu feitelijk met het andere geslacht moest praten. Uiteraard wist hij wat seks was. Ook Barry was groot geworden met Stacia's kunstwerken en zijn vaders *Playboy*-collectie in het souterrain. Maar als het aankwam op praten met een vrouw, haar voor zich winnen, was hij hopeloos. Waarom had hij niet bij Robert aangeklopt? Waarom hadden ze daar nooit over gesproken?

'Er ís eigenlijk geen geheim,' zei Gwendolyn. 'Met meisjes, bedoel ik. Je hoeft alleen maar te doen alsof ze je niet interesseren, dan komen ze vanzelf op een holletje naar je toe.' Ze zweeg. 'Je zou eens extra kunnen douchen. Met van die mooie groene zeep die ze hier verkopen. Dat mannelijke spul waar ze reclame voor maken op de televisie. Je weet wel, met die man die bomen kapt? Robert gebruikt het. Er is ook een deodorant van.'

Ze bracht het zo subtiel, zonder oordeel. Terwijl iemand anders, Robert of zijn ouders bijvoorbeeld, gezegd zou hebben dat Barry stonk. Zoiets zou Gwendolyn nooit doen.

Ze legde haar hand op zijn schouder. 'Jij hebt je eigen kwaliteiten die Robert niet heeft. Je hebt ook iets wat heel aantrekkelijk is. Dat is alleen van jou.' Ze boog zich voorover en kuste hem op het voorhoofd. 'Binnenkort ga je ook naar de universiteit. Daar zijn de meisjes beter. Geloof me maar.'

'Oké,' zei hij zacht. In haar handen was hij volgzaam, kneedbaar, bedwelmd door wellust. 'Ik vertrouw je, Gwendolyn.'

'Ik ga nu een douche nemen,' vervolgde Gwendolyn. 'Je moeder zei dat ik het beter nu kon doen, als er geen warm water gebruikt wordt. Robert wast zich zo vaak dat hij bijna antiseptisch is.'

Barry moest lachen. Ze had zijn hart gewonnen of anders dacht hij aan haar onder de douche, haar witte huid tegen de lichtgele tegels, en werd daar zo door in beslag genomen dat hij niets meer kon uitbrengen.

'Tot straks.' Zij stond op om te gaan.

Robert dook zijn kamer in en wachtte op haar. In zijn slaapkamer viel het licht binnen door de jaloezieën. Het was het grauwige middaglicht uit zijn jeugd, een specifieke lichtval die je omstreeks vier uur kreeg in een buurt met huizenblokken, eindeloze rijen huizen, waar de zon nooit rechtstreeks op de meubels of de vloer leek te schijnen, niet zoals het felle zonlicht dat je in vrijstaande huizen of hoogbouwflats had. Het licht deed hem denken aan verplichte middagslaapjes, aan huiswerk en aan het zich terugtrekken op zijn kamer in de gruweltijd van zijn adolescentie, deed hem terugdenken aan zijn hele leven in dit huis. Toen Gwendolyn binnenkwam in een seksloze blauwe badstof ochtendjas die ze voor de reis gekocht had, sloeg hij zijn armen om haar heen, kuste haar en begon de ceintuur om haar taille los te maken, maar ze wilde er niets van weten. Ze moest met hem praten over zijn familie, zei ze, het was verschrikkelijk belangrijk.

Hij zette zich schrap.

'Je ziet het helemaal verkeerd, Robbie,' zei ze. 'Wat hen aangaat. Helemaal verkeerd.'

Toen vertelde ze hem hoe ze echt waren. Stacia was niet gierig, welnee, zijn moeder was een genie met huishoudgeld, kon voor een habbekrats een enorme maaltijd op tafel zetten en zuinig aan doen als dat nodig was. Als zij toch eens in de regering zat! En zijn vader, die uren zat te lezen op zijn vrije dag – in de keuken, de woonkamer, de badkamer. En al die interessante verhalen. Vishniak was zo ongelofelijk fantasierijk, dus literair. Jammer dat hij niet veel opleiding had gehad en wat goed dat hij zo zorgzaam was voor zijn broers. En Barry, wat een lieve jongen. Het viel natuurlijk niet mee om als jongste in Roberts schaduw op te groeien, en Barry mat zich van nature graag met anderen, meer dan Robert zich realiseerde, maar het zou wel goed komen met hem, zei ze, de twee broers vertoonden meer overeenkomsten dan verschillen.

Ze kwam met een nieuwe versie van hen allemaal, zag alleen wat bewonderenswaardig was, zette ieder in een ander licht en vertelde het verhaal voor hem op een nieuwe manier.

Die avond waren ze allemaal op hun best en probeerden op te leven naar haar verwachtingen. Op de een of andere manier wisten ze dat zij een nieuwe versie van hen in het leven had geroepen en ze vonden het leuk om zichzelf door haar ogen te zien. De hele familie zoende haar en zat aan haar en stelde haar vragen over Engeland, en de kinderen kregen er niet genoeg van om haar dingen te laten zeggen, alleen om haar accent te horen. Een broer van Vishniak vroeg of ze wilde zeggen: 'Het Spaanse graan heeft de orkaan doorstaan.' Ze deed glimlachend wat hij vroeg, in haar nauwsluitende, pauwblauwe wollen jurk en pumps, met pareloorbellen; ze had zich voor hen gekleed, en zij konden zo'n subtiel gebaar wel waarderen. Nog weken werd er over haar parfum gepraat – wat was het ook alweer geweest?

'Chanel nummer negen,' zei ze.

Ze knikten plechtig, als in gebed.

'Vind je niet,' hoorde hij een nicht tegen een andere nicht zeggen, 'dat ze iets weg heeft van Jacqueline Kennedy?'

'Ach, wat hadden we aan haar toch een goeie!' riep tante Lolly uit.

Alle vrouwen wilden naast Gwendolyn zitten, alle kinderen wilden bij haar op schoot kruipen, alle mannen feliciteerden Robert met het feit dat hij zo'n meisje had gevonden. Tegen de tijd dat de eerste gang werd opgediend, was de kwestie die hen op de heenweg had beziggehouden een uitgemaakte zaak: natuurlijk was Gwendolyn joods. Zoveel was nu wel duidelijk. Stacia liet de gefilte fisj rondgaan, een grote berg visballetjes van karper overdekt met *drahlis*, de geleiachtige visbouillon, waarvan Vishniak zei dat hij 'wel verdacht veel weg had van hondenpoep,' maar Gwendolyn vertrok geen spier. Ze huiverde niet eens toen ze haar vork oppakte. Reken maar dat ze joods was.

Het overige eten werd aan haar doorgegeven: de soep met matzeballen, want de Vishniaks hadden nog nooit een feestdag meegemaakt, Amerikaans of anderszins, waar een matzebal niet op zijn plaats was – zo groot als een babyhoofdje, drijvend in een rivier van kippensoep; twee soorten kugel – zoet en met groente, en kasha in korstdeeg. Verder groene bonen met amandelen, worteltjes met ananas – bij hen in de familie moest alle groenten worden opgesierd – en de drie hoofdgerechten, waaronder eend in sinaasappelsaus, daarna kip voor de mensen die niet van eend hielden, en het runderbraadstuk. Er kwam geen eind aan, en Gwendolyn bleef maar lachen toen ooms en neven steeds meer eten ophoopten op haar bord.

'Robbie,' fluisterde ze, 'ik kan dit nooit allemaal wegkrijgen.'

'Gewoon proberen,' zei hij. 'Ze willen alleen maar zien dat je het probeert. En wat je niet eet, kun je aan hem geven.' Hij gebaarde naar de enorme Victor Lampshade, wiens bord zo hoog was volgeladen dat iemand hem net een extra bord had gegeven om het allemaal kwijt te kunnen.

Waar was het meisje gebleven dat in elkaar gedoken huilend op de grond lag? Hij had de situatie kennelijk helemaal verkeerd ingeschat. Ze was niet kwetsbaar. Ze was sterk, sterker dan hij, met een rijk innerlijk en de gave om mensen te zien zoals ze gezien wilden worden. Zij had de binnenkant ingevuld waar anderen alleen de buitenkant zagen.

Gwendolyn at keurig, net als Tracey had gedaan, sneed het vlees in kleine stukjes en terwijl de anderen zaten te praten, knikte zij met gesloten mond. Ze negeerde het voedsel dat over tafel vloog of van iemands tong viel, het eten dat te zien was tijdens het kauwen; zijn familie verstouwde grote hompen vlees, beten vervolgens de botjes stuk om het merg eruit te zuigen en verslonden het eten alsof het aangenomen werk was. Vishniak begon zoals elk jaar zijn truc met de lepel te doen, waar een olijf, een lepel en een glas water aan te pas kwam, en waarna hij, vaste prik, zijn broek liet zakken. Maar na een blik op Gwendolyn zei hij dat de kinderen hun groenten moesten opeten. Hij zou het hun een andere keer laten zien.

In plaats van over de Pilgrim Fathers en de indianen, John Smith en Pocahontas werd er over Richard Nixon gepraat. Eenmaal begonnen, waren ze niet meer te stuiten.

'Een trawant van Joseph McCarthy, dat is wat hij is.'

'Een handlanger van Roy Cohn, die verrader, die *shandah fur die gojim.*'

'Waar bleven de jongeren? Na al die protestmarsen en dat geschreeuw voor de verkiezingen.'

'Je kunt de schuld niet bij de jongeren leggen,' zei tante Lolly en ze boog zich voorover om een stukje aardappel van oom Freds overhemd te vegen. 'Die hebben al genoeg aan hun hoofd.'

'De oorlog,' fluisterde een van de kinderen. Ze zei het relzuchtig. 'De oorlog.'

'Wat ben jij van plan?' vroeg oom Frank aan Robert. 'Ik heb gelezen dat er daar nu al meer mensen zijn gesneuveld dan in Korea.'

Robert knikte en wist niet wat hij daarop moest zeggen. Maar Gwendolyn legde haar hand op zijn been, boog zich over hem heen en zei: 'Robert en ik gaan bij het Vredeskorps.'

'O ja?' fluisterde hij.

'Het Vredeskorps?' vroeg Stacia. 'Wat gaat hij daar dan doen?'

'Het is de perfecte oplossing!' riep Gwendolyn uit, want nu verhief ze haar stem om te concurreren met anderen. 'Hij hoeft niet met een geweer rond te lopen, en we kunnen de armen helpen.'

'Robert de armen helpen?' zei Barry, brullend van het lachen. Ook Vishniak en een aantal van zijn broers begonnen gnuivend te lachen. 'Mijn broer?' vroeg Barry, die op een zure bom kauwde terwijl het sap langs zijn kin droop. 'Weet je dat dan nog niet, Gwendolyn? Roberts favoriete goede doel is zijn eigen broekzak.'

Robert keek naar Gwendolyn. Hij verwachtte dat ze volkomen van haar stuk zou zijn omdat ze allemaal moesten lachen om haar idee. Maar ze was onaangedaan. Haar ogen schoten vuur bij het visioen. Ze gingen bij het Vredeskorps, fluisterde ze hem weer toe, en dan zou hij eindelijk veilig zijn.

Toen de anderen die avond vertrokken waren, lag ze naast hem, zo zeker van haar zaak, zo overtuigd. Ze kon nu de oorlog, de slachtpartijen, herschrijven, net zoals ze een nieuwe versie van zijn familie in het leven had geroepen. 'Als we bij het Vredeskorps gaan, kan er iets goeds voortkomen uit iets slechts, zouden we samen kunnen zijn,' fluisterde ze, 'en reizen.'

'Ze zullen jou nooit nemen,' zei hij. 'Je bent geen Amerikaans staatsburger.'

'Dat zou ik wel zijn als we getrouwd waren,' zei ze.' Ze begon zijn wang te kussen en ging toen omlaag naar zijn nek. Terwijl ze op haar armen steunde, boog ze zich over hem heen; haar tong ging likkend over zijn borst naar zijn buik terwijl haar lange haar over zijn lichaam hing en zachtjes zijn huid streelde. Zijn bovenbenen deden pijn.

'Denk er eens over, Robbie,' fluisterde ze. 'Denk er eens over.'

15

Het afstuderen

Zelfs om zeven uur 's ochtends hing er nog nevel en de lucht was zo vochtig dat het benauwd was. KYW News Radio voorspelde recordbrekende temperaturen, en de auto van oom Frank – de zwarte Pontiac met de zwarte bekleding – had geen airconditioning. Ze moesten zich met zijn zessen in die auto persen: Cece, Lolly, Stacia en Vishniak, Frank achter het stuur, en Lillian, zijn vrouw. Alleen Barry ontbrak, die zat thuis te blokken voor zijn eindexamen, en oom Fred moest werken. De vrouwen droegen kousen, een hoed en een jurk met een jasje; de mannen hadden een donker wollen pak aan, dat ook bij begrafenissen en bruiloften werd gedragen, niet echt geschikt voor de tijd van het jaar. Meteen al trokken ze allemaal hun jasje uit en legden dat netjes in de kofferbak.

Cece, die de kleinste was, propte zich tussen de mannen in op de voorbank. Op de achterbank fungeerden Stacia en Lillian, allebei slank, als boekensteun voor de molliger tante Lolly. Ze probeerden elkaar niet aan te raken, want hun huid was al plakkerig genoeg. Lolly produceerde luchtgolfjes met een Chinese waaier van stug papier die Fred een keer voor haar had meegebracht van een benzinestation. Hij was rood afgebiesd en gedecoreerd met een enkele doorgebogen tak die vol met bloesem zat. Tegen het middaguur reden ze een parkeerplaats op om de met roomkaas en jam belegde bagels te eten die Stacia 's ochtends had klaargemaakt en spoelden die weg met ijsthee uit een grote thermosfles.

Hoewel ze al voor dag en dauw waren vertrokken en een uur speling hadden, reden ze verkeerd op de New York Thruway en zaten pas na uren ronddwalen weer op de goede weg. Ze kwamen aan vlak voordat de plechtigheid begon en schoven moe en bezweet aan op de achterste rij, de mannen dorstig en de vrouwen in hoge nood, maar vol verwachting.

Al jaren hadden ze hierop gewacht, de eerste afstudeerplechtigheid van hun leven. In de verte klonk muziek en de studenten kwamen twee aan twee binnen en hadden bloemen bij zich in plaats van een programma. Een paar meisjes waren op blote voeten, sommigen waren op blote voeten, maar droegen wel een baret en toga, en anderen leken zich in een beddenlaken te hebben gehuld. Een paar jongens waren gekleed in een T-shirt en een gescheurde spijkerbroek. 'Waar is de rest van de baretten en toga's?' fluisterde Lolly tegen Stacia. 'Hebben ze er niet genoeg?'

De studenten namen plaats en begonnen meteen allerlei leden van het bestuur uit te jouwen, en vervolgens de gastspreker. De reden daarvoor werd het gezelschap Vishniak nooit helemaal duidelijk. De studente die dat jaar de afscheidsrede hield, verkondigde dat studenten op de universiteit politiek onwetend werden gehouden en dat studenten de grote bedrijven moesten weren van de universiteit. Stacia en Vishniak staarden, net als de andere ouders, naar hun schoot.

Na afloop zochten ze oververhit en teleurgesteld Robert en Gwendolyn op en vroegen alleen waar de dichtstbijzijnde toiletten waren en wilden een snelle rondleiding over de campus. Hun favoriete onderdeel was de bibliotheek, met zijn onafzienbare rijen dikke boeken, de galmende zalen, de oude bureaus. En airconditioning. Ze ademden de rust en de ijskoude lucht in en stonden nog geen drie uur na hun aankomst alweer op de parkeerplaats. Cece veegde haar ogen af en zei hoe blij ze was dat ze had meegemaakt dat er voor het eerst iemand uit hun familie was afgestudeerd. 'Want je bent nu toch afgestudeerd? Was dit het?'

'Ja, Cece, het zit erop,' zei Robert en hij nam van ieder van hen een vijfdollarbiljet in ontvangst. Zijn ouders gaven hem een in cadeaupapier verpakt doosje. Hij pakte het uit en propte het papier in zijn zak.

'Het is waterdicht,' verkondigde zijn vader.

'Het was in de aanbieding,' voegde zijn moeder eraan toe.

Zijn ouders hadden een Timex-horloge voor hem gekocht. Hij bedankte hen met al het enthousiasme dat hij kon opbrengen. Toen Gwendolyn hen ten afscheid had omhelsd, konden ze wat hem betrof niet snel genoeg wegrijden.

Gwendolyn bleef bij haar voornemen om bij het Vredeskorps te gaan. In de boekhandel kwam wel eens een man langs die pas was afgezwaaid uit het Vredeskorps. Hij was onlangs teruggekomen uit het Peruaanse Andesgebergte, en altijd wanneer hij kwam rondsnuffelen in de winkel, werd hij door Bruno en Gwendolyn behandeld als een beroemdheid. Gwendolyn maakte een afspraak met Stiles, zodat Robert en zij hem naar zijn ervaringen konden vragen. Ze hadden afgesproken in een café op Harvard Square, waar Gwendolyn en Robert graag kwamen als het warm was, omdat ze er samen op het terrasje konden zitten en de buurtbewoners van Cambridge voorbij konden zien trekken, voor het merendeel onder de vijfentwintig.

De koffie was er goedkoop en inktzwart, en Robert hield zijn kopje vlak voor zich toen hij zijn weg zocht over het drukke terras, waarbij hij naar links stapte om een hond te ontwijken die aan een rode lijn vastgebonden zat aan de stoel van zijn eigenaar, en vervolgens uitweek naar rechts om de zware, misselijkmakende geur van patchoeli te ontlopen die als een nucleaire wolk rond een bepaald tafeltje hing. In een hoekje zag hij Gwendolyn zitten en hij zwaaide, maar ze zag hem niet. Ze zat voorovergebogen naar een lange, magere man met een zware blonde baard; de man keek haar gefascineerd aan en had nergens anders oog voor. Er stond een derde stoel, en over de rugleuning hing Gwendolyns oude, verschoten spijkerjasje. Ze had die stoel voor Robert vrijgehouden, maar toen hij dichterbij kwam, de man een hand gaf en zich voorstelde, werd hem duidelijk dat Jerry Stiles in de veronderstelling had verkeerd dat de afspraak alleen met Gwendolyn was. Jerry drukte Robert de hand – half lachend, half met een scheve grimas – en staarde toen in zijn ijsthee. Hij had jaren in de bush gezeten en zijn teleurstelling was groot.

Gwendolyn raakte dikwijls in dit soort situaties verzeild, en Robert daardoor ook. Ze begreep niet hoe de gemiddelde man het woord 'vriendschap' opvatte wanneer dat gebruikt werd door een vrouw die eruitzag zoals zij. 'Kan ik iets te eten voor je bestellen?' vroeg Robert, die hem zo duidelijk hoopte te maken dat hij geen kwaad in de zin had. En de man kon wel een maaltijd gebruiken; met hem vergeleken zag Robert eruit alsof hij overgewicht met zich meetorste. 'Gwendolyn is dol op cake,' voegde hij eraan toe, 'maar zelf hou ik meer van donuts.'

Jerry trok zijn lange stelten onder de tafel vandaan, benen zo lang en mager dat ze hem, toen hij zich uitstrekte, de aanblik gaven van een wezen dat half mens en half insect was, en vervolgens liet hij hun weten dat er bij zijn terugkeer uit Peru tien verschillende soorten darmparasieten waren aangetroffen in zijn ontlasting. Toen haalde hij een potje uit zijn zak, legde een hele rij pilletjes op tafel en vertelde erbij dat hij nog steeds moest uitkijken met wat hij at en begon ze toen één voor één in te nemen.

Robert nam een slokje van zijn koffie en pikte tegelijkertijd een stukje van Gwendolyns cake. Ze gaf hem een speelse tik op zijn hand. 'Bestel zelf maar,' zei ze. Jerry had amper aandacht voor Robert of voor de intimiteit die uit dat gebaar sprak; hij had uitsluitend oog voor Gwendolyn. Jezus, wat was ze goed van vertrouwen. Wat zou er gebeuren als hij haar weken of zelfs maanden alleen moest laten? Zou ze hem trouw blijven? Wat hij ook zou doen om aan de dienstplicht te ontkomen, hij zou haar mee moeten nemen.

Maar nee, benadrukte Jerry een paar minuten later, ze moesten zich niet aanmelden als stel. Dat maakte het juist moeilijker. Zelfs als ze getrouwd waren, zei hij, zou de status van Gwendolyns visum nog een probleem zijn. 'Een bureaucratie houdt niet van complicaties,' mompelde hij.

Robert betwijfelde of hij hem wel kon geloven. Misschien had Jerry wel plannen met Gwendolyn als Robert god weet waarheen werd uitgezonden? Wanneer hij aan haar met andere mannen dacht, werd hij zo overweldigd door jaloezie dat hij nauwelijks meer in staat was tot redelijk denken. Op zulke momenten werd hij zich ervan bewust hoe bezitterig hij in feite was, een bodemloze put van behoefte, verlangen en hebzucht. Waarom zou het Vredeskorps hem moeten nemen? Nemen was wat hij het allerliefste deed, dus had hij eigenlijk wel wat te geven?

Jerry had natuurkunde gestudeerd aan MIT voordat hij bij het Vredeskorps was gekomen, en de lijnen in zijn gezicht en de permanente trekken rond zijn mond wekten de indruk van een man die onafgebroken met een ingewikkeld wiskundig vraagstuk worstelde. Zou hij al zo zwaar op de hand zijn geweest voordat hij was vertrokken? Hoewel het doel van hun ontmoeting was dat zij over zijn ervaringen konden horen, wilde hij niet veel loslaten over de Andes totdat Gwendolyn een paar minuten bemoedigend op hem had ingepraat terwijl ze klopjes op zijn hand gaf. Hij boog zich naar voren en richtte zich alleen tot haar; in het begin aarzelend, zelfs licht stotterend, maar eenmaal op dreef rolden zijn indrukken er ineens in hele alinea's uit, alsof de informatie maandenlang in hem opgeslagen had gezeten en er alleen de juiste persoon voor nodig was geweest om hem zijn verhaal te ontlokken.

Hij begon met vertellen over de strenge opleiding van drie maanden die hij met vierentwintig andere nieuwkomers had gevolgd in het oerwoud van Puerto Rico, een plaats die was uitgekozen vanwege de gelijkenis met het oerwoudklimaat dat ze in Peru zouden aantreffen, met dien verstande dat de meesten van hen niet in het oerwoud terecht zouden komen, omdat

Peru een gevarieerder klimaat had dan enig ander land op aarde, van tropisch oerwoud tot bevroren bergtoppen. Die maanden brachten ze zes uur per dag door met groepsgewijze lichaamsbeweging, waaronder een mars van vijftien kilometer voor zonsopkomst. Wanneer ze niet trainden, werd er eindeloos in hen gewroet door psychiaters, en om de paar weken vielen er kandidaten af in een proces met de orwelliaanse term 'deselectie'. Ook kregen ze drie uur per dag Spaanse les, maar toen Jerry uiteindelijk aankwam in het dorpje in de Andes waar hij twee jaar zou moeten doorbrengen, kwam hij erachter dat de Indianen hun eigen taal spraken, Quechua, en toen moest hij zich die taal zien eigen te maken, tijdens zijn bezigheden.

Het was zijn taak om les te geven aan de dorpsschool en verder te doen 'wat nodig was', en hij kwam tot de slotsom dat het dorp behoefte had aan latrines; de meeste inwoners gebruikten de nabijgelegen rivier voor alles, zowel om hun behoefte in te doen als om in te baden. Het regenseizoen duurde maanden en dan moesten de kinderen worden weggehouden van de plassen – als ze erin speelden, liepen ze parasieten op waardoor hun benen vreselijk opzwollen en kregen ze ziekten die hen voor het leven mismaakten. Maar dan ging je er al van uit dat ze ouder werden dan drie jaar, wat de helft van hen niet haalde. De economie van het dorp was gebaseerd op een feodaal systeem; de boeren werkten voor voedsel en bier. Al het land in de regio was in handen van vijf families, bankierende oligarchen. Wanneer deze families meer arbeiders nodig hadden, haalden ze mensen uit de hogergelegen gebieden. Er was een onuitputtelijk aanbod van ellendige, uitgehongerde mensen, die in plaats van schoenen stukken rubberband om hun voeten bonden en cocabladeren kauwden in plaats van te eten.

Zeker, er waren ook overwinningen geweest, momenten dat hij het gevoel had dat hij iets tot stand had gebracht. 'Maar toen ik wegging,' zei Jerry hoofdschuddend, 'besefte ik dat ik niet één ding had bereikt. Niet echt. Ik heb een stuk of vijf kinderen leren lezen, een paar latrines aangelegd. Wat stelt dat nou voor? Ik was als een paar druppels regen, gestuurd om een eindeloze droogte te verhelpen.'

Als dit was wat Robert van plan was, hoefde hij zich echter geen zorgen te maken – de kans om aangenomen te worden was niet groot, volgens Jerry Stiles. Nixon had net een nieuwe directeur benoemd, Joe Blatchford, en het wemelde al van de geruchten: het Vredeskorps zou minder geld krijgen, meer vrijwilligers van boven de vijfentwintig aannemen, en meer mensen afwijzen met een vrijekunstenopleiding, de 'alfageneralisten', zoals ze werden genoemd. Er zouden alleen nog mensen met specifieke vaardigheden worden aangenomen – landbouwdeskundigen, ingenieurs, stedenbouwkundigen. Met andere woorden, het Vredeskorps zou niet langer een toevluchtsoord zijn voor mensen die onder de dienstplicht uit wilden komen.

Toen ze opstapten, was Jerry schor van het praten, en Robert popelde om weg te gaan. Ze bedankten hem en verlieten het café; Gwendolyn deed haar jasje om haar schouders. Robert trok haar dicht tegen zich aan. 'Je bent vast teleurgesteld,' zei hij, toen ze naar de metrohalte liepen.

Ze antwoordde niet en leek hem niet eens te horen, want ze staarde een andere kant uit.

'En ik denk dat je je niet moet aanmelden om samen met mij te gaan.'

Uiteindelijk draaide ze haar hoofd naar hem toe. 'Meld je maar alleen aan,' zei ze nonchalant. Ze zou zich bij hem voegen na zijn opleiding; er was geen wet die je verbood om op eigen houtje te reizen.

Dat idee stond Robert nog minder aan.

Ze gedroeg zich alsof die avond nooit had plaatsgevonden. Daarna vroeg ze hem elke week of hij eindelijk klaar was met zijn sollicitatieformulier. Hij wist inmiddels dat ze een ijzeren wil had wanneer ze eenmaal iets in haar hoofd had, dat ze de kwestie niet zou laten rusten en al die tijd zou geloven dat het voor zijn eigen bestwil was. En een deel van hem wílde ook niet dat ze de kwestie zou laten rusten. Wat was liefde anders dan het verlangen om de geliefde te geven wat ze wilde? Hij kon geen cadeaus voor haar kopen, dus dan kon hij haar dit misschien geven. Iets wat ze zo graag wilde.

Maar hoe graag ze het missschien ook wilde, hij was bang dat het Vredeskorps desastreus voor hen zou zijn. Zijn moeder woonde op een plek zoals Jerry Stiles had beschreven, al was het maar in haar eigen hoofd. Waarom zou ze anders de afdankertjes van overledenen verzamelen? En Cece was de honger en armoede ontvlucht en had nooit meer met een woord gerept over waar ze toen was geweest. Maar Robert wist tenminste waar hij bang voor was. Gwendolyn kende geen angst, en dat kon niet goed zijn. Zou ze er echt tegen kunnen om in Afrika bezuiden de Sahara in een hutje te wonen? Of opgewassen zijn tegen straatkinderen in Brazilië of de onaanraakbaren in India? In haar hart was ze nog steeds een rijk meisje, dat nog nooit een rekening had hoeven betalen of moeten stilstaan bij wat iets kostte; zelfs haar wasgoed werd buiten de deur gewassen en gevouwen. Het delen van een eenpersoonsbed in het huis van Stacia Vishniak was het enige wat bij benadering in de buurt van een ontbering kwam. Er zou toch vast nog wel een andere uitweg bestaan?

Er was één persoon die hij nog niet had benaderd. De enige persoon voor wie het zeker binnen zijn macht zou liggen hem te helpen – als de ongemakkelijke stilte die hij door eigen toedoen had laten ontstaan er niet was geweest, zou hij het al maanden geleden hebben gevraagd. Hij zou naar Tracey gaan. Met de pet in de hand. Desnoods zou hij om hulp sméken.

In minder dan een dag had Robert de moed bij elkaar geraapt om het laatste nummer te bellen dat hij van Tracey had; er nam een meisje op dat zei dat Tracey was verhuisd en zijn intrek had genomen in een hotel in Cambridge. Robert belde naar de receptie en liet een boodschap achter. Geen reactie. Drie dagen achtereen belde hij telkens opnieuw en ten slotte ging hij er op een vrijdagavond naartoe en hing wat rond in de statige lobby tot hij uiteindelijk naar de receptie ging en zich liet aandienen. Nadat de receptionist had gebeld, was Robert verbaasd dat hem werd gewezen waar de lift was.

Tracey begroette hem bij de deur, gehuld in een witte badjas, zijn haar nog nat van de douche. 'Je moet me maar nemen zoals ik ben,' zei hij en hij liet Robert binnenkomen. De kamer was een suite met uitzicht op de Charles. In een hoek stonden enkele uiterst comfortabele leunstoelen en een beige bank. De deur naar de slaapkamer stond op een kier en Robert zag een onopgemaakt bed en kleding en handdoeken die rondslingerden alsof de suite niet meer dan een studentenkamer was.

'Je ziet er goed uit,' zei Robert.

Tracey reageerde niet op die opmerking, maar bood aan om martini's voor hen te maken. Als Tracey boos op hem was, zou hij dat niet laten blijken door onbeleefd te doen. Dat was niet zijn stijl. Roberts mond was droog en zijn hart bonsde in zijn keel.

Tracey kon de pot olijven niet openkrijgen. Robert kwam achter hem staan en nam de pot, koud en nat van de condens, van Tracey over. Hij tikte ermee tegen de bovenkant van de bar, hoorde dat het vacuüm verbroken werd – zijn moeders truc voor recalcitrante deksels – en gaf hem terug.

Zwijgend gebruikte Tracey tandenstokers om in de olijven te steken, deed er twee in elk glas, schudde toen het mengsel en verdeelde dat over de glazen. Zij liepen naar de twee leunstoelen in de zithoek en gingen tegenover elkaar zitten. Tracey sloeg zijn benen over elkaar en leunde achterover, maar Robert bleef gespannen op het puntje van zijn stoel zitten. 'Weet je,' zei Tracey rustig, 'ik kan niets voor je doen.'

'Wat bedoel je?'

'Je wilt, neem ik aan, dat ik ervoor probeer te zorgen dat je niet naar Vietnam hoeft?'

Robert staarde in zijn glas.

'Denk je dat je de enige bent die dat vraagt? Mijn vader heeft ervoor gezorgd dat de zoon van zijn chauffeur bij de reservisten is gekomen. Daar heeft hij heel wat invloed voor moeten uitoefenen. En de kapper van mijn oom en de dominee van mijn ouders hebben allebei kleinzoons in de tienerleeftijd. Je bent te laat. Mijn familie is nu officieel gestopt met het verlenen van gunsten. Alles is strenger geworden sinds Nixon, sinds die vaders zijn gearresteerd wegens omkoping – het heeft veel kwaad bloed gezet dat mensen onder hun plicht vandaan proberen te komen.'

'En jij?' vroeg Robert. 'Wat zijn jouw plannen?'

Tracey ging niet op de vraag in, maar streek met zijn vingers door zijn vochtige haar. Robert had het idee dat Tracey ook zenuwachtig was. 'Je ziet er vermoeid uit,' zei Tracey. 'Kijk een beetje uit, dadelijk verkommert dat knappe gezicht van je.'

Robert, vaal en zorgelijk, liet zich onderuitzakken in zijn stoel, al zijn natuurlijke intensiteit naar binnen gericht. 'Het kan toch niemand een bal schelen hoe ik eruitzie?' mompelde hij.

'Het heeft jou nooit geïnteresseerd, hè? Dat is, denk ik, de helft van je charme.'

'Dank je.'

'Ik zou maar niet zo zelfingenomen zijn,' snauwde Tracey. 'Maar goed, als je het nog een halfjaartje weet uit te zingen: mijn vader zegt dat Nixon ergens mee bezig is. Hij wil iets veranderen aan de wet uit '67 over de dienstplicht, overstappen op een loterijsysteem. Iedereen doet daaraan mee, maar sommige mensen zullen nooit hoeven te gaan, als ze een geluksgetal hebben. Op die manier is het veel eerlijker.'

'Wat moet ik een halfjaar lang doen? Onderduiken?' vroeg Robert. 'Hoe dan ook, ik wil mijn toekomst niet laten afhangen van een gokje in een loterij.'

'Dan had je niet zomaar moeten verdwijnen om achter die huppelkut aan te gaan,' zei Tracey bot.

'Ik wil niet dat je zo over haar praat,' zei Robert. 'We zijn verloofd.' Hij was tot de conclusie gekomen dat het idee van trouwen hem wel aanstond, ook al zou het hen niet helpen om bij het Vredeskorps te komen. Zijn liefde voor haar was het enige zekere in een toekomst die er op zijn best duister en onbestendig uitzag.

'Gefeliciteerd.'

'Je bent ontzettend boos op me, hè?'

'Hoezo?' vroeg Tracey. 'Omdat ik dacht dat je mijn vriend was?' Tracey hoefde niet te zeggen wat hij dacht; Robert wist het al. Tracey had hem het grootste geheim van zijn leven toevertrouwd – had hem in feite zijn ziel toevertrouwd – en meteen nadat Robert die informatie had gehoord, was hij verdwenen.

'Ik was je vriend,' zei Robert. 'Ik bén je vriend.'

'De enige keren dat ik iets van je heb gehoord in de afgelopen anderhalf jaar was als je iets nodig had. Eerst een baan en nu uitstel van militaire dienst.'

'Hoe gaat het met Cates en Pascal?' vroeg Robert, in een poging het gesprek om te buigen en Traceys toon te neutraliseren. 'Wat doen zij?'

'Cates blijkt diabetes te hebben. Geen wonder dat hij zo humeurig was. En sinds vorige week heeft Pascal ineens een verstoorde schildklierfunctie. Van Dorn gaat bij de gardetroepen.' Tracey keek langs hem heen naar de bar. 'Zal ik je nog wat bijschenken? Nu je weet dat je missie vergeefs is.'

'Voor mij is dit geen spel,' zei Robert. 'Het is niet zoals op de universiteit, toen je iemand kon betalen om een essay voor je te schrijven. Ik kan niet iemand betalen om in mijn plaats te sneuvelen. Het gaat verdomme om mijn leven!'

'Ik vrees dat ik niets voor je kan doen,' zei Tracey. 'Maar ik heb het gevoel dat ik niet je laatste toevlucht ben.'

'Dat ben je wel.'

'Kom op, Robert, bespaar me die onzin. Je hebt gestudeerd. En of je het nou leuk vindt of niet, je hoort nu bij de club. In dit land gaat niemand die heeft gestudeerd naar Vietnam als hij er iets aan kan doen, niet als hij een beetje uitgekookt of een tikkeltje vindingrijk is. Je hoeft er niet eens heel erg intelligent voor te zijn. Laat gewoon een woordenboek op je voet vallen, bij voorkeur de *Oxford English*-hardcover. Dan ben je van de keuring af en daarna kun je meedoen aan de loterij, en als dat misloopt, nou ja, dan kun je iets anders blesseren. Of een auto stelen of beweren dat je homo bent. Je kunt zeggen wat je wilt, maar niet dat je geen opties hebt.'

'Ik overweeg het Vredeskorps,' zei Robert terwijl hij opstond; hij wist dat als Tracey hem niet kon helpen, hij elke andere mogelijkheid zou moeten aangrijpen, ook de mogelijkheden die hem niet aanstonden.

'Zie je wel,' zei Tracey. 'Ik wist wel dat je nog niet al je kaarten had uitgespeeld. Niet bepaald wat ik me had voorgesteld. Maar misschien is het Vredeskorps wel goed voor je karakter.'

'Er mankeert niets aan mijn karakter.'

'Nee,' zei Tracey zacht en hij stond op om hun glazen naar de bar te brengen, zodat Robert alweer naar zijn rug keek. 'Er mankeert helemaal niets aan je karakter.'

'Ik werd verliefd, dat is alles,' zei Robert. 'Ik werd verliefd en egoïstisch, omdat ik zo veel mogelijk tijd bij haar wilde zijn. Misschien maakt de liefde je wel egoïstisch.'

'Misschien wel,' zei Tracey, nog steeds met zijn rug naar Robert. 'Je kunt nu wel gaan, als er geen andere reden was voor je komst. Ik vond het heel leuk om herinneringen op te halen, maar ik heb plannen voor het avondeten.'

Robert liep naar de deur en deed hem open. 'Ik heb het nooit aan iemand verteld. Ik heb het nooit aan iemand verteld en zal dat ook niet doen.'

Toen hij wegging, stond Tracey bij het aanrecht de glazen af te wassen. Robert nam aan dat hij dat deed om zich een houding te geven, alhoewel Tracey altijd heel zuinig was geweest op zijn glaswerk. Robert liep door de gang en drukte op de liftknop. Hij vroeg zich af of hij zijn kamergenoot ooit nog zou terugzien, en precies op het moment dat die vraag door zijn hoofd ging, hoorde hij een stem achter zich: 'Ik hoop niet dat ik er op een dag spijt van zal krijgen.'

Robert draaide zich om. Tracey, nog steeds in zijn badjas, leunde tegen de muur en stak een sigaret op. 'Spijt van wat?' vroeg Robert.

'Dat ik je aan je lot overlaat.'

'Als het echt mijn lot is,' zei Robert, 'dan valt er niets aan te doen.'

Tracey knikte en Robert knikte terug, alsof ze twee kennissen waren die elkaar in de tram tegenkwamen. De lift ging open; hij was leeg en Robert stapte naar binnen. Toen hij zich omdraaide, gingen de deuren al dicht en was Tracey verdwenen.

16

De loting

Het was net zachtjes gaan sneeuwen en Robert zag dat zich op het raamkozijn al een wit laagje had gevormd. Het was de eerste avond van de laatste maand van 1969, een maandag, en in de huiskamer hadden ze de televisie aanstaan. Gwendolyn zat met gekruiste benen op de bank met een zak chips – die zij op z'n Brits 'crisps' noemde – op schoot, waarvan ze net een hele handvol in haar mond stak. Ze had tussen de middag niet veel gegeten en, voor zover hij had gezien, bij het avondeten ook niet; ze was een slechte eter die troost vond in junkfood en at vaak snacks voor de tv als ze samen op maandagavond, zijn enige vrije avond, naar de film van acht uur keken. Maar vanavond was er geen film.

Dit was de avond van de legerloting, en in alle cafés waar jongeren kwamen – en in alle studentenflats en -sociëteiten, in alle huishoudens met minstens één mannelijke volwassene onder de zesentwintig – stond de tv op deze zender. Robert liep voor het scherm heen en weer en dacht aan de Israëlieten in Egypte die lamsbloed op hun deurpost smeerden opdat de doodsengel hun huis voorbij zou gaan en hun eerstgeboren zoon zou sparen. Als lamsbloed hem uit het leger had kunnen houden, zou hij zijn huis er met liefde mee hebben overgoten. Hij had verder zo ongeveer alles geprobeerd.

'Ik begrijp niet waarom je je zo druk maakt,' zei ze terwijl ze haar vingertoppen aflikte, zoals ze had gedaan op de dag dat hij haar voor het eerst ontmoette, een leven geleden. Zelfs als ze zich volpropte, was ze op de een of andere manier nog gracieus. 'Volgend jaar om deze tijd zitten we aan de andere kant van de wereld en ligt dit allemaal achter ons. Zou het niet fantastisch zijn als we in Peru terechtkwamen, net als Jerry?'

‘Het Vredeskorps is geen reisbureau, Gwendolyn. Dat jij bedacht hebt dat je naar Zuid-Amerika wilt, wil nog niet zeggen dat ze ons daar ook heen sturen.’

Gwendolyn sliep de laatste tijd ’s nachts door, zij het met behulp van slaappillen. De ontelbare knipsels, kranten- en tijdschriftartikelen met onderstreepte passages waren langzaamaan verdwenen, tot grote opluchting van Dana, de schoonmaakster. Ze ging nog altijd naar langdradige politieke bijeenkomsten, gebruikte nog altijd te veel drugs en slikte geheimzinnige pillen waar hij niets van moest hebben, maar terwijl zijn bestaan dreigde in te storten, ging Gwendolyn vrolijk door het leven. Ze bruiste weer van energie en dat leek zich allemaal te kanaliseren in haar verlangen om het land te verlaten en net als hij tot het Vredeskorps toe te treden; ze hoopte op Zuid-Amerika, misschien omdat Jerry Stiles minimaal één keer per week in de boekwinkel kwam, waar hij haar met zijn steeds mooiere verhalen op ideeën bracht. Hij stelde zich voor dat Jerry en Bruno haar tijdens het werk voortdurend flankeerden, als twee niet bij elkaar passende boekensteunen.

‘Wist je dat ze in de Andes sjamanen hebben die ziektes genezen en demonen verjagen? Een soort van half priester, half dokter. Misschien dat een sjamaan je van je benauwdheid af kan helpen.’

‘Ja natuurlijk, een medicijnman, net wat ik nodig heb,’ antwoordde hij terwijl hij een chipje uit de zak op haar schoot nam. Hij had net weer een doktersbezoek achter de rug dat niets had opgeleverd, dit keer bij een jonge internist die hem door een kennis in het restaurant was aangeraden. Hij had contant betaald en voor de zoveelste keer te horen gekregen dat er niets met hem aan de hand leek te zijn. De man had een immunoloog geopperd, maar voegde eraan toe dat zijn allergie wel heel ernstig moest zijn om hem uit Vietnam te houden. De dokters stonden tegenwoordig wantrouwend tegenover mannen van zijn leeftijd. Wat Robert nodig had was een huisarts, een vertrouwd iemand, die begaan was met zijn toekomst. Maar die had hij niet en hij kon het zich niet veroorloven om een arts om te kopen.

Gwendolyn schonk zichzelf een glas whisky in uit de fles die op tafel stond. De telefoon ging, maar hij nam niet op. Zijn ouders. Hij liet hem gewoon gaan en Gwendolyn keek hem hulpeloos aan tot het gerinkel eindelijk ophield. Hij kon er niet tegen om de angst in hun stem te horen. Alleen Barry was tegenwoordig kalm en gefocust. De dienstplichtwet van 1969 had hem veranderd – vooral de aankondiging dat vanaf 1971 alleen negentienjarigen zouden worden opgeroepen. Barry zou in 1971 negentien worden en hij was vastbesloten om de dans te ontspringen. Robert had hem nog nooit zo doelgericht bezig gezien: hij vroeg inschrijvingsformulieren aan bij universiteiten, verdiepte zich in studiebeurzen, schreef essays; hij was vastbesloten om in september dat vrijstellingsbewijs op educationele gronden in handen te hebben. Hij had altijd al uit Oxford Circle weg gewild, maar nu was er nog een prikkel bijgekomen: hij wilde niet dood. Ondertussen dreven Stacia en Vishniak Robert tot waanzin met hun eindeloze suggesties – alsof hij en zijn dienstplichtadviseur niet elke ontsnappingsmogelijkheid hadden bekeken, van een hongerdieet tot een veroordeling wegens een misdaad. Vorige week had zijn moeder hem gebeld om te zeggen dat hij naar huis moest komen; de dienstplichtcommissie in Pennsylvania werkte trager, beweerde ze, en ze noemde het voorbeeld van een buurjongen die al twee jaar van school was en nog steeds niet was opgeroepen voor de keuring. Robert zou van woonplaats moeten veranderen. Daarna kwam Vishniak aan de telefoon, die zei dat hij geen aandacht moest schenken aan wat zijn moeder net allemaal had gezegd. 'Wat weet zij er nou van? Boston moet wel het drukst zijn, met al die jongeren, en het liberaalst, grote kans dat ze je daar uitstel verlenen. Blijf waar je bent.' Terwijl Robert op de achtergrond hoorde dat Stacia tegen zijn vader tekeerging, had Vishniak opgehangen.

'...ze hebben een drankje, die sjamanen, een soort lsd,' zei Gwendolyn. 'Als je het hebt opgedronken, moet je braken en ze zeggen dat je daarna al je vorige levens kunt zien en alle levens die je nog krijgt. Fascinerend, hè?'

'Ja hoor, wat jij nodig hebt zijn nog meer drugs,' snauwde hij. 'En ik zou het nooit overleven in de ijle lucht op die hoogte!'

'Sla alsjeblieft niet zo'n toon tegen me aan. Dit is verdomme toch allemaal mijn schuld niet.'

'Weet ik,' zei hij. 'Ik wou alleen maar dat je niet zo op de zaken vooruitliep. Op dit moment zitten we in Boston en ligt mijn leven in handen van een republikeins congreslid uit New York. Kun je voor het moment misschien bij mij in dít leven blijven? Alleen voor vanavond?'

Hij was een lafaard; hij had haar nog steeds niets verteld over de dunne envelop die de week daarvoor was gekomen; hij had hem onmiddellijk in zijn jaszak gestoken en zich er later van ontdaan in een vuilnisbak op straat. De eerste afwijzingsbrief die hij ooit had gekregen. Misschien had het Vredeskorps zijn ambivalentie opgemerkt, hoewel hij tegen de tijd dat de brief was gekomen elk aanbod zou hebben geaccepteerd dat hem de willekeur van een loting zou besparen. In de brief werd hem aangeraden later een nieuwe aanvraag te doen, nadat hij zich aanvullende vaardigheden had eigengemaakt, maar hij had niets aan later, het moest nu. Jerry had het over één ding bij het rechte eind gehad: het Vredeskorps wilde geen dienstplichtontduikers meer. Hoe kon hij haar dat vertellen terwijl het afgelopen jaar haar hele leven hierom had gedraaid? Waar moest hij beginnen?

'Schat, voor de laatste keer, wil je alsjeblieft gaan zitten?' vroeg ze. 'Je staat in mijn beeld. En het gaat beginnen.'

Alexander Pirnies gezicht had iets deemoedigs, wat nog werd versterkt doordat hij een dikke, zwarte, plastic bril op had. Zijn peper-en-zouthaar zat zo dat het leek alsof hij al twintig jaar probeerde van een crewcut af te komen. Hij droeg een zwart pak en had een fronsende blik.

'Hij kijkt er in elk geval serieus bij,' zei Gwendolyn.

Maar de hele procedure had niets serieus. Het programma verliep meer als een saaie spelshow waarbij de winnaars niet minder dan hun eigen toekomst kregen en de verliezers geketend werden afgevoerd. De in aanmerking komende geboortedata, 366 in getal, waren elk in een blauwe capsule gestopt. Het congreslid stak zijn hand in een grote cilindervormige bak en las de eerste geboortedatum op. Voor de duidelijkheid werd die datum daarna door een omroeper herhaald: 14 september. De datum werd nu naast het nummer één op een groot overzichtsbord geplakt. Robert was geboren op 9 mei. Hij schonk zichzelf een whisky in. Veilig. Hij deed hetzelfde bij het tweede en het derde nummer. Hij was zo gespannen dat de alcohol geen enkel effect op hem leek te hebben. Meer nummers. Ze waren al bij 10, 11. Veilig.

Gwendolyn haalde een joint uit haar zak en stak hem op. 'Van Bruno gekregen. Voor jou. Voor vanavond.' Ze stak hem de joint toe.

'Zit Bruno hem ook te knijpen?' vroeg Robert terwijl hij de sigaret aanpakte.

'Bruno?' vroeg ze. 'Waarom zou-ie?'

'Hij is jong genoeg om te gaan, toch?' De nummers 21, 22 en 23. Nog steeds geen geboortedata in mei.

'Ik weet niet hoe oud hij is, maar hij is communist.' Nummers 26 en 27. 'Die arme rooien,' ging ze verder, 'niemand wil ze. Behalve als iedereen ze wil.'

Hij inhaleerde, oppervlakkig, nauwelijks in staat om iets binnen te krijgen.

'Probeer het nog maar een keer,' zei ze. 'Je weet wat er gebeurt als je van streek raakt. Dan stop je met ademen. Blijf ademen, Robbie.'

Dit keer inhaleerde hij wat langzamer en hield de rook vast in zijn longen. Wat was dat voor stuf? Binnen een paar minuten voelde hij zich kalmer en hoorde de nummers als van een afstand. Nummers 39, 40 en 41. Ze pakte zijn hand en masseerde zijn vingerkootjes, zoals ze van de winter had gedaan toen hij met haar mee was gegaan naar de boekwinkel.

'Het lijkt erop dat ze een hoop herfst- en winterdata trekken, vind je ook niet?'

'Zeg dat nou niet,' antwoordde hij. Oud bijgeloof. Daar was hij mee opgegroeid. Nooit denken dat je geluk hebt of veilig bent of anderszins bevoorrecht; dan trek je het boze oog aan. De vrouwen uit zijn jeugd spogen drie keer om het te weren. Zijn hart ging nog aldoor tekeer. Ze gaf hem de joint weer aan.

Tegen de tijd dat zijn geboortedag werd omgeroepen lag hij op de vloer, zo dronken en stoned dat de kamer tolde toen hij overeind kwam. 'Was ik dat?'

'Je bent veilig Robbie. Nummer 197. De nummers 1 tot en met 122 moeten zich zorgen maken.'

'Ben ik veilig?' Hij tilde voorzichtig zijn hoofd op.

'Ja,' zei ze, en ze knielde naast hem neer en gaf hem een kus op zijn wang. Daarna hielp ze hem overeind en liepen ze samen naar het raam. De sneeuw had de gazons, de huizen en de spoorbaan bedekt met een troostrijke, gelijkmatige witte poederlaag die werd beschenen door de straatlantaarns. Aan de overkant trok een groep jongemannen in polonaise over straat – Robert en Gwendolyn hadden hen nooit eerder gezien. Een paar anderen liepen verdwaasd rond, alsof ze in shock verkeerden; een jongen in een spijkerbroek en een flanellen hemd, zonder jas, maar met een wollen muts op en een sjaal om, zakte midden op de drukke straat door zijn knieën. Aanvankelijk zagen de auto's hem niet en zoefden voorbij. 'Is hij...?' vroeg Gwendolyn toen een auto het zicht even belemmerde, maar het volgende moment werden ze zijn knielende gestalte weer gewaar. 'Goddank,' fluisterde ze. De volgende auto had hem gezien en remde. Andere auto's toeterden en reden achteruit, maar de jongens op het grasveld gingen door met hun polonaise, door hun eigen vreugdekreten nauwelijks in staat om iets anders te horen. Plotseling vlogen twee mannen de straat op – een van hen was Tommy, hun portier – die de jongen overeind trokken, hem bij zijn armen en benen grepen en wegdroegen. Hij was helemaal slap, net als de demonstranten op het nieuws die door de politie werden afgevoerd.

'Arme jongen,' mompelde Gwendolyn. 'Wat een ellende, hè? Soms heb ik het gevoel dat er niets anders bestaat dan deze oorlog.'

'Ik ben veilig, Gwendolyn.' Hij fluisterde de woorden in haar haar en hield haar stevig vast; hij voelde zich zowel schuldig als opgelucht en herhaalde steeds maar weer: 'Ik ben veilig, ik ben veilig.'

Maar uiteindelijk bleek hij helemaal niet zo veilig te zijn. Nog geen twee dagen na de loting verscheen er een ander verhaal in de kranten. Naar verluidt maakten degenen met een nummer tussen 1 en 100 plannen om naar Canada te vluchten of een medische aandoening aan te voeren. Het ministerie van Defensie zou tegen de zomer waarschijnlijk meer rekruten nodig hebben en zou dan de nummers 120 tot en met 200 oproepen. De mannen in die categorie, mannen zoals Robert, bevonden zich volgens de algemene opinie in iets wat de 'zweetzone' werd genoemd, omdat ze nog een jaar peentjes moesten zweten.

17

De zweetzone

Januari deed zijn intrede; het was nu 1970, het begin van een nieuw decennium, en Gwendolyn bleef het constant maar over het Vredeskorps hebben. Elke ochtend haastte ze zich naar de brievenbus, in de overtuiging dat zijn acceptatiebrief was gekomen. 'Is januari niet de maand van de acceptaties?' vroeg ze hem. 'Nee, april,' antwoordde hij. 'De maand van de universiteitstoelatingen en de inkomstenbelasting.' Elke dag dat de brief uitbleef, zat ze thuis te kniezen, maar wanneer hij 's avonds thuiskwam, had ze zichzelf weer nieuw optimisme aangepraat en kletste ze vijf kwartier in een uur tegen hem, alsof ze werd aangedreven door een motortje. Hij probeerde haar voor te bereiden en vroeg wat ze zou doen als hij werd afgewezen. 'Jij wordt niet afgewezen, Robbie,' zei ze terwijl ze vol vertrouwen naar hem opkeek. 'Jij wordt nooit ergens voor afgewezen.'

Had iemand ooit zo vurig in hem geloofd? En daarna kwebbelde ze weer door en vertelde hem over een reisgids die ze gelezen had, waarin stond dat cavia een delicatesse was in Peru en Ecuador, maar dat ze dacht dat zij geen cavia zou kunnen eten, hoewel, bij nader inzien, als ze maar hongerig genoeg was misschien wel. Zo ratelde ze maar door, en hij kon het niet over zijn hart verkrijgen om te vragen of ze haar mond wilde houden.

Op de eerste zaterdagavond in maart, toen hij het haar nog steeds niet had verteld, namen de goden wraak, zo leek het in elk geval. De chef-kok van het restaurant en een van de serveersters hadden hun verhouding beëindigd en de kok leek vastbesloten om stennis te schoppen, wat resulteerde in een avond waarop de bestellingen laat doorkwamen, als ze al doorkwamen, en de fooien zwaar te wensen overlieten. De manager foeterde hem uit in het bijzijn van een klant. De serveerster die de verhouding had beëindigd, zat buiten bij de keuken te grienen. Hij kwam na middernacht bij de metrohalte aan, miste net zijn trein en moest heel lang wachten in de ijzige kou.

Toen hij thuiskwam, uitgeput maar tegelijkertijd opgefokt en met een gigantische hoofdpijn, stond ze in de keuken yoghurt in een kom te scheppen. Ze begon te praten, maar hij onderbrak haar. 'Geen woord meer over de Andes, alsjeblieft,' zei hij. 'Er is geen acceptatiebrief. Ik heb al maanden geleden een afwijzing gekregen en heb dat voor je verzwegen. Ze hebben me afgewezen.'

Ze reageerde niet en staarde hem alleen maar aan, met de lepel nog in haar hand.

'Kijk niet zo naar me. Je hebt me wel gehoord.' Hij liep naar de koelkast, schonk zichzelf een glas sinaasappelsap in en deed er wat wodka uit het vriesvak bij. 'Vond je het niet vreemd dat ik bijna een jaar na mijn sollicitatie nog steeds niets gehoord had?'

'Je hebt ook pas in juli vorig jaar gesolliciteerd. Niet in maart of april. Ik vond de sollicitatiebrief in je jaszak,' zei ze achteloos. 'Hoe dan ook, we hebben het Vredeskorps helemaal niet nodig. We kunnen er zelf vandoor gaan. Ik heb geld en in Peru kunnen we van heel weinig rondkomen. Ik heb er van alles over gelezen.' Ze deed het deksel op de yoghurtbeker en zette die terug in de koelkast. Toen liep ze naar het aanrecht en begon de afwas te doen.

'We gaan helemaal nergens heen,' zei hij terwijl hij vlak voor haar ging staan. 'Behalve misschien naar Canada, waar ik de taal spreek en een baantje kan krijgen. En dat alleen in het uiterste geval. Ik wil geen voortvluchtige zijn en jij ook niet. En ik wil niet op jouw zak teren, hier niet en nergens niet.'

'De wereld staat op instorten. Er moet toch een manier zijn. Als ik niet iemand vind die ons kan helpen...' Haar woorden stierven weg.

'Wat dán?' vroeg hij. 'Kunnen we niet gewoon voor elkaar zorgen? Is dat niet genoeg?'

'Nee,' zei ze kalm. 'Voor mij is dat niet genoeg. Als ik niet naar Zuid-Amerika kan gaan, als ik de armen niet kan helpen, wat heb ik dan nog? Daar heb je geen idee van.'

'Dan heb je mij nog,' zei hij zachtjes.

'Je begrijpt het niet.'

'Nee, ik begrijp het inderdaad niet,' zei hij. 'Want ik ben egoïstisch en hebzuchtig en bang, en jij bent de enige voor wie ik wil zorgen. Zo zit ik in elkaar. Zo ben ik. Ik kan niet iemand anders zijn.'

Daar had ze niet van terug. En na een hele poos, die wel een eeuwigheid leek te duren, vroeg ze: 'Wanneer heb je het gehoord? Van het Vredeskorps? Wanneer is de brief gekomen?'

'In december,' antwoordde hij. 'Of eind november.'

'Morgen is het acht maart.'

'Om precies te zijn,' zei hij terwijl hij op zijn horloge keek – het was twee uur in de ochtend – 'is het vandaag acht maart.'

'Ach, val dood.' Ze liep van hem weg, de slaapkamer in, en sloeg de deur achter zich dicht.

Ze bleven de hele zondag bij elkaar uit de buurt; zij ging boodschappen doen en hij naar Allston om naar een basketbalwedstrijd te kijken bij een barman thuis die hij kende van zijn werk. Hij kwam laat terug, dronken, en sliep op de bank. Zij was boos en hij was bang voor haar boosheid omdat hij haar eigenlijk nog nooit boos had gezien. Maandag was zij de hele dag weg en hij bleef thuis op zijn vrije dag. Maar toen ze om middernacht nog niet terug was, begon hij zich zorgen te maken. De portier, Tommy, had haar al in geen dagen gezien. Er was niemand die hij kon bellen – Bruno had geen telefoon. Hij zocht in het telefoonboek naar Jerry Stiles, maar vond alleen een Millicent Stiles, een oude vrouw die snauwde dat het al laat was en dat ze nooit van de man had gehoord, waarna ze de hoorn op de haak smeet. Die nacht deed hij nauwelijks een oog dicht en hij verliet het appartement in alle vroegte. Robert doorkruiste de straten van Cambridge in de bedeesde maartse zonneschijn; hij liep door steegjes, keek rond in de supermarkt en de cafés en daarna in de andere winkels rond het plein. Toen hij om tien uur bij de boekwinkel kwam, had de eigenaar de zaak nog niet geopend en Robert moest tegen de ruit bonzen en roepen voordat de man eindelijk de deur ontgrendelde. Bruno zou de hele week niet komen en hij had Gwendolyn niet gezien – ze was de vorige dag niet op haar werk verschenen. En vandaag stond ze niet ingeroosterd. 'Ik ben niet verantwoordelijk voor ze, weet je,' zei hij, alsof Robert had gezegd dat hij dat wel was. 'Voor geen van hen.'

'Fraai is dat, om zo over je personeel te praten,' zei Robert.

'Hé, ik doe meer dan mijn deel!' riep de man Robert na toen die de winkel uitliep.

Hij ging naar de kerk in Arlington, waar een paar meisjes zaten te telefoneren en een ander meisje stencils uitdraaide. Een klein jongetje zat op de grond met blokken te spelen. Ze hadden haar allemaal in geen weken gezien. 'We dachten dat het haar gewoon even te veel was geworden, dat ze even wat rust nodig had,' zei het meisje aan het stencilapparaat. 'De oorlog loopt niet weg, die is er ook nog wel als ze terugkomt.'

Omdat hij niet wist waar hij verder nog moest zoeken, nam hij de metro naar Boston University en dwaalde over de campus, of wat daar voor moest doorgaan: een conglomeratie van winkels en gebouwen langs de noordkant van Commonwealth Avenue, vol studenten en studentenhuizen; hij vroeg toevallige voorbijgangers of ze haar kenden, maar ze kenden haar geen van allen. Hij keek vergeefs rond in de bibliotheek en ging uiteindelijk naar het inschrijvingsbureau, waar hij een gang werd doorgestuurd; hij wist een jong meisje zover te krijgen dat ze voor hem opzocht welke colleges er op dit moment werden gegeven en wie zich ervoor hadden ingeschreven. Als Gwen nu in de collegezaal zat, kon hij haar buiten opwachten. Het meisje deed erg haar best voor hem, ze glimlachte en verzekerde hem voortdurend dat ze hem kon helpen. Maar nadat ze een heleboel lijsten had gecontroleerd en een paar telefoontjes had gepleegd, riep ze er een oudere man bij, overlegde even met hem en vertelde Robert dat er geen buitenlandse studente met de naam Gwendolyn Smythe aan de Boston University stond ingeschreven. Sterker nog, Gwendolyn Smythe volgde geen enkel college aan de universiteit, zelfs niet op de avondschool, zelfs niet als toehoorder.

Toen hij die avond thuiskwam uit zijn werk lag ze in bed en gaf geen enkele verklaring over waar ze was geweest. Hij was zo opgelucht dat hij er niet naar vroeg, zich slechts van zijn kleren ontdeed, naast haar ging liggen en haar naar zich toetrok. Ze rook niet naar zichzelf, kon wel een douche gebruiken, en toen hij haar probeerde te kussen, schoof ze bij hem vandaan. 'Ik wil niet met je vrijen, Robbie. Ik wil dood.' Daarna draaide ze zich op haar zij en viel in slaap.

18

Cambodja

De rest van de maand maart bleef ze in bed liggen. Een collega nam een week lang zijn diensten over en hij bleef thuis, probeerde haar zover te krijgen dat ze iets at, zette thee voor haar en voerde haar kippenbouillon. Maar hij was een ongeduldige verpleger en raakte al snel gefrustreerd, verlangde van haar dat ze opstond, om zich daar vervolgens weer voor te verontschuldigen. Telkens wanneer hij haar vroeg wat ze wilde eten of dat hij misschien een boek voor haar uit de bibliotheek kon halen, klonk hetzelfde refrein: 'Laat me met rust. Ik wil dood.'

'Vergeet het maar. Zolang ik over je waak, ga je niet dood,' zei hij uiteindelijk. De donkere slaapkamer rook bedompt, als een ziekenkamer. Hij moest de lakens verschonen. 'Het is bijna lente. Zal ik het rolgordijn omhoog doen? Heb je zin om in het park te gaan wandelen? Of langs het water?'

'Nee,' antwoordde ze, en ze draaide hem de rug toe. De volgende dag belde hij de werkster, Dana, en vroeg of ze een oogje op Gwendolyn wilde houden terwijl hij naar zijn werk ging. Dana stemde toe en op zijn verzoek zorgde ze naast haar gebruikelijke schoonmaakwerk ook nog voor het eten; hij betaalde haar extra voor al die dingen, zodat ze nu verpleegster en huishoudster tegelijk was. Als ze nog huizen van andere klanten had schoon te maken, deed ze dat in haar vrije tijd. Ze was een harde werker, een sterke, breedgeschouderde vrouw van vijftig met wijd uit elkaar staande, waterig blauwe ogen en geprononceerde jukbeenderen, grijzend lichtbruin haar, en met het stoïcisme dat immigranten eigen is. Ze liet zich niet van haar stuk brengen door Gwendolyns plotselinge lethargie. 'In mijn land gebeurt dat voortdurend,' vertelde ze hem na de eerste dag. 'Mensen gaan naar bed. En dan komen ze er niet meer uit. Hier probeert iedereen de hele tijd maar blij te zijn.' Ze vertrok haar lippen tot een komisch bedoelde grijns, maar hij kon er niet om lachen.

Dana maakte soep en gebak voor Gwendolyn, elke ochtend perste ze vers sinaasappelsap en las haar voor uit tijdschriften en romans. Maar Gwendolyn kwam nog altijd haar bed niet uit. In april zei Dana tegen Robert dat er al een paar keer een dokter had gebeld.

'Wat voor dokter?'

'Volgens Gwendolyn is het een chiropractor,' antwoordde Dana. 'Dokter Moses. Hij wil een huisbezoek brengen.'

'Vraag hem zijn nummer, dan zal ik hem terugbellen.' Robert was niet van plan zomaar een vreemde binnen te laten alleen omdat hij zei dat hij haar dokter was. Waar was Bruno? Waarom was hij niet langsgekomen? Waar waren haar ouders? Waarom was ze naar Boston gekomen? Hij had het gevoel dat hij zijn verstand begon te verliezen.

Op de laatste avond van april, een donderdag, zat Robert in de woonkamer naar het nieuws te kijken, toen Gwendolyn verscheen, nog altijd in haar pyjama.

'Wat is er, lieverd?' vroeg hij. Ze kwam naast hem op de bank zitten, net op het moment dat president Nixon in beeld verscheen en aankondigde dat hij troepen naar Cambodja zou sturen. Robert sloeg beschermend een arm om haar heen terwijl hij zich afvroeg of ze hier eigenlijk wel naar moest kijken, maar hij kon toch moeilijk als haar censor optreden en bovendien was hij opgelucht dat iets haar eindelijk had doen besluiten uit bed te komen. Meer troepen naar Cambodja betekende dat er meer nummers zouden worden opgeroepen. Hoeveel meer? Misschien werd hij van de zomer wel uitgezonden. Wat zou er dan met haar gebeuren?

Vrijdagochtend stond ze vroeg op en nam voor het eerst in bijna twee maanden een douche. Ze vroeg of hij haar haar wilde knippen, dat lang was geworden en dode punten had, en dat deed hij in de badkamer met kranten onder haar stoel om het afgeknipte haar op te vangen. Ze bakten eieren en gingen samen aan tafel zitten ontbijten. 'Zullen we deze zomer eens op vakantie gaan?' vroeg hij terwijl hij haar hand in de zijne nam. 'Ik heb wat spaargeld en Hank zou mijn diensten kunnen overnemen; hij is altijd op zoek naar extra werk. We kunnen naar de kust gaan. Of een auto huren en het land doorkruisen. Je hebt niet veel van de VS gezien, en ik eigenlijk ook niet.' Hij had te zwaar op haar geleund, dacht hij, en ze was onder zijn gewicht bezweken. Ze hadden een erg moeilijke periode doorgemaakt, voortkomend uit een innerlijk conflict van haar dat hij niet helemaal begreep, hetzelfde conflict dat haar had dwarsgezeten voordat hij haar had meegenomen naar zijn ouders. Het had op de een of andere manier met het nieuws te maken, of was daar het gevolg van. Ze was gevoelig. Maar een jaar geleden was ze erbovenop gekomen en dat zou haar nu ook wel weer lukken.

Ondanks zijn bedenkingen over het nieuws kon hij haar er niet van weerhouden op maandagavond naar de televisie te kijken. Er waren vier studenten doodgeschoten op een universiteit in Ohio. Alle zenders bleven de vage beelden maar herhalen. Een jongen die door een kogel was getroffen kromp in elkaar op de grond; soldaten met geweren marcheerden in slagorde over de campus alsof het een slagveld was; een meisje knielde gillend naast haar dode vriend. Het hoge, doordringende geluid van gillende meisjes zou hem altijd bijblijven.

'Ik kan niet tegen dat gegil,' zei Gwendolyn. 'Ik wou dat het ophield.'

'Zullen we de tv maar uitzetten?' stelde hij voorzichtig voor en hij stond op om de daad bij het woord te voegen.

'Ik heb het niet over de tv,' zei ze terwijl ze hem bevreemd aankeek. 'Laten we naar bed gaan.'

Hij volgde haar naar de slaapkamer. De ramen stonden open en het rook er naar Dana's speciale schoonmaakmiddelen, alsof ook de kamer een lange, bedompte belegering achter de rug had. Het bed was opgemaakt en ze kleedden zich uit, schoven tussen de koude lakens en trokken het dekbed over zich heen. Hij hield haar vast en zij pakte zijn hand en zei dat ze van hem hield. Dat had ze al heel lang niet meer tegen hem gezegd. 'Ik hou ook van jou, lieverd,' zei hij terwijl zijn hart in het donker opsprong.

'Ik moest denken aan die keer dat ik boven op je viel tijdens dat concert.'

'Dat was de mooiste middag van mijn leven, Gwendolyn.'

'Voor mij ook. Voor mij ook,' zei ze. 'Het lijkt me inderdaad een goed idee om samen weg te gaan.'

'Waarheen je maar wilt. Ik kan alles regelen. We moeten weer eens iets leuks doen.' Hij begroef zijn gezicht in haar haar. 'We zijn jong en het is alweer zo lang geleden dat we iets leuks hebben gedaan.' Hij bedolf haar onder kussen en hield daar alleen even mee op om te zeggen dat ze gingen trouwen als dit allemaal achter de rug was. Na augustus zou hij het weten. In augustus zouden de laatste nummers van dat jaar bekend worden gemaakt. Misschien zou hij dan vrij zijn. De gedachte aan een gezamenlijke toekomst na de dienstplicht en de oorlog gaf hem een geweldig gevoel, al was het maar voor het moment. Hij kuste haar opnieuw en liet zijn hand over haar zij gaan, voelde de lichte welving van haar heup. Ze hadden elkaar in geen maanden meer op deze manier aangeraakt. Hij hoorde dat ze reageerde en kuste haar weer, legde een hand om een van haar borsten, zocht met zijn lippen haar lichaam af en nam de harde tepel in zijn mond, hoorde haar kreunen. Langzaam bedreven ze de liefde en regelmatig pauzeerde hij even en trok hij zich helemaal uit haar terug om het genot te verlengen. Toen hij diep in haar klaarkwam en haar in extase hoorde gillen, dacht hij heel even aan het meisje op tv dat zich gillend over het lichaam van de dode jongeman had gebogen. De twee geluiden leken opvallend veel op elkaar, alsof Gwendolyn zichzelf van een geheimzinnige verschrikking bevrijdde. Toen ze achterover op de dekens lagen, hij met zijn armen om haar heen in het donker, voelde hij de angst weer de kop opsteken.

De volgende dag om vier uur kwam Dana zoals gewoonlijk, zodat Gwendolyn niet alleen zou zijn. Ze zei dat ze iets eerder weg moest; haar man kon haar niet ophalen en hij vond het niet prettig als ze zo laat nog de metro nam. 'Geen probleem,' antwoordde Robert achteloos terwijl hij zijn sleutels bij zich stak. 'Ga maar wanneer het je uitkomt.' De zieke lag niet meer in bed en was aangekleed. Dana en Gwendolyn zouden die middag brownies gaan bakken. Er zou lekkers zijn als hij uit zijn werk kwam, zei Dana. 'Wat hadden we de afgelopen weken zonder jou moeten beginnen?' vroeg Robert en hij stopte haar wat geld toe, extra, boven op haar salaris. Hij was in zo'n goede bui dat hij geld aan wildvreemden op straat zou hebben uitgedeeld als hij zich dat had kunnen veroorloven. Dana glimlachte en wenste hem een goede avond.

Om elf uur was hij weer thuis. In de lege woonkamer stond de televisie aan. Het bed was opgemaakt, de keuken brandschoon. Hij rook chocola: de brownies. Hij riep keer op keer haar naam, zonder antwoord te krijgen, maar ze was er wel. In het uur tussen Dana's vertrek en Roberts thuiskomst had Gwendolyn zich opgehangen aan een afvoerbuis in de badkamer.

19

De nasleep

Ze had van tevoren een douche genomen, en toen hij haar lichaam lossneed en het gordijnkoord rond haar nek verwijderde, was haar haar nog vochtig en kon hij de lavendelgeur van haar shampoo ruiken. Haar lichaam voelde warm aan en ze had nog kleur op haar wangen, al voelde hij geen hartslag meer. Robert had ooit een demonstratie van mond-op-mondbeademing op een lokale tv-zender gezien, en hij kneep haar neus dicht en drukte zijn lippen tegen haar mond, in een poging na te doen wat hij gezien had, maar hij had weinig longinhoud en begon al snel te hoesten en werd bang dat hij tijd verspilde terwijl hulpverleners waarschijnlijk meer zouden kunnen doen. Hij droeg haar naar de slaapkamer, legde haar op het bed, ging het alarmnummer bellen en werd doorverbonden met de hulpdiensten. Hij gaf hun de informatie door en hing op, daarna ging hij in de donkere slaapkamer zitten en streelde haar donkere haar terwijl hij vurig hoopte dat de ambulance snel zou komen.

Toen de hulpverleners arriveerden, twee jongens van ongeveer zijn leeftijd, voelden ze of er een hartslag was en schudden het hoofd. Maar Robert schreeuwde tegen hen, stampte met een waanzinnige blik in zijn ogen de kamer rond en hield vol dat haar lichaam daarnet nog warm had aangevoeld. Hij kon zien dat de twee jongemannen aangeslagen waren; behalve in het geval van een overdosis zagen ze zelden iemand die zo jong was en nooit iemand die zo mooi was. En daarom, omdat ze medelijden met hem hadden, bliezen ook zij lucht in haar longen, hun handelen een soort toneelstuk dat door alle betrokkenen werd begrepen, tot ze hem ten slotte smekend aankeken en zeiden dat ze dood was, dat ze al een tijdje dood was en dat het niet van eerbied getuigde om door te gaan. De warmte van haar huid en de kleur op haar wangen waren waarschijnlijk veroorzaakt door de stoom van de douche, zo vertelde een van de mannen hem.

Het had maar een haartje gescheeld. Als hij een paar minuten eerder was thuisgekomen, had haar hart misschien nog geklopt, als hij eerder had gebeld, had hij haar kunnen redden. Nadat de hulpverleners haar lichaam hadden meegenomen, liep hij de keuken in, niet wetend wat hij met zichzelf aanmoest. Het licht in de woonkamer wierp een zwak, oranjeachtig schijnsel tot achter in het appartement, en hij zat aan de keukentafel, omringd door dat spookachtige halfduister en ging in gedachten na hoe hij naar huis was gegaan. Waar was hij toen zij stopte met ademen? In de lobby, waar hij even met Tommy over de Red Sox was blijven praten? Of hielp hij in de metro net dat oude vrouwtje bij het uitstappen? Wat kon hij uit zijn dag schrappen zodat hij op tijd thuis zou zijn? Met die gedachte zou hij zichzelf nog jarenlang kwellen.

Op de tafel stond een fles whisky en een borrelglaasje met nog een bodempje erin. Ze had zich moed moeten indrinken; die gedachte werd hem bijna te veel, maar toen hoorde hij een geluid, de deur werd opengemaakt. Wie had de sleutel? Er was iemand anders in het appartement. Hij huiverde, en nu kwam Tommy achter hem staan en legde een deken om zijn schouders. Portiers weten altijd precies wat er in hun gebouw gebeurt, nietwaar? Er kwam ook een oudere buurvrouw binnen – ze had de commotie gehoord – maar Tommy stuurde haar weg. Het was net één uur geweest, zei Tommy. Hij had wel eerder willen komen, maar hij had moeten wachten tot zijn dienst erop zat en moeten afsluiten voor de nacht.

'Ze mocht je graag,' zei Robert.

'Wie mocht ze nou niet?' zei Tommy. Hij had boven het aanrecht een blik koffie gevonden en vulde het onderste deel van de percolator met water.

'Ze vond het zo aardig dat je je hoofd altijd naar haar toe draaide om naar haar te luisteren. Ze zei dat je heel aandachtig luisterde.'

'Dat komt doordat ik doof ben aan één oor,' antwoordde hij. 'Daarom hoefde ik niet in dienst.'

Als snel klonk het troostende gepruttel van de percolator. Zij had nooit van koffie gehouden – de percolator was van hem, een van zijn weinige bezittingen hier – en dus associeerde hij die geur en dat geluid minder met haar dan met zijn ouders, Barry en Disston Street. Toen de koffie klaar was, schonk Tommy een kopje in voor hen beiden en deed er een scheut whisky bij. Ze zaten zonder iets te zeggen in het donker, dronken hun koffie met whisky en luisterden naar het tikken van de klok. Om zes uur 's ochtends, toen het licht begon te worden in het appartement, stak Tommy een sigaret op. Daarna roosterde hij een paar boterhammen, die Robert zwijgend afsloeg. Tommy, zijn portier, was de hele nacht met hem opgebleven, en had daar zijn slaap en kostbare vrije tijd voor opgeofferd. Robert wilde hem bedanken, maar hij scheen er geen woorden voor te kunnen vinden. Hij kon alleen maar aan de keukentafel zitten en proberen te blijven ademen terwijl hij zo nu en dan een slok koffie nam en zich ervan bewust was dat hij nog leefde en dat leven verantwoordelijkheden met zich meebracht die hij kon noch wilde dragen.

Wat hij zelf niet kon, deden anderen voor hem; zo'n soort appartementengebouw was het. De administratie van de beheermaatschappij had een postbusnummer en de naam van een jurist voor hem, en twee dagen later belde de jurist hem op om de gegevens op te nemen. Drie dagen daarna had Robert een afspraak met Gerald en Alice Smythe, de ouders van Gwendolyn, in het Ritz Carlton bij het Boston Common Park.

Ze waren met het vliegtuig uit Londen overgekomen om het lichaam te laten cremeren en zouden de as mee terug nemen in een urn die op dit moment in hun suite stond. Hij werd een beetje onpasselijk bij die gedachte. In zijn familie werd er niet gecremeerd; dat was tegen hun geloof. Maar toen hij Gwendolyns vader zag, wist hij onmiddellijk dat hij joods was, zoals joden elkaar als door een zesde zintuig herkennen. Meneer Smythe was kalend, goed verzorgd en had een olijfkleurige huid; zijn ogen hadden de kleur van honing, net als die van Gwendolyn, en ook zijn haar, of wat er nog van over was, was net zo donker als het hare. Hij droeg een duur uitziend pak, maar hij was dan ook de zoon van een kleermaker (dat had Gwendolyn hem ooit verteld), en het was dus niet meer dan logisch dat hij aandacht aan zijn kleding besteedde. Zijn accent was moeilijk thuis te brengen; Robert vermoedde dat hij het zich had aangeleerd. De moeder was duidelijk in Engeland geboren; ze klonk als een omroepster van de BBC, ze was klein, droeg een beige jurk en haar blonde haar was kort en stijlvol geknipt. Haar ogen waren ijsblauw.

Geen wonder dat Gwendolyn zo dol op zijn ouders was geweest. Vergeleken met deze twee was Stacia een kwijlende cockerspaniël. Hun gezicht was als een masker en ze leken zelfs niet met hun ogen te knipperen toen ze hem vertelden dat Gwendolyn geen studente was en dat ook nooit was geweest. Ze was geen drieëntwintig, maar de dertig al gepasseerd, al zag ze er jong uit voor haar leeftijd en was ze naïef als een kind. Ze had haar sporen verdiend, niet aan een Amerikaanse universiteit of een Zwitsers internaat, maar in verschillende van de meest vooraanstaande en vooruitstrevende gestichten ter wereld, vanaf haar vijftiende, toen de problemen, zoals zij het noemden, waren begonnen. Robert had haar ontmoet toen ze net twee jaar in McLean had doorgebracht, de gekkenafdeling voor de bevoorrechte klasse van Harvard Medical School, waar ze haar 'goed behandeld hadden' zoals haar vader het uitdrukte, zo goed dat ze voor het eerst van haar leven in staat was om ambulante therapie te volgen, een baantje te behouden en op zichzelf te wonen. 'In een boekwinkeltje. Er werkten nog meer patiënten. Een menslievende eigenaar, vermoed ik,' zei haar moeder.

Hoe kon hem dat zijn ontgaan? De eerste keer dat hij Bruno had gezien?

Haar moeder schraapte haar keel. 'Ze raakte heel erg betrokken bij de Amerikaanse politiek,' zei ze. 'Dat deed haar geen goed.' Ze nam hem van top tot teen in zich op: hij moest nodig naar de kapper, zijn kleren waren gekreukeld – hij had erin geslapen, of eigenlijk: geprobeerd te slapen – en hij had een beginnende baard. 'Ik zei het nog tegen haar vader, toen we al die kinderen op het nieuws zagen schreeuwen en tekeergaan. "Dit," zei ik, "wordt onze ondergang."'

Hadden ze van zijn bestaan geweten? Van hun bestaan was hij zich nauwelijks bewust geweest.

'Ze had het over je in haar brieven,' zei haar vader. 'Die waren helderder dan ze in jaren geweest waren. Ze zei dat ze verliefd was. Ze zei dat ze gelukkig was. In het begin vroegen we ons af of ze je niet verzonnen had.' Ze hield dingen achter, zei hij, voor haar ouders, voor haar psychiaters. Die artsen in Boston waren er beter in geslaagd om haar zover te krijgen dat ze zich aan haar afspraken hield. 'Ze was geneigd de dingen mooier voor te stellen dan ze waren,' voegde hij eraan toe. 'Ze was charmant. Ze was mooi. Mensen willen mooie mensen graag geloven. Ze kennen hun allerlei goede eigenschappen toe.'

'Ze mocht dan in de war zijn,' zei haar moeder, 'maar ze was niet dom. Ze kon je makkelijk om de tuin leiden.' En ze voegde eraan toe: 'Ze had namelijk een heel hoog IQ.

Robert kon uit haar toon opmaken dat ze zich tijdens het leven van haar dochter altijd aan dat stukje informatie had vastgeklampt. Ze had dan misschien een gek op de wereld gezet, maar geen idioot. 'Haar IQ kan me geen reet schelen,' zei hij.

'Denk een beetje om je woorden,' sprak meneer Smythe kalm. 'Ze verzekerde ons dat je goed op haar lette.'

Robert had het gevoel dat hij een klap in zijn gezicht had gekregen. 'Haar verloofde zóu ook op haar hebben gelet,' zei hij met een hoge stem die elk moment kon overslaan, 'als hij geweten had waar hij precies op moest letten. Als iemand, haar ouders bijvoorbeeld, of haar dokter, hem verdomme eens zou hebben gebeld, al was het maar één keer, en hem had ingelicht...'

Hij hoopte dat ze zouden instorten. Zelfs met het geringste sprankje emotie zou hij al blij zijn geweest. Ze hadden hun enig kind aan de zorg van psychiaters toevertrouwd en zich nauwelijks met haar leven bemoeid. Haar vader zei dat Robert zich niet kon voorstellen hoe moeilijk en frustrerend het kon zijn om een dochter met zulke problemen te hebben. Eindeloze depressies, het grootste gedeelte van haar tienerjaren, gevolgd door langdurige manische episodes na haar twintigste. Er waren herhaaldelijk zelfmoordpogingen geweest. Door een van de artsen was ook nog schizofrenie geopperd, maar over die diagnose had nooit consensus bestaan. Geen enkele medicatie hielp.

Haar geld moest voor haar worden beheerd; ze hadden iemand in dienst die Gwendolyns financiën en rekeningen in Amerika regelde; je kon het kind nog geen stuiver toevertrouwen, ze kon verschrikkelijk met geld smijten, schreef enorme cheques uit aan zwendelaars en deelde honderddollarbiljetten uit aan bedelaars op straat. Terwijl ze hem recht aankeek, zei haar moeder: 'Ze gaf zich aan allerlei afschuwelijke mensen.'

Haar vader, die ineens iets toeschietelijker werd, legde een hand op Roberts schouder en zei: 'Je kunt je zo eenzaam voelen bij dit alles.'

Wat waren dat voor ouders die er niet eens op hadden gestaan om op bezoek te komen terwijl ze bulkten van het geld? Of waren ze alleen maar blij dat ze van haar af waren? Ja, ze waren al een hele tijd klaar met haar, hadden hun plicht gedaan, maar meer ook niet. Zo makkelijk zou hij ze er niet mee laten wegkomen. Hij zou ze verdomme iets laten vóelen. Hij stond op, schudde zijn vuist als de eerste de beste straathoekevangelist en zei dat ze dit niet op hem konden afschuiven, want dat zag hij al aankomen. 'Ik hield van haar!' zei hij. 'Ik wás er voor haar, en dat is meer dan ik van jullie kan zeggen!'

Ze kwamen overeind om te vertrekken en liepen zonder nog een woord te zeggen naar de lift.

20

Chelsea

Ondertussen was het half mei. Er kwamen mannen om haar spullen in te pakken en het meubilair weg te halen. Het huurcontract liep gelukkig af in juni. De administratie van de beheermaatschappij had hem een brief gestuurd met de vraag of hij het wilde verlengen. Maar hij kon zich dit appartement niet veroorloven en zelfs als hij dat wel had gekund, zou hij er niet zijn gebleven. De twee weken na haar dood sliep hij op de vloer, in een slaapzak die van haar was geweest en die ze hadden achtergelaten. In het restaurant vielen anderen voor hem in. Hij had tegen zijn baas gezegd dat hij twee weken nodig had, maar hij wist dat hij niet terug zou komen als die voorbij waren.

De afgelopen twee jaar had hij zich met zijn prachtige Gwendolyn schuilgehouden op deze bovenverdieping van dit luxe appartementengebouw en de wereld buitengesloten, met als gevolg dat de wereld er nu niet meer voor hem was. Hij had zijn familie nog, zijn broer, maar omdat zij zoveel van haar hadden gehouden en haar zo hadden gewaardeerd, kon hij hen niet teleurstellen met dit nieuws. In het begin had de afzondering van hem en Gwendolyn vooral te maken met de zelfzuchtigheid van de liefde, maar daarna was er iets anders ingeslopen – hij was bang geworden. Natuurlijk waren er kleinigheden die niet klopten. Maar hij had niet onder ogen willen zien dat zulke details op een wanhopige situatie wezen, en dus was hij, om hen te beschermen en omdat het makkelijker was, net zo geworden als zij, als iemand met geld, afhankelijk van vreemden voor hulp die hij altijd van vrienden en familie had gekregen, tot hij zo geïsoleerd was geraakt dat hij niemand meer had aan wie hij kon vragen of hij op de bank mocht slapen tot hij weer een beetje tot zichzelf was gekomen, niemand die hem op het spoor kon zetten van een goedkoop huis in onderhuur. Hij was moederziel alleen.

Het was Tommy die hem een woning aanbood in East Boston, niet meer dan een kamer eigenlijk, op de bovenste verdieping van een pand dat eigendom was van zijn broer. De kamer had een eigen badkamer, maar geen keuken, alleen een koelkast en een kookplaat. De huur bedroeg slechts vijfentachtig dollar per maand. Voor zijn trouwen had Tommy er zelf gewoond, en hij zat er nog wel eens, als Esme en hij ruzie hadden. Robert had niet eens geweten dat Tommy getrouwd was. Hoewel hij hem talloze keren was gepasseerd in de lobby en dikwijls terloops een praatje met hem had gemaakt, had hij hem nooit ook maar iets persoonlijks gevraagd en hij had er nauwelijks bij stilgestaan dat Tommy er een persoonlijk leven op na hield. Nog een zonde die hij had begaan, de zoveelste op de enorme berg waarvoor hij nog moest boeten.

Tommy haalde zijn portemonnee tevoorschijn en liet hem trots een foto zien van een zwartharige jonge vrouw met een rond gezicht, een bleke huid en kleine, donkere ogen die een tikkeltje loensten. Een getrouwde man van zijn leeftijd, die spaarde voor een eigen huis, een fulltimebaan had en daarnaast naar school ging om accountant te worden. Over een paar weken zou hij examen doen en daarna was het afgelopen met deuren openhouden. Robert was op de een of andere manier vergeten dat het land vergeven was van zulke mannen, een parallel universum van dienstwillige mensen. Ze wonden zich niet op over deze tijd, bleven kalm onder de oproepen voor de militaire dienst; zelfs de president deed in hun ogen zijn best. Tommy zei dat hij naar Vietnam zou zijn gegaan als hij niet op zijn gehoor was afgekeurd, hoewel hij opgelucht was dat hij niet hoefde. Robert nam het aanbod van de woonruimte dankbaar aan, zonder zelfs eerst maar te gaan kijken.

'John moet in Chelsea wonen,' verklaarde Tommy, 'omdat hij de alderman is.'

'Wat is een alderman?' vroeg Robert.

'Al sla je me dood,' antwoordde Tommy met een glimlach. 'Maar er komen veel politieagenten bij hem over de vloer; het is het veiligste pand in de stad.'

'Hoe kom ik daar?' vroeg Robert.

'Je neemt de Blue Line tot het eindpunt, Wonderland. En daar neem je de bus.'

'Wonderland?' vroeg Robert. Waarom niet? Zijn wereld stond toch al op zijn kop.

'Ja,' zei Tommy met een grijns, 'maar verwacht er geen wonderen van.'

En dus verhuisde hij de eerste juni opnieuw, met als enige bagage zijn nu aanmerkelijk lichtere plunjezak. Het enige wat hij nog van Gwendolyn had, was het leren jack dat hij van haar had gekregen en een paar lieve briefjes die ze voor hem op de koelkast had achtergelaten, die hij tussen de bladzijden van haar Spaans-Engelse woordenboek bewaarde; hij wilde zich koste wat kost haar slordige, onregelmatige handschrift blijven herinneren. Hij wist dat hij ooit de klank van haar stem zou vergeten, en dus luisterde hij er in zijn hoofd elke dag naar, om te controleren, alsof hij op een wond drukte en dan merkwaardig opgelucht was dat het nog steeds pijn deed.

Hij volgde Tommy's instructies op, nam de Blue Line naar het eindpunt, pakte daar de bus en stapte uit in een met bomen omzoomde wijk met een hoofdstraat vol winkels: een koffiebar, een kruidenierszaakje, een vestiging van het Leger des Heils, een café en een wasserette. Er liepen eenvoudig geklede oudere vrouwen met tassen en boodschappenwagentjes, kinderen speelden op straat, net als in de buurt waar hij was opgegroeid, alleen waren de grasveldjes hier nog kleiner. De huizen en flatgebouwen waren hokkerig, stonden dicht op elkaar, waren opgetrokken uit goedkoop materiaal of overnaadse planken en hadden een plat dak. Het flatgebouw waar hij zou komen te wonen was geel met kleine ramen, een hoge toegangstrap en een ijzeren balustrade. Het was het hoogste gebouw in de omgeving, op het volkshuisvestingsproject aan de overkant na, waar juist op dat moment een wulpse blondine, gekleed in een vlekkerig oranje T-shirt zonder bh eronder, buiten een sigaretje zat te roken. Ze zwaaide naar hem alsof hij een oude vriend van haar was.

Hij had nu een onverzorgde baard en zijn haar was langer dan gewoonlijk en hing in zijn gezicht, zodat hij vrijwel onherkenbaar was voor de mensen die hem langer dan drie maanden niet gezien hadden. Zijn spijkerbroek viel bijna uit elkaar en zijn overhemd, dat nog van Tracey was geweest, was vaal van de vele wasbeurten en rafelig aan de manchetten; de zolen van zijn sandalen waren zo doorgesleten dat hij de hete stoep onder zijn voeten kon voelen. Hij had nog steeds de initialen van iemand anders op zijn borstzak staan, maar afgezien daarvan was hij er goed op zijn plaats, hier bij de armen, de hopelozen, de verongelijkten. De buurt van Italianen en Ieren maakte met tegenzin plaats voor de binnenstromende Dominicanen en Puerto Ricanen. Mensen staarden hem aan en probeerden zijn achtergrond te raden. Hij gooide zijn plunjezak over zijn schouder en liep de trap op. Binnen werd hij met een handdruk verwelkomd door zijn nieuwe huisbaas, John, de broer van Tommy, een stevige, vriendelijke kerel met een rond gezicht, die hem naar de bovenste verdieping verwees en hem zijn hulp aanbood, die door Robert beleefd werd afgeslagen.

Zijn kamer bevond zich aan de achterkant van het gebouw en vanuit een van de twee ramen kon hij de daken van verscheidene huizenblokken zien, met hun waslijnen en regenpijpen. Vanaf de eerste dag gaf hij toe aan zijn verlangen om te slapen, en hij sliep door Johns nachtelijke feestjes heen, door het luide gedruis van een televisie onder hem, de incidentele woedekreten als de Red Sox verloren of als bij het pokeren een hand verkeerd werd ingeschat. In Johns flat was het altijd een druk komen en gaan van mensen; ook zaten ze wel buiten op de veranda. Voornamelijk politiemannen, zoals Tommy had gezegd. Tommy was de serieuste van de familie; John was meer een fuifnummer. Over de nieuwe huurder zou John tegen Tommy zeggen dat hij nooit had gedacht dat iemand zo stil kon zijn. Het merendeel van de tijd vergat hij helemaal dat er daarboven iemand woonde.

Tommy kwam om de paar weken langs, met pizza en een sixpack bier. Als Robert het bier weigerde, dronk hij het allemaal zelf op, waardoor zijn bleke huid een gezonde rode blos kreeg. Nadat hij had geprobeerd Robert wat pizza te laten eten, gaf hij het meestal op en verdween dan naar beneden om het grootste deel van de avond bij zijn broer door te brengen. Hij vroeg altijd of Robert ook meeging, maar die sloeg de uitnodiging altijd af. Toen Robert een keer opmerkte dat Tommy en John een hechte band met elkaar hadden, vertelde Tommy dat er nog een derde broer was geweest, de middelste, die was overleden. En Robert vroeg zich af of dat misschien de reden was waarom een vreemde zijn radeloosheid zo snel had opgemerkt en hem te hulp was geschoten. Maar hij vroeg er niet naar.

Robert probeerde zichzelf niet uit te hongeren; hij had gewoon geen trek. Hij dronk water en vruchtensap, en soms, als Tommy erg tegen hem tekeerging, klokte hij met moeite een milkshake met een rauw ei erin naar binnen. Maar omstreeks half juli kon Tommy het niet meer opbrengen om zoveel met Robert op te trekken, en dat kon Robert hem niet kwalijk nemen. Als een depressie besmettelijk was, dan had hij het opgelopen: de badkamer was smerig, in het koelkastje lag het eten weg te rotten, en de plukken stof rolden als tuimelkruid over de vloer. Als Robert dacht aan schoonmaken of de deur uitgaan, werd hij door een dodelijke vermoeidheid overvallen. Het ene moment was hij verlamd door wroeging over de talloze manieren waarop hij tekort was geschoten, en het volgende moment werd hij razend, zat hij in gedachten de hele nacht tegen haar te schreeuwen: ze had hem in de steek gelaten vanwege de waanideeën die zich aan haar hadden opgedrongen. Ze had niet genoeg van hem gehouden om te blijven leven. Ze had niet voor hem verder willen leven, en dankzij haar zat hij nu hier.

Het werd augustus, en hoewel hij niet naar het nieuws keek of de krant las, hoorde hij het van John, die naar boven was gekomen om het hem te vertellen: het ministerie van Defensie had om de laatste troepen van dat jaar verzocht, en het laatste nummer dat werd opgeroepen, was 195. Hij was twee cijfers van een oproep verwijderd geweest, maar nu was hij voorgoed veilig. Daar viel niet meer aan te tornen. Over zes maanden zouden ze de slachtoffers voor volgend jaar uitkiezen. Zijn leven was hem teruggeschonken, alleen had hij geen leven over en geen energie meer om er iets van te maken. Hij bedankte John voor het nieuws, maar sloeg de uitnodiging om beneden in de aircogekoelde woning van John een koud biertje te komen drinken af. Daarna kroop hij weer in bed en viel in slaap.

Drie weken later, om tien uur 's ochtends, bleef iemand net zo lang op Roberts deur staan bonzen tot hij opstond. Nadat Robert de ketting op de deur had gedaan, keek hij door de kier wie het was. Een lange, rossige politieagent. 'Je bent aan het verkeerde adres,' zei Robert. 'Je moet John Connaghan hebben. Die woont hieronder.'

'Vishniak?' vroeg hij. 'Robert Vishniak?'

Robert deed de deur voor hem open. 'Ja, dat ben ik. Maar ik heb nummer 197. Je kunt me niet meenemen.'

De man keek de kamer rond en schudde zijn hoofd. 'Het kan me geen reet schelen welk nummer je hebt,' zei hij. 'Er zijn mensen naar je op zoek, jongen. Hoe heb je zomaar kunnen verdwijnen? Je moet je ouders bellen.'

'Ik heb geen telefoon.'

'Connaghan heeft er een beneden,' zei hij. 'Schiet op.'

'Wat is er aan de hand?'

'Meekomen, nou!' zei hij kortaf. 'Ze hebben je thuis nodig.'

21

Thuiskomst

Robert belde niet. In plaats daarvan pakte hij zijn spullen, liet voor John een maand huur achter, wat extra geld voor een schoonmaakster en een briefje waarin hij de situatie uitlegde. Zeven uur later werd hij uitgebraakt op de kusten van zijn vroegere woonplaats, met zijn aftandse plunjezak stevig onder zijn arm. De trein uit Boston had hem gedeponeerd op 30th Street Station, waar hij de SEPTA-spoorlijn had genomen naar Holmesburg Junction, het station dat grensde aan de Holmesburg-gevangenis, waarvan de ondoordringbare muren de naaste omgeving overheersten. Daarna had hij de bus genomen, die hem er een straat voor zijn ouderlijk huis uitliet; hij liep alsof hij in trance was, vertrouwend op de instincten van een postduif.

Een groepje tieners in spijkerbroeken met wijde pijpen en hoofdbanden van macramé liep getweeën of gevieren naast elkaar over de stoep; ze lachten en riepen elkaar zogenaamde dreigementen toe. Op de hoek van de straat bleven ze staan, daarna slenterden ze het paadje op naar een moeder die de deur openhield en op luide toon vroeg wat ze wilden eten. Een postbode beëindigde met gebogen schouders zijn ronde. Aan de overkant van de straat stopte een vrachtwagen met de afbeelding van een gigantische ooievaar op de zijkant, en een man begon stapels in plastic verpakte luiers uit te laden. Een van de buren, die Robert met zijn plunjezak het voordeurpad naar het huis op zag slenteren, riep zijn moeder toe – *Stacia, er staat een vieze zwerver voor je deur* – zodat Stacia in de deuropening stond te gillen dat ze geen geld kon missen toen hij bij de trap kwam.

'Ik ben het, ma,' zei hij. 'Robert.'

Ze zei niets terug, maar staarde hem alleen maar aan met een merkwaardig wezenloze uitdrukking op haar gezicht. En toen omhelsde ze hem, haar armen onwennig om zijn hals geslagen. Ze was geen knuffelaar en ook geen huilebalk, maar hij kon de angst in haar omhelzing voelen, en ook haar opluchting.

Toen hij de woonkamer binnenkwam, zat Vishniak op zijn vaste stek in zijn zondagse kledij: onderbroek en onderhemd. Alleen was het geen zondag. Robert keek naar zijn vaders benen. Het ene was melkwit als altijd, maar het andere was een stompje dat net boven de knie ophield.

'We hebben je thuis proberen te bereiken, maar de telefoon was afgesloten,' zei zijn moeder. 'En we hebben geschreven, maar je schreef niet terug en de brieven kwamen retour. Op de universiteit wist niemand iets en in het appartementengebouw waar zij woonde ook niet. Toen heb ik het er maar bij gelaten, want je vader lag in het ziekenhuis, en ik zei: "Als hij zich wil verstoppen of ergens in de goot ligt, dan kan ik daar niets aan veranderen."'

'Ik ben verhuisd,' zei Robert. Het stompje van zijn vaders been was roze met een donker litteken eroverheen.

'Je broer is vorige maand gaan studeren. Toen je vader ziek werd, was hij een hele steun voor ons; daar keken we allemaal van op. Het was zijn idee om de politie te bellen.'

'Je had toch niets kunnen doen,' kwam zijn vader ertussen, die opkeek en zijn gezicht zag. 'Slechte bloedcirculatie. Toen kreeg ik koudvuur.' En hij voegde eraan toe: 'Uiteindelijk zullen ze mijn linkerbeen ook willen, wed ik, en daarna pakken ze me mijn lul af, en voor je het weet, ben ik alleen nog maar een hoofd.'

'Zal dat hoofd dan weten wanneer het zijn mond moet houden?' viel zijn moeder uit, en ze verdween naar de keuken.

'Als ik het geweten had, was ik naar huis gekomen,' zei Robert zachtjes.

'Je bent er nu, dat is het belangrijkste,' zei Vishniak en hij pakte Roberts hand en drukte die tegen zijn lippen. Robert hoorde dat zijn moeder spullen uit de koelkast pakte.

'Ik heb geen honger,' riep hij. Ze zou toch willen dat hij aan tafel ging zitten om te proberen om iets te eten. En hij zou kokhalzend van tafel gaan door eten waar hij zijn hele leven dol op was geweest.

Al heel snel wisten ze niet meer wat ze met hem aanmoesten. Hij stond elke ochtend op om zijn vader uit bed en de trap af te helpen, daarna verdween hij weer naar zijn kamer, waar hij de hele dag lag te dutten tot het tijd was om Vishniak weer naar boven te brengen. Een paar middagen in de week kwam Igor, een gedrongen jongeman met enorme spierbundels en een zwaar accent, zijn vader helpen om oefeningen te doen die zijn bovenlichaam en armen moesten versterken, vergoed door de ziektekostenverzekering van de posterijen. Voor de verandering was Stacia eens een keer blij met de hulp, en opgelucht dat de postbeambten eindelijk een verzekering hadden. Igor had met Vishniak gewerkt tijdens diens verblijf in het revalidatiecentrum, en nadat Robert een paar dagen over hem had horen vertellen, sloop hij, nieuwsgierig geworden, een keer de trap af, om er vervolgens getuige van te zijn dat zijn zestigjarige vader als een peuter over de vloer kroop. Hij trok zich schielijk in zijn kamer terug. Slaap, hij dook onder in de slaap, verpoosde daar als op de bodem van een uitgestrekte oceaan, verlangde niets dan de zoete vergetelheid van de bewusteloosheid.

Ondertussen maakte Stacia alles klaar wat ze maar kon bedenken om hem tot eten te verleiden, en tante Lolly en zijn grootmoeder droegen ook hun steentje bij. Een kind dat niet wilde eten, was een kind in crisis, verklaarde Cece, hoewel ze eraan toevoegde dat ze met haar slechte ogen en al dat haar voor zijn gezicht niet kon zien hoe hij eruitzag. De taarten hoopten zich op in de keuken en de eetkamer, de een nog verleidelijker dan de ander, hoewel ze allemaal niet konden tippen aan tante Lolly's kokos-rozijnen-kaneel-worteltaart met stukjes chocola en roomkaasglazuur, die hij vroeger nooit had kunnen weerstaan, maar waar hij nu naar staarde alsof het een kunstwerk was.

Op een ochtend, ergens eind oktober, stond zijn moeder aan het voeteneind van zijn bed. 'Wanneer ga je nou eens...?' De woorden lagen op het puntje van haar tong: *een baantje zoeken*, *geld verdienen*, *bijdragen in de huur*, maar ze keek naar zijn gezicht en hield zich in. Ze hadden één keer naar Gwendolyn gevraagd en hij had zijn hoofd geschud, alsof hij wilde zeggen: *verboden toegang*, en ze hadden gehoorzaamd, bang om door te vragen.

En dan waren er de nachtmerries. In Chelsea had hij ze niet gehad; daar had hij geslapen als een blok, maar hier, in zijn ouderlijk huis, kreeg zijn onderbewuste alle ruimte. In een van die dromen was hij weer in Boston; hij kwam thuis uit zijn werk en wist wat Gwendolyn ging doen, alleen was de lift stuk en moest hij de trap nemen, maar zijn benen werden loodzwaar, alsof zijn broek was volgegoten met cement, en Tommy stond boven aan de trap te schreeuwen: *kom op, man, sneller, sneller!* en hij probeerde de trap op te rennen tot hij in paniek raakte en hysterisch werd. In een andere droom haalde hij het appartement, en daar stond ze, recht voor zijn neus, en ze vroeg hem één goede reden te noemen waarom ze het niet zou moeten doen. Hij snelde op haar af, maar er kwam geen geluid uit zijn mond, en het volgende moment realiseerde hij zich dat zij het helemaal niet was, maar een dubbelganger, en dat zij al in de badkamer was, dood.

Als hij uit deze dromen ontwaakte, moest hij zo hard hoesten dat hij geen adem meer kon halen, en dan begon het piepen. Als het te erg werd, rende hij naar de badkamer om het weinige dat hij in zijn maag had eruit te gooien. Dat bracht verlichting en daarna kon hij naar adem happen en hoesten tot hij weer genoeg lucht binnenkreeg om te voelen dat de crisis bezworen was. Tegen die tijd was het bijna ochtend en bleef hij, te bang om weer te gaan slapen, wakker in zijn te kleine bed liggen, opgekruld als een kind.

Hij probeerde zijn vader behulpzaam te zijn, maar hij scheen de juiste toon niet te kunnen vinden en voelde aan dat Vishniak met zijn sores alleen gelaten wilde worden, net als Robert zelf. Vishniak leefde alleen op als zijn fysiotherapeut er was, als ze samen het verloren seizoen van de Eagles bespraken en de praktijken van Leonard Tose, de vorstelijk levende eigenaar van de club, en de onfortuinlijke coach, Jerry Williams.

Hij miste Barry. Barry had altijd een hechtere band met hun vader gehad dan hij, die twee leken veel op elkaar en voelden elkaar moeiteloos aan – Barry zou wél weten hoe hij met Vishniak moest omgaan, hoe hij hem in de maling kon nemen en aan het lachen kon maken. Robert trok meer naar zijn moeder, al gaf hij dat niet graag toe. Ze hield hem nu in de gaten zoals ze nooit had gedaan toen hij nog klein was, ze drentelde voortdurend om hem heen, vroeg telkens of hij iets wilde eten en maakte zijn kamer aan kant terwijl hij tegen haar riep dat ze moest ophoepelen. Ze zat klem tussen die twee, vader en zoon, die beiden met rust gelaten wilden worden, maar haar ook nodig hadden om domweg te kunnen overleven. Als ze naar haar werk ging, staarden ze elkaar aan en wisten niet wat ze met zichzelf aanmoesten. Uiteindelijk, nadat ze week in, week uit haar dagelijkse routine had gevolgd terwijl zij in huis rondhingen en ze er niet in was geslaagd om Robert iets meer te laten eten of Vishniak iets minder te laten eten, zakte Stacia weg in haar eigen zwartgallige buien; ze snibde en snauwde en hield Robert dreigend voor dat hij nu echt eens aan een baantje moest gaan denken. Deze versie van zijn moeder was tenminste geruststellend, vertrouwd.

Toen hoorde Stacia op een nacht eerst het eindeloze gehoest, gevolgd door een harde klap, en toen ze de gang inliep, trof ze Robert languit op het lichtroze pluizige badkamerkleedje aan, bewusteloos, nadat hij bij het flauwvallen met zijn hoofd tegen de wc-pot was geslagen. Ze hielp hem overeind, haalde ijs voor zijn hoofd en gemberbier voor zijn maag. Voor het eerst sinds weken viel hij weer in slaap, maar werd vervolgens om zeven uur door Stacia uit bed gejaagd. Ze gaf hem een kop thee en een paar crackers en zei dat hij zich moest aankleden. Toen hij dat vertikte, begon ze zijn T-shirt uit te trekken alsof hij een kind was, zodat hij om van haar af te zijn uiteindelijk deed wat ze vroeg. Maar ze stond voor zijn kamer op hem te wachten. Toen ze hem tevoorschijn zag komen in een oude broek, een overhemd en een trui uit zijn middelbareschooltijd die hij nu weer paste – de enige fatsoenlijke kleren die hij nog had – nam ze hem bij de arm en voerde hem het huis uit en de straat op, zoals ze gedaan had toen hij negen was en een pakje kauwgom had gejat bij de plaatselijke drogist. Op de hoek bleef ze staan voor de dokterspraktijk waar Robert nog geen anderhalf jaar geleden was weggestuurd door de stokoude dokter Oppenheim.

De praktijk was opgeknapt, geschilderd in frisse kleuren, met koningsblauw tapijt en hip plastic meubilair. Hij had geen afspraak, maar de jonge receptioniste verwelkomde hen alsof ze gastvrouw in een restaurant was – ze waren de enige patiënten in de wachtkamer. Ze zei tegen zijn moeder dat ze even moest wachten, en pas toen hij zag dat zijn moeder ging zitten en een nummer van *Good Housekeeping* pakte, drong het tot hem door: hij zat met Stacia in de wachtkamer van een dokter. Zo bezorgd was ze dus. Dat, of de beroepsgroep was door de situatie van Vishniak in haar achting gestegen.

De dokter was maar zes jaar ouder dan Robert. Hij heette Schwartzman en was in de buurt opgegroeid en er weer teruggekomen. Hij onderzocht Robert zo grondig dat het uren duurde – verveelde hij zich? – daarna gaf hij hem een vitamine B12-injectie en verwees hem door naar het Nazareth Hospital, aan de andere kant van de boulevard, om een röntgenfoto van zijn borst te laten maken en een specialist te consulteren.

Een week later, eind november, dwaalde hij met een folder in zijn hand door de stille gangen van het ziekenhuis. Toen hij de wachtkamer eindelijk gevonden had, zat die vol met hoestende, grauwe volwassenen en spichtige kinderen die ademden als oude mannetjes. Hij ging tussen hen in zitten en wachtte tot hij werd binnengeroepen door een verpleegster die een allergietest uitvoerde op zijn blote rug. Een uur later maakte hij kennis met dokter Kryzchek, een man van middelbare leeftijd met een joviale manier van doen, die een lange lijst van middelen opdreunde waar hij allergisch voor was en hem injecties aanried, wat Robert nog steeds niet van plan was. Daarna liet de dokter hem in een apparaat blazen en bekeek de röntgenfoto van zijn borst. 'Je hebt astma,' zei hij. 'Het is ernstig genoeg om je uit het leger te houden, als dat iets is wat speelt.'

Dokter Kryzchek schreef hem een medicijn voor dat hij drie keer per dag moest inhaleren, en nog een ander medicijn dat alleen in geval van uiterste nood mocht worden gebruikt, als het andere middel niet werkte. 'Je mag jezelf gelukkig prijzen. Er zijn een paar flinke doorbraken geweest. We kunnen het nu in de hand houden.'

'Nou, ik kan mijn geluk niet op,' antwoordde Robert.

'Dit is ernstig,' zei de dokter, die Roberts toon niet kon waarderen. 'Zonder behandeling zou je eraan kunnen overlijden. Er zijn mensen doodgegaan aan een astma-aanval.'

Robert dacht aan zijn grootvader, hoe zijn leven door zijn ademhalingsproblemen tientallen jaren in een dagelijkse strijd was veranderd, verergerd door een raamloze fabriek waar hij de hele dag met chemicaliën in de weer was. Uiteindelijk was hij bezweken aan leukemie; in die tijd droegen leerlooiers geen handschoenen, waardoor de chemicaliën door hun huid werden opgenomen. Vishniak was de volgende op de lijst. Iemand met ernstige suikerziekte zou om te beginnen geen twee banen moeten hebben.

'Gaat het wel, jongen?' vroeg de dokter, en hij legde zijn hand op Roberts schouder.

'Kunt u me uitleggen hoe het mogelijk is dat ik door twee verschillende dokters volledig gezond ben verklaard?'

'De aandoening kan gaandeweg veranderen,' antwoordde hij terwijl hij de recepten uitschreef. 'Vooral als je hebt blootgestaan aan extreme temperaturen, slechte voedingsgewoonten of stress.' Hij keek hem onderzoekend aan. 'Heb je veel stress gehad?'

In gedachten hoorde Robert zijn vader: *Ze spannen allemaal samen, Robert. Dacht je nou echt dat hij een van zijn eigen mensen zou beschuldigen?*

'Het zou geen kwaad kunnen als je iets zou aankomen,' zei Kryzchek. 'Beneden is informatie te vinden over een voedselbank die door het ziekenhuis wordt beheerd, mocht het nodig zijn.'

'Ik heb te eten, dokter,' zei Robert terwijl hij de recepten aanpakte. 'Ik heb genoeg eten om mijn eigen voedselbank te beginnen.'

Op weg naar buiten kwam hij langs een spiegelwand in de wachtkamer, en voor de eerste keer sinds zijn thuiskomst bekeek hij zichzelf. De onderste helft van zijn gezicht ging schuil onder een baard; zijn haar, met een zijscheiding, reikte tot aan zijn schouders en hing gedeeltelijk voor zijn ogen, die bloeddoorlopen waren, met diepe wallen eronder. Op zijn voorhoofd zaten blauwe plekken van de val waarbij hij zijn hoofd had gestoten. Geen wonder dat de dokter dacht dat hij zich geen eten kon veroorloven.

Terwijl hij op de bus stond te wachten, maalden de gedachten door zijn hoofd. Was hij maar eerder naar deze dokter gegaan, dan zou hij veilig zijn geweest. Gwendolyn zou zich nooit zo aan het Vredeskorps hebben vastgeklampt. Hij had een echte baan kunnen zoeken en met haar zijn verhuisd naar een woning die hij kon betalen. Hij zou beter voor haar gezorgd hebben, minder zijn afgeleid. Ze hadden kunnen léven in plaats van maar te wachten en te wachten. Hij kon moeiteloos een ander leven verzinnen om in te vluchten, een ander verleden, waarin alles hem bespaard was gebleven en zij nog leefde.

Een oude vrouw die voorbij kwam, drukte hem een dollar in de hand. Hij moest weg uit Oxford Circle.

Zijn vader zat in zijn eentje in de woonkamer naar een belprogramma op de radio te luisteren en draaide keer op keer hetzelfde nummer. 'Gewoon blijven proberen,' zei Robert. Hij legde zijn hand even op Vishniaks schouder. Het enige waar Vishniak in zijn huidige toestand nog enthousiasme voor kon opbrengen, waren belprogramma's op de radio. Aan huis gebonden, niet in staat om op jacht te gaan naar sjaals en paraplu's, probeerde hij elke middag in de uitzending te komen om zijn politieke denkbeelden te ventileren. Larry uit Kensington was nu in de uitzending en verkondigde dat Nixon de oorlog op eervolle wijze zou beëindigen. Cambodja was noodzakelijk; ze moesten de Cambodjanen helpen, anders waren ze toch geen knip voor de neus waard?

'Schapen! Schapen!' viel Vishniak uit. 'Nixon praat het ze aan: *Je moet er blijven om je te kunnen terugtrekken. Je moet vechten voor de vrede!* – Tricky Dicky zou Eskimo's nog ijs kunnen verkopen...!'

'Ik weet het, pa, ik weet het.'

'Weet je wat ik hem toewens? Zoons! In plaats van die twee dochters van hem. En laat hem dan maar toekijken hoe ze...!!' Zijn stem stierf weg, gepijnigd.

Hij maakte zijn ouders alleen maar ongelukkig. En zij waren veel te goed voor hem. Hij wist niet meer wie hij was of wat hij wilde, maar hij wilde in elk geval niet dat er voor hem werd gekookt en dat ze zich zorgen om hem maakten. Hij kon zo'n beetje overal voor zijn fouten boeten, behalve onder hun ogen.

Zijn vader bleef maar doorrazen. Zijn woede gaf hem een doel, een reden om te leven. Als Nixon niet had bestaan, dan hadden Robert en zijn moeder hem moeten uitvinden. Robert wou dat hij zo iemand had, iemand die hij kon haten zoals hij had liefgehad, compleet en vol overgave, zodat zijn woede het enige zou zijn wat ertoe deed, een allesverterende, louterende razernij.

De volgende dag belde hij Henry, de zus van zijn vader, en haar man, Danny, die nu in Queens woonden. Er zaten tegenwoordig zat academici op de taxi, zeiden ze; het was heus geen schande. Danny had nu zijn eigen vergunning, en Robert kon voor hem werken als hij er geen bezwaar tegen had buiten de reguliere tijden te rijden. Robert wilde op stel en sprong naar New York gaan, maar Danny zei dat hij beter kon wachten. De chauffeurs stonden op het punt te gaan staken, en het gerucht ging dat de politie daar meteen met een staking achteraan zou komen, in januari. Daarna kostte het Robert wat tijd om aan de astmamedicijnen te wennen, en een paar weken lang voelde hij zich slechter, maar uiteindelijk, in maart 1971, nam hij weer afscheid van Stacia en Vishniak, al wist hij nauwelijks wat hij ging doen – hij wist alleen dat hij het in zijn eentje moest zien te rooien.

22

85th Street

Het stel zat de hele weg naar Midtown te ruziën over de baby, die nu half onder een roze dekentje languit bij de vrouw op schoot lag. Het was bijna middernacht en de man vond dat ze het kind naar zijn moeder hadden moeten brengen.

'Je bent een waardeloze vader, weet je dat,' beet de vrouw hem toe, waarna ze een sigaret opstak. Het stoplicht sprong op rood en Robert ving een glimp van haar op in de achteruitkijkspiegel. Een knappe, appetijtelijke blondine in een korte rok en een lange leren jas. 'Je wilt nooit eens wat tijd aan haar besteden.'

'Je mag blij zijn dat ik de jeugdzorg niet op je afstuur, met jou en die gozer boven en alles...'

Robert draaide het raampje op een kier en voelde de koude wind en af en toe een regendruppel in zijn gezicht. Nu schreeuwden ze tegen elkaar. De man, lang en slungelig, had zo'n enorme bos bruin haar dat het leek alsof zijn hoofd door het taxidak werd ingedrukt.

'Ze moet gevoed worden!' gilde de vrouw, hoewel het kind geen kik had gegeven.

'Dat moet je niet zo doen, dan krijgt ze krampjes. Je houdt die fles te schuin!'

'Alsof jij haar ooit de fles geeft!'

'Ach, hou toch je stomme waffel!'

Gelukkig verkondigde de vrouw tegen de man dat ze niet meer met hem wilde praten, en ze waren stil tot aan Times Square, waar de man Robert naar een winkel dirigeerde. Twee dikke gasten in jeans, met cowboyhoeden op en nappaleren jacks aan, stonden als een stel cheerleaders van rivaliserende teams tegen elkaar te schreeuwen: 'Naakt, naakt, naakt!' jouwde de ene. 'Bloot, bloot, bloot!' joelde de andere terug.

'Dat is dan twee vijfenzeventig,' zei Robert toen hij de meter uitzette.

'Wil je een nummertje met haar maken?' fluisterde de man in zijn oor.

'Nee, dank je, gewoon twee vijfenzeventig, alsjeblieft.'

'Zelf weten,' zei hij en hij gaf Robert vier verfrommelde dollarbiljetten. Het stel stapte uit en liep naar de deur. De vrouw hield het bleke kind nu bij zijn voetjes vast, het dekentje was half weggegleden en sleepte over het trottoir. Pas toen besefte Robert dat de baby van plastic was.

Daarna pikte hij een kleine, zwijgzame man op, die naar de Riverside Church in Harlem moest. Op de terugweg over Broadway zag hij ter hoogte van 110th Street een jongeman met niets dan een joggingbroek en een sweater aan, die in de koude regen van de ene voet op de andere hipte. Naast hem stond een klein meisje dubbelgevouwen met haar handen om haar maag geklemd, met een overmaatse jas over haar schouders. De jongen wilde naar het Columbia-Presbyterian en beweerde dat ze iets verkeerds had gegeten.

'Ze gaat toch niet over haar nek in mijn taxi, hè?' vroeg Robert. Hij had al genoeg viezigheid van de achterbank moeten schrapen. Het meisje begon nu te beven; volgens hem kwam het niet doordat ze iets verkeerds had gegeten.

'Kom op nou, man,' probeerde de jongen hem over te halen, en hij hielp het meisje naar binnen, stapte zelf in en sloeg het portier dicht. 'Rijden!' Het meisje lag op de bank met haar hoofd in zijn schoot terwijl hij haar haren streelde.

'Het St. Luke is hier vlakbij,' opperde Robert, 'als ze er echt zo beroerd aan toe is.'

Maar hij wilde per se naar het Columbia en Robert had er geen bezwaar tegen om een heel eind extra te rijden. Hij draaide 110th Street op en nam vervolgens de Henry Hudson. Toen hij voor de ingang van het ziekenhuis parkeerde, stopte er een ambulance voor hen, en een paar broeders laadden haastig een patiënt uit. Roberts jonge passagier hield iemand aan, maar ze duwden hem opzij en hij kwam terug en zei dat hij haar zelf naar binnen moest zien te krijgen.

'Succes,' zei Robert. 'Dat is dan vijf dollar.'

'Help je me niet even?'

'Vijf dollar,' zei Robert. 'Ik kan mijn taxi niet onbeheerd laten en ze hebben een heel ziekenhuis vol personeel.'

'Maar ze is zwaar!' smeekte hij.

'Vijf dollar!' herhaalde Robert, terwijl het meisje het portier opengooide en begon over te geven. 'Zorg ervoor dat ze op de stoep mikt!'

De jongen gooide het geld op de voorbank, zonder fooi, en daarna strompelden hij en het meisje in de richting van de dubbele toegangsdeuren. Robert reed de oprijlaan weer af; de koude februariregen was overgegaan in natte sneeuw. Hij zou doorwerken tot vijf uur in de ochtend, dan zou hij naar Forest Hills rijden, de taxi op de standplaats van zijn oom zetten en met de metro teruggaan naar Upper West Side, waarbij hij twee keer moest overstappen. Hij mocht blij zijn als hij om zeven uur thuis zou zijn.

Elf maanden geleden, tijdens Roberts eerste weken op de taxi, liet Danny, ouder geworden en met een dochtertje, hem aan een dit keer grotere keukentafel plaatsnemen en hij drukte hem op het hart vooral geen wapen te dragen – te veel chauffeurs kregen hun eigen pistool op zich gericht. Hij en zijn vrienden vaardigden paranoïde waarschuwingen uit: de Caribische chauffeurs vertelden Robert dat hij geen zwarten mee moest nemen, de Puerto Ricanen zeiden dat hij weg moest blijven uit Spanish Harlem, en de schnabbelende leraren drukten hem op het hart niemand onder de vijfentwintig mee te nemen.

Robert trok zich er niets van aan: hij ging overal naartoe en nam iedereen mee. En misschien zorgde zijn roekeloosheid er wel voor dat hij niet werd overvallen. Hij werkte van negen uur 's avonds tot vijf uur 's ochtends, behalve één zaterdagavond in de twee weken, dan liet hij de ochtenddrukte en avondstroom van mensen die uit hun werk kwamen aan Danny over. Maar hij nam ook andere diensten over van vrienden van Danny die een betrouwbaar iemand zochten om hun taxi aan onder te verhuren. Hij reed aan een stuk door, de nachten en de dagen gingen onafgebroken in elkaar over.

Zijn belangrijkste kostenpost was 167 dollar per maand voor de huur, die hij contant betaalde. Hij deed zo'n beetje alles contant, in kleine coupures. Na twee maanden bij Danny en Henry op de bank te hebben geslapen had hij na een tip van een van de andere chauffeurs een eigen woning gevonden. Het tweekamerappartement in West 85th Street, tussen Columbus en Central Park West, had een beschermde huur en Robert had, zoals hem geïnstrueerd was, de huismeester, een man die Ramon Arzuega heette, met 500 dollar omgekocht.

Volgens Arzuega was het een goed pand, met een bewonersvereniging, waar een samenwerkingsverband van buren en politie de schimmige pensionhouders eruit had gewerkt en de junks van de straathoek had verjaagd.

Aan het eind van de straat stonden een paar vooroorlogse kalk- en zandstenen flats zonder lift en een paar patriciërshuizen die goed bewaard waren gebleven. Maar dichter bij Columbus stonden drie bakstenen schoenendozen met brandtrappen die uit de voorgevel staken. Ze waren gerenoveerd in de jaren zestig en Roberts gebouw sprong het meest in het oog – de twee andere waren in neutrale kleuren geschilderd, maar dat van Robert markeerde het midden van de straat, het stond er als een baken van wansmaak, fel blauw, als het ei van een roodborstje.

Hij kon vrijwel alles horen wat zijn buren deden – eten koken, niezen, vrijen – en kon uit de variaties in het geluid waarmee zijn bovenbuurvrouw boven zijn hoofd heen en weer stommelde opmaken wat voor schoenen ze droeg. Veel van de huurders werkten 's nachts en sliepen overdag, net als hij. Als hij uit zijn werk kwam, wanneer de straatlantaarns één voor één uitgingen en het eerste grijsachtige licht aan de horizon gloorde, kwam hij soms een paar van zijn buren tegen; de meesten waren niet erg spraakzaam, ze knikten gedag, maar zeiden zelden iets, misschien omdat ze al meer van elkaar wisten dan hun lief was.

Die ochtend liep Robert zoals gewoonlijk naar boven en stopte zijn fooien in een kistje met een hangslot erop, dat hij achter in zijn kast bewaarde. Hij nam een douche, wikkelde een handdoek om zich heen, dronk wat water en nam een slaappil. Hij had niet vaak nachtmerries meer, maar hij sliep dan ook nauwelijks. Hij at ook nog steeds niet veel en taalde niet naar vrouwen. Hij keek allang niet meer in de spiegel, want het uitgemergelde gezicht dat hem aanstaarde, half verscholen achter broos, droog haar, met alleen die starende zwarte ogen als van een waanzinnige monnik, was zeker niet het zijne. Om die reden gingen mensen bij een religieuze orde, trokken ze een gewaad aan en legden een gelofte af: uit dit verlangen naar het niets, het uitroeien van de begeerte, wat op zichzelf al verslavend was.

Hij ging op de vloer liggen, op een oude matras die hij van zijn oom en tante had gekregen en die samen met een krakkemikkig bridgetafeltje en twee stoelen in de woonkamer het enige meubilair vormde. Hij keek naar een muis die hypnotiserend heen en weer drentelde in de gang voor zijn slaapkamer, daarna luisterde hij een tijdje naar een ruzie bij de buren. Zij vond dat hij zich slecht kleedde: zijn overhemden waren te schreeuwerig! Hij liep erbij als een clown! Hij zei niets, maar toen begon ze te huilen. Had hij iets gemeens gefluisterd? Toen doezelde Robert weg, maar werd een paar uur later wakker van geschreeuw. Hij draaide zich om en stopte zijn hoofd onder het kussen, maar dat hielp niet. Nu klonken er stemmen in het trappenhuis; een boze buurvrouw, dezelfde die zo'n hekel had aan de clowneske overhemden van haar vriend, stond buiten op de gang te gillen: '*Er proberen hier mensen te slapen!*'

Het geklop werd luider en Robert, die nu zijn eigen naam hoorde, trok zijn broek aan en liep naar de deur, deed de ketting erop en gluurde de gang in. Hij zag een paar wandelschoenen, een spijkerbroek, toen een grijze trui en een anorak; de man die daar met een aftandse leren rugzak over zijn schouders stond was zijn broer.

'Waarom zit je niet op de campus?' vroeg Robert terwijl hij de ketting losmaakte en de deur opendeed.

'Ik ben ermee gekapt,' antwoordde Barry. 'Man, wat zie jij er beroerd uit.'

'Wil je ze dood hebben?' vroeg Robert. 'Heb je je beurs en alles ook opgegeven?'

Barry stapte naar binnen en nam het appartement in zich op. 'Dit moet groot genoeg zijn.'

'Groot genoeg waarvoor?' vroeg Robert. 'Droom ik? Ik ben net wakker.'

'Ik kom bij jou op de bank slapen.'

'Ik heb geen bank.'

'Dan kopen we er een,' zei Barry.

'Je kunt hier echt niet komen wonen,' zei Robert toen Barry zijn rugzak op de grond zette. 'Dat is een heel slecht idee.'

23

De lamme leidt de blinde

'Je hebt toch niet iemand bezwangerd, hè?' vroeg Robert. Ze zaten aan het tafeltje, op de enige twee stoelen.

'Je lijkt pa wel,' antwoordde Barry. 'Ik kom daar net vandaan, en geloof me, ik heb genoeg preken gehad; laat die van jou maar zitten.'

'Je weet bij jou nooit wat je nu weer voor idioots gaat doen,' zei Robert.

'Dat zou ik over jou ook kunnen zeggen,' mompelde Barry.

'En al je ambities dan? En je had toch een laag nummer, of niet?'

'Ik barst nog steeds van de ambitie, alleen op een ander vlak. En wat het leger betreft; ik heb een doktersverklaring dat ik een hartruis heb. En dat is trouwens nog echt waar ook. Wie had dat gedacht? Maar het is niet het soort hartruis waaraan je doodgaat of zo.'

'Heb je daarom je studie eraan gegeven?'

'Ik ben daar weggegaan omdat ik er een bloedhekel aan had,' antwoordde hij. 'Ik ben er niet echt mee gekapt. Technisch gesproken zit ik tussen twee studies in.'

'Waar ga je nu dan studeren?'

'Dat weet ik nog niet.'

'En hoe denk je nog twee jaar studie te kunnen betalen?'

'Dat komt wel goed,' zei Barry. 'Ik kom altijd wel aan de kost.'

Robert vond niet dat Barry eruitzag als iemand die ongelukkig was geweest op de universiteit. Hij was wat afgevallen, maar zag er niet mager uit; eigenlijk stond het hem wel goed. Zijn haar hing net als dat van Robert tot op zijn schouders en hij had net als Robert een baard, maar hij had krullen en op een of andere manier paste het wel bij hem. Hij haalde een zakje M&M's uit zijn zak en bood Robert er een paar aan.

'Nee, dank je,' zei Robert. 'Ik eet overdag niet zoveel.'

'Ben je een vleermuis, of zo?' vroeg Barry. 'Neem er een, daar ga je heus niet dood aan.'

Robert pakte een gele M&M, stopte hem in zijn mond en begon langzaam te kauwen. Hij vond de M&M ineens bitter smaken, als gal. 'Kijk niet zo naar me!' zei Robert tegen Barry, die hem tijdens het kauwen bestudeerde. Toen begon hij te hoesten. Hij pakte een papieren zakdoekje uit zijn zak en spuugde het stukje chocola met het gele omhulsel uit. Barry liep naar de keuken en vond daar het enige glas dat Robert had; het stond in de gootsteen. Hij spoelde het om, vulde het met water en nam het mee terug naar de kamer. Robert nam een slok water, haalde toen de plastic inhaler uit zijn achterzak, zette hem tegen zijn mond en inhaleerde langzaam twee keer.

'Wil je iets roken?' vroeg Barry. 'Misschien dat je daar wat van kalmeert.' Hij ging weer zitten en begon zijn rugzak te doorzoeken.

'Nee, wiet helpt eigenlijk niet meer, als het dat al ooit heeft gedaan.'

'Een valiumpje dan? Als je er een of twee in wat methadon doet, dan...'

'Dan raak ik verdomme in een coma. Laat je me als ik weer bijkom dan eindelijk met rust?' viel Robert uit. 'Ik trip tegenwoordig op de werkelijkheid.'

'En hoe bevalt dat?'

Barry legde een hand op Roberts schouder en de twee begonnen te lachen. Ze hadden elkaar altijd aan het lachen kunnen maken.

'Het spijt me wat er in Boston is gebeurd,' zei Barry. 'Ik bedoel, ik heb geen idee wát, want Stacia vertelt helemaal niks, maar dát er iets gebeurd is, is wel duidelijk. En dan Gwendolyn...'

'Wat weet jij nou over Gwendolyn?'

'Ik weet dat ze hier niet is,' antwoordde Barry. 'En dat is niet goed.'

'Ze is dood,' zei Robert. Dat had hij nog nooit hardop gezegd.

'O, man.' Barry schraapte zijn keel een paar keer, zijn blik strak op de vloer gericht. 'We hoeven het er nu niet over te hebben als je dat niet wilt.'

'Ik wil het er nooit over hebben,' zei Robert zachtjes, en Barry knikte.

Ze kochten een bedbank. Barry, die zelden de moeite nam om een laken over de kussens van de bank te leggen, sliep naakt. Het appartement was niet zichtbaar schoner – in de hoeken hoopten de kleren zich nu op, het douchegordijn vertoonde een nog grotere zwarte schimmelplek – maar Barry ging het kakkerlakkenprobleem te lijf door boorzuur in de keuken te strooien en elke morgen de lijkjes op te vegen. De koelkast vulde zich, eerst langzaam en toen in één keer, met allerlei bakjes van de afhaalchinees, een doos eieren, pakken sinaasappelsap, flessen cola en zwartekersenlimonade. Het vriesvak was niet langer leeg, maar bevatte nu ijs, een diepvrieszak marihuana, een fles wodka, en de bakjes voor ijsklontjes – voorheen bevroren plastic holtes – waren nu echt gevuld. Op het aanrecht in de piepkleine keuken stond een beige plastic koffiezetapparaat.

Barry verraste Robert door elke ochtend op te staan en ontbijt voor hem te maken als hij om zeven uur thuiskwam van zijn dienst. Hij had niet geweten dat Barry in staat was om zo vroeg op te staan, om nog maar te zwijgen over boodschappen doen en koken. Op een van die ochtenden kwam Robert thuis terwijl Barry roerei met spek stond te maken; de geur was zo verleidelijk dat hij wel dichterbij moest komen. Op het aanrecht stond een papieren zak van de supermarkt om de hoek, met daarin een kruimeltaart, de enige niet-zelfgemaakte taart die zijn moeder wel eens in huis haalde, en dan nog alleen als ze ertoe gedwongen werd. Het was Roberts lievelingstaart. Terwijl Barry met een spatel het roerei van de rand van de pan schraapte, vertelde hij Robert dat hij zich had ingeschreven bij het City College in 138th Street.

'Weet je dan niet wat er daar allemaal loos is? Ze gaan voortdurend de straat op om rellen te trappen,' zei Robert.

'Dat was vorig jaar,' antwoordde Barry, 'met de open inschrijvingen; nu is het er volkomen rustig. En je hoeft er maar weinig collegegeld te betalen.'

'Maar je woont niet in New York.'

'Nu wel, ik heb jouw adres gebruikt,' zei Barry. 'Zet jij even koffie.'

'Is op.'

'In de zak.'

Robert gehoorzaamde, en een paar minuten later hoorden ze het trage gereutel en geprutttel van het koffiezetapparaat. 'City College is tegenwoordig niets meer dan een experiment. Iedereen van de straat kan er zo naar binnen lopen.'

'Precies. Dat is eerlijk, dat is gelijkheid. Dus is het per definitie geen ordeloze bende en zullen de mensen er niet zo'n houding hebben als op Syracuse,' zei Barry terwijl hij het roerei over twee borden verdeelde.

'Wat voor houding?' vroeg Robert terwijl hij zichzelf koffie inschonk. Al weken probeerde hij uit zijn broer los te krijgen waarom hij precies met zijn studie was gestopt.

'Ik wil onze eigen mensen niet zwart maken, maar eerlijk waar, soms vond ik de joden nog het ergst. Niet allemaal, maar je kent het type wel dat ik bedoel; ze waren in elk geval niet zoals de jeugd in Oxford Circle, dat mag je van me aannemen. Je hebt me er verdomme totaal onvoorbereid naartoe laten gaan, broer. Zonder ook maar een woord van waarschuwing. Hun ouders, allemaal dokters en tandartsen, hebben er hun hele studietijd een baantje naast gehad, maar willen nu dat hun kinderen het in stijl doen. Ze sturen ze erheen met stereotorens en auto's en blanco cheques. En dat waren dan nog de hippies! Ze banjeren rond in hun wijde kleren, met hun chirurgisch rechtgezette neuzen in de lucht! Ze hebben het steeds maar over onderdrukking en de gewone man, haasten zich om een vrijwilligersbaantje te nemen, en dat noemen ze dan idealistisch, domweg omdat zij geen geld hoeven te verdienen. En, dat vind ik geloof ik nog wel het mooiste: ze gaan naar zomerkamp tot ze een jaar of vijfenveertig zijn. Omdat je in een blokhut slaapt en in een kring danst, ben je nog geen socialist! En weet je op wie ze kwaad zijn, op wie ze echt kwaad zijn? Niet op de president; die zouden ze nog niet eens herkennen als hij het krediet op hun betaalkaart van Bloomingdales bevroor. Nee, op hun ouders! De mensen die alles voor hen betalen. Als zij hun ouders niet willen, stuur die dan maar naar mij. Ik ben al mijn hele leven op zoek naar iemand om mijn reet af te vegen en mijn rekeningen te betalen.'

'Je klinkt als een antisemiet,' zei Robert. 'En wat had ik dan tegen je moeten zeggen? Je past je aan. Je probeert mensen een kans te geven en je past je aan.'

'Ik zie er niet zo uit als jij,' zei Barry terwijl hij de laatste plakjes spek op een stuk keukenpapier legde om uit te lekken. 'Beter gezegd: ik zie er niet zo uit als jij eruitzag voordat je in Harry de Harige Aap veranderde. Bij mij staan ze niet in de rij om mijn vriend te worden.'

'Jij hebt altijd meer vrienden gehad dan ik.'

'Ja, maar jouw vrienden hadden klasse.' Barry begon de tafel af te ruimen. 'Dat heb ik altijd bewonderd aan je. Ik moest mijn vriendschappen kópen.'

'Waarmee heb je de vriendschap van Victor Lampshade dan gekocht?'

'Ik heb het over vrouwen. Ik weet zeker dat het eerste meisje waarmee ik naar bed ben geweest het alleen maar deed vanwege de wiet. Nee, dan het eerste meisje dat jij mee naar huis nam. Perfect. Een mooiere meid heb ik daarna nooit meer gezien, daarvoor ook niet trouwens.'

Robert wendde zijn blik af, en Barry boog zijn hoofd. 'Het spijt me,' zei hij. 'Eet je roerei op. Dat was bot van me.'

Hij brandde zijn vingers aan het spek. Zodra ze oud genoeg waren,

waren de jongens stiekem naar Mayfair gegaan, naar een eethuisje waar ze zich te buiten gingen aan zout, knapperig spek en ham en al het andere eten dat hun moeder niet in huis wilde hebben. Ze kookte niet koosjer, maar ze had haar grenzen, en varkensvlees ging haar te ver. Wat was een grotere zonde: spek eten of betalen voor een maaltijd? Hij wist het niet, maar had het allebei heerlijk gevonden.

Ze aten hun ontbijt nu van pas aangeschafte plastic borden in vrolijke kinderverjaardagskleuren. Waar had Barry die op de kop getikt?

'Ik was gisteren op het City College. Er hangt zo'n energie. En iedereen werkt en studeert. Het is echt een plek om tot mezelf te komen en me op mijn grote moment voor te bereiden.'

'Je grote moment?'

'Als ik iedereen het nakijken geef en een groot succes ben geworden,' zei Barry. 'Op mijn eigen manier. Ik heb wel een paar ideeën, en ik heb één groot voordeel ten opzichte van jou, weet je. Mensen onderschatten me.'

'Ja, het moge duidelijk zijn dat mijn vermaarde vaardigheden de weg hebben geplaveid voor dit allemaal,' zei Robert en hij gebaarde om zich heen.

'Hoe dan ook, ik heb er goed aan gedaan. Ik hoor hier in Manhattan. Smerig, failliet, corrupt, allemaal waar, maar bestaat er een andere plaats waar hard werken en een beetje vindingrijkheid zo worden beloond als hier?' vroeg Barry. 'Trouwens, iemand moet toch een oogje op je houden? Geloof me, Robert, je jaagt kleine kinderen de stuipen op het lijf.' Hij sneed nog een stuk taart af voor Robert. 'Nog een portie zal je geen kwaad doen.' Hij schoof het stuk taart op een spatel en hield het Robert voor. Barry's grote bruine ogen smeekten zijn broer om te eten. 'Vergeet niet hoe goed het leven soms kan zijn,' zei hij. 'Dat is zo, weet je? Dat is echt zo.' En Robert pakte het kleverige stuk taart aan en legde het op zijn bord.

24

Nixon

Barry volgde trouw zijn colleges aan het City College en haalde overal hoge cijfers voor; hij was altijd frustrerend slim geweest, zonder ooit ergens moeite voor te hoeven doen. Maar hij kon geen hoofdvak kiezen, omdat alles hem interesseerde en hij overal even enthousiast over was. Terwijl Robert zijn hele propedeuse lang op zoek was geweest naar dat ene vak dat tot een carrière zou leiden, was Barry net zo enthousiast over biologie als over romantische poëzie uit de negentiende eeuw of over economie of kunstgeschiedenis.

'Als ik dood ben,' zei Barry tegen Robert, 'wil ik dat er op mijn grafsteen komt te staan: "Hier rust Barry Vishniak. Hij wist wat goed was". En hoe kan ik er nou achter komen wat goed is als ik niet alles probeer?'

'Je kunt niet alles proberen.'

'Wie zegt dat?' vroeg hij. Er was sowieso weinig werk en hij had geen bijzondere haast om zijn bul te halen. Hij studeerde met plezier terwijl hij een behoorlijk inkomen genereerde met de enige handel die inflatievast was. Het appartement gonsde van de activiteit sinds zijn broer bij hem was ingetrokken – de deurbel en de telefoon rinkelden terwijl een eindeloze verscheidenheid aan mensen door de gangen struinden, het geld klaar in hun hand. Op een dag kwam Barry thuis met een groot apparaat dat de hele tafel in beslag nam waar de telefoon op stond. 'Een antwoordapparaat,' zei hij. 'Het beantwoordt je telefoon en bewaart berichten. Wat vind je daarvan?'

'Ik word nooit gebeld.'

'Maar ík wel,' zei Barry. 'En het is belangrijk dat ik weet wie er gebeld heeft. Het zou trouwens ook geen kwaad kunnen als jij je horizon eens wat verruimde. Het leven houdt niet op bij de voordeur, weet je; dit is een bruisende stad, vol met mensen.'

'Ik weet het, ik heb ze gezien. Ze staan trillend en bevend bij ons op de gang,' zei Robert. 'En, nee, bedankt.'

Sindsdien leek het rode lampje van het apparaat altijd te knipperen: Janice, Rashid, Allison, Chester. Ontelbare voornamen, geen bericht. Barry zou ze moeten terugbellen.

'Waarom neem je bedrijfskunde niet als hoofdvak?' vroeg Robert. 'Je schijnt er goed in te zijn, op jouw manier.'

'Misschien doe ik dat wel,' antwoordde Barry. 'Maar dat hoeft me er niet van te weerhouden om antropologie te volgen als ik daar zin in heb. Of natuurkunde, wat dat aangaat. Dit systeem deugt niet. Een universitaire opleiding is niet breed genoeg.'

'Als je een landgoed, een inkomen en een overerfde zetel in het Hogerhuis had, zou dat een steekhoudend argument zijn. Maar de renaissancemens is al uit de mode sinds...'

'...de Renaissance zeker?' onderbrak Barry hem.

Wie was hij om hem de les te lezen? Nu de oliecrisis een deel van zijn winst opslokte en Barry hem voortdurend aanspoorde om een beetje van het leven te genieten en zijn verdriet achter zich te laten, was hij er niet meer tevreden mee om de hele nacht op de taxi te rijden zonder dat het ergens toe leidde, maar hij was ook nog niet toe aan een verandering. Ondertussen was Barry door een ruilhandeltje in het bezit gekomen van een aftandse tweedehands auto, waarin de twee broers naar huis reden om hun ouders te bezoeken.

Nixon zou die avond een televisietoespraak houden over het vredesakkoord van Parijs. Hun moeder stond in de keuken af te wassen. Robert en Barry hadden hun vader in zijn oude leunstoel bij de deur geholpen en zaten op de bank. Barry hitste Vishniak op door boos te verkondigen dat het toch niet te geloven was dat die klootzak en die draaikont van een Kissinger nu met de eer zouden gaan strijken dat de oorlog was beëindigd, en daarna liep hij naar boven om voor de uitzending begon nog even naar de wc te gaan. Vishniak draaide zich om naar Robert en zei zachtjes: 'Dat rijden op die taxi, Robert. Dat heeft nou wel lang genoeg geduurd.'

'Hoe bedoel je, pa?' vroeg Robert. Het was een merkwaardige slotsom na een gesprek over de president, wat toch meestal een veilig onderwerp was.

'Jij als taxichauffeur... je vergooit je talent. Ik hoef het toch niet voor je uit te spellen?'

Robert keek naar zijn vaders gezicht, dat werd beschenen door de tafellamp. Barry met zijn mollige wangen en kleinere neus leek meer op Vishniak, maar beide zoons hadden de bruinzwarte ogen van hun moeder, terwijl die van Vishniak flets blauw waren. Hij werkte tegenwoordig weer bij de posterijen, in deeltijd op kantoor, en hij zag er vermoeid uit, maar niet zo vermoeid als toen Robert nog klein was.

'Word geen mislukkeling zoals je vader, Robert,' zei hij. 'Dacht je dat ik op het postkantoor had willen eindigen?'

'Je bent geen mislukkeling, pa,' zei Robert en hij klopte zijn vader op de schouder.

'Een aap zou mijn werk nog kunnen doen.'

'Jezus, pa, draaf in godsnaam niet zo door!' zei Robert. Toen kwam Barry terug – Barry die, volgens hun ouders, een voltijdstudent was, zij het een langzame. Aan Barry werden geen eisen gesteld, tenzij hij om geld vroeg, maar dat liet hij wel uit zijn hoofd. Alleen Robert, de oudste zoon, moest hun hoop en verwachtingen dragen. Stacia kwam binnen en zette de televisie aan. Eerst sneeuwde het beeld en daarna verscheen langzaam het gezicht van de president; door zijn wijkende haargrens leek het of hij een donkere vlek op zijn voorhoofd had. Robert staarde naar het scherm, aangeslagen door wat zijn vader had gezegd.

Terug in New York gingen er geruchten dat er weer een taxistaking op komst was en zijn oom nam hem mee om een biertje te gaan drinken en vertelde dat hij ermee ophield; hij ging een deeltijdstudie volgen om zijn onderwijsbevoegdheid te halen. Robert kon de taxi nu vaker overdag gebruiken en tijdens het spitsuur. Dat voorjaar bracht hij meer tijd door in de wereld van de dagmensen – goedgeklede, ontwikkelde, over het algemeen lekker ruikende hoogopgeleiden, die probeerden te ontsnappen aan de smerige metrotreinen die waren volgeklad met de hiërogliefen van de armen. Zelfs tijdens deze recessie moest Robert hen afzetten bij luxe restaurants, waar goedgeklede stelletjes elkaar achter de ramen toedronken. Voor het eerst sinds jaren dacht hij weer aan Tracey. Dit had hij aan zichzelf te wijten; hij had zich overal buiten geplaatst, terwijl zijn universitaire opleiding rijkdom en financiële onafhankelijkheid meer dan ooit binnen zijn bereik had moeten brengen.

Soms wilde zijn oom de taxi ineens een dagje hebben en werd hij weer opgescheept met het nachtelijke publiek: vrouwen die mislukte afspraakjes ontvluchtten; ouders met een ziek kind, uit buurten waar de ambulance niet naartoe wilde komen; mannen, en het waren voornamelijk mannen, die hun zaken deden onder de bescherming van de nacht. Een groot deel van hen wanhopig, moedeloos, verloren. En Robert hoorde de stem weer in zijn hoofd, de stem die zo lang had gezwegen: *zorg dat je hieruit komt, red jezelf, je moet geld verdienen, geld verdienen, geld verdienen.*

Hij hoorde de stem en realiseerde zich dat hij het na twee jaar spuugzat was dat zijn vingers altijd zwart zagen van de inkt doordat er de hele dag geld door zijn handen ging, dat hij het helemaal gehad had met de krankzinnige uren en het wegschrobben van opgedroogde lichaamssappen van het skai van de achterbank. Hij wilde werken wanneer andere mensen werkten, uit eten gaan in restaurants die hun naam in sierlijke gouden letters boven de ingang hadden staan, restaurants met gesteven witlinnen tafelkleden en zwaar tafelzilver; hij wilde theatervoorstellingen bezoeken en in een taxi zitten als passagier. En het liefst van alles wilde hij gewoon naar bed gaan wanneer het donker was en de liefde bedrijven met een mooie vrouw – of meerdere zelfs – die geen genoegen zou nemen met een man die om zeven uur 's ochtends uit zijn werk kwam en pas om één uur opstond.

Maar hoe kwam hij nu precies van waar hij was naar waar hij wilde zijn? Uiteindelijk was de persoon die hem het beste hielp bij het uitstippelen van zijn toekomst iemand die Robert, Barry en hun moeder in de loop der jaren bijna als een familielid waren gaan beschouwen: Richard Nixon. Eind 1973 brak het Watergateschandaal uit, met de verhoren, de krantenartikelen, de bekendheid onder het brede publiek van wat twee jonge journalisten, mannen niet veel ouder dan Robert zelf, aan het licht hadden gebracht.

Robert had vastgezeten in de avondspits met een moeder en haar krijsende peuter toen hij op de radio het nieuws hoorde dat Haldeman en Ehrlichman waren afgetreden, en zelfs het kind had gevoeld dat er iets bijzonders aan de hand was en was stil geworden. Terwijl hij een ouder echtpaar naar een van de grote appartementengebouwen in Fordham Road bracht, had hij geluisterd naar John Dean III, die Samuel Dash over de officiële vijandenlijst vertelde, en zich voorgesteld hoe de commissieleden zich naar voren bogen terwijl ze probeerden om niet in hun microfoon te ademen. En toen Nixon zijn 'Ik ben geen misdadiger'-toespraak hield, was Robert net klaar met zijn dienst, maar hij bleef rondrijden met zijn taxilichtje uit, zodat hij de woorden voor zichzelf kon horen, het valse pathos ervan, de volhardendheid.

Nixon was advocaat geweest, net als de meesten van hen – Dean, Ehrlichman, Haldeman en Mitchell. Roberts klanten richtten hun woede over het verraad op de hele beroepsgroep en vertelden hem een eindeloze stroom advocatengrappen: 'Heb je gehoord van die ramp met een bus vol advocaten die het ravijn inreed? Er was nog een plaatsje vrij.' 'Hoe noemen we vijfhonderd advocaten op de bodem van de oceaan? Een mooi begin.'

Robert lachte er altijd om, want je lacht nu eenmaal als een klant een mop vertelt, maar hij voelde zich merkwaardig opgebeurd door de vragen die werden gesteld door de Senaatscommissie die het Watergateschandaal onderzocht en hun voornaamste raadslieden. Toen 1973 was overgegaan in 1974 en Nixon nog steeds weigerde de banden te overhandigen, kwam het hooggerechtshof tussenbeide en eiste dat hij de banden zou afstaan. En de gerechtelijke commissie van het Huis van Afgevaardigden bekrachtigde het verzoek tot de afzettingsprocedure. Het evenwicht tussen de drie machten had het land wat opgeleverd. De president kondigde aan dat hij zou aftreden, de *Plumbers* zaten in de gevangenis, en Amerika was nog intact. Het schandaal had niet tot een revolutie geleid, maar slechts tot een televisie-uitzending.

Ze hoorden de herrie al halverwege het paadje naar het huis. De hordeur zat niet op slot en toen Robert en Barry binnenkwamen, werden ze niet begroet met de gebruikelijke enthousiaste kussen en omhelzingen, maar met wat gemompelde welkomstwoorden terwijl iedereen bleef zitten en zijn aandacht op het scherm gericht hield. De kinderen zaten op een rijtje in kleermakerszit op de grond. Zijn moeder deelde beboterde popcorn en glazen mineraalwater en zwartekersenlimonade rond. Oom Frank bleef steeds de grote v van de antenne bijstellen, en tante Lolly en oom Fred schoven op om plaats voor Robert te maken op de bank. Barry ging bij de kinderen op de grond zitten. Toen de grote man zelf verscheen, verkondigde Vishniak vanuit zijn leunstoel trots dat ze met deze nieuwe televisie elke porie van zijn neus konden zien.

'Die Japanners kunnen er wat van,' merkte oom Frank op, maar hij werd meteen tot stilte gemaand.

Uiteindelijk verscheen de spreker bedeesd voor het oog der natie. Hij sprak met kalme, monotone stem, waar niets uit op te maken viel, en het publiek in Disston Street, dat zat te wachten op een ironische, kwade of verontschuldigende opmerking waarop ze konden reageren, begon langzaam de moed te verliezen.

'...als president moet ik het belang van Amerika vooropstellen,' zei hij en de kinderen begonnen, moe van het wachten, popcorn naar het scherm te gooien. De president vertelde de natie dat weggaan volkomen tegen zijn gevoel indruiste. De volwassenen hielden het niet meer, ze wilden hem eindelijk horen zeggen dat hij inderdaad een misdadiger was en dat het hem speet. Ze wilden hem zien huilen en om vergeving smeken. Maar hij had het over wat hij allemaal had bereikt, over China en het Midden-Oosten en de Sovjet-Unie, en over de troepen die hij uit Vietnam had teruggehaald. Uiteindelijk, toen ze het net wilden opgeven, zei hij dat hij aftrad, dat hij hoopte dat het genezingsproces daardoor zou versnellen, en hij eindigde met: 'Moge Gods zegen op u rusten in alle dagen die nog voor ons liggen.'

Toen ineens Gerald Ford in beeld verscheen, die voor een kast van een huis in een villawijk in Virginia stond, keken ze elkaar allemaal aan alsof ze niet helemaal konden bevatten wat er net was gebeurd.

'Hij heeft zo goed als niets toegegeven,' verkondigde oom Frank.

'Hij wond zich meer op toen hij van Kennedy verloor,' zei Stacia. 'Toen had-ie tenminste nog pit.'

'Begrijpen jullie het dan niet?' vroeg Robert, en alle ogen richtten zich op hem. De uitspraken van een taxichauffeur mochten buiten deze muren dan niet hoog worden aangeslagen, hier, als de enige persoon in de kamer die gestudeerd had, deed zijn mening er nog toe. 'Hij is afgestraft als een hond. Ze hebben hem alles afgenomen. Nu gaat hij naar huis om uit te huilen bij zijn vrouw.'

'Nou, ze zal hem een hele troost zijn,' merkte tante Lolly op.

Zijn analyse vrolijkte hen een beetje op en halverwege Fords toespraak zetten de mannen het geluid zachter terwijl de vrouwen nog wat taart uit de keuken haalden. Het handjevol kinderen danste in blijde afwachting om de tafel, alsof het een verjaardagsfeestje betrof.

Robert voelde zich ook feestelijk. Voor het eerst in bijna vier jaar had hij plannen. Als iedereen weg was, zou hij het zijn ouders vertellen: hij wilde rechten gaan studeren. Wat kon een intelligente, ambitieuze jongeman zonder speciale interesses of vaardigheden anders doen? Wat kon hij beginnen met alleen een propedeuse op zak en de neiging om alles van de somberste kant te bekijken? Waarom had hij zich dat nooit eerder afgevraagd? De school voor journalistiek was dat jaar heel populair, ingegeven door de geweldige prestaties van die beroepsgroep, maar Robert voelde nog altijd niet de behoefte om de wereld te redden. Hij wilde alleen zichzelf redden.

De Vishniaks en de Kupferbergs waren dan misschien een beetje teleurgesteld over de teneur van de toespraak, maar daar waren ze binnen de kortste keren overheen en de kamer vulde zich met gelach. Roberts vader bewoog zich langzaam voort met behulp van een stok – hij droeg zijn prothese, zodat voor de nauwkeurige waarnemer te zien was dat zijn ene broekspijp wat wijder viel omdat er een kunstbeen onder zat – maar het lukte hem, met verrassende behendigheid, om kersenbrandewijn in borrelglaasjes te schenken, die vervolgens werden rondgedeeld. Hij mocht het zelf eigenlijk niet hebben, maar hij nam stiekem zo nu en dan een teugje. Daar liet hij zich door niemand van weerhouden.

'Hoe krijgen ze die goedkope rotzooi door hun keel?' vroeg Barry aan Robert, terwijl hij het glas afsloeg dat zijn kant op kwam. 'Hé, pa!' schreeuwde hij boven de herrie uit. 'Heb je ook slivovitsj?'

In de kamer klonk een instemmend gejuich op.

Robert keek naar hen met de vreemde gewaarwording dat alles, eindelijk, was zoals het zijn moest. Hun familie was geknipt voor de jaren zeventig. Zijn ouders en hun broers en zussen, alumni van de Grote Depressie, wisten alles van recessie, werkloosheid en hoge benzineprijzen. Ze werkten voornamelijk in overheidsdienst voor een laag, maar vast inkomen: buschauffeur, postbode, meteropnemer. Terwijl Stacia hen de eetkamer binnenriep voor de maaltijd, viel het Robert op dat haar humeur bijna aan opgewektheid grensde, een ongekend fenomeen. Ze had beide keren niet op die lulhannes gestemd, niemand in haar familie trouwens. Ze had niet eens een auto! Zelfs haar fornuis was elektrisch! Het was alsof ze het altijd al had geweten.

25

De rechtenfaculteit

In de kapperszaak op Sixth Avenue, om de hoek van 12th Street, zoemde de airconditioning luid terwijl de oude man met de krulsnor, in overhemd met vlinderdas, Roberts gezichtsbeharing met een schaar kortwiekte, om hem daarna te kunnen scheren. Het scheerschuim dat hij gebruikte rook naar limoen. Robert genoot er boven verwachting van om geschoren, gewassen en verzorgd te worden – de afgelopen drie jaar had hij juist het tegenovergestelde gewild, maar nu herinnerde hij zich weer hoe mensen leefden, kónden leven.

Over een paar weken zou hij beginnen met zijn rechtenstudie aan New York University. Hij had de NYU verkozen boven Columbia omdat die goedkoper was, maar nog altijd hoog stond aangeschreven, en het collegerooster stelde hem in staat om, indien nodig, nog een paar avonden per week op de taxi te rijden om wat bij te verdienen; de drieduizend dollar die hij had gespaard was niet genoeg om hem drie studiejaren door te helpen, en hij had nog steeds een studieschuld. Hij associeerde Columbia en Upper West Side met de afgelopen paar jaar, en hoewel hij niet van plan was om er weg te gaan – zijn huur was te laag om te laten schieten, zeker met Barry als huisgenoot – was hij er nu klaar voor om zijn hoop te vestigen op een nieuwe buurt, een nieuwe identiteit, een nieuwe portie van Manhattan.

Toen de kapper klaar was, bestoof hij Roberts nek met talkpoeder en kietelde zijn huid met een paardenharen borstel. Roberts gezicht tintelde en hij voelde de koude lucht van de airconditioning in zijn nek. In de spiegel zag hij een versie van zijn gezicht die bijna vier jaar onzichtbaar was geweest: een expressief gezicht met een geprononceerde kaaklijn en keurig bijgeknipte wenkbrauwen boven een stel donkere ogen die hem aanstaarden met een blik die nog vastberadener was dan hij zich herinnerde. Hij had een paar rimpeltjes bij zijn ogen gekregen die er vroeger niet gezeten hadden, en een paar grijze haren. Dit was kortom het gezicht van een volwassen man, en de eerste kleine tekenen van ouderdom, de magerte van zijn langere, hoekiger gezicht, bevielen hem wel. 'Kijk eens aan,' zei de kapper. 'Van de Verschrikkelijke Sneeuwman naar Cary Grant in minder dan een uur. Wat een metamorfose.' Daarna pakte de kapper een vierkant polaroidcameraatje uit een la en maakte een foto van Robert. Terwijl hij wachtte tot de foto zichtbaar werd, gaf de kapper Robert korting op de prijs – de mode om lang haar te dragen was slecht voor de zaken en Robert zou een goede reclame voor de jongeren zijn, zei hij. 'Zegt het voort,' voegde hij eraan toe toen Robert onzeker de hete, zomerse straat in liep, naakt en kwetsbaar. Een aantrekkelijke blonde vrouw in een korte spijkerbroek en een rood T-shirt kwam klepperend op Zweedse muilen zijn kant uit; ze vroeg of hij wist hoe laat het was. Hij antwoordde dat het drie uur was, waarop ze even bleef talmen, alsof ze iets verwachtte, toen wees ze naar de etalage van de kapperszaak. 'Hé, moet je kijken, die kerel hangt jouw foto voor het raam.'

'Ik weet het,' zei Robert glimlachend. 'Ik word gezocht in drie staten.'

'Zin om er vier van te maken?' vroeg ze en ze gaf hem haar naam en haar telefoonnummer, die hij opschreef, want waarom niet? Ze bood het toch aan?

Hij keek haar glimlachend na en herinnerde zich dat vreemde gevoel van niet eens zo heel lang geleden, toen mensen hem puur om zijn uiterlijk van alles gaven. Hij was weer gezond en genoeg aangekomen om voor slank in plaats van mager door te gaan. Hij toonde zijn gezicht weer aan de wereld, een wereld die de kinderen van Stacia en Vishniak bar weinig natuurlijke voordelen bood waarmee ze zich konden onderscheiden – en in een stad zo groot als New York moest hij gebruikmaken van wat hij had en er niet te veel over nadenken.

Hij was ouder dan veel van zijn medestudenten, hoewel niet allemaal, omdat de dienstplicht, het ontlopen ervan of de uitzending naar Vietnam, bijna iedereen een paar jaar had gekost. In zijn jaar kon hij de veteranen, die een studiebeurs van de staat ontvingen, er zo uitpikken, niet alleen door de kenmerken van hun achtergrond of afkomst, maar ook door hun uitstraling; er hing een aura van teleurstelling om hen heen, een neerslachtigheid die ze achter zich aan sleepten, ondanks hun superieure houding. Robert had zijn haar niet hoeven knippen, in elk geval niet uit ideologische overwegingen; de rechtenstudenten van de NYU droegen sandalen, een geknoopverfd T-shirt en een spijkerjasje, en een groot deel van de mannen had lang haar en een baard. In het najaar van 1975 hadden ze het over topbedrijven als Sullivan & Cromwell, en Latham & Watkins, maar ze kleedden zich meer als Fidel Castro en Che Guevara.

Naast de verplichte vakken zoals verbintenissenrecht, aansprakelijkheidsrecht en procesvoering, waren er ook keuzevakken. De hoogleraren gaven les in een combinatie van hoorcolleges en de socratische methode, waarbij de incidentele verrassingsaanval op prijs werd gesteld, maar meestal moest je je vinger opsteken en wachten tot je het woord kreeg. Tijdens zijn propedeuse kon je, als je de stof niet had doorgenomen maar redelijk intelligent was, vaak nog wel een slag doen naar een interessant, zij het niet honderd procent correct antwoord, maar op de rechtenfaculteit ging die vlieger niet meer op. Stanley Dunphy, een derdejaars van Roberts leeftijd, gaf hem op een middag wat advies toen ze op een bankje in het park hotdogs zaten te eten die ze bij een stalletje in de buurt hadden gekocht. 'Als je je in het eerste semester voorbereidt op een bepaalde casus, verkloot je het meestal toch nog,' zei Stanley, 'maar als je je niet voorbereidt, verkloot je het helemaal.'

De propedeuse had hem totaal niet voorbereid op wat hem hier allemaal te wachten stond, zelfs niet op het schrijven, want juristen schreven niet zoals normale mensen. Het kwam er in feite op neer dat hij alles overboord moest zetten wat hij ooit over schrijven had geleerd, en hij was altijd tevreden geweest over zijn schriftelijke taalvaardigheid, net als zijn toenmalige docenten. Het vak juridische analyse leverde de minste studiepunten op, maar kostte de meeste tijd. Dat lag niet alleen aan de hoeveelheid werk, maar ook aan het feit dat zodanig leren schrijven dat het door de docenten goed genoeg werd bevonden, samen met de behaalde cijfers, de sleutel was tot het bemachtigen van een felbegeerde aanstelling bij de *Law Review*, een belangrijke tussenstap op de weg naar de beste banen.

Terwijl hij de voorbeelden van bestaande juridische analyses in zijn studieboek las – memoranda, verzoeken om uitspraak en appèls, instructies voor pleiters en verzoekschriften – zag hij in dat een advocaat, als de ultieme pleitbezorger voor zijn cliënten, nooit toegaf dat een cliënt misschien iets verkeerds of illegaals zou hebben gedaan. Een advocaat werd betaald om agressief te zijn, maar formuleerde op een onderdanige toon, met de stem van het onschuldige slachtoffer. Barry en hij waren ervan uitgegaan dat Nixon bij zijn aftreden 'er zijn fouten gemaakt' had gezegd in plaats van 'ik heb fouten gemaakt' omdat hij een klootzak was, maar tegen het einde van zijn eerste semester begreep Robert dat de voormalige president deze bewoordingen had gekozen omdat hij rechten had gestudeerd.

De economie van New York lag nog steeds op zijn gat. Wanneer hij als eerstejaars wat broodnodige ervaring wilde opdoen, zou hij voor niets moeten werken, in elk geval gedurende het studiejaar. Dat soort edelmoedigheid was tegen zijn principes – hij had nog nooit voor niets gewerkt – maar het was een investering in zijn toekomst. Bij een van de collegezalen was een briefje opgehangen waarin vrijwilligers werden gevraagd die Spaans spraken. Robert had op de middelbare school en tijdens zijn studie Spaans gehad, maar hij had het pas echt goed geleerd toen hij als taxichauffeur vaak in de Puerto Ricaanse en Dominicaanse buurten van Spanish Harlem en de Bronx kwam, waar anderen niet durfden te komen. Wat hij sprak, of had opgepikt, was meer een mengvorm van Spaans en Engels, zoals het door deze bevolkingsgroepen op straat werd gesproken, meer Spengels dan Spaans, maar misschien zou dat nog wel in zijn voordeel werken ook. Hij belde het nummer dat op het briefje stond en het eindigde ermee dat hij drie middagen per week als vrijwillger ging werken in de wetswinkel Patricia Friesèe Alexander.

De wetswinkel bevond zich in een grote, kale ruimte in een onopvallend bakstenen gebouw vlak bij Union Square, waarin, onder meer, ook een in circusartiesten gespecialiseerd talentenbureau, een designtijdschrift en, op de begane grond, het Clifford Odets Memorial Theater (en een wasserette) gehuisvest waren. Hij werkte in een afgescheiden hokje, omringd door nerveuze eerstejaars rechtenstudenten, die zich voordeden als advocaat. Er werkten twee echte advocaten: George Raft, onlangs afgestudeerd aan Yale (voordat Robert ernaar had kunnen vragen, werd hem verzekerd dat dat zijn echte naam was) en Stella Depillis, een alumna van de NYU, een roodharige van achter in de dertig, getrouwd en met een dochtertje van zes – met de typische foto van een gelukkig gezinnetje op haar bureau om het te bewijzen – ook al was het op kantoor een publiek geheim dat ze een verhouding had met George Raft. Dat had als gevolg dat er op kantoor zeer flexibele ideeën over tijd heersten: de middagpauze duurde zo lang als je wilde, je werktijden werden van tevoren vastgesteld, maar konden worden veranderd, en de twee derdejaars die er nog steeds drie middagen in de week vrijwilligerswerk deden, gaven voortdurend de meest beginselvaste, zij het niet altijd even betrouwbare, aanwijzingen en adviezen. De eerste dag dat Robert er binnenliep, verwezen ze hem naar een klapstoel en een piepklein bureautje, waar hij intakegesprekken moest voeren. Het bureautje, een afdankertje van een plaatselijke middelbareschoolbibliotheek, was volgeklad met obsceniteiten.

Zijn eerste echte opdracht betrof een groep voornamelijk Puerto Ricaanse huurders, die in een goedkoop flatgebouw in de Bronx woonden. De huurders, die nu tot een bewonersvereniging behoorden, hadden al talloze klachten ingediend over de staat van hun appartementen en de trappenhuizen. Ze wisten bij benadering wat een groepsaanklacht was en lieten zich niet ontmoedigen toen Robert hen erop wees dat niemand ooit met succes het departement van Volkshuisvesting en Stedelijke Ontwikkeling had aangeklaagd, en dat ze, als ze allemaal een klacht indienden, hooguit konden hopen op een nieuw likje verf, een paar gerepareerde traptreden en misschien een huismeester die niet de hele dag stoned was. Op aanraden van George Raft voerde hij vraaggesprekken met hen en stelde hij een lijst op van alle klachten: kinderen die gezondheidsschade hadden opgelopen doordat ze afbladderende verf hadden binnengekregen, oude vrouwtjes met botbreuken vanwege losliggende vloertegels, en mensen met een longontsteking door de slechte verwarming en een dak dat de hele winter lekte. Als er artsen waren geraadpleegd, contacteerde Robert die als hij meer bijzonderheden nodig had en hij pleegde ontelbare telefoontjes, overigens zonder veel succes, met de bouwinspecteur en verscheidene andere bureaucraten die het gebouw hadden moeten inspecteren.

Maar er kwamen ook cliënten met alledaagsere problemen. Ze kregen om mysterieuze redenen geen voedselbonnen meer of een familielid had hun sofinummer gebruikt om te kunnen werken, had er een creditkaart mee aangevraagd en daarna het land verlaten zonder de rekeningen te betalen, zodat zij nu met woedende schuldeisers zaten opgescheept.

Robert had verwacht dat al deze mensen terneergeslagen, moe en wanhopig zouden zijn – hun leven bestond uit een eindeloze reeks kleine horden waar ze niet overheen konden springen; een ingeperkt leven, zo had Robert het altijd gezien. Maar het merendeel van de minder bedeelden die hij elke week zag, was, zo niet vrolijk, dan toch zeker optimistischer dan hij ooit was geweest, en geduldiger. Ze stonden in lange rijen te wachten, lachten om elkaars grappen en deden hun verhaal met verrassend veel humor. En op een dag begreep hij het ineens: er werd naar ze geluisterd. In elk afzonderlijk hokje zat een rechtenstudent, die aandachtig naar hen luisterde en hun verhaal nauwkeurig opschreef. Hoe vaak maakt iemand, ongeacht wie, het mee dat een ander echt naar hem luistert? Het leek er eind 1975 op dat zelfs de armste mensen in New York gehoord wilden worden, en dat ze begonnen te geloven dat het hun recht was. Ook als hij niets kon uitrichten, luisteren kon hij wel. En als ze honger hadden, en dat hadden sommigen, dan gaf hij ze een paar mueslirepen uit zijn bureaula en voedselbonnen om de ergste nood te lenigen. Hij was daartoe gemachtigd en telkens als hij het deed, keken ze hem aan met zo'n ontzag en zo'n opluchting dat de stad er in Roberts ogen nog geruime tijd mooier uitzag, alsof er een bijzondere gloed overheen hing.

Hij stond dat jaar ook heel veel kunstenaars te woord. Die woonden al tientallen jaren illegaal in SoHo, waar ze op de bovenverdieping gelegen atelierruimtes betrokken hadden die waren komen leeg te staan toen de nijverheid uit Manhattan verdween. Door de gewijzigde bestemmingsplannen van 1971 hadden deze kunstenaars collectieven kunnen vormen en hun ruimtes kunnen kopen of legaal kunnen huren, zolang de ruimte niet groter was dan 335 vierkante meter, mits ze konden aantonen dat ze er zowel woonden als werkten en dat het gebouw niet meer geschikt was voor industriële doeleinden. Dit bracht een hele papierwinkel met zich mee; ze moesten zich inschrijven bij Bouw- en Woningtoezicht om een legale status te verkrijgen. Dat kon jaren duren, en ze hadden er vaak hulp bij nodig. Dus kwamen ze naar de wetswinkel.

Werden mensen die buiten de gevestigde orde leefden niet verondersteld aardiger te zijn, zo niet tegen anderen, dan toch op zijn minst tegen elkaar? Daar draaide het toch allemaal om in de jaren zestig, dat beweerden ze toch? Maar deze muzikanten, schilders, toneelschrijvers en beeldhouwers waren vaak de lastigste mensen met wie hij te maken kreeg. Hoewel ze doorgaans financieel beter af waren dan de echte armen – sommigen van hen kochten hun eigen ruimte voor vijfduizend dollar of meer, en velen van hen hadden gestudeerd of op de kunstacademie gezeten en duidelijk voor dit leven gekozen – konden ze enorm zeiken. Over de speculanten die enorme winsten maakten door ongeregistreerd vastgoed te verkopen, over andere kunstenaars die betere deals hadden gesloten, over projectontwikkelaars die de buurt afstruinden op zoek naar panden die ze tot disco's of warenhuizen konden verbouwen. Hij kreeg steeds maar weer dezelfde mantra van deze mensen te horen: dat kunstenaars een gebouw weer mooi maakten en dat ze zich uit de naad werkten om het op te knappen, maar dat uiteindelijk de bankiers, advocaten en projectontwikkelaars verschenen, de prijzen opdreven en hun panden verkochten aan de bourgeoisie. En terwijl de ene na de andere kunstenaar ditzelfde riedeltje afdraaide, werd hem gaandeweg duidelijk dat zij ervan uitgingen dat hij, Robert Vishniak uit blok 2100 in Disston Street – een taxichauffeur die elke dag zijn eigen lunch in een papieren zak stopte, met een studieschuld van vijfduizend dollar, waar nog duizenden bij zouden komen voor zijn huidige studie – tot die bourgeoisie behoorde.

'Hé, het is niet je werk om je cliënten aardig te vinden,' hield Barry hem regelmatig voor. Maar wanneer hij werd geconfronteerd met hun zelfingenomen woede, hun luide litanieën waarbij ze met hun vuisten voor zijn gezicht zwaaiden, stond hij op de een of andere manier toch vaak met zijn mond vol tanden. Er ging een zekere macht uit van zo zeker weten wie je was en wat je wilde, en deze kunstenaars bezaten die macht, ook al beweerden ze koppig dat ze machteloos stonden. Hij begon zich in de wetgeving omtrent bedrijfspanden te verdiepen en na te denken over wat die voor New York betekenden, zodat hij zijn lastigste cliënten in ieder geval recht in de ogen kon kijken en beter op de hoogte zou zijn dan zij.

Op een schemerige namiddag in december, waarop er een stille kou in de lucht hing die sneeuw voorspelde, nam Robert metrolijn 1 helemaal tot aan Houston Street en wandelde over Broadway naar het zuiden terwijl hij de omgeving in zich opnam; de smerige ruiten van de enorme, halfverlaten bedrijfspanden, de kleine koffiehuizen, een boekwinkeltje, en hier en daar, achter betraliede ruiten op de begane grond, een galerie. In Prince Street stonden twee mannen gitaar te spelen – op een bordje stond: WE SPELEN OM ONZE STUDIE TE BEKOSTIGEN – en bijna elke voorbijganger gooide wel wat kleingeld in de gitaarkoffer. Een vrouw in een limoengroene jurk met een schietschijf op de voorkant gooide er een vijfdollarbiljet in. Twee gasten stonden op de hoek een joint te roken, zonder angst voor de politie. *Het is hier nog steeds 1967*, dacht Robert, toen een groepje in het zwart geklede, naar kruidnagels geurende jongeren hem voorbijliep. Ze gingen met zijn allen een platenwinkel binnen; hij nam tenminste aan dat het een platenwinkel was, vanwege de platenhoes achter het raam.

Er waren nog steeds genoeg lelijke stukken te zien die je eraan herinnerden hoe industrieel en troosteloos deze wijk geweest was voordat de kunstenaars haar in bezit hadden genomen. Sommige van zijn cliënten bij de wetswinkel hadden littekens en slecht geheelde botbreuken van al het werk dat ze hadden gedaan: muren optrekken, water- en elektriciteitsleidingen aanleggen en wat al niet. Illegaal in een grote werkruimte wonen hield in dat je alles zelf moest doen, tot het naar de vuilstort brengen van je eigen vuilnis aan toe. De bewoners van deze gebouwen waren de hele dag bezig collages te maken waar nauwelijks een markt voor was, of ze bouwden een gigantisch zwembad in de woonkamer waar ze wassen beelden in konden laten drijven. Wat een merkwaardig, navelstaarderig bestaan, dacht Robert; ze leefden als kinderen. Maar hij begreep nu wel waarom hij zo'n hekel had aan de kunstenaars die naar de wetswinkel kwamen om hun zaak te bepleiten: hun overtuiging dat deze wijk hun toebehoorde. Ze hadden een thuisplek gecreëerd, omgeven door andere mensen met dezelfde interesses, die net als zij hun woede richtten op iedereen die hun manier van leven bedreigde. Hij benijdde hen om hun gevoel van saamhorigheid. Hij wist dat als je je in deze grote, veeleisende stad een eigen plek had verworven, je die met je leven verdedigde.

Daarvandaan liep hij verder naar de woestenij van lange, halflege straten, dichtgetimmerde huizen en gebroken glas, dat op het stadhuis bekendstond als Washington Market, maar dat door de kunstenaars TriBeCa werd genoemd, de driehoek bezuiden Canal Street. De dienst Ruimtelijke Ordening van Lower Manhattan deed onderzoek naar dit gebied – over een maand zou het rapport in de gemeenteraad besproken worden. Honderden mensen woonden hier illegaal, net zoals eerder in SoHo, en voor één keer stonden de kunstenaars en de projectontwikkelaars aan dezelfde kant, hoewel geen van beide groepen dat wilde toegeven: ze wilden allebei dat de restricties werden verruimd, zodat TriBeCa een woonbestemming kon krijgen.

Even voorbij Canal Street, in Walker Street, zag hij een klein, dik mannetje uit een met graffiti overdekte deur komen. Toen hij door een verlicht raam in het pand ernaast omhoogkeek, zag hij verscheidene vrouwen nog achter hun naaimachine zitten. Er stond een naam bij de deur waar het mannetje net uit was gekomen, maar het was te donker om hem te kunnen lezen; de straat werd slechts verlicht door één lantaarn en door het licht van het raam waarachter de vrouwen aan het werk waren. Robert stelde zich voor dat de man monteur was of in een pakhuis werkte. Hij liep langzaam, zoals iemand loopt na een te lange dag van lichamelijke arbeid. Toen hij langsliep, hoorde Robert zijn zolen piepen, een bekend geluid, dat hem even ontroerde, omdat het hem deed denken aan zijn vader en zijn oom die een bepaald soort werkschoenen hadden gedragen met een dikke, geribbelde rubberzool, speciaal ontworpen om schokken op te vangen en jaren mee te gaan, gekocht door mannen die de hele dag moesten staan.

De productiebedrijven verdwenen uit New York. Waarom hadden de eigenaren en werknemers lijdzaam toegezien dat hun zakendistrict werd overgenomen? In 1971, toen het nieuwe bestemmingsplan voor SoHo van kracht werd, werkten er twintigduizend arbeiders, maar zelfs de vakbonden hadden nauwelijks een kik gegeven en blijkbaar het onvermijdelijke geaccepteerd. Zijn hoogleraar vastgoedrecht had eens opgemerkt dat er nergens een grotere afkeer van ledigheid bestond dan in Manhattan. Op geen enkel ander gebied leek de New Yorkse identiteit meer in beweging, meer in conflict te zijn dan waar het de bouwvoorschriften betrof, de houding ten opzichte van behoud of sloop. Doordat Robert tijdens zijn propedeuse als hoofdvak geschiedenis had gekozen, dacht hij na over buurten, over hun regelgeving en verordeningen, en over het gegeven dat de plek waar je woonde beschermend en troostend kon zijn als de omhelzing van een geliefde, tot die zich op een dag tegen je keerde en je om redenen die je nauwelijks begreep in de kou liet staan.

En deze zelfde woorden gebruikte hij in het essay dat hij schreef als onderdeel van zijn sollicitatiebrief naar *Law Review*, die hij toch maar had verstuurd, ondanks het feit dat zijn cijfers niet zo hoog waren als ze hadden moeten zijn, in de hoop dat een aanstelling daar hem aan een betere baan zou helpen als hij eenmaal was afgestudeerd.

Hij wist dat het, zelfs als hij niet zou worden aangenomen, tijd was om de concurrentiestrijd weer aan te gaan, om het uiterste van zichzelf te vergen. En uiteindelijk mazzelde hij: de fictieve rechtszaak waarover hij moest schrijven, zette vraagtekens bij de Landmark Preservation Act, de wet uit 1965 die de sloop verbood van gebouwen die om historische en/of esthetische redenen bijdroegen aan het karakter en de economie van de stad. Robert was gefascineerd geraakt door die wet – wat zorgde anders voor het behoud van het verleden, van de mooiste en waardevolste gebouwen die zo dikwijls ten prooi vielen aan de sloopkogel?

Mensen hadden het recht om te midden van schoonheid te leven, zo stelde hij, om voeling te houden met hun eigen geschiedenis. Hij was opgegroeid in een buurt waar het stonk, waar alle huizen er precies eender uitzagen en waar de tuintjes zo klein waren dat je er nog niet eens een balletje kon trappen. De enige afwisseling die hij had gekend, werd geboden door publieke werken: de twee openbare zwembaden waar hij gratis kon zwemmen; het Max Meyers-sportveld, waar hij had leren honkballen; Cobbs Creek Park, waar zijn vader hem een hoogst enkele keer mee naartoe nam om één te worden met de natuur (zelfs al werd die natuur soms vervuild door fastfoodverpakkingen en lege bierblikjes), en de uitstekende middelbare school, met zijn superieure faciliteiten en de missie die de docenten zich tot taak hadden gesteld, opgericht om de intelligentste kinderen van de stad aan te trekken, ongeacht het inkomen van hun ouders.

Degenen die in preservatie geloofden noemden vaak rendabiliteit om New Yorkse monumentenwet te verdedigen – fraaie gebouwen trokken toeristen aan en zorgden voor bedrijvigheid. Maar de wet hoorde betrekking te hebben op de wijken zelf en op de mensen die er woonden. Monumentenzorg hield zich bezig met specifieke gebouwen, maar een bestemmingsplan betrof hele districten, die zich moesten schikken in een plan dat, idealiter, iedereen ten goede zou komen. Deze twee soorten wetgeving zouden beter op elkaar afgestemd moeten worden. Hij pleitte voor een herziening van de wet uit 1965, met meer oog voor de belangen van de buurten. En toen hij klaar was met zijn resumé en uit de losse pols zijn persoonlijke motivatie van vijfhonderd woorden schreef, besefte hij ineens dat hij vrijwel ongemerkt iets had geleerd tijdens zijn eerste studiejaar. En hij besefte nog iets: hij wilde vastgoedjurist worden.

26

Barry schiet te hulp

Die zomer bleef hij de ochtenden bij de wetswinkel werken – studenten die in de vakantie doorwerkten kregen een bescheiden vergoeding, al was het eerder een fooi dan dat je het een echt salaris kon noemen. Hij zat van vier uur 's middags tot middernacht en in de weekenden op de taxi, hoewel er weinig klandizie was, ondanks het tweehonderdjarig bestaan van de stad. Tijdens zijn lunchpauze kamde hij de kaartenbakken van het arbeidsbureau uit, op zoek naar elk baantje dat maar enigszins goed zou staan op zijn curriculum vitae of dat hem een inkijkje in zijn toekomst zou kunnen bieden, maar er werden maar weinig van dat soort baantjes aangeboden, en de betrekkingen die er waren, gingen naar derdejaarsstudenten.

Die maand juli was het uitzonderlijk warm en vochtig in New York, en voor het eerst sinds tijden kreeg hij weer last van zijn astma. Op een avond moest hij zijn taxi stilzetten uit angst dat hij van de weg zou raken. Zijn klant, een oudere man, leek er op dat moment wel begrip voor te hebben, had het over een kleindochter met dezelfde aandoening en stond erop de volle prijs te betalen. Maar hij stapte toch naar de klachtencommissie, en zulke klachten werden – in een jaar van teruglopende klandizie – serieus genomen; bovendien bleek de man een gepensioneerd rechter te zijn, en Robert was bang dat hij voor de commissie moest verschijnen. Was taxirijden al dat gedonder nog wel waard? Aan de andere kant: hoeveel andere baantjes pasten in zijn beperkte tijdschema?

De nachten waren het ergst. De nachtmerries waren teruggekomen, áls hij al sliep, misschien een gevolg van het veelvuldige gebruik van zijn inhaler. Hij had onlangs een goede boxspring gekocht, omdat op de vloer slapen slecht was voor zijn astma. Hij had ook een kleine tweedehands airco in zijn slaapkamer staan en die zorgde ervoor dat het er iets koeler werd, al bleef het toch nog zo warm dat hij zelfs geen laken nodig had om onder te slapen. Op een ochtend ontwaakte hij om vier uur uit een nachtmerrie en kon geen lucht meer krijgen. Hij greep naar zijn inhaler, waarbij hij een lamp omverstootte, en zette het ding aan zijn lippen. Hij ademde de nevel in en wachtte; seconden gingen voorbij, maar er gebeurde niets. Hij begon te piepen en drukte op de knop voor een nieuwe puf. Barry kwam zijn kamer binnen en deed het licht aan.

'Wat is er aan de hand?' Hij keek naar Robert, die hem bleek en paniekerig aanstaarde. 'Werkt dat spul niet?'

Robert voelde zich licht in het hoofd worden en wees naar de badkamer. Daar bewaarde hij wat goedkope medicijnen van de drogist; soms werkten die als zijn normale medicijnen geen soelaas boden. Terwijl Barry die ging zoeken, verloor Robert het bewustzijn. Toen hij weer bijkwam, trok Barry juist het apparaat uit zijn plastic verpakking en zette het op Roberts mond. 'Wil je naar het ziekenhuis?'

Zonder Roberts antwoord af te wachten liep hij naar de telefoon en belde het alarmnummer, waarna hij haastig alle illegale middelen in het flatje begon op te ruimen. Ze arriveerden vijftien minuten later, toen Barry net klaar was, en op dat moment leek er met Roberts ademhaling niets aan de hand te zijn.

'Nooit gedacht dat jullie ook daadwerkelijk komen als jullie worden gebeld,' zei Barry tegen de ambulancebroeder, die erop stond Robert op een brancard te binden en hem achteroverliggend als een pasja naar buiten te dragen.

'Kan het nog gênanter?' vroeg Robert aan Barry, terwijl de broeders hem naar de lift droegen. Barry sloeg het aanbod om mee te rijden af; hij zou in zijn eigen auto volgen.

Robert verwachtte dat ze hem naar het Harlem Hospital zouden brengen, wat een algemeen ziekenhuis was, of naar het NYU, dat hem misschien wel korting zou geven omdat hij student was, hoewel het een privékliniek was en aan de andere kant van de stad lag. Maar hij werd naar het St. Luke gebracht, het dichtstbijzijnde ziekenhuis. Bij de eerste hulp lagen de patiënten niet ineengedoken op een onderzoekstafel of voor iedereen zichtbaar te kreunen van de pijn. In plaats daarvan hadden ze afgeschermde ruimtes waar je zonder pottenkijkers kon worden onderzocht en in afzondering kon liggen lijden. Alles in het gebouw was smetteloos en om de paar minuten kwam er een verpleegster bij hem kijken, die hem verzekerde dat de dokter elk moment kon komen. Hoe zou hij dit ooit kunnen betalen?

Een halfuur later arriveerde Barry bij Robert achter zijn gordijn. 'Ik heb een pesthekel aan ziekenhuizen,' zei Barry. 'Ze doen me altijd denken aan toen pa ziek was.'

'Voordat ik wakker werd, droomde ik over hem,' zei Robert. Hij had zijn vader in de oceaan zien zwemmen, zoals hij vroeger altijd deed, met zijn broers, oom Frank en oom Fred en hun vader, het ene moment waren ze met zijn vieren aan het zwemmen en het volgende moment dreven ze ineens rond als dode vissen, met hun buik omhoog. En Robert stond op het strand naar hen te kijken terwijl ze één voor één naar de oppervlakte kwamen.

'Robert,' zei Barry, 'maak je niet zo druk, man.'

'Jij maakt me zenuwachtig,' zei Robert, en hij keek naar Barry, die heen en weer liep door de kleine afgeschermde ruimte, te klein voor zo veel activiteit, zodat hij met zijn ellebogen steeds het gordijn raakte.

'Heb je je wel eens afgevraagd waarom het niemand in onze familie ooit gelukt is om zijn plannen te verwezenlijken?'

'Over wat voor plannen heb je het eigenlijk?' vroeg Barry. 'Behalve een baan hebben en de hypotheek kunnen betalen? Ik heb nooit enige ambitie bespeurd die verder ging dan dat...'

'Zou je je even een beetje gedeisd kunnen houden?' vroeg Robert moeizaam met de schorre stem die hij altijd aan een zware astma-aanval overhield. Hij wilde nu niets liever dan slapen, maar de medicijnen hielden hem wakker. Hij bevond zich in een soort vagevuur, nog verergerd doordat zijn broer weigerde te gaan zitten en zijn mond te houden.

Barry pakte een zilveren heupflacon uit zijn jaszak en nam een slok.

'Het is nog niet eens vijf uur in de ochtend.'

'Wil je dat ik kalmeer?' vroeg Barry fluisterend. 'Dan is het dit of een joint, en dat laatste zit er hier niet in volgens mij.'

'Hé, kom eens hier met die fles,' zei Robert. Barry gaf hem de flacon; Robert nam een teug en veegde met zijn mouw een druipspoor van zijn kin. De drank gleed warm naar beneden en gaf hem een weldadig gevoel. 'Op Tufts kende ik iemand die precies zo'n heupflacon had.'

'Het was een aanbetaling,' zei Barry kortaf. 'Op een schuld.'

'Ik bedoelde daarnet te zeggen dat ze dromen hadden, weet je wel. Voor onze geboorte had pa die snoepwinkel. En oom Frank met zijn reparatiewerkplaats.'

'Ja, vijf minuten of zo.'

'Maar toch.'

'En oom Izzy Vishniak, met zijn eeuwigbrandende gloeilamp.'

'Heeft hij er ooit patent op aangevraagd?'

'Wat dacht je zelf? En weet je nog, oom George, die naar de avondschool ging?'

'Ja, maar hij heeft nooit zijn diploma gehaald.'

'Dat bedoel ik nou. Ze hadden allemaal hun dromen en ze eindigden allemaal op het postkantoor.'

De dokter verscheen en begon hem te onderzoeken. Barry kletste aan één stuk door, en de dokter, die van zijn leeftijd was, vroeg Robert of zijn broer soms hulp nodig had; daarna zette hij Robert een masker met een vernevelaar op en liet hem ademhalen. Barry maakte zich een paar minuten uit de voeten en toen hij terugkwam, schreef de dokter net een recept uit voor een nieuwe pil en hij vertelde Robert dat er binnenkort een nog beter middel zou worden goedgekeurd, dat in Europa en Canada al werd gebruikt. Barry vroeg aan de dokter wat hij had voorgeschreven: Steroïden? Kalmerende middelen? Of juist opwekkende?

Robert haalde de vernevelaar van zijn gezicht. 'Hou nou eindelijk eens je kop! Ik word hoorndol van je.'

De dokter glimlachte, zei tegen Robert dat hij het masker moest ophouden en verdween.

'Waarom bel je Stacia niet even?' vroeg Robert.

'Wil je dat ik ze ga vertellen dat je in het ziekenhuis ligt? Ben je gek geworden?'

'Nee, alleen dat je ze even belt,' zei Robert. 'Horen hoe pa het maakt.'

'Ze zouden zich halfdood schrikken als ik ze op dit uur zou bellen. En hou dat kloteding op je gezicht.'

Robert deed wat hem gezegd werd.

Een uur later, tegen zevenen, nadat hij alle noodzakelijke formulieren had getekend, stond hij voor het ziekenhuis te kijken naar een ambulance die 113th Street inscheurde. Barry keerde de auto. 'Misschien kan ik beter rijden,' zei Robert.

'Ik ben er beter aan toe dan jij.'

'Nee, dat ben je niet.' Ze kibbelden erover en gooiden toen een muntje op; Barry won. Hij reed over Broadway, langs de boekwinkels en de cafés en restaurants, de apotheek en de bodega's, een vreemde mengeling van hoge en lage cultuur, winkels die zowel de bevolking van Harlem als de universiteitsstudenten bedienden. Winkeleigenaren kwamen naar buiten om de metalen rolluiken voor hun nering van het slot te halen; een vuilniswagen stopte voor een café. Twee vrouwen, gekleed alsof het nog nacht was, liepen arm in arm in de richting van de studentenflats van Barnard College. Barry stopte voor een rood licht en vroeg Robert wat er aan de hand was.

'Ik vraag me gewoon af wat die opname me gaat kosten, dat is alles,' antwoordde hij. Jarenlang had hij bijna niets uitgegeven en nu bestond zijn hele leven ineens uit niets dan rekeningen. 'Er komt niet veel binnen de laatste tijd.'

'Zit daar maar niet over in,' zei Barry.

'Dat kun jij makkelijk zeggen,' zei Robert, terwijl het licht op groen sprong.

'Ik bedoel dat ik het al betaald heb. Ik was degene die de ambulance heeft gebeld, en ik heb een goede maand gehad.'

'Wanneer heb jij nou geen goede maand?' vroeg Robert, maar toen bedankte hij hem. Hij wist nooit goed hoe hij moest reageren op zo'n spontaan, royaal gebaar van Barry.

'Ze hebben het in ieder geval geprobeerd,' zei Barry. 'Je had ook uit een familie kunnen komen waarin niemand het zelfs maar heeft geprobeerd.'

'Dat is waar,' zei Robert. Hij leunde met zijn elleboog uit het open raampje. Hij kon de hitte van de dag al te voelen. Tegen twaalven zou het niet meer om uit te houden zijn. 'Weet je nog wat oom Frank altijd zei?'

'Aardige jongens vallen niet in de prijzen?'

'Hm-hm.'

'Je moet het zo bekijken,' zei Barry. 'Oom Frank is veel aardiger dan jij ooit zult zijn.'

'Dank je.'

'Niets te danken,' antwoordde Barry en hij liet de koppeling opkomen terwijl ze 86th Street indraaiden en naar huis scheurden.

27

Robert slaagt

Misschien had zijn broer wel gelijk, want een week later kreeg Robert te horen dat hij was aangenomen bij *Law Review*. Het nieuws bereikte hem via een telefoontje van de hoofdredacteur, een derdejaars genaamd Nan. Robert vroeg of het zijn commentaar op de monumentenzorgzaak was die de doorslag gegeven had. 'Nee,' zei ze, smakkend op een stuk kauwgom, 'je resumé liet zich lezen als een verslag voor de leden van een tuinclub.' De redactie was vooral onder de indruk geweest van zijn persoonlijke motivatie, een stukje over zijn werk bij de wetswinkel dat hij binnen een kwartier geschreven had.

Zijn aanstelling bij *Law Review* verleende Robert een zeker aanzien; zijn klasgenoten, zei Nan tegen hem, zouden nu weten wie hij was, en zijn hoogleraren ook. Hij had het gevoel dat hij door stom geluk aan een verschrikkelijke toekomst was ontsnapt. *Geluk*. Het woord tolde rond in zijn gedachten. Waarschijnlijk bestond er wel een ander woord voor.

Op de eerste dag van zijn tweede studiejaar werd Robert in opperbeste stemming wakker. Hij dronk zijn ochtendkoffie met het gevoel dat de wereld aan zijn voeten lag. Barry, die hem druk in de weer zag in de keuken, waar hij fluitend zijn spullen bij elkaar zocht, vroeg wat hij gebruikt had. 'Niets, ik ben high van het leven,' antwoordde hij.

'Je bent gewoon knettergek, weet je dat,' riep Barry Robert na, die nu op de lift stond te wachten. 'De hele zomer heb je als een soort Hamlet zitten tobben. Ik hoefde maar wat te zeggen of je viel al tegen me uit!'

Robert besloot de drie verdiepingen naar beneden te lopen. Barry ging boven aan de trap staan en schreeuwde hem na: 'Die buien van jou, Robert! Zoek godverdomme een psychiater!'

Het bezit van de zaak bleek het einde van het vermaak. Mensen achter hun broek zitten, feiten checken en artikelen redigeren was onder ideale omstandigheden al een veeleisende en secure klus, maar nu werkte hij in een snikheet, schimmelig kantoor in een souterrain met een stel jongere, nerveuze perfectionisten die zich afbeulden om de bewondering van hun faculteitsgenoten te oogsten en in de hoop een voetnoot of een suggestie bij te kunnen dragen. Hij genoot van de artikelen over rechtsgeschiedenis – kreeg zelfs toestemming om een kort stukje te schrijven over hoe de wijzigingen van de bestemmingsplannen in Lower Manhattan het aanzien van de stad beïnvloedden. Maar de theorie met steeds dezelfde, stompzinnige bewoordingen vond hij oervervelend. Dezelfde mensen redigeerden en herredigeerden elkaars werk telkens opnieuw, met als doel het kleinste menselijke foutje eruit te vissen en zichzelf op de borst te kunnen kloppen dat zij zo slim waren geweest om iets gecorrigeerd te hebben dat hun collega's over het hoofd hadden gezien – een proces dat garant stond voor een boel gekrakeel over minuscule details.

Ze werkten vooral hard in de week voorafgaand aan de verschijning van een van de tweemaandelijkse nummers van *Review*, en in die periodes werkte hij vaak samen met Nan, de op een wat slonzige manier aantrekkelijke, maar irritante redacteur die zo kritisch over zijn sollicitatiebrief was geweest. Nan werkte harder dan alle mannen aan wie ze leiding gaf en vervulde haar taak niet bepaald met bescheidenheid. Toen het winter werd, had ze met het oog op het afstuderen al een baan als griffier bij een appèlrechter in de wacht gesleept en ze schepte er een bijzonder genoegen in om iedereen rond te commanderen. Ze liep rond in verkreukelde kleren omdat ze vaak op de aftandse vergadertafel sliep in plaats van naar huis te gaan. Haar gezicht ging half schuil achter haar bruine krullen, en overal doken losse haren van haar op: aan een drukproef gekleefd of in zijn koffiekopje of in iemands lunch; zo alomtegenwoordig was ze, werd er gezegd.

De stress op de redactie als ze een deadline moesten halen, de rugpijn en hoofdpijn van het krom zitten over lange lappen tekst, de manier waarop Nan, altijd verwoed kauwgom kauwend, over zijn schouder keek en hem op problemen wees die doorgaans door tijdgebrek niet meer konden worden opgelost, maakten hem gespannen en geil. Hij nam aan dat het op haar dezelfde uitwerking had, want na zo'n nachtelijke deadline eindigden ze vaak in haar studioflat in West 10th Street en trokken elkaar al op de trap, nog voordat zij de sleutel in het slot kon steken, de kleren van het lijf. Het leed geen twijfel dat hun relatie puur lichamelijk was. Overdag konden ze elkaar niet uitstaan, maakten voortdurend ruzie, en op de werkvloer van *Review* ging men ervan uit dat ze gezworen vijanden waren, een feit dat hun rendez-vous des te bedwelmender maakte, hoewel hun relatie uiteindelijk geen stand hield.

Law Review bracht een totaal nieuw scala van banen binnen Roberts bereik, helemaal toen zijn eerste tentamens goed verliepen. Een van de vele advocatenkantoren waar hij solliciteerde voor een zomerstage was Alexander, Lenox & Wardell, een middelgroot kantoor, dat bekendstond om zijn vastgoedafdeling. Een van de medeoprichters, Jack Alexander, was toen net in het nieuws als een van de advocaten die een amicus-curiaepleidooi hadden gehouden ten behoeve van het behoud van Grand Central Station.

Roberts studieadviscuse, een alumna die getrouwd was met een advocaat bij een van de grote topkantoren, zei dat Alexander, Lenox & Wardell pas sinds kort wierf onder studenten van de NYU – voorheen, zo vertelde ze, haalden ze hun mensen voornamelijk van Columbia en Yale – en het kantoor stond erom bekend dat het er vormelijk aan toeging, nogal gezapig. 'Ik ben wel bestand tegen een beetje vormelijkheid,' antwoordde Robert, 'een beetje gezapigheid.' Hoewel dit kantoor niet zo goed betaalde als sommige grotere kantoren, vond hij het een enorm bedrag: vierhonderd dollar per week, meer dan het dubbele van wat zijn vader na dertig jaar trouwe dienst verdiende.

Bij zijn eerste sollicitatiegesprek, vlak voor Kerstmis, werd hij door vier advocaten aan de tand gevoeld, drie mannen en een vrouw, alle vier overdreven serieuze junior juristen. De mannen gingen gekleed in een zwart kostuum met wit overhemd; een van hen droeg een koningsblauwe stropdas, maar de anderen hielden het bij neutrale kleuren; de vrouw droeg een al even stemmig mantelpakje. Ze zaten op een rij en keken naar Robert als een vuurpeloton dat tevens begrafenissen verzorgt, en hun vragen richtten zich vooral op essentiële zaken: wat zijn favoriete vakken waren, waarom hij in het eerste jaar voornamelijk zevens had gehaald terwijl hij duidelijk beter kon – waren er verzachtende omstandigheden? Robert vroeg zich af sinds wanneer een zeven niet meer ruimschoots voldoende was, maar legde uit dat hij wat tijd nodig had gehad om te wennen, wat waarschijnlijk het verkeerde antwoord was. Hij kreeg ook veel vragen over zijn werk bij de wetswinkel Patricia Friesèe Alexander – die was opgericht door, onder meer, Jack Alexander; wijlen Patricia was zijn vrouw geweest. Roberts werk bij de wetswinkel was deels de reden dat hij voor een gesprek was uitgenodigd, hoewel zijn enthousiasme voor die instelling hem geen enkele glimlach opleverde. Hij vroeg zich af wat die mensen wél een glimlach zou kunnen ontlokken. Er zat één vrouw in de commissie; ze had het voornamelijk over wat zij hem konden bieden, en daardoor ontspande hij een beetje en zat hij niet langer op het puntje van zijn stoel.

Bij het tweede gesprek, een maand later, was hij minder geïntimideerd door het bedrijf, dat twee verdiepingen besloeg van een uit glas en chroom opgetrokken kantoorgebouw in 60th Street, vlak bij Lexington Avenue. Het advocatenkantoor bestond al sinds de oorlog, maar de inrichting was merkwaardig modern, futuristisch zelfs. De muren waren wit, de trappen naar de eerste verdieping van staal. Achter de trap hing een enorm zijden wandkleed, uitgevoerd in wervelend zwart, wit en goud. Toen hij de secretaresse volgde naar het kantoor van de compagnon die hem het sollicitatiegesprek zou afnemen, moest hij zijn aandacht erbij houden – het liefst wilde hij de roomwitte wanden met de verzameling abstracte kunst bestuderen, schilderijen die zo sober waren dat een kind ze tijdens tekenles had kunnen maken. Het zag er allesbehalve gezapig uit, maar hij wist toen nog niet dat de smaak van een binnenhuisarchitect en de filosofie van een bedrijf twee verschillende dingen konden zijn.

Hij maakte kennis met Phillip Healy, een sproetige blonde man die ging over de stagekrachten. Hij was jong voor een compagnon, of zag er in elk geval jeugdig uit, en had een vormelijke, maar vriendelijke manier van doen.

'Doen jullie hier veel publiekrecht?' vroeg Robert, denkend aan hun connectie met de wetswinkel.

'Het komt wel voor,' zei Healy, die zijn woorden met zorg uitsprak. 'Het wordt vooral door de stagekrachten gedaan, maar als je je vooral wilt bezighouden met de publieke sector...'

'Ik wil geld verdienen,' zei Robert.

De man glimlachte. 'Dat is een eerlijk antwoord,' zei hij. 'Misschien wel te eerlijk.'

Wat was dan wel de juiste toon? vroeg hij zich af, en hij begon in paniek te raken. Hij wilde geld verdienen en, als het mogelijk was, ook nog goeddoen. Waren die twee dingen onverenigbaar? Klonk hij naïef? Robert had het gevoel dat het gesprek niet goed verliep, maar toen kwam Healy hem te hulp.

'Je zei dat je geïnteresseerd was in monumentenzorg. Kun je daar wat meer over vertellen?'

'Jawel. Ik denk dat het slechts een kwestie van tijd is voordat het met een groot deel van Lower Manhattan dezelfde kant op gaat als met SoHo, zeker nu, met al die belastingprikkels voor stadsontwikkeling en het opsplitsen van woningen.'

Healy glimlachte en boog zich naar voren; Robert voelde zich aangemoedigd en praatte verder. 'Maar die kansen brengen volgens mij ook verantwoordelijkheden met zich mee – en het spanningsveld tussen een leefbare stad en een winstgevende stad fascineert me.'

'Wij vertegenwoordigen verscheidene grote en talloze kleine ontwikkelaars,' zei Healy. 'Als je in dit stadium al weet dat je hart bij vastgoed ligt, des te beter. We hebben ook afdelingen die zich met andere zaken bezighouden, maar een groot deel van ons werk draait om vastgoed.'

'Dus ik zal voornamelijk voor vastgoedjuristen werken?' vroeg Robert.

Healy verzekerde hem dat hij genoeg ervaring zou kunnen opdoen, maar hij gaf geen antwoord op zijn vraag. Hij vervolgde: 'Het zijn zware tijden, zoals je al zei, maar er liggen kansen: samenwerkingsverbanden tussen publieke en private partijen en zelfs een hernieuwde interesse voor het behoud van oude panden, aangenomen dat dergelijke plannen winstgevend kunnen worden gemaakt. Bij A, L & W zijn we erin geslaagd het hoofd boven water te houden.'

'Ik denk dat ik hier heel veel kan leren,' zei Robert, die voelde dat het gesprek ten einde gekomen was.

'Dat is een ding dat zeker is,' zei Phillip Healy. Hij liet zijn stoel op twee poten balanceren en glimlachte naar Robert op een manier die hem deed denken aan een van zijn favoriete leraren Engels op de middelbare school.

Na het gesprek zweefde Robert als op een wolk naar buiten, met het gevoel dat hij een gerede kans had om aangenomen te worden. Healy had tegen hem gezegd dat hij bij hen aan het goede adres was als hij zich wilde toeleggen op vastgoedrecht. Natuurlijk waren er ook andere kantoren, maar die waren groter, en Robert vond het een prettig idee om op een kantoor met vijfenvijftig advocaten te werken, groot genoeg om aanzien te hebben, maar klein genoeg om zichzelf te kunnen onderscheiden. Een groter kantoor zou hem misschien proberen over te halen zich in iets anders te specialiseren of hij zou in de massa ten onder kunnen gaan.

Hij liep langs de twee secretaresses, die naar hem glimlachten, en daarna door een lange gang waar zwart-witfoto's van op straat spelende kinderen in Harlem aan de muur hingen naar de entreehal met zijn witte banken zonder armleuningen en zwart-witte tapijt, allemaal schijnbaar onder het wakend oog van de portretten van drie mannen, de oprichters. De roodharige Jack Alexander, de jongste van de drie, leek hem met een afkeurende blik aan te kijken, alsof hij hem eraan wilde herinneren dat hij de baan nog niet op zak had. ALEXANDER, LENOX & WARDELL stond er in statige zilveren letters boven de entree. Toen Robert het knopje van de lift indrukte, was hij zich maar half bewust van een deur die in de verte met een harde, dissonerende klap dichtsloeg en van het geluid van driftig tikkende hakken die met snelle stappen over de houten vloer zijn kant uitkwamen terwijl hij in zijn eentje de lift in stapte.

Zijn nieuwe zwarte loafers knelden. Omdat hij zich voor de gelegenheid zo had opgedoft, besloot hij een taxi te nemen. Hij was vrij tot zeven uur de volgende ochtend; dan zou hij een gedaanteverandering ondergaan en van passagier veranderen in taxichauffeur. Maar het spitsuur begon al op gang te komen en bovendien was het een koude, winderige avond. Half Midtown probeerde een taxi aan te houden en Robert, die als chauffeur alle straten van de stad uit zijn hoofd kende, voelde zich te voet ineens een stuk minder zeker van zijn zaak. Hij werd door de zee van lichamen meegevoerd en voordat hij er erg in had, bevond hij zich op de hoek van Fifth Avenue en 59th Street, tegenover Central Park en voor het Sherry-Netherland Hotel, misschien wel de allerslechtste plek van de hele stad om in de spits een taxi aan te houden. Hij overwoog al de bus te nemen toen hij wonderbaarlijk genoeg een taxi in de richting van 60th Street zag rijden, die vanaf de middelste rijstrook de stoep probeerde te bereiken om passagiers af te zetten. Robert begon te sprinten, stak toen in vliegende vaart schuin Fifth Avenue over, rende om de geparkeerde auto's heen en schreeuwde naar de taxichauffeur, die net een vrouw met een baby en een onhandige kinderwagen hielp uitstappen. Al rennend werd hij zich gewaar dat er iemand vlak achter hem liep. *Dit is mijn taxi en die laat ik me niet ontgaan*, dacht hij terwijl hij zijn hand uitstak naar de greep van het portier, precies op het moment dat een vrouw hetzelfde deed, zodat hun handen elkaar plotseling raakten. Ze trok haar hand meteen terug en hij opende het portier.

'Horen jullie bij elkaar?' vroeg de chauffeur. Achter hem toeterde een auto.

'In dit verkeer is het maar beter van wel,' zei de vrouw. Ze stapte in en schoof door om plaats voor hem te maken, en hij ging naast haar zitten en trok het portier achter zich dicht. Ze had lang, rossig blond haar en kleine, dicht bij elkaar staande, groene ogen die een tikkeltje schuin waren, een bleke huid, een smalle neus en vervaarlijk lange benen in hooggehakte bruine laarzen. Ze knoopte haar lichtbruine suède jas los en onthulde een lichtgele jurk van het soort dat, eenmaal om een vrouwenlichaam gedrapeerd, de ronding van haar heupen accentueert en slechts een klein stukje decolleté laat zien. Een zijden sjaal in marineblauw, geel en goud zat op ingewikkelde wijze om haar nek geknoopt, het ene uiteinde net boven haar linkerborst. Zorgvuldig verpakt, dacht hij, terwijl ze langzaam een leren handschoen uittrok en hem een gemanicuurde hand toestak. 'Ik heet trouwens Crea,' zei ze.

'Robert,' zei hij. 'Crea is een ongebruikelijke naam.'

'Heb je hem nooit eerder gehoord?'

'Nu je het vraagt, ik geloof van wel, maar ik weet niet meer waar.'

Crea zocht in haar handtasje naar een sigaret, tikte tegen het pakje en stak er een tussen haar lippen, een vrouwelijke, ultradunne sigaret; hij had wel eens een reclamespotje voor dat merk gezien, waarin luid jubelend het tijdperk van de bevrijde vrouw werd aangekondigd. Ze hield haar hoofd schuin naar hem toe, alsof ze een vuurtje nodig had, maar toen onthulde ze de kleine zilveren aansteker in haar hand; ze stak de sigaret aan en inhaleerde diep, waarna ze de rook langzaam door haar neus naar buiten blies.

'Krijg ik nog te horen waar we heen gaan?' snauwde de taxichauffeur terwijl het verkeer langzaam weer vooruitkroop. 'Niet dat ik jullie kennismaking wil verstoren, hoor.'

Robert boog zich voorover en bracht zijn lippen dicht bij de oren van de chauffeur. 'Dacht je in deze drukte dan ergens heen te kunnen rijden?' Hij betaalde voor deze rit en hij verdiende alle geneugten waar hij recht op had. 'Sla hier rechts af en rij om het park tot Central Park West. Daar vertel ik je wel hoe je verder moet. Als je dat niet voor elkaar krijgt, steek dan nu door en neem Park Avenue, volg die tot aan 81st Street en sla daar af door het park, maar blijf in godsnaam niet op Fifth Avenue, oké?'

Crea wendde haar blik af van haar raampje en keek zijn kant uit. 'Voor een man in een duur pak weet je je, eh, behoorlijk goed met het gewone volk te verstaan,' zei ze.

Hij piekerde er niet over om haar te vertellen dat hij maar één pak had, dat hij op aanraden van een medestudent bij Brooks Brothers had gekocht, en dat hij nog nooit in zijn leven zo veel geld aan zichzelf had gespendeerd. Ze keek hem nu recht aan en glimlachte, en hij kwam tot de conclusie dat ze misschien niet echt knap was, maar wel aantrekkelijk, elegant. Met die schuinstaande groene ogen, dat dikke rossige haar, had ze iets katachtigs. Hij draaide zijn raampje omlaag, stak zijn hand uit en pakte de sigaret tussen haar vingers vandaan, gooide hem uit het raampje en kuste haar lichtjes op de mond. 'Ik heb astma,' zei hij. 'Er wordt niet gerookt.'

'Als je niet rookt, drink je dan tenminste?' vroeg ze. 'We zouden hier kunnen uitstappen en naar het St. Regis kunnen wandelen om een cocktail te drinken. Die muurschildering van Maxfield Parrish is altijd weer even mooi.' Ze zag kennelijk dat hij het niet begreep, want ze vervolgde: 'Je weet wel, Old King Cole?'

'Old King Cole, the Merry Old Soul?' vroeg Robert. 'Ik moet bekennen dat ik die nog nooit gezien heb.'

'En je woont in New York? Goed, dat geeft de doorslag.'

De chauffeur zuchtte. Hij stond op het punt om af te slaan. 'Wat wordt het nou?' vroeg hij.

'We willen er hier uit,' zei Robert en hij stak hem vijf dollar toe.

Uren later, nadat ze een martini hadden gedronken aan de bar, het plan opgevat hadden om te blijven dineren, twee biefstuk met friet hadden besteld en twee flessen wijn hadden opgedronken die zij had uitgezocht, besloten ze, terwijl ze arm in arm door de prachtige marmeren gangen langs een privé-eetkamer zwalkten, om een kamer te nemen. 'Wacht jij daar maar even,' zei hij, omdat hij niet wilde dat ze zou horen hoeveel het kostte. Ze vond zijn gebaar verrukkelijk ouderwets en nam plaats naast de geüniformeerde piccolo, die paraat stond onder aan de trap. Aanvankelijk zei de receptionist dat er geen kamer vrij was, maar toen Crea kwam vragen wat er aan de hand was, werd de man door een andere medewerker apart genomen. Toen hij weer terugkwam, was er ineens wel een kamer beschikbaar. Was ze soms een hoertje? vroeg Robert zich af. Eentje uit de hoogste prijsklasse, die hier vaker kwam? Hij wilde dolgraag met haar naar boven, was te dronken om zich druk te maken over die vraag of over de rekening, die een behoorlijke deuk in zijn financiën zou slaan – alleen het diner had hem al bijna een maand huur gekost.

In de enorme kamer met het paars en goud gestreepte behang, de rijk geornamenteerde raamlijsten en zware brokaten gordijnen, ontdeed hij haar van haar jurk, pakte haar lichaam uit alsof het een cadeautje was. Toen hij haar kuste, was hij zich bewust van haar versnelde ademhaling, van het minuscule streepje zweet op haar bovenlip en van haar kaarsrechte houding, als een koningin, zelfs toen ze zijn hand nam en die tussen haar benen legde en hem steeds opnieuw vroeg om haar aan te raken, alsjeblieft aan te raken.

'Kom dichterbij,' fluisterde ze, terwijl ze elkaar hartstochtelijk omhelsden.

'Als ik nog dichterbij kom, sta ik achter je,' zei hij. 'Die is niet van mezelf, maar van Groucho.' Ze lachte toen hij haar omdraaide en van achter nam. Zelfs toen, op handen en knieën, had ze die rechte rug nog, als een danseres of een amazone, met hoge billen. Ze was heel anders dan hij een paar uur eerder gedacht had toen hij aan de bar haar houding had bestudeerd en had ingeschat dat ze houterig en weinig toeschietelijk zou zijn. In bed gedroeg ze zich niet als een vrouw met een perfecte houding; ze gedroeg zich als een vrouw die in geen maanden was aangeraakt, hoewel hij, als hij er de juiste krantenpagina's op had nageslagen, had kunnen weten dat ze het afgelopen jaar een verhouding had gehad met een plaatselijke sportverslaggever, en daarvoor met een hoogleraar kunstgeschiedenis van Columbia University, die ook nog tot het voormalige Italiaanse koningshuis behoorde.

Na afloop lagen ze op bed; haar hoofd op zijn schouder. 'Je loopt ongelooflijk snel,' zei ze, 'dus ben ik erg blij dat je op andere gebieden minder gehaast bent.'

'Hoe goed heb je dan bestudeerd hoe ik loop?' vroeg hij terwijl hij een lok van haar haar om zijn vinger wikkelde.

'Heb je dat niet gemerkt dan? Ik heb je de hele weg vanaf Alexander, Lenox & Wardell achternagezeten.'

'Echt waar?' vroeg hij, en toen herinnerde hij zich weer het geluid van tikkende hakken achter zich. 'Ben je advocaat?'

'God, nee,' antwoordde ze. 'Ik was daar om mijn vader te spreken. Het is onmogelijk om een goed gesprek te voeren met een jurist, wist je dat? Jullie zijn er zonder uitzondering niet goed in om je ongelijk te erkennen.'

Het duurde even voordat Robert doorhad dat deze opmerking ook voor hem was bedoeld. Dat hij in feite jurist was, of in elk geval zo goed als. Dat sollicitatiegesprek leek alweer jaren geleden.

'Hij behandelde me zoals gewoonlijk als een kind. We hadden ruzie over geld – waar anders maken ouders en kinderen ruzie over? Alleen is het mijn eigen geld waar hij me niet aan laat komen.'

'Je zou hem voor de rechter kunnen slepen,' zei Robert terwijl hij haar haar streelde.

'Met jou als advocaat.' Ze drukte zich in het donker dicht tegen hem aan en liet haar grote teen langs zijn kuit glijden. 'Ik ben weggegaan zonder gedag te zeggen, heb mijn vader midden in een zin laten zitten, de deur dichtgesmeten en tegen mezelf gezegd dat ik het eerste het beste vliegtuig zou nemen dat uit New York vertrok, waarheen dan ook, als het maar zo ver mogelijk bij hem vandaan was.'

'Waarom ben je hier dan nog?' vroeg Robert.

'Puur instinct, eigenlijk. Ik heb er helemaal niet bij nagedacht.'

'Ik begrijp je niet,' zei hij.

Ze kwam boven op hem liggen en legde een vinger op zijn lippen, bewoog die langs zijn kin naar beneden, waarbij haar nagel even in het kuiltje bleef rusten, streek toen over zijn adamsappel naar zijn sleutelbeen, ging met haar vinger over zijn arm verder omlaag naar zijn zij en daarvandaan naar de buitenkant van zijn dij, tot ze uiteindelijk zachtjes, heel zachtjes met haar hand richting zijn kruis ging.

'Toen ik door de gang liep, zag ik een man naar de lift gaan, de knapste man die ik ooit had gezien,' zei ze terwijl Robert zachtjes kreunde onder haar aanraking. 'Ik was alles op slag vergeten: mijn vader, de ruzie, waar ik was. Het enige wat ik nog wist, was dat ik hem moest hebben.'

Een paar uur later stond Robert op en liet Crea doorslapen in het enorme, veel te comfortabele hotelbed. Slechts gekleed in zijn boxershort ging hij aan het bureau bij het raam zitten en vroeg zich af wat voor smoes hij kon verzinnen om er zo vroeg vandoor te gaan. Op briefpapier van het hotel krabbelde hij haastig: 'Heb een afspraak op de universiteit. Moet gaan. Liefs, R.' Hij voegde er een PS met zijn telefoonnummer aan toe en bedacht dat hij vergeten was het hare te vragen en dat ze misschien niet in het telefoonboek stond, en terwijl hij zich aankleedde, vroeg hij zich af of hij eigenlijk wel wilde dat dit verder zou gaan dan een onenightstand. Nu hij weer bij zinnen was, leek ze hem een rijke, opvallend zelfbewuste vrouw. Ze wist precies wat ze wilde, dat was duidelijk, maar hij wist niet zeker of hij er wel klaar voor was. Hij was zijn toekomst nog aan het ontdekken, en de stad was vol met vrouwen. Eén ding is zeker, dacht hij, toen hij de deur zachtjes achter zich dichttrok, ook als hij zijn telefoonnummer niet had achtergelaten, zou Crea hem waarschijnlijk wel weer hebben achterhaald. Hij zou hoe dan ook wel weer met haar te maken krijgen.

Er waren beneden drie geüniformeerde mannen aan het werk, twee achter de balie en de ander stond in de houding op het tussenbordes in de lobby. De jongen bij de trap tikte tegen zijn pet ter begroeting van de lange, knappe, maar verfomfaaide jongeman in het verkreukelde marineblauwe pak, die zijn stropdas met een kobaltblauw motief los om zijn nek had hangen. Toen Robert buitenkwam en de spookachtige stilte van Midtown inliep, de straten schrikbarend leeg afgezien van een enkele taxi of een serveerster die net uit de nachtdienst kwam, dacht hij aan de portretten van de oprichters in de ontvangsthal van A, L & W, en aan Jack Alexander met zijn rossige haar, kleine groene ogen en smalle neus. Hij had de stageplaats nog niet eens gekregen en toch had hij al, dat wist hij zo goed als zeker, drie keer seks gehad met de dochter van een van de oprichters. Hij schudde verwonderd het hoofd terwijl hij erachter probeerde te komen of dit goed of slecht was. Hij liep het verlaten metrostation in en concludeerde dat het waarschijnlijk geen van beide was; misschien was het gewoon een kans.

28

Robert leert iets over schoonheid en haar tegendeel

Geen enkele vrouw was ooit zo nieuwsgierig naar Robert geweest. Crea stelde hem vragen over zijn opvoeding, zijn ouders en zijn broer. Soms gaf hij haar eerlijk antwoord, zoals toen hij haar vergastte op verhalen over zijn vaders verzameling sjaals en paraplu's, of over de enorme hoeveelheden voedsel die Victor Lampshade, de vriend van zijn broer, kon verstouwen. Ze dacht dat hij heel open over zichzelf was en bedankte hem daarvoor; ze vond zijn eerlijkheid heel aantrekkelijk. Maar in werkelijkheid beheerste Robert het vertellen van zijn levensverhaal inmiddels tot in de puntjes. De vaardigheid die hij zich tijdens zijn studie had eigengemaakt om zich door middel van bluf en ontwijkende antwoorden staande te houden, had zich verder ontwikkeld na Gwendolyns dood, waar hij nog steeds met niemand over kon of wilde praten. Hij kon grappige verhalen vertellen en onderhoudend zijn, dreef af en toe zelfs de spot met zijn ouders of broer om Crea te vermaken, hoewel hij zich voor de amusementswaarde meestal beperkte tot de eigenaardigheden van de buurtbewoners van Oxford Circle; als het op de echte details van zijn verleden aankwam, kreeg Crea een opgepoetste versie te horen.

Natuurlijk hield ook zij meer details over haar familie achter dan hem lief was, en ze vertelde hem haast niets over het onderwerp dat hem het meest interesseerde: de relatie met haar vader. Misschien was hij ook wel beter af als hij van niets wist. Jack was tenslotte, technisch gesproken, zijn baas, ook al had Robert hem niet meer gezien nadat hij als stagekracht op de eerste dag samen met de anderen door hem was verwelkomd – een korte peptalk voor de manschappen. Robert had om vastgoedwerk gevraagd, maar kwam eerst op de vennootschapsafdeling terecht. De vrouw die de taken uitdeelde aan de stagekrachten zei simpelweg: 'Jullie rouleren allemaal. We hebben terdege kennisgenomen van je voorkeur.' Vervolgens werd hij verwezen naar een van de medewerkers, die hem een stapel documenten gaf met de opdracht een memorandum te schrijven. 'De rode boeken in de juridische bibliotheek zijn de rechtszaken en de zwarte de wetboeken. Aan de slag.'

In latere jaren zou het kantoor de stagekrachten aan zich proberen te binden met diners, kaartjes voor honkbalwedstrijden, kortere werkweken en met drank overgoten boottochten, maar niet in 1977; hij werd nauwelijks ingewerkt en complimenten waren schaars; de banen lagen niet voor het oprapen en dit was duidelijk een test. De eerste keer dat hij een contract moest opstellen, voor een bedrijf dat synthetisch haar leverde aan poppenfabrikanten, vroeg hij een junior jurist om hulp, waarop de man zijn schouders ophaalde en zei dat hij het te druk had. Hoe moest hij dit in godsnaam aanpakken? De jurist die hem de opdracht had gegeven, was die dag niet eens aanwezig. Toen hij terugliep naar zijn werkplek, zag hij een man uit zijn kantoor komen en hij vond dat hij maar een nieuwe poging moest wagen. 'Ik ben nieuw hier,' zei hij zacht, 'en ik probeer wijs te worden uit dit contract. Zou jij me daarbij kunnen helpen?'

De man glimlachte, en ook al was het een neerbuigend lachje, het was het eerste lachje dat Robert in twee weken gekregen had. Hij gebaarde dat Robert zijn kantoor kon binnengaan. 'Ik wilde eigenlijk net snel iets gaan eten, maar ik kan wel even wat tijd voor je vrijmaken,' zei hij. 'Ik weet hoe die eerste weken zijn.' Hij had een heel licht buitenlands accent dat Robert niet kon thuisbrengen en droeg een wit pak, een lichtblauw overhemd met een gele zijden das en pochet en bruin met witte gaatjesschoenen. Zijn hele voorkomen maakte zo'n overdreven nette en gesteven indruk dat het zowel intimiderend als ronduit vreemd was. Zijn brede schouders zagen er onder zijn pak uit alsof ze met potlood en liniaal kunstmatig verbreed waren. Misschien was dit wat een bepaald soort Europeaan onder mode verstond. Hij kwam van elders, dat was duidelijk. Welke Amerikaan zou het lef hebben zich voor kantoor zo te kleden? Maar Robert was wanhopig. Hij legde zijn situatie uit.

'Dat kun je beter aan iemand van vennootschapsrecht vragen, vriend. Ik doe vastgoed.'

'O,' zei Robert monter. 'Dat is wat ik eigenlijk zou willen doen.'

'Ik ben vorig jaar van een ander kantoor gekomen.'

'Je moet wel heel goed zijn,' zei Robert, 'als ze je bij deze markt hebben aangenomen.'

De man haalde zijn schouders op.

'Van welk kantoor?' vroeg Robert.

'Bernicker & Carlysle.'

Robert floot tussen zijn tanden. 'Indrukwekkend. Waarom ben je daar in godsnaam weggegaan?'

'Ik voelde me er niet thuis,' antwoordde hij, en uit zijn toon en getuite lippen leidde Robert af dat hij één vraag te veel had gesteld.

'Heb je misschien een suggestie wat dat contract betreft? Ik heb het al bij vennootschapsrecht gevraagd; ze schijnen daar geen tijd voor me te hebben.'

Hij glimlachte. 'Kijk eens in het archief. Het zou kunnen dat er regelmatig contracten voor deze bedrijven worden opgesteld. Je hoeft alleen maar een oud contract te vinden en de hoeveelheden en de datum te veranderen. Dat zou ik tenminste eerst proberen.'

'Is het echt zo simpel?'

'Als het ingewikkeld was, zouden ze het jou niet laten doen. Maar dat moet je niet persoonlijk opvatten.'

'Nee hoor, wees maar niet bang. Ik ben de laatste om mijn onwetendheid te ontkennen.'

'Soms kun je beter iets aan een van de oudere secretaresses vragen. Ze weten een heleboel en zijn toeschietelijker dan de juristen.'

'Ik zal je raad opvolgen. Ik heb toch niets te verliezen. O ja, ik ben trouwens Robert Vishniak.'

'Mario Saldana,' zei de man en hij schudde Roberts hand met een ferme, haast pijnlijke greep.

'Spaans?' vroeg Robert aarzelend.

'Venezolaans, uit Caracas,' verbeterde hij. 'Zeg eens, Roberto, kun je rugbyen?'

'Nee. Ben je met een rechtszaak bezig of zo?'

'Geestig, hoor. Voetballen dan? Tennissen? Ik wil een bedrijfsteam beginnen.'

'Ik heb geen idee hoe sportief ze hier zijn als groep.'

'Al dat zitten aan een bureau is niet natuurlijk. Mensen hebben beweging nodig.'

'Ik ben maar een stagekracht. Misschien zie je me na augustus wel niet meer.'

'We mogen altijd hopen, toch?' zei hij met een glimlach. 'En nu moet ik echt wat gaan eten.'

Robert bedankte hem opnieuw en liep rechtstreeks naar een secretaresse van de afdeling vennootschapsrecht. Zoals Mario al had gezegd, vond Robert een contract van het jaar daarvoor. Crisis bezworen.

Hoe ongemakkelijk hij zich soms ook voelde bij Alexander, Lenox & Wardell, Robert wist dat hij geluk had gehad. Hij hoefde zich niet bezig te houden met collectieve vorderingen – vrienden van hem waren terechtgekomen op kantoren waar ze voor vreselijk ingewikkelde zaken dag in, dag uit dozen vol documenten moesten doorspitten en eigenlijk weinig meer dan administratief werk deden – en bovendien werd hij aangemoedigd om één dag per week bij de wetswinkel te blijven werken. Hij merkte dat hij daar naar uitkeek; wat een verademing om te weten wat hij deed.

Het was niet zo druk dat hij ook in de weekenden moest werken, en hij bracht zijn vrije tijd met Crea door. Hij had nog nooit iemand ontmoet die zo veel verstand had van schoonheid en het visueel tegenovergestelde daarvan, dat ook een soort schoonheid was. Dat was haar geschenk aan hem, dat ze hem leerde wat mensen kochten als hun beweegredenen louter esthetisch of emotioneel waren en niet praktisch of financieel. Ze had haar vader en verder vrijwel iedereen die ze kende geholpen bij de inrichting van hun kantoor, hoewel het nooit bij haar opkwam om daar geld voor te vragen. Ze was vrijgevig met advies en met de kunstwerken die ze regelmatig voor mensen kocht, en soms gaf ze waardevolle moderne stukken en sculpturen zomaar weg. 'Het is niet echt een kwestie van vrijgevigheid,' zei ze. 'Ik kan gewoon niet tegen slechte smaak.' Maar hij wist dat ze zichzelf tekortdeed – ze was vrijgevig op een beschaafde, bescheiden manier.

Langzaam, gaandeweg, bracht ze verandering teweeg in de manier waarop hij naar de dingen keek. Ze nam hem mee naar galerieën, waar ze hand in hand liepen en zij hem fluisterend vertelde over het materiaalgebruik van de schilder en hoe hij het werk diende te benaderen. Sommige dingen waren naar Roberts smaak veel te abstract. Maar zij scheen wel alle intellectuele en technische lagen te begrijpen die de kunstenaar had afgepeld om met drie perfect nevelige lijnen een soort primitieve horizon te vormen. Met haar hulp begon hij enige notie van negatieve ruimte te krijgen, begon hij in te zien dat het weglaten van iets soms een grotere zeggingskracht had dan elke vorm van overdaad.

Het liefst dwaalde ze rond in de buurt ten zuiden van 14th Street. De eerste keer dat ze in SoHo kwamen, kneep hij hem alleen maar. Een kunstenares die hij in de wetswinkel van advies had gediend, had hem verteld dat ze die goedgeklede zakenmensen die ze door haar buurt zag lopen het liefst met rotte tomaten wilde bekogelen. Maar Crea werd met open armen ontvangen in de galerieën; ze had zowel smaak als geld en was een ideale klant, die niet alleen kunst verzamelde, maar ook promootte.

Die zomer was ze al geobsedeerd geraakt door fotografie, dat als een gloednieuwe kunstvorm werd beschouwd – de kunstvorm, zei ze, van hun generatie, van de revolutie. Als ze dat soort dingen zei, moest hij lachen; ze was geen rebel, maar hij bewonderde haar bevlogenheid. Ze verzamelde het documentairewerk van W. Eugene Smith, waaronder zijn beroemde portretten van mijnwerkers, en Berenice Abbotts foto's van New York in de jaren dertig; in Crea's studeerkamer hing een serie van haar foto's die genomen was vanonder de Brooklyn Bridge. Robert realiseerde zich met een schok dat een daarvan dezelfde foto was die als poster in zijn jongenskamer hing. Alleen was dit geen poster.

Haar belangstelling ging vooral uit naar straatfotografen, mensen als Diane Arbus, die Crea al had ontdekt voordat alle anderen die hij kende ooit van haar hadden gehoord. Ze nam hem mee naar tentoonstellingen en liet hem de foto's zien die Larry Chatman had gemaakt van zwarte mannen en vrouwen in stadskroegen; Roy Colmers werk, dat zich toespitste op de eenzame kantoorklerk in de menigte, en John Milisenda's portretten van zijn familieleden die steeds maar weer voor hem poseerden met zijn zwakzinnige broer. Robert vroeg zich af wat deze portretten voor haar betekenden. Wat trok haar zo aan in deze alledaagse beelden van de armen en de rechtelozen, in foto's die inbreuk maakten op de privacy van de geportretteerden, in foto's waarop zij in al hun treurnis en kwetsbaarheid waren vereeuwigd? Was dat wat ze ook met hem probeerde te bereiken? Het opdiepen van zulke momenten? Ze vertelde hem dat ze een foto het treffendst vond als ze de neiging om weg te kijken moest onderdrukken. Robert voelde die behoefte vaak, maar de gezichten bleven hem de hele dag bij, deden hem denken aan zijn vader, die nu in een rolstoel zat, of aan zijn vrienden uit Oxford Circle die niet uit Vietnam waren teruggekeerd, of aan de gezichten van de mensen die iedere dag bij hem voor de deur stonden, op zoek naar Barry – met hun gekwelde gezichten, hologig, verslaafd. Er was zo veel leed en armoede in de wereld; waarom zou je daar uren naar willen kijken? Op zulke momenten bekroop hem de vrees dat haar voyeurisme leeg en harteloos was.

Hij had liever dat ze over architectuur praatte. Overal waar ze kwamen, had zij haar favoriete gebouw, zoals de in Italiaanse renaissancestijl opgetrokken sociëteit van de universiteit in Midtown of de neoklassieke triomfboog in Washington Square Park, waar Robert talloze keren aan voorbij was gelopen zonder er echt notitie van te nemen. Toen hun relatie zes weken oud was, nam ze hem mee naar het appartement waar ze was opgegroeid, nadat ze hem van tevoren had verzekerd dat haar vader in zijn zomerverblijf in Orange County was; haar vader wilde dat ze een oogje in het zeil zou houden. De vorige zomer hadden de onderburen volgehouden dat een keukenafvoer lekkage had veroorzaakt in de slaapkamer van hun kind; daar waren verschillende vervelende confrontaties op gevolgd, en hoewel er geen lek was gevonden, kon haar vader alleen rustig slapen als zij wekelijks poolshoogte nam.

Het appartement lag aan Park Avenue in een lange rij hoge, roomwitte gebouwen in de East Seventies. Ze stapten uit de taxi. Robert rekende af en bleef even op de stoep staan om al die rijen perfect gevormde ramen in zich op te nemen, waarvan sommige interessante architectonische details hadden – hier en daar doken piëdestallen en gevleugelde engelenkopjes op – en dan had je nog het hoge zandstenen benedendeel van de gevel en het barokke gouden ajourwerk van de voordeur met zijn ingewikkelde dooreengevlochten druivenranken en -bladeren. Er was een tijd geweest dat iemand zulke details bedacht en dat handwerkslieden zulke bladeren of zulke engelenvleugeltjes uitsneden, nauwgezet en met de hand. Helemaal bovenaan stapelden de verdiepingen zich op van breed naar smal, als de lagen van een reusachtige taart. Robert wist dat zoiets een terugspringende gevel werd genoemd; hij had een paar zaken over luchtrechten bestudeerd uit de jaren twintig, waarin die term werd gebruikt. De terugsprong werd toegepast vóór de oorlog en was noodgedwongen bedacht door de briljante architect Rosario Candela, in een tijd dat geen enkel appartementengebouw het zicht te veel mocht belemmeren. De wetgeving in Manhattan was daar sindsdien ver van afgedwaald.

'Hallo, George,' zei Crea tegen de portier, die de deur voor haar openhield en naar haar welzijn informeerde hoewel hij duidelijk geen antwoord verwachtte. George keek recht voor zich uit en bleef zwijgend de deur openhouden tot Robert uit zijn raadselachtige dromerijen op de stoep ontwaakte en naar binnen ging.

Een jonge conciërge stond kaarsrecht achter een kleine receptiebalie. Toen ze doorliepen naar een paar liften achter in de hal, kwam hij uit zijn hoekje tevoorschijn en vroeg wie ze waren. 'Jij bent vast nieuw,' zei Crea met ongeduld in haar stem terwijl ze naar hem terugliep. 'De naam is

Alexander, we wonen in...' Op dat moment bemoeide George zich ermee en hij zei dat ze de dochter van Jack Alexander was. De conciërge begon zich onmiddellijk te verontschuldigen.

'Hoe heet je?' vroeg Crea aan de nu zichtbaar in verlegenheid gebrachte conciërge.

'Mohammed. Zeg maar Mo,' antwoordde de man. 'Het spijt me enorm. Ik werk hier pas een week.'

Ze stelde haar reactie langer uit dan nodig was en de man bleef kaarsrecht staan; hij leek doodsbenauwd. Robert had het idee dat het een belangrijk moment was. Een test.

'Je hoeft je niet te verontschuldigen,' zei Crea uiteindelijk. Ze keek even naar Robert, die dichter bij haar was komen staan zodat hun schouders elkaar raakten. 'Dit heb ik liever dan dat je ons gewoon door zou wuiven.' Robert ademde uit – hij had zijn adem ingehouden – en ze liepen vlug naar een smalle lift, een van een lange rij. Crea drukte op een knop en toen wachtten ze.

'Dit gebouw is zeker ontworpen door Candela?' vroeg Robert trots.

'Ja,' zei ze kortaf toen de liftdeuren opengingen; daarachter stond alweer een geüniformeerde man. Deze werd door haar met enig oprecht enthousiasme begroet, maar nadat ze terloops naar de gezondheid van zijn vrouw had geïnformeerd, verviel ze weer in stilzwijgen.

'Er staan in de hele stad toch maar een stuk of tien, twaalf van zijn gebouwen?' vroeg Robert.

'Ik zou het niet weten,' antwoordde ze. Normaliter kon ze eindeloos met hem over architecten en architectuur praten, maar hij hoorde aan haar stem dat ze er nu geen zin in had. De lift deed er zo lang over dat ze kennelijk op weg waren naar een van de bovenste verdiepingen. Uiteindelijk openden de deuren zich en kwamen ze in een vestibule met een zwart-witte marmeren vloer, een koperen paraplustandaard en een houten bankje. De voordeur was rood geschilderd. De kleur van geluk en behoedzaamheid.

Ze liet hen binnen en zei dat hij rustig rond kon kijken als hij wilde, maar dat ze hem geen architectonische rondleiding zou geven; ze had een hele lijst af te werken en ging aan de slag. Hij hoorde een hond keffen; het geluid leek wel afkomstig uit een ver land, maar kwam in werkelijkheid uit de personeelsvertrekken op de verdieping erboven – twee werknemers, een echtpaar, waren in de woning achtergebleven. Nadat hij door openslaande deuren een diepe zitkamer was binnengegaan, liep Robert naar de muur en deed een zwaar brokaten gordijn open waarachter een panoramisch uitzicht op het park bleek schuil te gaan. De ramen hadden diepe kozijnen waardoor het, toen hij een paar stappen achteruit deed, was alsof hij naar een schilderij van een schilderij keek. Lange banen zonlicht stroomden over het Perzische tapijt en de met witte lakens bedekte meubels.

Het grootste gedeelte van dit twee verdiepingen tellende appartement kreeg hij niet te zien; veel kamers zaten op slot en hij had geen zin om als een kind achter Crea aan te lopen. Hij liep door een weidse toegangshal langs een groep schilderijen die met doeken waren afgedekt. Slechts één schilderij was nog zichtbaar – het favoriete schilderij van de dienstbode? – van een voluptueuze vrouw die languit op een onopgemaakt bed lag. Er zat een barokke gouden lijst om het schilderij. Toen hij dichterbij kwam, zag Robert dat het een Bonnard was.

Van daaruit liep hij een enorme kamer binnen waar een vleugel stond en de muren de kleur hadden van de met limoensap opgeklopte eierdooiers in een limoen-roomtaart. Aan een kant van de kamer waren in de muur zes nissen uitgespaard met een geschulpte bovenkant, als van een gigantische schelp. In elke nis stond een kleine, volmaakt witte vaas. Aan het plafond vormde het lofwerk ingewikkelde cirkels rond twee naast elkaar hangende glazen kroonluchters. Hij liep onder een boogdeur door en bekeek de eetkamer met zijn enorme ovale tafel en de stoelen, waarvan de rugleuning met gestreepte zijde was bekleed, die moeiteloos plaats bood aan dertig mensen, maar hij kon zich niet voorstellen dat er ooit wel eens drie of vier mensen zaten. Toen hij terugkwam in de kamer waar hij begonnen was, liep hij naar de open haard, waarboven een brede marmeren schoorsteenmantel vol stond met foto's, voornamelijk van Crea.

Er was een foto van haar als een roodharige baby op de brede schouders van haar vader, en op een andere stond ze als peuter tegen haar moeder aangeleund, en op weer een andere droeg ze een schooluniform en hield ze haar vaders hand vast. Verder een foto van haar als meisje van een jaar of tien op een pony, met een uitdagend omhooggestoken kin en een verrassend serieuze uitdrukking op haar gezicht. Op de overige foto's was ze ouder en minder serieus; Crea die probeerde zestien kaarsjes op een verjaardagstaart uit te blazen; Crea die een vierkante baret de lucht in gooide; Crea toen ze, schatte hij, begin twintig was, op waterski's, gekleed in het bovenstukje van een bikini en een minuscule short. Robert was op de een of andere manier een beetje teleurgesteld; het zou leuk zijn geweest om haar te zien met een beugel of zoiets, iets wat het smetteloze oppervlak zou verstoren van een meisje dat blijkbaar vanaf haar geboorte knap, slim en verwend was geweest en zo gebleven was, uitgegroeid tot een aantrekkelijke vrouw van de wereld zonder ook maar een krasje op te lopen. Maar er waren verder geen foto's van haar als jong meisje, sowieso maar weinig van haar als tiener.

Toen Crea een paar minuten later naar beneden kwam, bekeek hij juist een trouwfoto van een heel jonge Jack Alexander en zijn slanke bruid met donkere ogen, zwart haar en een porseleinwitte teint – haar gelaatsuitdrukking stak ernstig af naast Jacks jongensachtige grijns. Crea's moeder was een klassieke schoonheid, knapper dan Crea, hoewel hij zich schuldig voelde over die gedachte. Crea leek meer op haar vader. Op de foto droeg haar moeder een kanten jurk met een enorme sleep, die in een wijde cirkel losjes om haar voeten lag gedrapeerd.

'Mijn ouders,' verkondigde Crea, die achter hem was komen staan. 'Totaal verschillende karakters, zoals je kunt zien.'

'Ik kan me niet voorstellen hoe het is om hier op te groeien,' zei Robert terwijl hij even omkeek. 'In de verste verte niet. Wie bén jij eigenlijk?'

'Wat is dat nou weer voor een vraag?'

'Heb je wel eens gezien hoe de meeste mensen hier in de stad wonen?'

'Het is gewoon een appartement,' antwoordde ze. 'We zijn hier komen wonen toen ik zeven was. Mijn moeder had hier altijd al haar zinnen op gezet; ze is hier vlakbij opgegroeid. Ik weet niet waarom mijn vader ermee instemde om het te kopen, waarschijnlijk omdat het moeilijk is om hier binnen te komen, want het is erg exclusief. Maar hij bewijst zich graag op die manier, hoewel hij vanaf het eerste moment de pest aan dit huis heeft gehad. Hij houdt van hedendaagse architectuur en een moderne inrichting. Ik heb altijd gedacht dat hij die smaak ontwikkeld had als reactie op mijn moeder, die hield van alles wat ouderwets was – het liefst wilde ze een plek creëren die gestold was in de tijd, terwijl mijn vader altijd het nieuwste van het nieuwste wil.' Terwijl ze dat zei, pakte ze twee vingers van zijn rechterhand, en hij draaide zich om en keek haar aan. 'Ze maakten vaak ruzie, hoewel je dat nooit zou vermoeden als ze gasten hadden. Dan waren ze echt op hun best, en mijn vader geeft hier nog altijd graag etentjes – deze grote oude huizen zijn gewoon geknipt om feesten in te geven.' Ze liet zijn vingers los, liep naar de bank en herschikte het laken dat eroverheen lag, daarna ging ze naar het raam en trok de zware gordijnen dicht, zodat ze nu in het halfdonker stonden. 'Ik wou dat hij het verkocht. Het is te groot voor hem en hij verafschuwt het meubilair. Ik heb nooit begrepen waarom hij het na haar dood niet opnieuw heeft laten inrichten, hoewel je natuurlijk niet veel kanten op kunt zonder dat je de originele aspecten tenietdoet. Maar ja, de markt is momenteel heel slecht.'

'Vanwaar die lacune in de foto's?' vroeg hij glimlachend. 'Waar ben jij met staartjes en een beugeltje?'

Ze keek gekwetst.

'Ik bedoelde het liefdevol, schatje.'

'Ik had een korset,' zei ze. 'Scoliose, vastgesteld toen ik twaalfenhalf was. Vanwege dat ding kon ik niet naar kostschool. Eerlijk gezegd associeer ik dat korset met het wonen hier, misschien dat ik daarom niet echt van dit huis hou. Ik haatte dat korset, alsof je een gigantische kooi droeg, een enorm gevaarte met een kinsteun. De eerste keer dat ik het aan moest, barstte mijn moeder in tranen uit. Uiterlijk was erg belangrijk voor haar. Het zal je vast niet ontgaan zijn hoe mooi ze was.'

'Niet mooier dan jij,' zei hij, zich bewust van het feit dat er momenten zijn waarop een man moet liegen, en dat dit zo'n moment was.

'Mijn vader ging niet anders tegen me doen toen ik dat korset moest dragen,' zei ze zachtjes. 'Hij hield nog net zoveel van me, bekeek me met dezelfde blik.' Ze stond nu in het halfduister aan de andere kant van de kamer en hij kon haar nauwelijks onderscheiden, hoorde alleen haar woorden. 'Soms denk ik dat hij me gered heeft, Robert. Met zijn onvoorwaardelijke vaderliefde. Mensen wendden hun blik af, echt waar, maar mijn vader lachte altijd naar me alsof ik het mooiste meisje van de wereld was. Hij had het destijds razend druk met het opbouwen van de zaak, maar toch maakte hij tijd voor me vrij. Hij ging met me naar voorstellingen op Broadway en naar tentoonstellingen; hij wist dat ik hem extra nodig had omdat mijn moeder overduidelijk niet met de hele situatie kon omgaan. Hij wist dat ik zou proberen om onder het dragen van dat korset uit te komen, dus was hij erg streng. Telkens wanneer ik zanikte en zeurde en mijn moeder me mijn zin wilde geven, was hij heel standvastig en zei dat ik op een dag dankbaar zou zijn dat ik dat korset had gedragen. En hij had gelijk. Toen dat ding eenmaal af mocht, veranderde mijn hele wereld.'

'Hoe bedoel je?'

Ze kwam dichterbij en ging naast hem staan voor de open haard. Ze was nerveus; hij had haar nooit eerder zo zenuwachtig gezien. 'Die zomer, de zomer dat ik zestien werd, had ik een bijbaantje als waterski-instructrice in mijn oude zomerkamp. Dat baantje stelde eigenlijk niets voor, het was alleen maar een voorwendsel om een beetje lol te kunnen trappen, maar voor het eerst van mijn leven kreeg ik aandacht van jongens. Ik ging met de andere meiden naar een Sears in de stad en kocht daar een piepkleine gele bikini en ging in één klap over van het dragen van een stalen frame en verhullende kleren op het dragen van nagenoeg niets. Ik had me nog nooit zo geweldig, zo oppermachtig gevoeld.' Ze wees naar de foto waarop ze in de bewuste bikini op de waterski's stond. 'Ik wilde niets liever dan worden aangeraakt en bekeken. Ik denk dat er die zomer heel wat jongens verliefd op me zijn geworden; ik was verliefd op het leven. En misschien ben ik dat nog wel, misschien komt dat door die afschuwelijke tijd. Zodra ik het korset niet meer hoefde te dragen, vergaf mijn moeder me dat ik drie jaar lelijk was geweest en kocht ze massa's kleren voor me, maar ik heb het haar nooit vergeven. We hebben nooit een goede band gekregen, zelfs niet toen ze ziek werd. Ik besefte dat er verschil was tussen hoe Jack van me hield en hoe zij van me hield, want dat had ik aan den lijve ondervonden. In het laatste jaar van de middelbare school had ik mijn draai weer gevonden en toen was ik eigenlijk niet meer te stuiten. Ik maakte er een potje van, spijbelde, sprak af met oudere jongens, zat constant in New York, waar ik in de Village rondhing.'

'En je wordt nog steeds graag aangeraakt,' zei hij, en hij nam haar in zijn armen.

'Als je zo opgesloten hebt gezeten, dan kun je het gevoel van huid op huid wel waarderen. Ik heb altijd tegen mezelf gezegd dat ik de ware zou herkennen aan zijn aanraking.' Ze keek hem in de ogen en hij kuste haar.

'Ik vind het niet prettig om hierover te praten,' zei ze, 'dus als je het niet erg vindt, laten we het hierbij.'

'Nee, natuurlijk niet, prima,' zei hij. Ze was niet zozeer gecompliceerd als wel iemand met een verhaal. Iedereen had wel een verhaal. Mensen gaven zich bloot als een daad van intimiteit; vrouwen deden het om ervoor te zorgen dat mannen hen wilden beschermen en verliefd op hen werden, dat had hij tenminste altijd gedacht. Maar waarom voelde hij na dit verhaal dan niet meer voor haar?

Een week later, op de vrijdag na de stroomstoring die de stad ruim een etmaal had lamgelegd, zodat ze de tijd voornamelijk in Crea's bed hadden doorgebracht, wilden ze net het dessert bestellen in een Frans restaurantje in de buurt van Gramercy Park, toen Crea de dessertkaart neerlegde en aankondigde dat hij mee moest naar Tuxedo Park om kennis te maken met haar vader. 'Nog even en hij denkt dat ik je heb verzonnen.'

'Ik zou over hem haast hetzelfde kunnen zeggen,' zei Robert. 'Afgezien van die keer dat hij ons de eerste dag welkom heette, heb ik hem nauwelijks meer gezien.'

'Hij is 's zomers niet zo vaak op kantoor,' zei ze.

'Ach ja, alleen zijn naam is al genoeg om de wind eronder te houden, plus het feit dat hij altijd kan opduiken als we er totaal niet op bedacht zijn,' zei Robert. Die paar dagen dat Jack 's zomers aanwezig was, wist iedereen het onmiddellijk. Het nieuws deed fluisterend de ronde onder zowel de medewerkers als de partners: *Jack is er. Moet je horen wat Jack net tegen me zei op het herentoilet. Heb jij Jack al gezien?* Het betekende dat je niet in de gang moest rondhangen, dat je je deur liet openstaan, op je tenen moest lopen. De medewerkers en collega's van A, L & W liepen hem voortdurend achterna. En toch leek Crea's vader, die paar keer dat Robert hem op de gang met iemand had zien praten, altijd over de schouder van zijn gesprekspartner te kijken, alsof hij wachtte tot zich een interessantere persoon aandiende. Zijn aristocratische manier van spreken was legendarisch, maar alleen in obscure kroegen, ver van het kantoor – waar de stagekrachten en een enkele junior elkaar soms troffen – werd wel eens een poging gedaan om die te imiteren. Een andere stagekracht, Wilton Henry, was er een meester in, hoewel hij Jack, net als de rest van hen, maar een paar keer had horen spreken. Henry, een voormalig wonderkind op de viool, had een goed oor voor klank en hij had zijn oog laten vallen op de vastgoedafdeling, en Robert beschouwde hem als zijn belangrijkste concurrent. Hij wist niet eens of hij wel een carrière bij A, L & W ambieerde, maar hij wilde in elk geval voor die baan in aanmerking komen, wilde zelf de keuze hebben.

'En het zou goed zijn voor je carrière om een weekend met Jack door te brengen,' voegde ze eraan toe.

'Is het goed voor mijn carrière dat hij weet dat ik met zijn dochter naar bed ga?' fluisterde hij. 'Hoe precies?'

'O, dat maakt hem niets uit.'

'Ik heb nog nooit gehoord van een vader die dat niets uitmaakt.'

'Hij heeft al lang geleden opgegeven om invloed op me uit te oefenen.'

'Toen we elkaar ontmoetten, zei je dat hij niets anders deed. Als ik het me goed herinner, gebruikte je de woorden: "behandelt me als een kind".'

'Kun je niet net als andere mannen gewoon het meeste van wat ik zeg negeren?'

'Prima,' zei hij met een glimlach. 'Dan blijven we het weekend in de stad.' Hij dronk langzaam het bodempje wijn op dat nog in zijn glas zat en deed er verder het zwijgen toe.

'Is dat alles wat je te zeggen hebt?'

'Je zei net dat ik je moest negeren.'

'Zo makkelijk breng je me er niet van af, wijsneus.'

Nee, dacht hij, je kon niet zeggen dat ze makkelijk ergens van af te brengen was. Hoewel ze haar zin op zo'n lieve, humorvolle manier doordreef, dat hij zich afvroeg of haar ooit wel eens iets geweigerd was. Ze boog zich naar hem toe. 'Je moet echt een keer met me meegaan naar het buitenhuis. Ik heb geen zin meer om steeds aan mijn vader uit te leggen waarom ik niet kan komen, of er in mijn eentje heen te gaan en jou het hele weekend te missen.' Ze draaide koket een krul om haar vinger en vervolgde: 'Je zei dat je van zwemmen hield. Of we kunnen een boottochtje maken. En sommige van mijn vrienden komen ernaartoe om hun ouders bezoeken, dus er zijn niet alleen oude mensen. En, zoals ik al zei: het zou goed kunnen zijn voor je carrière – je wilt toch dat ze je een baan aanbieden als je bent afgestudeerd?'

Hij was ambitieus en dat wist ze. Het verbaasde hem dat ze bereid was zover te gaan, hem de pluspunten van haar situatie voor te houden, alsof hij daar zelf niet aan had gedacht.

'Je weet het leuk te brengen,' zei hij. Het was niet zo dat hij geen zin had om te gaan – hij wilde best mee. Ze had gelijk; dit kon een kans zijn om zich te onderscheiden, gesteld dat hij een goede indruk zou maken. Maar er kleefde een groot risico aan. Hij had geen andere keuze dan volledig open kaart met haar te spelen. Deed hij dat niet, dan kon het in deze situatie wel eens helemaal verkeerd uitpakken. Hij nam haar hand in de zijne. 'Goed beschouwd kennen we elkaar eigenlijk nog niet zo lang. En kennismaken met de familie van een vrouw betekent dat je de intentie hebt om een serieuze relatie op te bouwen, voor mij wel tenminste.'

Hij zag de flits van herkenning, alsof er, een fractie van een seconde maar, een licht in haar ogen doofde. Maar ze hervond haar evenwicht zo bliksemsnel dat het hem volledig zou zijn ontgaan als hij haar gezicht niet zo nauwkeurig bestudeerd had. 'Ik heb al heel wat mannen meegenomen naar Tuxedo, Robert. En ik ben met geen van hen getrouwd. Iedereen zal je gewoon zien als nummer zoveel, tenzij ik aangeef dat het anders ligt.' Ze streek een verdwaalde haarlok achter haar oor en begon aandachtig de dessertkaart te bestuderen.

'Crea, kijk me aan,' zei hij. 'Dit is de beste zomer die ik in lange tijd heb gehad. Ik ben dol op je. Maar misschien ben ik gewoon voorzichtiger van aard dan jij.'

'Mannen worden verliefd op me,' zei ze terwijl ze hem glimlachend aankeek. 'Dat hebben ze altijd gedaan, vanaf mijn zeventiende. En jou zal het ook zo vergaan.' Haar stem verhief zich ineens, alsof ze de hele conversatie al achter zich had gelaten. 'Dus dat is dan geregeld; ik kan Jack vertellen dat je komt?' Ze gaf Robert onder tafel een kneepje in zijn knie, niet wetend hoe kietelig hij daar was, zodat hij een hulpeloze hoge kreet slaakte, een geluid ergens tussen plezier en pijn in, zodat de ober kwam toesnellen om te vragen of alles in orde was.

29

Tuxedo Park

Tuxedo Park lag ruim zestig kilometer ten noordwesten van Manhattan en was in 1886 door de tabaksmagnaat Pierre Lorillard ontwikkeld als een privévakantieoord aan het meer, waar hij en zijn vrienden volop van de buitenlucht konden genieten voordat het seizoen in Newport begon. Toen Lorrilards kleinzoon Griswold besloot de prins van Wales na te volgen en op een bal verscheen in een smokingjasje met een zwart vlinderstrikje, introduceerde hij niet alleen de *tuxedo* in Amerika, maar verschafte hij tevens zijn grootvader de naam die hij voor zijn nieuwe woonplaats zou gebruiken. Emily Post, dé autoriteit op het gebied van de etiquette, groeide op in Tuxedo Park. Haar grootvader had een aantal van de allereerste zomerhuizen gebouwd.

Al deze geschiedkundige feiten had Robert uit een boek dat hij in de openbare bibliotheek van New York had gevonden – als hij dan toch een weekend met Crea's vader moest doorbrengen in een plaats die Tuxedo heette, kon hij maar beter goed beslagen ten ijs komen. Hij las oude artikelen op microfiche over de verschillende debutantes die maar bleven buigen op het beroemde najaarsbal van Tuxedo Park. In artikelen uit de jaren zestig zocht hij naarstig naar Crea's naam, maar tot zijn opluchting werd ze niet genoemd.

Tuxedo Park was een *gated community*. Binnen de hekken van het park bevonden zich een privémeer, vierhonderd hectare parkland en de op één na oudste golfbaan van Amerika, maar of je binnen of buiten het omheinde deel van Tuxedo Park woonde, was geen kwestie van geld – er woonden in de omgeving nogal wat directeuren van grote bedrijven – maar van geboorte en afkomst. Tijdens de rit vanuit Manhattan probeerde Crea Robert ervan te overtuigen dat de bewoners van Tuxedo Park verkeerd werden ingeschat. Ze hield vol dat ze wel degelijk zelfspot kenden.

Robert had een cabriolet gehuurd; hij had geweigerd om zich door Jacks chauffeur te laten ophalen, zodat hij kon gaan en staan waar hij wilde. Ze waren er binnen een uur, maar toen ze door het dorp reden, vroeg hij zich af of zijn verwachtingen van Tuxedo niet te hoog gespannen waren. De huizen die tegen de omringende heuvels aan lagen gebouwd en in de verte uitkeken op een rivier hadden dan misschien wel een prachtig uitzicht, maar waren op zich niets bijzonders – vierkante provinciale boerderijen en houten huizen in een zogenaamd koloniale stijl. Maar toen ze door het bewaakte toegangshek het park binnenreden – Crea glimlachte naar de vrolijk zwaaiende bewaker – veranderden de huizen onmiddellijk van karakter.

De gazons langs West Lake Road hadden het formaat van een stadspark, met slingerende oprijlanen zo lang als een landweg. De huizen zelf waren hoofdzakelijk gebouwd in neotudor- en gotische stijl, met torens en ronde uitbouwen met een koepeldak, en hadden stuk voor stuk iets weg van een sprookjeskasteel waarin een arme prinses zat opgesloten omdat ze de verkeerde man had gekozen om van te houden. *Godallemachtig, als dit de opgedeelde buitenverblijven zijn van de eerste families*, zo vroeg hij zich af, hoe hebben die er oorspronkelijk dan uitgezien? Veel woningen werden zorgvuldig aan het oog onttrokken door struikgewas en hoge bomen en waren moeilijk in hun geheel te zien, maar al snel kwam het spectaculaire huis van de Alexanders in zicht: een houten gebouw van twee verdiepingen met rondom overal ramen, zo veel ramen dat het bijna leek of het huis zelf van glas was. Crea had inderdaad gezegd dat haar vader een hekel had aan het appartement in Park Avenue, maar Robert vroeg zich af hoe een en dezelfde man in vredesnaam beide huizen kon bewonen.

In de weidse ontvangsthal ontsproot een eindeloze stroom water uit een blok marmer. Er viel zo veel namiddaglicht naar binnen door al dat glas dat hij blij was dat hij zijn zonnebril nog op had. 'Wie in een glazen huis zit...' zei Robert.

'Hahaha,' zei Crea, 'en dacht je dat je de eerste was met die grap?'

Aan de lichtgroene muur achter de fontein hing een litho op een enorm doek dat in vier vlakken was verdeeld: op elk vlak was een afbeelding van Crea in haar late tienerjaren te zien, met een roze veeg over haar lippen, komisch oranje haar en smaragdgroene ogen. Crea had hem verteld dat je kunst en fotografie alleen kon begrijpen door er zo aandachtig mogelijk naar te kijken, dat er geen geheim was; je hoefde er alleen maar die aandacht aan te besteden. Hij keek met de klok mee en probeerde erachter te komen welke Crea hij had leren kennen: op een van de portretten glimlachte ze de toeschouwer half toe, alsof ze een geheim koesterde; op een ander keek ze schijnbaar afgeleid naar links; op het derde schoof ze met neergeslagen blik haar haar achter haar oor, en op het laatste portret beet ze verleidelijk op haar lip.

'Echt verschrikkelijk dat hij dat zo in het zicht heeft gehangen,' zei ze. 'Ik schaam me dood.'

'Hoe oud was je toen?'

'Bijna negentien,' antwoordde ze.

Hij fluisterde: 'Dit huis is niet bepaald wat ik verwacht had.'

'Le Corbusier wilde het centrum van Parijs platgooien en vervangen door een stuk of tien torens in een park,' zei Crea. 'Mijn vader is dol op Le Corbusier.'

'Dus hij wilde het centrum van Tuxedo Park platgooien en vervangen door een ziekenhuis?'

'Laat hij het niet horen. Het heeft hem moeite genoeg gekost om hier iets te kunnen kopen. Hij wilde een statement maken.'

Om de een of andere reden had Robert aangenomen dat haar familie tot de eerste had behoord, maar voordat hij verder nog iets kon zeggen, kwam er een vrouw in een eenvoudig geruit mouwschort met uitgestrekte armen op hen af gesneld. Hij wist niet precies waar ze vandaan was gekomen – op de plek waar ze stonden kwamen drie gangen uit – en ze omhelsde Crea uitbundig. 'Mooi, je hebt hem meegebracht,' zei ze en ze lachte Robert toe. Ze had kort grijs haar en diepblauwe ogen, die sterk uitkwamen in haar vaalbleke gezicht vol ouderdomsrimpels.

'Robert, dit is Eleanor Dawes, de belangrijkste persoon in huis. En als ze je niet aardig vindt, dan heb je een probleem. Zij heeft me min of meer opgevoed.'

'Dan ben ik haar mijn dank verschuldigd,' zei Robert, en hij stak haar zijn hand toe.

'Gefeliciteerd, Crea,' zei Eleanor, die zijn hand negeerde en hem een kus gaf. 'Ze zitten achter. Iedereen is in een opperbeste stemming. Er is vandaag heel wat meer gin dan tonic doorheen gegaan.'

Van Eleanor Dawes hoefde hij geen problemen te verwachten. Zulke vrouwen waren altijd op zijn hand. Ze zei dat ze een slaapkamer voor hem in gereedheid zou brengen naast die van Crea. Wat discreet, dacht Robert later toen hij de tussendeur zag, wat vooruitstrevend en toch beschaafd. Crea zei dat hij zijn bagage in de hal kon laten staan; dat deed hij toen maar en liep achter haar aan een lange, rechthoekige keuken binnen. Rechts achterin zaten twee zwarte vrouwen in een polyester uniform aan een tafel afwisselend te roken en aardappels te schillen. Ze zwaaiden lachend naar Crea, die Roberts hand stevig beetpakte toen ze door openstaande glazen schuifdeuren een ruime patio op stapten. Nu begreep Robert waarom Jack in een glazen huis wilde wonen – hij had een weids uitzicht op groene heuvels die glooiend afliepen naar een meer.

'Schitterend,' zei Robert, min of meer tegen zichzelf.

'Daar zijn we dan,' verkondigde Crea, waarna ze haar vader een kus op de wang gaf. 'Pap, dit is Robert Vishniak.'

Jack Alexander, lang, zwaargebouwd, met een lichte huid en rood haar waar nu grijs doorheen schemerde, was een man die meer ruimte innam dan Robert zich herinnerde van de paar keer dat hij hem op kantoor had gezien. Hij was langer dan Robert, en veel breder, en droeg een geelbruin poloshirt en een groen met wit geruite golfbroek die op Roberts lachspieren had kunnen werken als Alexanders handdruk minder stevig was geweest. 'Aangenaam kennis te maken,' zei hij. 'Moet ik je Robert noemen of Rob?'

Robert, die zich volledig op zijn gastheer had gericht, wilde net antwoord geven toen iemand hem voor was.

'Hij wil Robert genoemd worden, uitsluitend Robert. Maar wat je ook doet, Bobby is uit den boze.'

En met een zelfgenoegzame grijns, alsof het ging om een onderlinge grap die alleen Robert kon begrijpen, kwam Tracey op hem toe lopen. Uit zijn glimlach begreep Robert dat het verleden vergeven was, er niet eens meer toe deed. 'Vishniak,' zei Tracey en hij greep Roberts schouder beet terwijl de twee elkaar enthousiast de hand schudden. 'Verdomme man, wat ben ik blij om jou te zien.'

Ze gingen aan tafel zitten, Robert tussen Crea en Tracey in, en deden zich te goed aan sandwiches van warm witbrood met tonijn en Spaanse peper, plakjes komkommer en chips – Tuxedo had iets weg van een zomerkamp voor volwassenen. Links van hen lag Crea's vader op een ligstoel die bijna te klein voor hem was; hij bladerde door een golfcatalogus en droeg wanneer het hem zo uitkwam een opmerking aan de conversatie bij, of keek net lang genoeg hun kant uit om te zien of iemands glas moest worden bijgevuld. Wanneer hij dat deed, bedankte Crea hem en noemde hem 'schat'.

Robert had nooit eerder gehoord dat een vader door zijn dochter met 'schat' werd aangesproken, maar zij kon dingen zeggen waar niemand anders mee weg zou komen, behalve misschien de man die nu aan zijn andere kant zat.

De hele lunch volgden ze het spoor terug in de tijd, tot aan het moment waarop Robert Crea werkelijk voor het eerst had ontmoet; een middelbarescholiere uit de eindexamenklas in een groen jurkje, die in de zomer na hun eerste studiejaar door Tracey mee op sleeptouw was genomen naar de Village. Nu begreep hij waarom haar naam, vreemd als hij was, hem toch zo bekend in de oren had geklonken. Hij kon zich alles weer herinneren, hoewel hij het meeste voor zich hield – die avond had hem bijna zijn leven gekost, en toen hij uit de metro kwam en hen tegen het lijf was gelopen, had hij zich opnieuw vernederd gevoeld. Nu, met een drankje in zijn hand, het schitterende uitzicht en een mondaine vriendin die hem stralend aankeek alsof er buiten hem niets voor haar bestond, kon hij zich bijna niet voorstellen dat die avond er op de een of andere manier toe had bijgedragen dat hij hier nu zat.

'Ongelofelijk – dus dat was jij! Jij was Traceys kamergenoot! Nu herinner ik het me allemaal weer,' zei Crea. 'Ik vond je knap, voor zover ik dat tenminste kon zien in dat licht, maar ook nogal onbeschoft. Het was warm en ik was bang dat ik zou gaan zweten in dat tafzijden jurkje. Toen Tracey ons aan elkaar voorstelde, keurde je me geen blik waardig.'

'Ze is er niet aan gewend dat mannen haar negeren. Zo is het toch, lieverd?' kwam Jack ertussen.

'Maar Cré, wanneer zijn wij ooit samen in de Village geweest?' vroeg Tracey. 'Wanneer ben ik Robert ooit in de stad tegengekomen? Volgens mij verzinnen jullie maar wat.'

'Mark Pascal zou me mee uit nemen, maar hij zegde af, vast vanwege familieverplichtingen. Je weet zelf wat een hechte familie dat is. Hoe het ook zij, hij speelde me door aan jou.'

'Wat heb jij een goed geheugen, zeg,' zei Tracey.

'Dat van jou is gewoon iets waziger,' antwoordde Crea en ze boog zich voorover om hem een klapje op zijn hand te geven. 'Ik kan het gewoon niet geloven! Ik begrijp niet dat we dat verband niet eerder hebben gelegd.'

'Dus je kent Mark Pascal ook?' vroeg Robert.

'Kijk daar, aan de rechterkant, dat is het huis van de Pascals,' antwoordde ze terwijl ze in de verte wees; het dichtstbijzijnde huis stond altijd nog een heel eind weg.

Ze leek bijna uitbundig. Opgelucht, misschien. Was ook zij bang geweest dat hij hier niet zou passen? 'We hebben het niet vaak over mijn propedeusetijd gehad,' zei hij. 'Ik heb het te druk met mijn rechtenstudie.'

Crea's vader stond op en liet weten dat hij hen ging verlaten; het was tijd om te gaan golfen. 'Speel jij golf, Robert?'

'Nee, maar ik ben het aan het leren.'

'Tennis?' vroeg hij.

'Jawel, maar dat stelt niet veel voor.' Hij had nooit les gehad, maar had het zich tijdens zijn studie zelf eigengemaakt, zij het slecht, in de veronderstelling dat zijn jeugdliefde voor handbal zich wel zou laten vertalen naar een balsport met een racket. Dat bleek niet het geval.

'Vishniaks slechtste eigenschap is zijn eerlijkheid,' merkte Tracey op.

'Je zult hier ongetwijfeld genoeg vinden om je mee te vermaken,' zei Jack afwezig en hij liep haastig in de richting van het huis. Het viel Robert op dat hij een lichte tred had voor zo'n grote man.

Tracey was nauwelijks veranderd sinds ze samen op de universiteit hadden gezeten; zijn haar was iets korter en nog meer door de zon gebleekt, en zijn blozende gelaat vertoonde de eerste rimpels die hem later zouden kenmerken als een buitenmens en een stevige drinker, maar over het algemeen zag hij er nog net zo uit als Robert zich herinnerde. Zelfs zijn kleding was hetzelfde als tijdens hun eerste studiejaar: een korte broek en een katoenen tennissweater, een zonnebril met ronde glazen en gympen die zo wit waren dat ze pijn deden aan je ogen.

Daarentegen bleek Mark Pascal, toen hij aangespoord door een enthousiast telefoontje van Crea een minuut of twintig later verscheen, haast onherkenbaar te zijn veranderd. Hij was helemaal kaal geworden, zag er mager en afgetobd uit, en leek haast wel te zijn gekrompen. Hij droeg een spijkerbroek en rijlaarzen – hij was te paard gekomen en kwam vanaf de stallen op hen toegelopen; hij zweette aanzienlijk, zo erg zelfs dat hij, voordat hij Robert een hand gaf, een zakdoek uit zijn zak viste en zijn voorhoofd afveegde. 'Vishniak, ik wist wel dat je een dezer dagen weer op zou duiken,' zei hij. 'Je wilde altijd al graag daar zijn waar de actie was.'

'Nee, dat was jij,' antwoordde Robert. 'Hoe staat het in de krantenwereld?'

'Ik zit niet in de krantenwereld,' antwoordde Pascal terwijl hij een steentje wegschopte. 'Ik werk tegenwoordig voor mijn vader.'

'Vastgoed, was het niet?'

'Woningbouw. Verbazingwekkend dat je dat allemaal onthouden hebt,' mompelde Pascal.

'Robert en Crea hebben blijkbaar een veel beter geheugen dan wij,' bracht Tracey in het midden.

Robert kon zich nog precies herinneren dat Pascal de eerste keer dat ze elkaar ontmoetten gezegd had dat hij nooit voor zijn vader zou gaan werken, dat het allemaal een val was, iets wat alleen Tracey en hij doorhadden. Waarom zag hij er nu, op zijn negenentwintigste, dan zo oud en teleurgesteld uit? Zo zwijgzaam en slecht op zijn gemak? En Tracey, die vroeger zo terughoudend was geweest in gezelschap, praatte en becommentarieerde veel meer dan Robert zich herinnerde. Of misschien wist Tracey dingen die Robert ontgingen en deed hij zijn best om het pad voor zijn vriend te effenen, zoals hij altijd gedaan had.

'Als we gaan paardrijden,' zei Mark, 'dan kunnen jullie je maar beter gaan omkleden.'

Robert had precies één keer op een paard gezeten, als een ritje op een van die aftandse pony's die je per uur kon huren om door Fairmount Park te sjokken tenminste telde. Het was ruim dertig graden buiten en dit was het hooikoortsseizoen. Hij wilde het risico niet nemen. 'Ik dacht dat paardrijden iets was wat je 's ochtends deed, voor het heetst van de dag,' zei hij.

'O, Crea is ongevoelig voor hitte,' zei Mark.

'Ik had bedacht dat we een boottochtje konden gaan maken,' zei Crea, waarna ze zich tot Robert wendde. 'Dat zou je toch wel leuk vinden?' Ze droeg een kort groen hemdjurkje en platte sandalen en had haar haar opgestoken. Robert vond dat ze er bijzonder fris en mooi uitzag. Eigenlijk had ze twee gedaanten. Ze kon, zoals veel vrouwen, opmerkelijk gevoelig zijn voor de wensen van de groep en pikte dan de kleinste sfeerverandering op, maar op andere momenten was ze blind voor de wensen van anderen en dreef ze haar eigen zin door. Vandaag was ze goedgemutst en toonde ze zichzelf van haar beste kant.

'Ik wil heel graag uit rijden gaan,' zei Pascal. 'We kunnen later ook nog met z'n allen gaan varen.'

'Weet je wat,' zei Tracey. 'Als jullie nou samen gaan rijden, dan ga ik met Robert naar het zwembad. We kunnen een duik nemen en daarna een stukje gaan varen, als jullie zin hebben. Robert moet echt de sociëteit zien, en de mensen daar hém natuurlijk. Dan kunnen jullie later daar naartoe komen voor wat verkoeling. Wat denken jullie daarvan?'

'Ik vind alles best,' zei Robert. 'Ik heb mijn zwembroek al aan.'

‘Echt waar?’ vroeg Crea. ‘De hele dag al?’

Wat had hem in vredesnaam bezield? Het was een reflex, een overblijfsel uit zijn jeugd, waar hij tot nu toe niet echt bij had stilgestaan. De pensions met hun karige voorzieningen, zijn familie die stond te popelen om naar het strand te gaan en de stinkende kleedkamers van de openbare zwembaden. Als je ergens ging zwemmen, dan droeg je je zwembroek onder je korte brock, dat was wel zo gemakkelijk en doelmatig. Maar in Tuxedo was dat soort doelmatigheid niet aan de orde. Deze mensen wóónden hier.

‘Als je zó graag wilt zwemmen, moet je dat vooral doen,’ zei Crea. Ze gaf Robert een korte, maar hartstochtelijke zoen op zijn mond en liep weg om haar rijkleding aan te trekken.

‘Mooi zo,’ zei Pascal, die zijn voorhoofd weer afwiste met zijn zakdoek. ‘Zo zie je maar weer dat je het best iedereen naar de zin kunt maken.’

30

Welkom bij de club

Om een dagje tot de Tuxedo Club te worden toegelaten, moest je in het gezelschap van een van de leden zijn, en zelfs toen moest Robert nog een formulier tekenen. Maar eenmaal langs de controle moest hij toegeven dat hij diep onder de indruk was. Het hoofdgebouw was een uit hout en steen opgetrokken U-vormig gebouw met een laag leistenen dak en prachtig ontworpen ramen langs beide zijden. Aan de ene kant van het gebouw strekte zich onder beboste heuvels het meer van Tuxedo uit. Veel van de leden hadden daar een boot liggen. Rond het openluchtbad met zijn enorme veranda werden door in een wit jasje en zwarte broek geklede obers hapjes en drankjes geserveerd. Die dag was alles versierd met rode, witte en blauwe wimpels, alsof ze nog niet waren bekomen van de feestdag ter ere van het tweehonderdjarig bestaan van Amerika of, waarschijnlijker, hopeloos patriottisch waren.

Het rook er naar kokoszonnebrandolie en patat, vermengd met een zweempje zeewater. Tracey vertelde hem dat je in het meer eigenlijk niet kon zwemmen, dat het in elk geval niet werd aangeraden. De aanwezige kinderen maakten gretig gebruik van het zwembad en vermaakten zich in het ondiepe gedeelte, in beslag genomen door hun waterspeeltjes en hun ruzietjes. Een groepje lange, glanzende, prachtig gebruinde tieners hing flirtend en elkaar uitdagend bij de duikplank rond, terwijl hun ouders rookten en langzaam maar zeker aangeschoten raakten onder grote parasols, of vertrokken om een poosje te gaan zeilen. De meeste volwassenen hadden meer weg van grootouders.

Tracey had al verteld dat het ledenbestand begon te vergrijzen. Volwassen kinderen wilden niet zijn waar hun ouders ook waren, die wilden naar hippere plekken.

'En jij en Mark dan?' vroeg Robert. 'En Crea komt hier toch ook graag.'

'Wij hebben goede herinneringen aan onze jeugd hier. We vormden een groep met z'n allen, in ieder geval tot we naar kostschool gingen, daarna zagen we elkaar alleen in de zomervakanties. Maar wij hebben geen kinderen, dus vallen we buiten de sociale kring van onze leeftijdsgroep. Enfin, ik vind het hier prettig. Als ik hier niet kwam, zou het huis helemaal leegstaan. Ondanks mijn rebelse houding als student ben ik net zo conventioneel geworden als iedereen.'

Robert kon het maar moeilijk geloven. Ze legden beslag op twee stoelen aan de rand van het zwembad en waren nog maar nauwelijks gaan zitten of Tracey daagde hem uit voor een wedstrijdje, één keer heen en terug. Robert nam de uitdaging aan en realiseerde zich dat het tijden geleden was dat hij voor het laatst had gezwommen. 'Tegenwoordig is mijn enige lichaamsbeweging de dagelijkse wandeling naar de metro.'

'Des te beter,' zei Tracey terwijl hij overeind kwam, 'dan hoef je je niet zo rot te voelen als ik je met een paar lengtes versla.'

'Onderschat me niet,' zei Robert en hij liep vlug naar de rand en dook het water in, zodat hij een paar seconden voorsprong had. Het voelde goed om te bewegen, de kracht in zijn lichaam te voelen, zich voor alles af te sluiten en zich alleen maar bewust te zijn van elke slag terwijl hij naar de overkant zwom.

Zelfs met zijn voorsprong bleek hij geen partij voor Tracey. 'Zit er maar niet over in, Vishniak,' zei Tracey. 'Ik zwem elke dag. En ik tennis.'

'Revanche?' vroeg Robert.

'Masochistisch als altijd.'

Vier wedstrijden later hees Robert zichzelf hijgend op de kant en ging met zijn armen gespreid op zijn rug liggen. 'Ik kan niet meer,' zei hij. 'Volgens mij heb ik een hartaanval.'

Tracey schopte hem zachtjes in zijn zij. 'Sta op,' zei hij, 'anders worden we opgepakt door de etiquettepolitie.' Hij staarde omlaag naar Robert, die zich er zoals gewoonlijk niet van bewust was hoe hij eruitzag, met zijn diepbruine zomerteint waar hij niets voor hoefde te doen, zijn kletsnatte haar, zo zwart en glanzend dat het haast blauw leek, en zijn lange benen, die ook nadat hij zich jaren per taxi had laten vervoeren nog altijd gespierd waren. Tracey wilde zijn zonnebril pakken die hij op een tafeltje vlak bij het zwembad had laten liggen, maar liet hem uit zijn handen vallen; hij kwam een paar centimeter bij Roberts schouder vandaan op het beton terecht. Tracey bukte zich om hem op te rapen, maar op hetzelfde moment stak Robert ook net zijn hand uit, zodat hun vingers elkaar even raakten. Robert trok direct zijn hand terug toen hij Traceys gelaatsuitdrukking zag en zich die blik herinnerde als iets bekends en vagelijk onaangenaams. Hij stond op en liep de paar stappen naar de droge plek waar hij het enorme badlaken had neergelegd dat hem door de club was verstrekt, en wikkelde het om zijn middel. De twee liepen terug naar hun stoelen terwijl Tracey de ober riep en een gin-tonic bestelde. Robert bestelde een sodawater.

'Ik voel me net een oude vent,' zei Robert.

'Nou, zo zwem je anders niet. Je hebt me nog twee keer weten te kloppen. Waar heb je leren zwemmen? Op zomerkamp?'

'Nee, in de Boulevard Pools,' zei Robert. 'Een zwembad van olympische afmetingen met duikplanken en automaten met frisdrank, als je die bij je moeder wist af te bedelen. En dat alles dankzij de goedgeefsheid van de gemeente Philadelphia.'

'Daar zul je hier niet direct een representatief voorbeeld van aantreffen, ben ik bang,' zei Tracey. 'Geen krioelende massa's die smachten naar vrijheid.'

'En ook geen ruziezoekende jongens van Frankfurt High,' zei Robert. 'Dat was meer het terrein van mijn broer; die hitste de joodse stuudjes uit de buurt op om het diepe terug te veroveren op de footballspelers van de Archbishop Ryan Highschool, en kneep er dan stilletjes tussenuit als de vlam in de pan sloeg. Dacht je dat het milieu waarin ik ben opgegroeid niet op zijn eigen manier exclusief en afgeschermd was?' Op dat moment moest hij ineens denken aan de twee zwarte jongens, een tweeling die god weet waar vandaan was gekomen – North Philadelphia misschien? Ze waren snel weer vertrokken. Ze werden niet openlijk geweerd, maar welkom waren zwarten niet; ze werden genegeerd of erger, dat hing ervan af welke kant van de Boulevard het zwembad die dag domineerde. Hij zou niet verbitterd raken uit naam van zijn volk, noch enig ander volk overigens. Hij was een gast; hij was samen met Tracey. 'Ik heb het uitstekend naar mijn zin.'

Tracey knikte en hief zijn glas naar Robert. 'Op onze vergooide jeugd,' zei hij, 'en op jouw romance.'

'Het brengt ongeluk om met water te proosten,' zei Robert. 'Heb jij me dat niet een keer verteld?'

'Ik ben blij dat je je daar nog steeds aan houdt, Vishniak. Hoe het ook zij, heel wat mannen zouden er alles voor over hebben om in jouw schoenen te staan. Ze is weg van je.'

'Heeft ze dat tegen je gezegd?'

'Dat is overduidelijk.'

'We proberen het niet te overhaasten,' zei Robert. 'Althans, ik probeer dat.'

Tracey lachte. 'Veel succes.'

'Ja, Crea is een behoorlijk vastberaden type, hè? Bijna een natuurkracht. Ik heb nog nooit iemand ontmoet die zo zelfverzekerd is – zelfs jij kunt niet aan haar tippen.'

'Ik doe maar alsof.'

'Maar van haar vader kan ik werkelijk geen hoogte krijgen.'

'Dat hoef je niet eens te proberen,' zei Tracey. 'Het enige waar je op kunt rekenen is dat hij haar zoveel mogelijk zal beschermen. Crea is echt pappa's kleine meisje.'

'Ja, die indruk heb ik ook,' antwoordde Robert. 'Ze heeft me die geschiedenis over haar korset verteld.'

'Daar weet ik niet zoveel van. Ik zat toen op kostschool en mijn ouders hadden niet veel contact met de Alexanders; Marks ouders namen hen wel eens mee. Maar ik herinner me nog wel dat ze voor het eerst naar Tuxedo kwamen. Crea was een jaar of tien en Jack ging met haar naar het zwembad en gaf haar dan urenlang zwemles. Soms zag ik ze hand in hand lopen. Ik was stikjaloers. Dat dééd je niet in die tijd, je kinderen zo'n onverholen affectie tonen, laat staan zo veel tijd met ze doorbrengen, en zeker niet als vader.'

'Nee,' zei Robert, 'vaders zaten op hun werk.'

'Of waren ergens geheimzinnige mannendingen aan het doen,' zei Tracey. 'Die vaders van ons konden ons niet uitstaan. Enfin, dat moet je Crea zelf maar vragen, ik voel me net een oude roddeltante zoals ik hier zit te praten.'

'Roddel nog maar even door,' zei Robert, blij met deze kans. 'Vertel eens wat er van de anderen geworden is. Cates? Van Dorn? Duiken die straks ook nog onverwachts op?'

'Cates is naar Frankrijk verhuisd om dichter bij zijn moeder te zijn. Is met een Française getrouwd. Hij zit bij de diplomatieke dienst.'

'Echt iets voor hem!' zei Robert. 'Voordat je het weet zijn we in oorlog met de Fransen. En Van Dorn? Bij de National Guard?'

'Die heeft een hele tijd in Virginia gezeten en uiteindelijk besloten om daar te blijven. Is een soort herenboer geworden, niet wat je zou verwachten. Iets met speciale koeien of zo, misschien geven ze wel chocolademelk, wie zal het zeggen? Met kerst stuurt hij altijd van die ellenlange brieven, of zijn vrouw doet dat, met eindeloze verhandelingen over welk vee er gekalfd heeft. Ik hoop dat ze gauw kinderen krijgen, voor ons aller welzijn.'

'En Mark?' vroeg Robert, 'wat is van Mark Pascal geworden?' Het was veiliger om het over Mark en de anderen te hebben dan naar Traceys eigen leven te vragen of proberen uit te leggen wat hem zelf allemaal was overkomen, of zelfs hun gesprek over Crea voort te zetten, vooral dat laatste. Robert wist niet zeker of hij kon voldoen aan de veronderstellingen die men van hem had – dat was om te beginnen de reden geweest waarom hij niet had staan springen om hier te komen. Misschien vond Tracey het ook wel prettiger om het over anderen te hebben. Om een of andere reden was hij opener, of in elk geval communicatiever dan vroeger. *Misschien is hij eenzaam*, dacht Robert. Hoe het ook kwam, Robert vond het een verademing dat Tracey zoveel spraakzamer was geworden. 'Mark heeft het jarenlang alleen maar over journalistiek gehad,' vervolgde Tracey. 'Hij zat altijd op de redactie van *Crimson*. Het enige wat hij wilde, voor zover ik me herinner, was naar Vietnam gaan om verslag te doen van de oorlog.'

'Na zijn afstuderen kreeg hij een baantje bij *Globe*,' zei Tracey. 'Hij begon als iemands feitenchecker, geloof ik, en promoveerde vervolgens naar koppen of interpunctie, de details weet ik me niet precies meer. Maar we waren allemaal opgelucht toen ze hem de necrologieën gaven en hem hele alinea's lieten schrijven.'

'Waarschijnlijk begint iedereen zo,' zei Robert.

'Ik heb hem er, net als de anderen, behoorlijk mee geplaagd – je weet wel, necrologieën schrijven: dodelijk saai; onderaan beginnen, lager dan onder de grond kan niet; de grappen lagen voor het oprapen. Misschien hebben we er allemaal schuld aan, misschien waren we wel jaloers dat hij zijn eerste ideaal zo trouw was gebleven of dat hij überhaupt een ideaal had. Ik wreef hem voortdurend in dat hij een hondenbaan had waar ze hem tot 's avonds laat slavenarbeid lieten verrichten op kantoor of hem elk moment naar god weet wat voor verschrikkelijke buurt van Boston konden sturen omdat iemands grootvader was gestikt omdat er een botje in zijn broodje kipsalade zat, terwijl de rest van ons hier zat of zich elders vermaakte. Wist je dat kranten de necrologieën van bepaalde mensen uit voorzorg al klaar hebben liggen?'

'Nee, dat wist ik niet.'

'Dat krijg je als je wat bereikt hebt in het leven: een necrologie die klaarligt. Treuriger kan niet als je het mij vraagt. Ze hebben er een klaarliggen van alle voormalige presidenten, van belangrijke kunstenaars, van beroemdheden. Ze hadden er vast ook al een van mijn vader voordat hij de pijp uitging. Hij kreeg een lange hommage in de *Times*.'

'Gecondoleerd,' zei Robert. 'Dat wist ik niet. Wanneer is hij overleden?' Er waren jaren geweest dat hij geen krant had ingekeken. Door Watergate was hij zich pas weer voor het nieuws gaan interesseren.

'In 1970. Een hartaanval. Kort na zijn achtenvijftigste verjaardag. Wij Traces staan er niet om bekend dat we hoogbejaard worden. Je hoeft niet zo meewarig te kijken, hoor, echt, ik mis hem niet. Het was eigenlijk alsof er een last van mijn schouders viel. Hij stierf voordat ik hem nog verder kon teleurstellen.'

'Zit jij ook in de zaak?' Het was een rare manier om te verwijzen naar iets wat een soort dynastie was. Er waren kantoorgebouwen in de stad die de naam Trace droegen, en een cruiselijn. Zijn vraag klonk als iets wat Vishniak over de stomerij van een van zijn neven had kunnen vragen. Maar Robert had nooit precies geweten hoe hij moest refereren aan wat Traceys familie deed – 'werk' leek niet het juiste woord en 'zaken' ook niet. Die begrippen dekten de lading niet, waren te klein, te eenvoudig.

'Mijn jongste broer heeft vorig jaar zijn bul behaald in Harvard, en ik neem aan dat hij er te zijner tijd wel in zal stappen. Hij was te slim om mij als voorbeeld te nemen en heeft altijd zijn best gedaan op school. Maar de leiding is in elk geval in uiterst competente handen, hoewel ik er als het nodig is natuurlijk wel bij word betrokken – vooral om oersaaie aandeelhoudersvergaderingen bij te wonen. Maar over het geheel genomen doe ik hier precies wat er van me verwacht wordt en dat is, godzijdank, zo goed als niets. Ik lees veel; ik zit in de Tuxedo Park-vereniging, wat tegenwoordig meer tijd kost dan ooit mijn bedoeling is geweest. Ik liefhebber wat op de beurs. Hier ben ik nou voor in de wieg gelegd, Vishniak. Voor niets speciaals. Een publieke intellectueel, maar wel een die een teruggetrokken leven leidt.'

Robert vroeg zich af hoe iemand die nog zo jong was hier permanent kon wonen. Tuxedo was prachtig, maar niet dynamisch of bruisend. Tracey had zich uit het leven teruggetrokken nog voor hij er daadwerkelijk aan begonnen was. Hij zag er weliswaar tevreden en ontspannen uit, maar dat zei bij hem niets; hij kon goed veinzen, beter dan Robert. Tracey stak zijn hand in een schaaltje pinda's dat rechts van hem op een tafeltje stond en gooide ze één voor één in zijn mond. Nee, dacht Robert, hij kon onmogelijk zoveel veranderd zijn, maar toch was het makkelijker om het over Mark te hebben. 'Is Pascal uiteindelijk nog als verslaggever in Vietnam terechtgekomen?'

'Voor zover ik begrepen heb moet een verslaggever eerst een bepaalde staat van dienst hebben. Ze sturen er echt niet zomaar een groentje van Harvard heen die alleen nog maar wat korte stukjes heeft geschreven. Nou ja, misschien wel als iemand een goed woordje voor hem had gedaan, hoewel *Globe* altijd liberaal is geweest, en katholiek; misschien was Mark er daarom wel gaan werken, je weet wel, buiten ieders invloedssfeer. En zijn vader was er sowieso al op tegen dat hij die baan aannam en heeft hem aan den lijve laten ondervinden hoe het was om het zonder kruiwagen zien te rooien.'

'Maar Mark had toch wat hij wilde, ik bedoel, hij schreef en hij had hogerop kunnen komen.' Robert begreep het nog steeds niet. Waarom wilden ze allemaal per se een drama of een waarschuwend verhaal maken van wat gewoon een eerste baan was?

'Je hebt willen en willen,' vervolgde Tracey. 'Pascal is, net als ik, snel op zijn teentjes getrapt. Hij maakte een paar kleine fouten, werd een paar keer uitgefoeterd door redacteuren. Waarschijnlijk niets abnormaals. Kennelijk zijn er nogal wat uitbarstingen op een nieuwsredactie, waar iedereen in van die akelige, krappe hokjes geperst zit. Ik heb hem daar een keer opgezocht. Die verslaggevers waren net ratten in een doolhof.'

'Zo werken mensen nu eenmaal die net ergens beginnen,' zei Robert. 'Zo is het léven.'

'Zo is jóuw leven. Jij hebt redenen om iets te willen beréiken, en als het nodig is of als je plannen niet helemaal lopen zoals je wilt, kun je in de tussentijd met heel weinig geld toe omdat je dat gewend bent.'

Die opmerking van Tracey was een klap in Roberts gezicht. Hij wist dat het niet zijn bedoeling was geweest om hem te beledigen, maar zijn woorden leken te suggereren dat de wereld Robert op grond van wat hij gewend was minder zou geven en dat hij daar tevreden mee zou zijn. Hij gebaarde naar de ober; een gin-tonic zou er bij nader inzien toch wel ingaan.

'Wie zal zeggen of Pascal wel een goede correspondent zou zijn geweest?' vervolgde Tracey. 'Ik zie hem niet zo gauw in een tentje in de modder zitten. Hij heeft nu een positie en het bijbehorende respect waar hij als journalist misschien wel tientallen jaren in had moeten investeren. En dan heb ik het nog niet eens over de kans om serieus geld te verdienen. En bovendien is zijn vader nu ook gelukkig.'

'Maar Márk maakt bepaald geen gelukkige indruk,' zei Robert daarop.

'En ik betwijfel of hij het geld nodig heeft. En sinds wanneer trekt hij zich er iets van aan of zijn vader gelukkig is?'

'Dat weet je toch, ze worden ouder of ze worden ziek. Dan gaat dat tellen. Mijn vader heeft me nooit een moer geïnteresseerd, maar ik maak me tegenwoordig zorgen om mijn moeder op een manier die ik vroeger helemaal niet kende. En dat terwijl ze nog altijd meer energie heeft dan jij en ik bij elkaar.'

'Hoe gaat het met je moeder?' vroeg Robert terwijl hij zich die ongemakkelijke lunch weer herinnerde.

'Op dit moment zit ze met de moeder van Cates in een kuuroord in Cap d'Ail.'

'God, wat leven jullie toch in een klein wereldje,' zei Robert. Of ik het nu leuk vind of niet, ik zit er zelf nu weer middenin, dacht hij, alsof alle wegen hierheen geleid hebben. Er waren nog onafgemaakte zaken, dat was het. Hij verschilde niet zoveel van Barry: hij had nog steeds van alles te bewijzen.

'Ik maak niet snel vrienden. In elk geval geen echte vrienden,' zei Tracey. 'Vandaar dat ik jouw komst hier als een godsgeschenk beschouw, Vishniak.'

De ober bracht Robert zijn gin-tonic en die vroeg zich af of hij hem een fooi moest geven. Hij betwijfelde het. Niet hier.

'Arme Mark,' vervolgde Tracey.

'Je zei net dat hij het zo goed voor elkaar had.'

'De rest van ons, Cates, Van Dorn en ik, hebben nooit van die hooggestemde idealen gehad. Dus konden we ook minder diep vallen.'

'Dat soort dingen zei je op de universiteit ook, dat het zinloos was om al je hoop op één doel te vestigen. Toen dacht ik dat je het niet echt meende. Maar blijkbaar was dat wel zo.'

'Nu meer dan ooit.'

De ober kwam terug met een nieuw drankje voor Tracey en nog wat pinda's. Vlakbij maakte een van de kinderen een bommetje in het water en de koude waterdruppels spatten de beide mannen tegen de onderbenen. Het water voelde lekker, maar kort erop zette het kind het op een krijsen toen een vrouw het met harde hand uit het zwembad haalde.

'En dan komt Crea ineens met jou aanzetten. Dat moet niet makkelijk zijn voor Mark. Hij heeft al jaren geleden zijn zinnen op haar gezet.' Tracey liet even een stilte vallen. 'Volgens mij denkt hij dat hij uiteindelijk haar weerstand kan breken, als hij maar lang genoeg om haar heen blijft hangen. Of haar kan overwoekeren, als mos.'

'Vroeger zat hij achter de zus van Cates aan – hij heeft haar volgens mij jaren kwijlend achternagelopen.'

Tracey keek behoedzaam over zijn schouder. 'Crea was altijd nummer één, al sinds ze op de middelbare school kwam. Maar volgens mij is hij op een heleboel meisjes verliefd geweest. Hij is echt hopeloos met vrouwen.'

'Zo'n beetje alle jongens vielen als een blok voor de zus van Cates – ik ook,' zei Robert terwijl de herinnering aan die dansavond weer bij hem bovenkwam, zoals haar benen eruit hadden gezien in die kanten kousen, het puntje van haar kin, die enorme ogen. 'Maar ze was al bezet, herinner ik me.'

'Ze is getrouwd met Charlie Webb. Die twee waren zo verliefd op elkaar dat je er bijna misselijk van werd. Hij zat niet bij ons op kostschool, maar we kenden hem allemaal. Volgens de een of andere stomme familietraditie moest hij als oudste zoon naar West Point. Hij is omgekomen in Vietnam.'

'Wat vreselijk,' zei Robert, maar hij zat met zijn gedachten nog steeds in het verleden, op Smith College. 'We hebben een keer onenigheid gehad, Claudia en ik. Een kwestie van verkeerd geïnterpreteerde signalen; misschien had ik het wel verdiend, maar ze heeft me vreselijk op mijn nummer gezet, zoals geen ander meisje ooit gedaan had.'

'Ja, daar is Claudia vrij goed in,' zei Tracey.

'Dus zij is er ook?' vroeg Robert, die haast onmerkbaar iets rechterop ging zitten.

Tracey knikte en nam nog een slok van zijn drankje.

'Is ze ooit hertrouwd?' vroeg Robert.

'Zo kun je het wel stellen,' antwoordde Tracey. 'Ze is mijn vrouw.'

31

Een barbecue in de buitenlucht

Die avond aten ze buiten, omgeven door gloeiende gele fakkels op schuin in de grond gestoken lansen. De gastenlijst had zich sinds die middag uitgebreid. Nu waren Tracey en Claudia ook van de partij, evenals Marks vader, Trenton Pascal, en Marks jongere zus, een verrassend alledaagse, vermoeid uitziende jonge vrouw, die luisterde naar de naam Mignonne – Robert hoorde het Vishniak al zeggen: echt iets voor de rijken om hun kinderen naar een stuk vlees te noemen. Trenton Pascal was klein van stuk en kaal en er was een sterke gelijkenis tussen de vader en zijn beide kinderen; Robert kon hem zich maar vaag herinneren van de keer dat hij al Marks vrienden mee uit eten had genomen. Hij schudde Robert enthousiast de hand; zijn manier van doen en het gemak waarmee hij een praatje aanknoopte, deden Robert terugdenken aan hoe Mark indertijd was geweest, en hij vroeg zich af of vader en zoon van rol hadden gewisseld.

Crea's vader en Marks vader ontfermden zich over de barbecue, een ingewikkeld apparaat aan het eind van de patio. Een zwarte vrouw in een donkere jurk en een wit schort, een van de twee vrouwen die bij Roberts aankomst in de keuken had gezeten, liep af en aan tussen de barbecue en de tafel, en tussen de tafel en de keuken. Crea's vader noemde haar Dinah; Robert kon zich voorstellen dat ze het vreselijk warm moest hebben: het was een erg zwoele avond, ze droeg kousen en een polyester uniform en er sloegen zichtbare warmtegolven van de barbecue af.

Crea, met een kleur op haar gezicht van de zon, stond in een hoek met Tracey en Claudia te praten terwijl Mignonne Pascal aan de andere kant van de enorme tuin in haar eentje was achtergebleven en met een van de honden speelde. Tuxedo stond bekend als een gemeenschap waar de fauna goed gedijde. Vanaf de plek waar hij stond, vlak bij de tafel, zag Robert bij een struik een buidelrat scharrelen en op een steenworp afstand van de barbecue een wild konijn. Een uurtje eerder hadden Robert en Crea tijdens een wandeling drie auto's midden op de weg zien stilstaan om een damhert en haar kalfje te laten passeren.

Robert hoorde Crea lachen, een diepe, hese lach, die hij graag hoorde, niet al te melodieus, niet al te damesachtig. Ze droeg een wit T-shirt, een witte spijkerbroek en platte sandalen. Haar gespierde dijen kwamen goed uit in die spijkerbroek; ze had het dunne T-shirt in haar broek gestopt en het spande strak om haar lijf, waardoor Robert zich van haar lichaamsvormen bewust werd. Eerder die dag, nadat ze meer dan een uur had paardgereden, was ze met Mark bij het zwembad verschenen en had zich snel van haar hemdjurk ontdaan, waaronder ze een zwarte bikini bleek te dragen. Ook zij had hem uitgedaagd voor een wedstrijdje. Was alles dan een wedstrijd voor deze mensen? Zouden ze ooit het zwembad induiken om gewoon wat rond te poedelen? Ze beulden zich enorm af in hun vrije tijd. Tracey en hij hadden net weer een wedstrijd achter de rug – Tracey had hem opnieuw verslagen, met twee tegen een – en hij had geen zin in nog een race. Toen stelde Crea voor om te gaan volleyballen; voor dat doel waren er ballen en een drijvend net, maar Robert wilde gewoon lekker blijven zitten. Ze had hem een plagerig duwtje gegeven. Wat was hij toch een egoïst. Daarna had ze hem met haar handdoek geslagen en had hij haar opgetild en in het diepe gegooid. Tijdens haar val pakte ze hem bij zijn voet, waardoor hij zijn evenwicht verloor en ze samen in het zwembad terechtkwamen. Watertrappelend gaf ze hem een kus, haar lichaam tegen het zijne gedrukt. 'Laten we naar huis gaan,' zei ze.

Ze klommen het zwembad uit en liepen naar de anderen, terwijl ze het water van zich afschudden. Op uitdagende, haast arrogante toon zei Crea dat ze naar huis gingen om een dutje te doen.

'We zouden er toch met de boot op uitgaan?' vroeg Mark. 'Dat was toch het plan?'

'De plannen zijn gewijzigd,' zei Crea vriendelijk. 'We gaan morgen wel varen. Neem een drankje, Mark.'

Nu, vier uur later, keek Robert terug op zijn dag. Nadat hij kilometers had gezwommen en twee keer met zijn vriendin naar bed was geweest, had hij zich op de een of andere manier door haar laten overhalen om nog 'een wandelingetje voor het eten' te maken, wat uitliep op een tocht van twee uur door het bos, waardoor ze zich genoodzaakt zagen om zich half lopend, half hollend terug te haasten, samen te douchen (half zo snel als ze eigenlijk zouden moeten) en zich allebei met nat haar en een gloeiend gezicht naar beneden te reppen, waar haar vader net de barbecue had aangestoken. Iedereen zag er nogal rozig uit, behalve Crea. 'Ik voel me altijd op mijn gelukkigst in Tuxedo; het is hier zo vredig, vind je ook niet?' had ze tijdens hun wandeling tegen hem gezegd.

Robert wist niet zeker of 'vredig' nou precies het woord was dat hij zelf ook zou hebben gebruikt – 'actief', misschien, of 'beschaafd' – maar hij zei terug dat hij het fijn voor haar vond dat ze zich hier zo gelukkig voelde, en daar liet hij het bij.

Mark Pascal, die de bar bemande, kwam naar Robert toe lopen en vroeg of hij iets wilde drinken. 'Straks misschien,' antwoordde Robert. Waar hij nu behoefte aan had was koffie, maar hij stelde zich tevreden met ijsthee. Hij schonk een glas in uit de kan die vlak voor hem op tafel stond, dronk het in één keer leeg en schonk nog een glas in, hoewel het eigenlijk wat te zoet was naar zijn smaak.

Toen Jack vond dat het vlees en de maïs klaar waren, en de sla en de verse tomaten uit de tuin, samen met een paar gigantische schalen aardappelsalade, waren opgediend, voegden de twee oudere mannen zich bij de anderen rond de tafel. Het gezicht van Crea's vader was rood en glimmend van de warmte. Marks vader en hij gingen ieder aan een uiteinde van de tafel zitten, als twee directeuren van een bedrijf. Robert zat tussen Mignonne Pascal en Claudia Trace in, en tegenover hem zat Crea, geflankeerd door Mark en Tracey.

Hij wist niet wat hij tegen Claudia moest zeggen. Ze zat naast hem en zei haast geen woord. Ze was nog altijd knap om te zien, met grote bruine ogen en dezelfde sluike zwarte pony, maar ze was veel magerder dan hij zich herinnerde. Haar korte rode jurk was hooggesloten, maar mouwloos, en haar armen waren zo dun als twijgjes. Ze deed hem nu denken aan Audrey Hepburn, een goede actrice, daar niet van, maar Audrey Hepburn kwam niet in zijn seksuele fantasieën voor en hij kende geen man bij wie dat wel het geval was. Hij vroeg Claudia om hem de sla aan te geven en was benieuwd of ze de kom wel zou kunnen optillen, en toen ze zich zijn kant op draaide, flapte hij eruit: 'Ha, Claudia, ik herinner me nog dat we samen op "The Shoop Shoop Song" hebben gedanst.'

Toen ze glimlachte, zag hij een rimpel tussen haar ogen. 'Ik heb met zo veel jongens op "The Shoop Shoop Song" gedanst,' zei ze zacht.

Ze herinnerde zich hem niet. Wat een opluchting. Omdat hij geen ander gespreksonderwerp kon bedenken dan het verleden – haar broer? haar huwelijk? allemaal mijnenvelden op zich – en omdat het hem op de een of andere manier nog steeds dwarszat dat ze hem ooit had afgewezen, de enige vrouw die dat ooit had gedaan, ging hij erover door.

'Ik geloof niet dat ik je toen erg aardig heb behandeld,' zei hij, een uitspraak die hij maar half meende. Eigenlijk vond hij dat zij hem had misleid.

Ze haalde haar schouders op, als om te vragen waar hij zo moeilijk over deed. 'Ik had me toen net verloofd, toch? Nu weet ik het weer.' Ze duwde haar bord van zich af en gebaarde naar Tracey die haar, hoewel hij in gesprek leek te zijn met Crea's vader, een pakje sigaretten en een aansteker toeschoof. Robert pakte de aansteker en gaf haar een vuurtje.

'Het spijt me van je verloofde,' begon hij, en hij vroeg zich af waarom hij in godsnaam dat onderwerp aansneed. Maar hij was erover begonnen en nu kon hij niet meer terug.

'Mijn eerste man,' verbeterde ze hem. 'Charlie en ik zijn getrouwd voordat hij vertrok.'

Ze staarde naar haar bord en hij probeerde het ten slotte over koetjes en kalfjes te hebben – het mooie weer, het toeval dat Crea hem hier mee naartoe had genomen. 'Ik heb Tracey echt gemist, weet je dat?'

'Ja, Tracey is een goede vriend,' antwoordde ze, maar met zo'n triest lachje dat Robert wist dat ze, in elk geval voor dat moment, had besloten om hem iets van haar ware gevoelens te tonen. Tracey moest een veilige keuze zijn geweest, iemand bij wie ze zich geborgen voelde.

Ze waren in een soort patstelling beland – hij kon haar hier niet laten blijken dat hij die blik, en de reden ervan, begrepen had, maar dat kon hij misschien wel nergens. Toch wilde hij haar op de een of andere manier zijn medeleven laten blijken. Heimelijk gaf hij snel een kneepje in haar hand. Ze bleef zwijgen, onbeweeglijk als een standbeeld, en met het gevoel of hij aan het verdrinken was, zocht hij naarstig naar een ander onderwerp. 'En,' zei hij, en hij nam even een slokje thee tussendoor, 'hoe is het om hier het hele jaar door te wonen?'

'Ik ben blij dat Tracey en jij weer contact hebben,' zei ze terwijl ze met haar vork wat aardappelsalade heen en weer schoof. 'Veel van zijn vrienden zijn verhuisd. Hij woont hier eigenlijk alleen maar vanwege mij. Ik kan niet tegen drukte. En ik kan niet buiten frisse lucht, en mijn tuin.'

'Tuxedo is niet bepaald een opoffering,' zei Robert, die zich er ineens van bewust werd dat de overige mensen aan de tafel in een ander gesprek verwikkeld waren. Opgelucht richtten Claudia en hij hun aandacht daarop. Ze hadden het allemaal over vastgoed.

Tracey was benoemd tot vicevoorzitter van de Tuxedo Park-vereniging, die de huiseigenaren binnen het park vertegenwoordigde. Tracey, Jack, Mark en Trenton hadden het over landontwikkeling; Tuxedo was een van de laatste gemeenten in Orange County met zo veel ongerepte ruimte, waaronder maar liefst twee percelen bosgrond, maar een deel van dat land was eigendom van een bedrijf dat het graag tot ontwikkeling zou willen brengen, en er werden processen gevoerd over sommige beperkende bouwverordeningen van de gemeente. Vreemd genoeg waren het de mensen ín het park, de oude families, die vóór de ontwikkeling waren, terwijl de mensen buiten het park, de jongere, meer opwaarts mobiele middenklasse, ertegen in het verweer kwamen – waarschijnlijk omdat hun uitzicht en kwaliteit van leven erdoor in het gedrang zouden komen.

'Ik had nooit verwacht dat jij een voorstander van ontwikkeling zou zijn,' zei Robert tegen Tracey. 'Ik bedoel, ik ging er gewoon van uit dat jij zou willen dat alles bij het oude bleef.'

'Het is niet zozeer dat we vóór ontwikkeling zijn, maar dat we beseffen dat zoiets onvermijdelijk is en we er nog enige invloed op willen uitoefenen,' zei Tracey. 'De mensen die willen verhinderen dat het bedrijf land gaat ontwikkelen dat al in hun bezit is, steken hun kop in het zand. Verandering is onvermijdelijk.'

'De belastingen zullen omlaaggaan als er gebouwd gaat worden,' zei Robert. 'De huizenwaarde zal stijgen.'

'Het is geen kwestie van geld,' zei Crea's vader bits. 'Misschien voor een enkeling, maar voor degenen hier aan tafel is de toekomst van deze plek van veel groter belang. Er komt niet genoeg jong bloed binnen, dus hebben we een jonger belastingtarief nodig. Zullen mijn kleinkinderen hier nog willen komen?'

'Welke kleinkinderen?' vroeg Crea met een voortreffelijke komische timing.

Jack hield er duidelijk niet van om in de rede te worden gevallen – maar Crea kon zich alles permitteren, dacht Robert, want Jack lachte met de anderen mee en vervolgde: 'Kunnen we enige invloed uitoefenen op hoe het gebied eruit zal gaan zien? Kijk eens naar die nachthemel, Robert. Heb je ooit zo veel sterren gezien? Geen wolkenkrabbers die in de weg staan. Dit gaat over meer dan alleen geld!'

Hij klonk kwaad en Robert vroeg zich af waarom.

'De belasting hier is astronomisch,' fluisterde Crea terwijl ze Robert een liefdevol klopje op de arm gaf.

Had Robert een zere plek geraakt? Hij had er eigenlijk best plezier in. Terwijl Dinah de borden afruimde, richtte Robert zijn volgende opmerking tot Tracey, van wie hij tenminste een bedachtzaam antwoord kon verwachten. 'Is dit niet een erg slechte tijd om te gaan bouwen?'

Pascal beantwoordde de vraag voor hem. 'Het bedrijf maakt deel uit van een joint venture. Geloof me, ze gaan erop verdienen. Er zijn tegenwoordig zo veel subsidies dat je de gelegenheid wel moet aangrijpen. Maar er loopt nog een rechtszaak. De situatie is te ingewikkeld om hier even...'

Robert betwijfelde of de situatie echt zo ingewikkeld was. Ze wilden er in zijn bijzijn gewoon niet dieper op ingaan. Crea, die merkte dat hij geïrriteerd begon te raken, zei dat ze al dat gepraat over vastgoed maar saai vond. Op dat moment kwam Dinah terug met een grote aardbeientaart, versierd met toefjes verse room. Het gesprek viel stil terwijl de gasten in applaus losbarstten. Jack gaf tegen Robert hoog op over Dinah's desserts, en hij knikte en deed net alsof hij zich erop verheugde, hoewel hij met zijn gedachten elders was en probeerde te interpreteren wat er zojuist was gebeurd.

Hij had aangenomen dat ze een gesloten, geïsoleerde gemeenschap vormden. En misschien waren ze dat ook nog steeds, in ieder geval in het toelatingsbeleid tot hun sociëteit, maar ze waren ook praktisch. De wereld veranderde, wás al veranderd, en oud geld accepteerde dat, terwijl nieuw geld dat om de een of andere reden niet kon. Misschien was het best mogelijk om te leren van het verleden. Hij wilde optimistisch zijn, wilde geloven dat deze wereld, net als Crea zelf, eenvoudig te doorgronden was. Dat was tijdens zijn propedeusestudie niet het geval geweest, maar door zijn omgang met Crea stond Robert er nu nog dichterbij; hij had in de tussentijd veel meegemaakt en zei tegen zichzelf dat het hem nu misschien eindelijk zou lukken om zich in deze wereld thuis te voelen.

32

Robert komt nog iets aan de weet over Crea

Nadat hij uit Tuxedo was teruggekomen kreeg Robert het druk op zijn werk, waar ze hem eindelijk iets interessants te doen hadden gegeven: de research voor een van de compagnons die was gespecialiseerd in luchtrechten – en Robert vond luchtrechten fascinerend. Alleen in New York was de lucht boven de gebouwen letterlijk te koop, iets wat dikwijls als wapen werd gebruikt aan de onderhandelingstafel. De medewerker die Robert de opdracht had gegeven, had hem verzekerd dat zijn memorandum alleen zou worden opgenomen in een ander memorandum dat dan vervolgens naar een van de compagnons zou gaan. Het stelde niet veel voor, maar het was beter dan belastingaangiften navlooien. Omdat hij de opdracht zo kort na zijn weekend in Tuxedo kreeg, vroeg Robert zich af of hij deze plotselinge verandering niet op de een of andere manier aan Crea's vader te danken had. Waarschijnlijk had Jack het veel te druk om zich daarmee bezig te houden, maar stel dat Crea gelijk had gehad en hij zich door het uitstapje beter had geprofileerd? Maar het was aannemelijker dat het Phillip Healy was opgevallen dat Robert met een lang gezicht door de gangen liep en iemand had gevraagd om hem iets te geven waar hij zijn tanden in kon zetten. Robert werkte tot laat aan het memorandum door en typte het zelf uit.

Hij ging iets over tienen weg van kantoor en had geen zin om naar Crea's huis te gaan – of eigenlijk had hij daar best zin in, maar aan het eind van de dag wilde ze altijd met hem praten en daarvoor was hij nu niet in de stemming. Hij at een hapje aan zijn bureau en liet zich niet door een auto van de zaak naar huis brengen in de hoop dat een wandeling in de avondlucht zijn hoofd wat zou opfrissen. Hij kuierde naar Fifth Avenue en vervolgde zijn weg door Central Park South, en bleef aan de parkkant lopen, langs de mannen die ritjes met een koets aanboden, waar het een beetje naar paardenmest rook. Bij Columbus Circle stak hij over om een krant te kopen, liep toen door Broadway en sloeg rechts af Columbus Avenue in. Hij naderde 81st Street toen hij Tracey aan zag komen, in het gezelschap van een andere man.

'Wat doe jij in West Side?' vroeg Robert terwijl hij hem de hand schudde.

'Ik ga uit eten met Juan Carlos,' zei Tracey, alsof daarmee alles duidelijk was. Hij stelde Robert voor aan de kleine, donkerharige man, die hem een vage glimlach schonk. 'Ik ben tot vrijdag in de stad,' ging Tracey verder. 'Heb je zin om morgen te komen eten?'

Robert nam de uitnodiging aan en Tracey gaf hem zijn adres, ergens in de buurt van het Museum of Modern Art. 'Morgen om negen uur, dan? Ik moet ervandoor...'

Robert zag hen 81st Street in lopen, in de richting van het park. In die straat, wist hij, zaten helemaal geen restaurants. Het merendeel van de straat werd in beslag genomen door het Beresfordgebouw, met een enorme lap kantoorruimte en ontelbare zijdeuren, en daarnaast zat een toeristenhotel met alleen een koffiebar.

Toen Robert de volgende avond bij Tracey kwam, was zijn gastheer nog bezig voorbereidingen voor het eten te treffen – wat inhield dat een ober uit een nabijgelegen restaurant doende was twee dekschalen met pasta en allerlei bijgerechten klaar te zetten. 'Ik herinnerde me dat je van Italiaans hield. Ik hoop dat dat oké is?' zei Tracey.

'Ik ben uitgehongerd,' zei Robert. 'Ik geloof dat ik niet eens een bord nodig heb.'

'Gebruik er toch maar een,' zei Tracey.

De man die het eten gebracht had maakte een buiging en verdween. Robert registreerde dat Tracey, omdat hij nu eenmaal Tracey was, de kelner bij binnenkomst kennelijk al had betaald en een fooi had gegeven, zodat er geen geld van hand hoefde te wisselen in het bijzijn van een gast. Hij zei tegen Robert dat hij kon toetasten, en Robert schepte zijn bord vol pasta bolognese. Het rook verrukkelijk. Toen Tracey de wijn inschonk, bedacht Robert hoe heerlijk het was dat hij weer in de gratie stond bij zijn vriend, en hoezeer hij zich nu op zijn gemak voelde met hem.

'Zien we je volgend weekend weer in Tuxedo?' vroeg Tracey.

'Ik ben nog aan het bijkomen van mijn vorige bezoek. Om nog maar te zwijgen van mijn bezoek aan Jacks huis in de stad.'

Tracey nam een slokje wijn. 'Claudia en ik hoopten eigenlijk dat Crea en jij vaste weekendgasten in Tuxedo zouden worden. Je bent een van de weinige oude vrienden met wie Claudia graag praat. Je zou me een groot plezier doen als je wilt proberen om haar een beetje uit haar schulp te laten kruipen. Daar ben je goed in.'

'De volgende keer, als er een volgende keer komt, zal ik met alle plezier zo lang met Claudia praten als ze maar wil,' zei Robert, die het maar een vreemd gesprek vond.

Tracey glimlachte. 'Ik durf te wedden dat je er eerder terugkomt dan je denkt.' Hij nam nog een slokje wijn. 'Weet je nog hoe Claudia was toen we studeerden, dat ze honderduit kletste? Tegenwoordig is ze stilletjes. Ik vind haar zwijgzaamheid heel prettig, moet ik zeggen – dat is deels de reden dat ik me tot haar aangetrokken voelde. Maar soms denk ik dat ze te veel tijd alleen of met mij doorbrengt.'

'Dat is geloof ik wat ze een huwelijk noemen,' zei Robert en hij stak een grote hap pasta in zijn mond. Hij had sinds de lunch niet meer gegeten en had zo'n honger dat het hem moeite kostte aan zijn tafelmanieren te denken. 'Eet Claudia wel goed? Ze is veel dunner dan ik me herinner.'

'Ik hou van dun, Vishniak,' zei Tracey. 'Dunne vrouwen staat kleding veel beter.'

Robert veegde zijn mond af. 'Vrouwen met een beetje vlees eraan zien er zonder kleren beter uit.'

Tracey legde zijn vork neer – hij had zijn eten nauwelijks aangeraakt – en leunde achterover in zijn stoel. 'Zoals je weet,' zei hij, 'geef ik de voorkeur aan vrouwen met hun kleren aan.'

'Op dat vlak is er dus niets veranderd?' vroeg Robert en hij staarde naar zijn bord.

'In grote lijnen niet, nee,' antwoordde Tracey. 'Maar we hebben het goed samen. Ik hou van haar, Vishniak. Misschien niet zoals jij van Crea houdt, maar ik hou van haar.'

Toen zijn liefde voor Crea werd genoemd, wilde Robert zo snel mogelijk van onderwerp veranderen. 'Is dit appartement je eigendom?' vroeg hij. Het was kleiner dan hij had verwacht, gezellig, met lichte vloerkleden en modern Nederlands meubilair. Het uitzicht strekte zich zo ver naar het oosten uit dat hij een klein stukje van de rivier kon zien.

'Ik heb het gekocht toen ik van de universiteit kwam. De woningen op de drie bovenste verdiepingen gaan allemaal door voor 'penthouse' tegenwoordig. Kwestie van marketing.' Tracey haalde zijn schouders op. 'Het is mijn persoonlijke toevluchtsoord. Ik nodig hier niet zomaar iedereen uit.'

'Ik voel me vereerd,' zei Robert. 'Het ziet er behoorlijk exclusief uit.'

'Iedereen hier bemoeit zich met zijn eigen zaken, daar hou ik van. Het is niet zo moeilijk om hier binnen te komen, als je de juiste achternaam hebt tenminste, de juiste mensen kent. En dat laatste is natuurlijk mijn specialiteit.'

'Maar Crea kent de juiste mensen en zij vertelde me onlangs een heel verhaal over hoeveel moeite haar vader had moeten doen om toegelaten te worden tot Tuxedo en ze vertelde hetzelfde over het appartement waarin ze is opgegroeid. En Pascal zei ook nog tegen me dat zijn vader en die van Crea zo goed bevriend waren en dat Trenton had geholpen om Jack Alexander Tuxedo binnen te loodsen. Aan wat voor eisen moet je dan allemaal voldoen?'

'Ben je van plan iets aan Park Avenue te kopen?'

'God, nee, ik bedoel... Ze schijnen ervan uit te gaan dat ik weet waar ze het over hebben.'

'En je hebt geen idee?'

'Gaat het om geld? Want het is me beslist niet ontgaan dat daar door niemand over wordt gesproken.'

'Voor de Alexanders zal het wel iets moeilijker zijn geweest.'

'Hoezo?' vroeg Robert met een mond vol spaghetti.

'Dat hoef ik uitgerekend jou toch niet uit te leggen. Wat kunnen jou de stompzinnige vooroordelen van anderen nou schelen?'

'Welke vooroordelen?'

'Ik was ervan uitgegaan dat Crea zich deels daarom zo tot je aangetrokken voelde.'

'Waarom dan?' Waarom deed Tracey zo ontwijkend?

'Ik heb het over het feit dat jullie allebei joods zijn,' zei Tracey hoofdschuddend en hij schonk zijn nu met stomheid geslagen vriend nog wat wijn in.

33

De eerste ruzie

Robert ergerde zich de hele week al aan Crea, maar hij kon niet precies zeggen waarom. Die vrijdag lagen ze eindelijk ontspannen in bed naar *The Tonight Show* te kijken, toen ze vroeg hoe zijn etentje bij Tracey was geweest.

'Leuk,' antwoordde hij terwijl hij de afstandbediening pakte en de tv wat zachter zette.

'Ik wou dat we die twee in de stad konden ontmoeten,' merkte Crea op. 'Ik word er echt niet goed van dat die vrouw zich thuis zo afzondert. Vroeger kon je enorm met haar lachen. Ik keek tegen haar op. Nu is ze, nou ja, een emotioneel wrak.'

'Ze heeft een zware tijd achter de rug.'

Crea sloeg als antwoord haar ogen ten hemel.

'We zijn niet allemaal zo sterk als jij, Crea.'

'Ik heb het helemaal niet over mezelf!' viel ze uit. 'Ze doet net alsof zij de enige is die geleden heeft. Duizenden Amerikanen hebben naasten en geliefden verloren in Vietnam. Godzijdank heeft Nixon ervoor gezorgd dat we daar weg zijn.'

'Misschien wel het enige goede wat hij gedaan heeft.'

'De geschiedenis zal milder over hem oordelen.'

'Heb je dat soms ergens gelezen?' vroeg Robert. 'Want Nixon gaat hoe dan ook naar de hel als hij dood is.'

'Ik heb geen zin om ruzie te maken over Nixon,' zei ze terwijl ze de afstandsbediening uit zijn hand probeerde te pakken. Ze keek hem aan. 'Je zoekt al de hele week ruzie met me. Wat is er aan de hand?'

'Waarom heb je me niet verteld dat je joods bent?'

'Daar zit jij toch niet mee?'

'Nee, dat is het niet,' zei hij, maar terwijl hij het zei, wist hij dat hij er wel degelijk mee zat. Als ze christelijk of boeddhistisch of om het even wat was geweest, zou het hem weinig hebben uitgemaakt. Barry was vorig jaar toen hij in Californië was expres op Jom Kipoer naar Disneyland gegaan. Veel kortere rijen, zei hij. Maar al had het judaïsme van zijn familie – op de enkele keer na dat zijn moeder op zaterdag de synagoge bezocht – meer met eten dan met de Thora te maken, en al besteedden ze niet altijd evenveel aandacht aan wat ze waren, ze wisten heel zeker wat ze níet waren; ze waren geen joden die een kerstboom kochten, hun achternaam veranderden en voor anglicanen probeerden door te gaan. Hij had op de een of andere manier moeite met de 'hulp' die de Alexanders van de Pascals en de Traces hadden gekregen om het joodse appartement te kunnen betrekken – hij wist dat de meeste exclusieve appartementengebouwen aan Park en Fifth Avenue een joods appartement hadden, gereserveerd voor joden die er niet al te joods uitzagen en zich niet al te joods gedroegen, die zich een beetje gedeisd hielden en er alles voor overhadden om niet tussen hun eigen soort te hoeven wonen – en dat vervulde hem met een onverklaarbare weerzin. Ondertussen praatte hij door, struikelend over zijn woorden, en begon te hoesten.

'Het heeft mij nooit iets uitgemaakt,' zei ze. 'Ik heb, in tegenstelling tot jij, nooit bar mitswa gedaan.'

'Bat mitswa,' zei hij. 'Zo heet het bij meisjes. En hoe weet jij zo zeker dat ik wel bar mitswa heb gedaan?'

'Dat weet ik gewoon, klaar. Wij zagen er niet joods uit en mijn vader zei: "Waarom zouden we moeilijkheden zoeken?" Mijn moeder had een Spaanse achtergrond, haar familie woonde tot aan de oorlog in Parijs en haar ouders waren al overleden voordat ik geboren werd. De ouders van mijn vader waren Duitsers, die begin negentiende eeuw de oversteek hebben gemaakt – ik had mijn opwachting op het Herfstbal kunnen maken als ik had gewild, had zelfs lid kunnen worden van de Dochters van de Amerikaanse Revolutie! Jack wilde dat graag, maar ik paste ervoor. In de meeste opzichten passen we prima in Tuxedo, en waarom zouden we het sowieso ter sprake brengen? De joden zijn eerst uit Engeland verjaagd, daarna uit Spanje en Portugal, en waar ze niet werden weggejaagd, zijn ze afgeslacht. Dan is het toch niet verbazingwekkend dat veel mensen die erbij zouden kunnen horen liever niet tot die club toetreden?'

'Het is geen club,' zei hij. 'Niet alles is een club! Dat is het hem verdomme nou juist.' Hij voelde het nu, het ijler worden van de lucht, de noodzaak om steeds oppervlakkiger te gaan ademen. Hij strompelde het bed uit om zijn jasje te pakken, maar kon het niet vinden, kon niet bij zijn inhaler komen. Crea stapte kalm uit bed om mee te zoeken en vond hem uiteindelijk, terwijl Roberts ademhaling in gepiep was overgegaan. Hij was een toonbeeld van verwarring, een zielig hoopje mens naast haar onverstoorbaarheid.

Toen de aanval weer voorbij was en zij een kopje thee voor hem had gezet, waarmee ze aantoonde dat ze in elk geval water kon koken, besloten ze op te houden met ruziën. Ze vonden het geen van beiden nodig om te redetwisten over religie – iets wat eigenlijk helemaal niet relevant was in hun dagelijks leven. Maar ging dit wel over religie? Hij kon niet precies aangeven waarom hij een verwijdering tussen hen voelde, terwijl hun gedeelde, zij het verre, erfgoed hen juist nader tot elkaar zou moeten brengen. *Erfgoed*, dat was haar woordkeuze. Keurig, kort en bondig, maar wel voorbijgaand aan de slordige dwarsverbanden tussen bloed, cultuur en religie.

Terwijl Robert kleine teugjes van zijn thee nam, dacht hij aan Gwendolyn. Die herinneringen braken hem altijd op; meestal deed hij zijn best om niet aan haar te denken, maar nu kon hij het niet helpen. Hij had niets van haar achtergrond geweten tot die keer dat hij haar mee naar huis had genomen voor Thanksgiving en zijn familie had volgehouden dat ze joods was – later had hij natuurlijk aan haar vader gezien dat hij een jood was, een Engelse jood met een gojse naam, maar dat had Robert allemaal niets uitgemaakt. Waarom zat Crea's situatie hem dan wel dwars? Hij kon er maar niet de vinger op leggen. Tenzij het antwoord doodeenvoudig was dat hij niet van haar hield en dat hij wel van Gwendolyn had gehouden en dus alles van haar had willen accepteren. Natuurlijk was het ook zo dat hij pas iets specifieks over Gwendolyns afkomst aan de weet was gekomen toen ze al dood was. Als hij niet Stacia's zoon was geweest, er niet uit had gezien zoals hij eruitzag, of de achternaam en de neus had gehad die hij nu eenmaal had, of dat nasale joods-noordoostelijke accent probeerde te onderdrukken dat af en toe ongewild in zijn klinkers opdook, als al die dingen die hem zo duidelijk bestempelden tot wat hij was er niet waren geweest, dan zou hij er misschien ook voor gekozen hebben om het te laten voor wat het was.

Twee weken later kwam Roberts zomerstage bij A, L & W ten einde en moest hij bij Phillip Healy op kantoor komen. Tot dusver hadden slechts zeven stagekrachten een baan aangeboden gekregen, minder dan de helft van de stagekrachten, en bij vastgoed was er maar één baan vergeven – aan Wilton

Henry, wiens aanpassingsvermogen hem duidelijk geen windeieren had gelegd. De mensen die ernaast gegrepen hadden liepen rond met bedrukte gezichten, herwonnen zich weer een beetje na diverse dure interlokale telefoontjes op kosten van de zaak, namen hun laatste salarischeque in ontvangst en gingen vroeg weg.

Robert stond stokstijf voor Phillip Healy's bureau, met zijn handen in elkaar geklemd zodat ze niet konden gaan trillen. Phillip verloste Robert snel uit zijn lijden. 'We willen je er graag bij hebben. Op de vastgoedafdeling.' Healy grinnikte en stapte met zijn enorme hand uitgestoken op hem af en voegde eraan toe dat hij blij voor hem was. 'We hebben een paar moeilijke beslissingen moeten nemen. In het huidige klimaat betekent een aanbod dat we echt in je geloven.'

'Ik voel me vereerd,' zei Robert. Wat waren de criteria geweest? Dat wist hij niet precies. Maar hij had zijn best gedaan. Hij hoopte dat zijn privéleven geen rol had gespeeld in de afweging. Dat zou waarschijnlijk eerder een negatieve invloed hebben gehad. Hoewel hij, zoals Crea hem had verteld, de zoveelste in een lange rij vriendjes was. Voor zover Jack wist, kon hij over een maand of twee alweer uit haar leven verdwenen zijn. Hij moest dit aanbod los zien van haar, los van Tuxedo en dat hele gedoe eromheen. Waar was hij anders in verzeild geraakt? Bovendien was het een baan, een goede baan, in een tijd waarin het verdomd moeilijk was een baan te vinden. Zoals aan Healy's gezicht viel af te lezen had hij geluk gehad dat hem deze kans geboden werd. Robert wachtte op nadere instructies, maar die bleven uit. 'Wanneer moet ik het jullie laten weten?' vroeg hij uiteindelijk.

'Wat?'

'Of ik het aanbod accepteer.'

'In november, schriftelijk,' zei Healy. 'Dit jaar zijn alle banen direct geaccepteerd.' Hij zweeg even. 'Wij, dat wil zeggen de selectiecommissie, gingen er allemaal van uit dat je ervaringen hier positief waren geweest.'

'O, zeker,' antwoordde Robert. 'Ik heb hier in elk geval heel veel geleerd.'

34

Aan de kust

Het laatste jaar van Roberts rechtenstudie zou over drie weken beginnen, maar in de tussentijd had hij nog een paar afspraken op de redactie van *Law Review*; Nan was vertrokken naar haar griffierspost, en hoewel hij het nooit tot redacteur had geschopt, dat niet eens had geprobeerd, hadden de mensen uit zijn studiejaar nu de leiding en deelden bevelen uit aan hun ondergeschikten. Hij had zijn oude, schizofrene dubbelleven weer hervat, iets waar hij intussen zo aan gewend was geraakt dat hij zich er eigenlijk wel bij op zijn gemak voelde: overdag macht en aanzien bij de vergaderingen van *Law Review*, 's nachts zijn werk als taxichauffeur. Hij had die zomer meer geld uitgegeven dan de bedoeling was, en dat moest hij weer zien te compenseren. Als hij wat voorzichtiger was geweest, als hij niet zo zijn best had gedaan om gelijke tred te houden met Crea, had hij deze twee laatste weken van de zomer vrij kunnen nemen, maar dat had hij dan eerder moeten bedenken. Hij had zich in elk geval prima geamuseerd terwijl hij zijn salaris erdoorheen joeg.

Hoewel Barry zich steeds meer als de hoofdbewoner was gaan gedragen, was Robert er nog niet aan toe om afstand te doen van het appartementje in Upper West Side, en hij zou de komende paar weken van zijn slaapkamer in 85th Street gebruikmaken. Zijn naam stond nog altijd op het huurcontract – niet dat hij van plan was om zijn broer op straat te zetten; hij wilde in feite gewoon iets terugclaimen van wat van hem was, zijn eigen plek weer markeren.

Dat was makkelijker gezegd dan gedaan, want er was inmiddels nog een bewoner bij gekomen in de flat, die ook zijn territorium markeerde: Barry had een hond genomen, een Engelse buldog met een ingedeukte kop, enorme schouders en de ademhaling van een prijsvechter. Het beest was neurotisch; hij was van de hongerdood en god weet wat nog meer gered in de straten van Brooklyn en deed niets liever dan zijn enorme ballen voortslepen over de houten vloer van de woonkamer. Maar ondanks wat hij allemaal had meegemaakt, was de hond opgewekt van aard en daarom had Barry hem Vishniak genoemd, naar hun vader – in het gunstigste geval een twijfelachtige eer. Robert was vastbesloten om zijn plannen niet te laten dwarsbomen door de aanwezigheid van die kwijlende, ruftende hond.

En bovendien zou hij even wat afstand van Crea kunnen nemen. Hij keek er met een gevoel van opluchting naar uit om een tijdje zonder haar door te brengen. Hij voelde zich niet altijd even relaxed in haar aanwezigheid, maar hij was dan ook niet echt een relaxte figuur, zoals Barry. Als hij moest kiezen tussen een avond in zijn ondergoed tv-kijken met zijn broer en een zak chips of een avond uit met Crea, dan hadden beide opties zo hun eigen aantrekkelijkheden. Maar bij Barry kon hij tenminste zichzelf zijn.

Robert had Crea nog niet verteld dat ze hem een baan hadden aangeboden, hoewel hij vermoedde dat ze ervan op de hoogte was, of erger nog, er de hand in had gehad. Zij bracht de laatste twee weken van augustus altijd in Tuxedo door. Als hij kon, zou hij zich op een gegeven moment misschien een weekend bij haar voegen, als blijk van goede wil, maar hij sprak dit voornemen niet hardop uit. Er was geen ruzie aan voorafgegaan, geen breuk, alleen een vreemd gevoel van zijn kant dat hij tijd nodig had om de dingen op een rijtje te zetten, en daarom deed hij geen enkele belofte en legde hij niet uit waarom hij het in augustus zo druk had – te druk om zich nu al ergens op vast te leggen.

Maar toen het eerste weekend zich aandiende, besloot hij naar Philadelphia te gaan. Hij had zijn ouders al sinds Kerstmis niet meer gezien. Barry bood hem zijn auto aan, en daarna zichzelf als reisgenoot; Stacia en Vishniak zouden het heerlijk vinden om allebei hun zoons tegelijk te zien. Maar toen kwam hun moeder met een idee: Cece zou die hele week in Atlantic City zijn, in het Deauville Hotel, waarom zouden ze haar daar niet gaan opzoeken met zijn allen?

Robert was op zijn hoede. De familie Vishniak, en met name Stacia, hield niet van spontaniteit. Spontaniteit betekende improvisatie, emotie en lichtzinnigheid, en dus geldverspilling. En toch kwam ze op deze woensdag zomaar met het voorstel voor een vrolijk weekendavontuur.

'Goed idee,' zei hij voorzichtig. 'Ik zal nog twee kamers in het Deauville reserveren.'

'Nee, wij gaan niet in dat hotel zitten. Cece kan wat mij betreft doen wat ze wil; die heeft het op haar oude dag hoog in de bol gekregen. Ik bel wel een van de pensions.'

'Die tijd is voorbij, Stacia. Bestaan er eigenlijk nog wel pensions? Laat mij nou een paar extra kamers voor ons allemaal in het Deauville reserveren, op mijn kosten.' Op zijn creditcard, maar dat kwam op hetzelfde neer. Hem kreeg je nooit meer in zo'n gribus, als ze überhaupt nog bestonden.

'Ik ga niet in een hotel van zeventig dollar per nacht slapen als het nergens voor nodig is. Vergeet het maar, meneertje.'

'Zoek jij dan maar een onderkomen in Virginia Avenue, of nog beter, in Oriental, tussen de junks en de hoeren, dat zal mij verder een rotzorg zijn!' schreeuwde Robert. 'Maar Barry en ik nemen een kamer in het Deauville.' Hij smeet de hoorn op de haak en de kwestie bleef verder onopgelost.

En zo kwam het dat op de eerste vrijdag van augustus 1977 de gebroeders Vishniak en de hond Vishniak op weg gingen in Barry's oude Volkswagen kever, waarvan de voorkant een andere kleur blauw had dan de achterkant. In de kofferbak lagen twee kleine reistassen, een flanellen hondenmat, een doos hondenkoekjes, diverse blikken hondenvoer en een blikopener. De hond Vishniak lag languit op een handdoek op de achterbank stukjes pastrami en koolsla te verorberen die Barry voor hem uit zijn belegde broodje had gepeuterd, totdat het dier, net toen ze de tolweg van New Jersey opreden, in slaap viel.

Een paar maanden eerder had Atlantic City het gokken gelegaliseerd. De kust zoals ze die in hun jeugd hadden gekend – of in elk geval de aanblik van wat daarvan resteerde – wisten de broers, zou spoedig niet meer bestaan. Had hun moeder daarom voorgesteld er nog een keer heen te gaan? Begon Stacia nu ineens sentimenteel te worden? Dat leek haast uitgesloten. Nee, zei Barry, hun ouders gingen naar Atlantic City omdat ze, net als een stel postduiven, niet wisten waar ze anders heen zouden moeten, omdat ze daar altijd naartoe waren gegaan als ze er eens tussenuit wilden.

Net voorbij Trenton onderbraken ze hun reis even. Toen ze de afrit eenmaal genomen hadden, dirigeerde Barry zijn broer door een paar nauwe straatjes en langs een autokerkhof om ten slotte uit te komen bij een met aluminium golfplaat bekleed huisje met allerlei oude banden en afgedankte kindermeubels voor de deur – typisch zo'n plek, zei Barry, waar de pedo's uit politieseries op tv hun minderjarige slachtoffertjes altijd mee naartoe namen. Dit was het huis waar Victor Lampshade tegenwoordig woonde, in zijn eentje, en waar hij pornofilms en af en toe een bijna-B-film monteerde, áls hij al montagewerk kon vinden.

In de zonnige keuken, waar alles met een gezellige laag vuil was bedekt, serveerde Victor zijn oude vrienden een biertje en praatten ze even bij. Daarna liepen ze de oprit weer op, waar Barry en Robert hun kleine kever verruilden voor Victors Buick stationwagen uit 1970, en hond, hondenmatje en de diverse tassen overlaadden in het grotere voertuig. Vervolgens weer de tolweg op naar het noorden. Victors auto piepte en kreunde alsof hij leefde, alsof hij ademde en elk moment de geest kon geven. Toen ze eindelijk in Disston Street aankwamen, zetten ze de auto dubbelgeparkeerd voor de deur en laadden achtereenvolgens in: een vader met opvouwbare rolstoel en een verrassend levensechte prothese met een zwarte schoen en een witte sok; een moeder met een versleten kunstleren koffer, waarvan de bodem en het handvat met plakband waren gerepareerd; een plastic boodschappentas vol belegde broodjes en papieren servetjes; een warmhoudplaatje; plastic bordjes; metalen vorken, lepels en messen; een tulband en twee koekenpannen, waar Robert niets over zei, ondanks het feit dat hij onder geen beding wilde overnachten in een pension met kookgelegenheid; hij zou in een gewoon hotel slapen, waar ze hem van schone handdoeken voorzagen, waar ze een menukaart hadden en waar hij baantjes kon trekken in een zwembad van normale afmetingen dat niet vlak naast een druk verkeersknooppunt lag. Dat was een uitgemaakte zaak, hield hij zichzelf voor terwijl hij een tas vol zwemspullen in de ruimte onder de voorstoel schoof, al moest hij haar ervoor vermoorden en over haar dode lichaam klimmen om het te krijgen. Toen sloegen ze de portieren dicht en reden de I-95 op en de Walt Whitmanbrug over New Jersey weer in, waar ze de snelweg naar Atlantic City namen.

In het dashboardkastje lag Barry's diepvrieszak met een verscheidenheid aan verdovende middelen, van Percocet en Lorazepam tot een zeer krachtig mengsel van hasj en marihuana – plus een paar Quaaludes die Victor, al dan niet bewust, daar voor Barry had achtergelaten, nadat hij al zo genereus was geweest hun zijn auto te lenen. Robert stelde geen vragen over de noodzaak van zo'n voorraad, zelfs niet met hun ouders in de auto, zelfs niet terwijl het algemeen bekend was dat het op dat stuk van de Garden State Parkway wemelde van de politie, omdat hij wist dat een man nu eenmaal moest doen wat hij moest doen om een weekend met zijn bijna bejaarde ouders door te komen.

En zo gingen ze dus op weg, maar waarheen? Hun arme vader lag languit in het tamelijk krappe achterste deel van de auto, dat wel wat weg had van een scheepskooi, omdat hij met zijn slechte been – het been dat niet geamputeerd was – omhoog moest liggen. Hij klaagde niet, al zat Stacia de hele weg voorin naast Robert te ruziën terwijl ze Barry zo nu en dan om bijval vroeg; Barry, die naarmate de reis vorderde steeds lethargischer werd, zo lethargisch dat Robert zich afvroeg of hij nog wel zou kunnen lopen als ze er eenmaal waren. Een eindje voor de afslag naar Atlantic City viel iedereen stil en was alleen nog het uitgeputte gesnurk van Vishniak de man te horen, kort daarop gevolgd door een aanval van flatulentie van Vishniak de hond, die verdomme echt geen pastrami meer zou moeten krijgen, snauwde Robert tegen zijn broer, hoe dun die gozer van die delicatessenwinkel het ook sneed.

Het Deauville Hotel was in die tijd aan zijn derde leven begonnen als een Sheraton, maar daarvoor had het, vanaf het begin van de negentiende eeuw, respectievelijk bekendgestaan als het Chelsea Hotel, het Deauville Hotel-Motel, het Deauville Oost, het Deauville West en de Deauville Motor Inn. Nu strekte het zich uit aan weerszijden van Brighton Avenue, een gevaarte dat uit veel verschillende onderdelen bestond, waarvan er maar weinig in hetzelfde jaar waren gebouwd. Aan de voorkant lag een zwembad van olympische afmetingen, er was een eetzaal en, naar Robert vernomen had, een rolschaatsbaan. Alleen Cece logeerde er wel eens, en pas sinds ze op leeftijd was, omdat haar oudere zus Rachel er woonde. Rachels rekening werd betaald door haar kinderen – de beruchte rijke neven – en daarom was het voor Cece's kinderen en kleinkinderen van belang dat zij op haar oude dag eenzelfde kleine luxe kon genieten, hoewel bijvoorbeeld Stacia er met haar verstand niet bij kon waarom haar moeder in zo'n protserig hotel wilde zitten.

Vanaf de jaren veertig tot aan het begin van de jaren zestig had Roberts familie elke zomer hetzelfde koosjere pension betrokken, een van de vele die zich tussen Atlantic en Pacific Avenue uitstrekten, allemaal drie verdiepingen hoog en met een grote kelder, op slechts een paar straten afstand van de promenade. Hun pension heette Zelmar, een naam die Robert heel romantisch in de oren klonk toen hij een jaar of negen was, alsof het een filmstudio was of een nachtclub, terwijl het in werkelijkheid gewoon een samentrekking was van de namen van de eigenaars, Zelda en Marvin. Het logement was opgedeeld in piepkleine slaapkamerachtige compartimenten aan smalle gangen, met op elke verdieping een gemeenschappelijke wc en badkamer en op de eerste verdieping een gezamenlijke keuken, met tafels die allemaal werden ingenomen door verschillende clans. Elke zomer gebeurde het wel dat een van de vrouwen de overige gasten schoffeerde door te beweren dat eten dat voor haar gezin bestemd was uit de gemeenschappelijke koelkast was gestolen, of dat er een pan opnieuw gekasjerd moest worden omdat iemand, een raadselachtig nachtelijk spook, zich vrijheden had veroorloofd met een koekenpan. De daaruit voortvloeiende vetes duurden vaak tientallen jaren.

Te midden van al die chaos hadden alleen de kinderen het naar hun zin, zoals kinderen het bijna altijd naar hun zin hebben aan het strand. De vrouwen werden zo in beslag genomen door hun gekibbel dat Robert en Barry en al hun neefjes en nichtjes lekker hun gang konden gaan, in elk geval door de week. In het weekend kwamen de mannen over, die doodmoe waren; ze wilden alleen maar uitslapen, pokeren in de kelder of op het strand liggen zonnen met een natte handdoek over hun gezicht. En dan waren er nog de weekendgasten, zodat nog meer mensen van de wc gebruikmaakten. Soms was de wc op zaterdag zo drukbezet dat de jongens in een plastic emmer moesten plassen en, één keer, in een gat in de vloer, een vondst die meer problemen opleverde dan het waard was. Alleen in de weekenden werden Robert en de andere kinderen geconfronteerd met hun beperkingen, kregen ze in de gaten dat ze met veel te veel mensen op een kluitje zaten, dat deze mensen rare plukken haar in het doucheputje achterlieten en glimmende rijen tanden op de wasbak, en dat de gang soms naar volwassen verval rook, dat al die lichamen bij elkaar de neiging hadden om te gaan stinken, en dat dit ongemak, deze collectieve slechtgehumeurdheid, iets te betekenen had, ook al kenden ze het woord ervoor nog niet, wisten ze nog niet dat het betekende dat ze arm waren.

Toen Zelmar halverwege de jaren zestig werd verkocht, vroeg Robert aan Cece hoe ze daarover dacht; hij verwachtte een klaagzang en allerlei misbaar, maar in plaats daarvan zei ze dat het een keer tijd werd, dat Zelmar een gribus was en dat ze het helemaal niet prettig had gevonden om op vakantie te gaan met al haar potten, pannen, serviesgoed en zakken meel en suiker, en aan het fornuis gekluisterd te zijn terwijl de anderen zich vermaakten op het strand. Nu ze de tachtig was gepasseerd, had Cece Kupferberg, nagenoeg blind en vaak danig in de war, zich een mate van geestelijke vrijheid verworven die haar dochter Stacia nooit zou bereiken. Destijds was het pension goed genoeg geweest voor Stacia, meer dan goed genoeg, met haar moeder die een groot deel van de zorg voor het eten en de kinderen op zich nam, en nu was het voor Stacia nog steeds goed genoeg.

Als kind had het Deauville Robert het summum van luxe geleken, een destijds van symboliek gespeend symbool, een oord waarvan de gasten in een paar stappen bij de oceaan konden zijn en prachtig uitzicht hadden op de drukte op de promenade en bij Convention Hall, en vooral een oord dat zijn grote familie zich niet kon veroorloven. Nu, op bijna dertigjarige leeftijd, wist hij dat Deauville niet alleen een Sheraton in New Jersey was, maar ook de naam van een vakantieoord in noordwest-Frankrijk, een voormalig chique badplaats niet ver van Normandië. Nee, het was de plaats waar Daisy en Tom Buchanan hun wittebroodsweken vierden; nee, het had samen met het nabijgelegen Trouville model gestaan voor het mythische oord uit Prousts *À la recherche du temps perdu*, de romancyclus die Tracey hem in hun eerste jaar op de universiteit had aanbevolen, en waar hij pas in vertaling aan was begonnen toen hij daar als taxichauffeur de tijd voor vond. Hij was heus niet te beroerd om zijn tanden in een koekje te zetten, maar jezus, de hele promenade – met het strand, het ijscokarretje van Kohr, de gigantische Mr. Peanut en Fralingers toffees – dat was zijn madeleine.

Nadat ze de auto hadden geparkeerd, hun moeder hadden helpen uitstappen, daarna hun vader hadden gewekt en hem langzaam en voorzichtig in zijn rolstoel hadden laten zakken, vroeg Robert fluisterend aan Barry of hij hen even in kon schrijven, snel en onopvallend, voordat hun moeder er weer heibel over kon gaan maken. Toen stond hij zwijgend met zijn ouders op de parkeerplaats van het Atlantic City Deauville, een grappig uitziende hybride van te veel verbouwingen in te veel verschillende bouwstijlen, zo veel dat het samen net niks was, niets meer dan een non-descript, gigantisch Sheraton Hotel. Een paar minuten lang zei niemand een woord; ze hadden nog altijd geen idee waar ze zouden slapen. Toen, snakkend naar schaduw, speelde Robert zijn laatste troef uit. Met gedempte stem, omdat zijn vader amper een meter bij hen vandaan in zijn rolstoel zat, vroeg hij Stacia hoe ze dit hun vader in vredesnaam kon aandoen. 'Gun je hem niet eens een goed bed, in een mooi hotel, voor misschien wel het eerst en het laatst van zijn leven?' Hij liet een stilte vallen. 'En Cece? Hoeveel weekenden kan ik nog met haar doorbrengen? Kom op, laten we nou voor één keer met z'n allen in stijl overnachten; laat me dit nou doen. Vroeger is geweest. Zelmar bestaat niet meer.'

Met een hand voor haar ogen om de zon af te schermen keek ze naar hem op, met een ondoorgrondelijke uitdrukking op haar gezicht, maar net toen ze op het punt leek te staan een beslissende uitspraak over de situatie te doen, verscheen Barry weer, een oververhitte buldog achter zich aan slepend.

'Het Deauville,' sprak hij luid, 'laat geen honden toe. Onder geen beding. Dus ze kunnen de kolere krijgen, ik blijf hier niet.'

Robert slaakte een zucht. Waarom was alles toch zo ingewikkeld? Zijn familie, een simpel weekend naar zee, het geld, de gekwetste gevoelens, de voortdurende suggestie van sterfelijkheid, de herinneringen? Waarom kon het niet eenvoudig zijn, een gevestigde routine, een vriendelijk familiegebeuren – zoals in Tuxedo? En toen die gedachte door zijn hoofd speelde, draaide hij zich om en liep een eindje bij hen vandaan, weg van iedereen en van de tassen en van dat afschuwelijke barrel van een auto, die nu pas vreselijk afstak naast al die fonkelnieuwe Cadillacs en Buicks en zelfs een paar Mercedessen.

Toen ging hij terug, pakte de handgrepen van zijn vaders rolstoel – het goede been van zijn vader stak schuin omhoog, als een vreemdsoortig menselijk kompas – en duwde hem van de parkeerplaats af, in de richting van de promenade. 'Ik hoor het wel als jullie eruit zijn!' riep Robert over zijn schouder. 'Ik heb honger en pa heeft dorst, en we willen de oceaan zien en over de promenade wandelen.'

'Waarom heb je dan niets gegeten toen we onderweg stopten?' riep zijn moeder hem na, en hij liet haar woorden achter zich weerkaatsen terwijl hij met zijn vader in de richting van de Orange Julius-kraam verdween. Hij had in de krant gelezen dat het Chalfonte-Haddon Hotel in de steigers stond, maar dat de staat heel erg traag was met het uitgeven van de casinovergunningen en dat de hotels ongeduldig begonnen te worden. Over één ding was Robert blij: de promenade was nog intact, voor zover hij kon zien tenminste, en de skyline was nagenoeg onveranderd. In ieder geval nog een paar maanden. Zelf kon hij er wel mee leven, maar hij wist dat het voor zijn vader hetzelfde moest blijven.

Na hun hotdogs en jus d'orange duwde Robert zijn vader voort in de zilte zonneschijn, waarbij de wielen van Vishniaks rolstoel een *doek doek doek*-geluid maakten op de houten planken. Ze zeiden weinig, zelfs toen ze bij Convention Hall aankwamen. In hun familie, en van veel andere mensen die ze kenden, was het de gewoonte geweest om met Pasen naar Atlantic City te rijden, naar de parade te kijken en op de foto te gaan voor het neo-Griekse gebouw met zijn hoge zuilen. Hoe deze traditie onder de Philadelphiaanse joden was ontstaan, wist niemand precies, maar hij was geëindigd bij de generatie van zijn ouders.

'De mensen die hier vroeger kwamen, zie je niet meer,' zei Vishniak. 'Het zijn nu allemaal patjepeeërs. En je hoort amper nog een woord Engels.'

'Sommige dingen zijn niet veranderd,' zei Robert en hij wees Vishniak erop dat de oude mannen nog steeds onder de gestreepte luifels hun krantje zaten te lezen bij de muziektent en dat de gele gemotoriseerde trams toeterden om je opzij te jagen. Boven hen vloog een klein vliegtuig langzaam over de oceaan. Op het reclamedoek dat erachter zweefde stond: BEZOEK BENNY'S, STEEL PIER, KINDEREN ½ GELD.

Robert reed zijn vader naar de rij stoelen vanwaar je kon uitkijken over het water. Boven hen maakten de zeemeeuwen duikvluchten en scheerden zo nu en dan naar beneden om afval of een pindadop op te pikken. Hij haalde weldadig diep adem terwijl hij ondertussen de ene na de andere felroze, zeeschuimgroene of rood-wit gestreepte toffee van zijn glimmende papiertje ontdeed en opat, wat hij als kind zo graag had willen doen, toen hij nooit de hele doos mocht leegeten, maar er zuinig mee moest doen; één snoepje per dag. Voor één keer waren vader en zoon volledig op hun gemak, hun gezicht naar de zon gekeerd. Zijn vader, die de hele dag al moe was geweest, zat nu te dutten onder de breedgerande strohoed die zijn bleke gelaat tegen de zon beschermde. Robert kon een besluit niet langer voor zich uit schuiven. Ze hadden een plek nodig om te overnachten.

Robert legde een hand op zijn vaders schouder en schudde hem zachtjes wakker. 'Pa?' vroeg hij. 'Waar wil jij slapen?'

'Dat maakt me geen donder uit,' antwoordde hij terwijl hij Robert op zijn hand klopte. 'Als er maar een eind komt aan dat gekrakeel met je moeder. Zorg dat het ophoudt. Ik wil hier gewoon aan het water zitten, en ik wil rust en stilte. Snap je?'

Ze vonden een motel in de richting van Brigantine, iets te ver weg naar zijn smaak, maar goed genoeg en schoon genoeg, vond Robert. Stacia pakte haar potten en pannen uit, die ze helemaal niet gebruikte, behalve voor het ontbijt, maar dat was genoeg om haar tevreden te stellen. Ze sliep met haar man in dezelfde ruimte waar ook het keukentje was, en Barry en zijn hond sliepen in de kamer ernaast, hun gezamenlijke gesnurk een kakofonische symfonie van mondademers. Robert had zijn eigen kamer in het Deauville. Het was een kleine kamer, dat was wat je kreeg als je in het hoogseizoen zonder reservering een kamer wilde in een hotel dat, zo bleek, nog altijd behoorlijk goed liep. Hij had geen uitzicht, de airconditioning wisselde Arctische luchtvlagen af met lauwwarme, en de badkamer rook naar desinfecterende middelen, maar de vloeren waren van marmer, er werden elke dag zeepjes, crèmespoeling en shampoo neergelegd, verpakt in roze vloeipapier, en de handdoeken waren zacht en dik. Al met al had hij wat hij gewild had: een treurig, amper middelmatig soort luxe, een stuk minder begerenswaardig na alle moeite die hij ervoor had moeten doen.

De zaterdag verliep rustiger. Zijn moeder bracht de ochtend samen met Cece door bij het zwembad van het Deauville, terwijl Robert en Barry om beurten hun vader voortduwden over de promenade. Kort na de lunch, toen Vishniak een tukje deed in Roberts kamer, gingen de broers naar het strand; ze vonden een mooi plekje waar ze hun handdoek uitspreidden en de koelbox neerzetten om hun territorium af te bakenen. Nadat ze zich hadden geïnstalleerd, wenkte Robert de ijsventer, die naar hen toe kwam met zijn verzameling roomijswafels, cornetto's, rood, wit en blauw gekleurde waterijsjes en roomijslolly's. Robert kocht cornetto's voor Barry en zichzelf, gaf de jongen een vijfje en zei dat hij het wisselgeld mocht houden. Aan het begin van hun uitstapje had Robert zo veel dingen met zijn broer willen bespreken – de baan die hem was aangeboden, zijn relatie met Crea, hun vader, het flatje dat ze deelden, zelfs zijn wens dat Barry nou eindelijk eens zijn studie zou afmaken en een echte baan zou zoeken – maar nu, terwijl ze hun smeltende hoorntjes uit de verpakking haalden, vroeg hij zich af waar hij eigenlijk moest beginnen. Kon Barry zich nog wel een voorstelling van zijn leven maken?

Het was makkelijker om gewoon maar van de warme zon te genieten en af en toe, als de hitte heerlijk ondraaglijk werd, de golven in te duiken en het koele zoute water in te zwemmen en kopje-onder te gaan, zoals hij als kind al deed, om zich keer op keer door de stroom terug te laten voeren naar het strand, met het in de wind ronddwarrelende afval en de vreemde, haast buitenaardse hopen zeewier en verraderlijk scherpe schelpen. Elke keer als hij doornat en onder het zout en zand terugkwam om rozig en ontspannen weer op zijn handdoek in de zon te gaan liggen bakken, was het Barry's beurt om een duik te nemen of een stukje met de hond te gaan lopen. En voordat hij het wist, begon de zon onder te gaan en de temperatuur te dalen; de broers, uitgeput en opgewekt door de zilte lucht en de korte zwempartijen, sleepten hun spullen langzaam naar het hotel terug. Morgen zou het een kort dagje worden, vol logistieke problemen en de terugrit naar huis. Hij had zijn kans voorbij laten gaan.

Die zaterdagavond nam ook Robert zijn intrek in het motel, niet langer in staat zijn eigen schuldgevoel te verdragen. Hij wist dat hij in één kamer met Barry en de hond waarschijnlijk geen oog dicht zou doen, dat de matras vergeleken met zijn hotelbed zo hard als een plank zou zijn, dat het er naar schimmel zou ruiken en dat de leidingen zouden kreunen en steunen, maar hij gaf zich gewonnen, zodat ze voor één keer allemaal samen onder hetzelfde dak konden slapen, als een gezin, ook al was het maar voor even, maar hij nam zich heilig voor dat dit echt de allerlaatste keer was dat hij een dergelijk compromis zou sluiten.

Danny, die de vakanties in Atlantic City al lang geleden had opgegeven, had de taxi in gebruik voor een familie-uitje naar Long Beach, dus bij terugkomst reed Robert op de taxi van een vriend van zijn oom, Lou Stein, die ook de stad uit was, maar zijn auto had achtergelaten. Zoals de meeste nieuwe taxi's in New York dat jaar had deze een afgesloten voorcompartiment. De bestuurder zat achter een kogelvrije wand van plexiglas waardoor hij de klanten alleen in reepjes kon zien, vaak niet meer dan het kruintje van hun hoofd. De airco in de taxi liet te wensen over – geen wonder dat de eigenaar er een deel van augustus tussenuit kneep. Op sommige dagen werd achterin keihard koude lucht uitgeblazen en voorin hoegenaamd niets, en op andere dagen was het zonder aanwijsbare reden andersom en droeg hij een extra trui terwijl zijn klanten achterin foeterend het zweet van hun voorhoofd wisten en minder fooi gaven dan gewoonlijk. Hij voelde de bekende sensatie van zijn vingers die aan de bekleding van het stuur bleven plakken, de geur van zijn eigen zweet in de kluis die hem nu omvatte. Aan het eind van de eerste week telde hij zijn geld en besefte dat hij na aftrek van wat hij Lou schuldig was niet meer dan tweeënvijftig dollar had verdiend.

De volgende dag, zijn vrije dag, typte hij een brief aan Phillip Healy en nam de baan aan. En het weekend daarop ging hij naar Tuxedo. Hij had Crea meer gemist dan hij had verwacht, en misschien kon ze dat aan hem merken, want ze hadden een geweldige tijd samen, vol kleine grapjes en subtiele genegenheid, nog versterkt door Mark Pascals afwezigheid en Jacks goede humeur. Robert had vooral haar lichaam gemist en haar geur, die hij associeerde met de grassig-zoete geur van Tuxedo. Ze hadden elkaar maar twee weken niet gezien, en toch kon Robert zich niet herinneren dat een periode ooit langer had geleken. Hij had zelfs het reusachtige, door bomen omgeven glazen huis gemist en dat het er zo gemoedelijk aan toeging, dat mensen er slechts bij hoge uitzondering hun stem verhieven, dat zijn hoofd zo goed als leeg was wanneer hij genoot van het uitzicht dat zich mijlenver uitstrekte, van het reusachtige grasveld om het huis en de twee aangrenzende landhuizen, met hun hagen en puntdaken en door een landschapsarchitect ontworpen bloementuinen, genesteld in diepe valleien, onder de wakende blik van verre bergen.

De eerste avond kwamen Tracey en Claudia eten. Ze zaten buiten op de patio, in het licht van gigantische citronellakaarsen die schaduwen op de tegels wierpen, en aten op de barbecue geroosterde kip en maïskolven, die ze wegspoelden met bier en waar ze hun vingers bij aflikten. Zelfs Jack leek jong die paar uur – voor het eerst maakte hij oogcontact met Robert, in plaats van over zijn schouder te kijken. Dat moest wel een gunstige ontwikkeling zijn, dacht Robert, terwijl ze allemaal grapjes maakten en elkaar plaagstootjes uitdeelden in een discussie over het modernisme. Hoorde de Beaux-Arts ertoe, zoals in de controversiële expositie in het Museum of Modern Art? Of was het begonnen in Duitsland tijdens het interbellum, met de ontwerpen van Josef Hoffman? Wat was het verschil tussen het Amerikaanse en het Europese modernisme?

'Kan iemand me vertellen wat postmodernisme is?' vroeg Claudia tussen twee slokken bier door. 'Of is dat een domme vraag? Ik ben er net achter wat abstract expressionisme is. Je weet wel, De Kooning en Pollock en zo. Is dat postmodernisme?'

Tracey pakte haar hand en drukte er een kus op.

'Er zijn overeenkomsten,' zei Crea, die haar serieus nam, 'als je het begin van het postmodernisme in het interbellum plaatst, al zijn er mensen die beweren dat het eerder begon, maar dat slaat nergens op als je het mij vraagt. De meeste mensen zeggen dat we nu midden in het postmodernisme zitten.'

'Ik beschouw mezelf als een neomodernist. Kunst gaat over het moment dat we nog niet hebben ervaren,' onderbrak Jack haar en hij hief zijn glas. 'Durft iemand daar iets tegen in te brengen?'

'Ik zie niet in hoe we dat zouden kunnen, schat,' zei Crea terwijl ze toegeeflijk klopjes op haar vaders hand gaf, 'aangezien niemand van ons ook maar in de verste verte begrijpt waar je het over hebt.'

'Hebben we het nog steeds over kunst? Of zijn we op het gebied van de persoonlijkheid beland?' bracht Tracey te berde.

Crea, Robert, Tracey en Claudia kwamen bijna niet meer bij van het lachen. Ze wisten niet precies waarom, maar ze kregen overal de slappe lach van. Jack had het over de toekomst, wat die zou brengen, in de ruimte voorbij het weggelatene, het gestroomlijnde. Wat zou de toekomst brengen?

Ja, wat zou de toekomst eigenlijk brengen? vroeg Robert zich af. Was er geen pad voor hem uitgestippeld? En toch had hij dat verworpen, was ervoor weggelopen, en waarom? Hij keek naar de gezichten van de mensen om hem heen, die er door het flakkerende kaarslicht het ene moment hemels en het volgende moment demonisch uitzagen. Eten stroomde als door een timer geregeld van de keuken naar de tafel en vice versa. Onder de tafel kneep Crea in zijn hand.

'Op jouw toekomst en die van ons allemaal,' zei Tracey en hij hief zijn glas. 'Ik kan je wel vertellen dat Claudia en ik ons een stuk gelukkiger voelen als jullie hier zijn.'

Robert hief zijn glas. *Natuurlijk hoor ik hier thuis, want ik heb het zelf afgedwongen. Natuurlijk hoor ik hier thuis.* Er werd hem zoveel aangeboden, praktisch de hele wereld, of in elk geval het flinke stuk dat de Alexanders ervan bezaten, met de hemel vol sterren, zo goed zichtbaar vanuit de achtertuin, en alle kamers in dat glazen huis. Hij zou genieten van de schoonheid waarmee hij hier werd omringd en niet zo veel tijd verspillen aan terugkijken.

Die avond nam hij niet de moeite om naar zijn eigen kamer te gaan en dan de discrete tussendeur te gebruiken, maar ging gewoon met haar mee naar binnen, trok het witte T-shirt over haar hoofd uit en kuste haar hals. Hij nam haar kleine, perfect gevormde borsten in zijn handen zonder zich erom te bekommeren dat zijn verlangen hem zwak of begerig maakte; hij had zijn hele leven vrouwen nodig gehad, zo was hij gewoon; hij hield ervan om ze aan te raken en met ze te praten en te vrijen, en soms hield hij zich aan deze kortstondige, aangename momenten vast alsof er niets anders was wat hem aan de aarde bond.

Nadat ze gevrijd hadden, lagen ze naast elkaar in het donker voor zich uit te staren. Robert voelde zich zweterig en kwetsbaar, blij met het nachtelijke briesje dat door een aantal open ramen naar binnen waaide; de Alexanders hadden het niet zo op airconditioning. De hele dag was hij bedacht geweest op vragen over de tijd dat hij weg was geweest, maar ze had er niets over gezegd; ze stak alleen haar arm uit en kroelde met haar vingers door zijn haar en masseerde zijn schedel zodat hij bijna in slaap viel.

'Weet je,' zei ze, 'ik heb meer dan genoeg ruimte in de stad.' Meer zei ze niet, en hij antwoordde dat haar appartement aan Gramercy Park inderdaad de grootste tweekamerflat was die hij ooit had gezien.

'Wat vindt je vader ervan?' vroeg hij.

'Hij vindt dat ik moet doen waar ik zin in heb, of beter gezegd, hij weet dat ik dat toch altijd doe.'

'Ik geloof niet dat het een goed idee is om bij je in te trekken voordat we getrouwd zijn,' zei hij. 'Dat hoort niet.'

'Dat hoort niet? Het is 1977, Robert.'

'Ik wil eindelijk eens een keer iets doen zoals het hoort, van het begin tot het eind.'

'Wat wil dat nou weer zeggen: "eindelijk eens een keer"?' vroeg ze. Maar hij was niet van plan zijn verleden uit de doeken te doen, nu niet en waarschijnlijk nooit. Zij was een nieuw begin voor hem; een nieuw begin en een vreemd afscheidsknikje naar zijn verleden. Hij kon opnieuw beginnen en gelijk een paar oude rekeningen vereffenen.

'Ik vraag een vrouw ten huwelijk en dan begint ze ruzie met me te maken.'

'Weet je het zeker? In juni zei je nog...'

'Toen wist ik nog niet wat ik wilde,' zei hij. 'Nu wel.'

Ze lachte en omhelsde hem, zoende hem in de nek. 'Echt waar? Serieus?'

'Ja, lieverd,' zei hij. Ze boog zich over hem heen en kuste hem op zijn mond, en hij draaide zich naar haar toe en kuste haar terug, zich erover verwonderend dat haar huid altijd zo zacht was.

Hij had nooit tegen zichzelf gezegd: ik trouw met deze vrouw vanwege haar geld, haar positie, haar familie. Dat zouden anderen later denken. Maar de beslissing was zo gemakkelijk die avond, zo duidelijk. Hij genoot van haar gezelschap, gaf om haar, bewonderde haar zelfvertrouwen en haar charme, bijna op dezelfde manier als zijn jongere ik diezelfde eigenschappen in Tracey had bewonderd. Dat hij niet van haar hield zoals hij ooit van Gwendolyn had gehouden deed er niet toe; hij koesterde niet langer dat soort verwachtingen, die kwamen hem nu zelfs naïef voor. Hij zou eindelijk eens een keer praktisch zijn en de kans die hem werd geboden met beide handen aangrijpen.

35

Beproevingen

De huwelijksaankondiging verscheen in september in de kranten, en Crea en haar secretaresse begonnen voorbereidingen te treffen. Het was ongebruikelijk, maar haar moeder was al jaren dood en ze wilde zelf beslissen hoe de belangrijkste dag van haar leven eruit zou zien. Hij vond het verschrikkelijk als ze hun trouwdag zo noemde; ze zouden toch zeker wel nog meer belangrijke dagen beleven? Voor haar was de gang naar het altaar net zoiets als afstuderen, een prestatie die publieke erkenning verdiende. Voor hem was het niet meer dan een formaliteit.

Dat najaar ging het stel bijna elke avond uit. Robert was een nieuw gezicht in de beau monde, en hun foto verscheen op de societypagina's van New York tot Palm Springs. Crea hoefde niet te werken voor haar geld, maar er waren maanden dat de tijd die ze aan haar liefdadigheidswerk besteedde meer dan een volledige werkweek besloeg. Ze zat in het bestuur van verscheidene musea en leek zich met de meest uiteenlopende zaken bezig te houden, van kankeronderzoek tot de actiegroep van architecten voor het behoud van gietijzer. Als ze samen uit waren, en zelfs als hij naast haar stond te praten en handen te schudden, bestudeerde Robert Crea's talent om zich in een menigte te bewegen. Of het nu ging om een politicus, een rijke erfgename of een kunstenaar, ze wist zich altijd te herinneren hoe hun kinderen heetten, waar ze hun laatste vakantie hadden doorgebracht en zelfs in welke stijl hun huis was ingericht. Schreef ze al die dingen op? Ze bleef nooit te lang bij een groepje hangen en tegen het eind van de avond had ze steevast een belangrijk iemand weten over te halen om geld aan een of ander goed doel te schenken.

Op een keer hoorde hij Crea aan een clubje vrouwen vragen: 'Hebben jullie ooit een man gezien die er beter uitziet in een smoking dan Robert?' En alsof hij toevallig een beledigende opmerking had opgevangen, had hij zich toen afgevraagd of hij haar een aanzoek had gedaan of dat hij gewoon voor de rol was gecast. Crea's vriendinnen – jonge, getrouwde dames in gedessineerde japonnen die zwierig tot aan de grond reikten – hadden het, in tegenstelling tot veel vrouwen die hij kende van de rechtenfaculteit, niet over een carrière of een door mannen overheerste wereld waarvan ze zich moesten bevrijden. Bevrijden van wat? De vrijheid om te doen waar ze zin in hadden? Maar met uitzondering van de pijnlijke momenten die zich zo nu en dan voordeden, genoot hij meestal van de glamour, de prachtige entourage en de ongedwongen gezelligheid in deze wereld. Crea stelde hem voor aan belangrijke mensen – projectontwikkelaars, directeuren van bedrijven, filantropen met politieke connecties – en hij verbaasde zich erover dat ze zo vriendelijk tegen hem waren. Hij was zich ervan bewust dat ze hem waarschijnlijk geen blik waardig zouden hebben gekeurd als hij hen zonder haar had ontmoet. Maar was iedereen niet zo, en werden de meeste kansen die je kreeg je niet toegespeeld door mensen die je kende? In deze slechte tijden, zo redeneerde hij, waarin New York nog steeds aan het bekomen was van bankroet en vernedering, was dit groepje fuifnummers met hun goede doelen en dure kleren eigenlijk bewonderenswaardig. Ze hielden niet alleen de culturele instellingen van de stad draaiende, maar wie zou er zonder hen nog in het uitbundige oude New York geloven?

Hij kon tegenwoordig zijn eigen tijd indelen, en ook al bleef hij zijn uren maken bij *Law Review*, hij hoefde niet voor twaalven naar college. In het verleden zou hij deze vroege ochtenduren misschien aan de wetswinkel hebben besteed, maar tegenwoordig had hij zijn slaap nodig. Nu hij verliefd was geworden op de vrouw die de instelling financierde, had hij geen tijd en zin meer om daar nog vrijwilligerswerk te doen.

Eind september was hij aan zijn nieuwe leven gewend geraakt. Hij was gestopt met taxirijden en werd wederom elke ochtend en avond welkom geheten door een glimlachende portier die de deur voor hem openhield. Het had hem nooit moeite gekost om aan luxe te wennen, en korte tijd vergat hij dat hij ooit anders had geleefd. Toen kreeg hij 's avonds laat een telefoontje van Barry: Vishniak was weer in het ziekenhuis opgenomen. Koudvuur in zijn andere been. Amputatie was onvermijdelijk, maar de artsen moesten eerst zijn bloedsuikerspiegel zien te stabiliseren. Zijn vader was er erg slecht aan toe.

Barry en hij vertrokken de volgende ochtend en namen hun intrek in hun oude slaapkamers. De terugkeer naar hun verleden vervulde hen met gemengde gevoelens, omdat ze zo schrijnend met de afwezigheid van hun vader werden geconfronteerd. Ze zorgden ervoor dat hun moeder elke ochtend om negen uur in het ziekenhuis was. Hun vader zou straks geen benen meer hebben; Vishniaks grootste angst, het eerste wat hij tegen Robert had gezegd, die dag dat hij uit Boston was gekomen. De volgende zorg was zijn hart. Het lichaam van zijn vader verwoestte zichzelf langzaam, van onderaf.

Aan het eind van de eerste week werd hij eindelijk geopereerd. Een paar dagen later keek Robert toe hoe een verpleger zijn hulpeloze vader als een zak meel op zijn zij legde, zodat hij samen met een verpleeghulp het bed kon verschonen. Op den duur zou Vishniak na zijn revalidatie misschien wel weer sterk genoeg zijn om zelf dingen te kunnen doen, maar nu was hij zo hulpeloos als een merkwaardig geproportioneerd kind. Robert keek weg van het ene ontblote en het andere omzwachtelde stompje been, en Barry stond op en liep de kamer uit.

Robert concentreerde zich op de praktische kant van de zaak. Dat had hij op de rechtenfaculteit geleerd; emoties waren ongelofelijk subjectief, veranderlijk en abstract; je kon je maar beter bij feiten en daden houden. Hij kocht een tweedehands traplift en gaf een aannemer opdracht om extra steunbeugels te plaatsen en te zorgen voor een verplaatsbare rolstoeltoegang bij de voordeur. Eerst vroeg hij Stacia om geld, maar toen hij haar verwarring zag, alsof hij een vreemde taal sprak, vroeg hij Barry een cheque en betaalde de rest met zijn creditcard.

Het postkantoor was erg laks met het uitbetalen van de invaliditeitsuitkering. Robert zat uren aan de telefoon met mensen van de vakbond, die hem doorverwezen naar ambtenaren; de traagst denkbare stemmen, mensen waar alle levenskracht uit was weggevloeid, die hem eindeloos van het kastje naar de muur stuurden totdat hij woedend werd en met een rechtszaak dreigde. 'Ik doe ook maar mijn werk,' zei een stem aan de andere kant van de lijn. 'Alles op zijn tijd.'

Maar daar had Stacia Vishniak geen boodschap aan; zij wist alleen dat er geen geld binnenkwam, behalve de honderdtwintig dollar per week die ze nog een maand van de ziektewet kreeg na al die jaren trouwe dienst – had ze ooit ook maar één dag verzuimd in de afgelopen twintig jaar als klaarover? – en daarna zou er niets meer binnenkomen. 'Robert,' zei zijn moeder terwijl ze hem in de gang van het ziekenhuis bij de arm greep en haar vingers in zijn huid boorde, 'er komt straks geen geld meer binnen.'

'Jullie hebben toch wel wat spaargeld?'

'Niet genoeg. Niet genoeg voor als er niets meer binnenkomt.'

'Ik regel het wel, ma.'

'Maar jij werkt niet. Waarom werk je niet?'

Omdat ik hier bij jullie ben. Omdat ik niet de hele dag op de taxi kan rijden om dan 's avonds thuis te komen bij Crea aan Gramercy Park. En omdat ik dit najaar twee keer zoveel ga verdienen als Vishniak in zijn beste jaren. Maar dat hield hij allemaal voor zich; hij herhaalde alleen: 'Barry heeft geld. We regelen het wel.'

Dag in, dag uit mompelde hij dezelfde bezwerende woorden in een poging haar gerust te stellen, want hoewel zijn vader er langzaam bovenop kwam, werd zijn moeder steeds hysterischer. Haar hysterie richtte zich echter niet naar buiten, maar sloeg naar binnen, wat veel pijnlijker was om te zien. 's Nachts ijsbeerde ze door de kamer, heen en weer, op en neer, met zulke zware stappen dat de houten planken onder het kleed kraakten; ze kon eten noch slapen en haar ogen gloeiden als twee kooltjes. Ze viel tegen hen uit als ze het licht vergaten uit te doen of te veel tandpasta gebruikten. 'Geen brood weggooien. Schraap de schimmel eraf' stond er nu op een briefje boven de broodtrommel. Het bedrag dat hun moeder op de bank had staan, en het dikke pak bankbiljetten dat Barry uit zijn zak trok om haar te laten zien – 'Kijk dan, ma. Ik heb geld' – niets hielp. Ze was elders, in een andere tijd, nog voordat zij haar kenden.

Toen kwam er op een dag de eerste cheque van de invaliditeitsuitkering binnen. De betaling was voor de broers bijna net zo'n opluchting als het nieuws dat Vishniak aan zijn revalidatie kon beginnen en misschien binnen zes weken alweer thuis zou zijn. Er kwam geld binnen, en hun moeder werd weer de oude.

In november zat Robert weer in New York en reed hij in de weekenden naar Philadelphia. Tijdens een van deze ritten vertelde Barry hem dat hij eindelijk zou afstuderen; hij had al zijn verschillende studiepunten op een hoop gegooid om een graad in algemene studies te halen. Daar zou hun vader vast blij mee zijn, zo op de valreep. Robert vroeg of dit betekende dat Barry zijn huidige handeltje zou opgeven, maar Barry liet verder niets los en zei alleen dat hij een plan had.

Robert had Crea nooit meegenomen om zijn vader te bezoeken. Dat had hij eigenlijk wel moeten doen, maar hij scheepte haar af en zei dat Vishniak haar in zijn toestand niet wilde ontmoeten, wat een leugen was. Toen

Vishniak was bijgekomen uit de narcose was een van de eerste dingen die hij zei: 'Krijg ik haar ooit nog te zien? Of dacht je soms dat ik alle tijd had?'

Nu lag Crea naast hem in bed, haar hoofd op zijn schouder, haar lichaam om het zijne gekruld, en hij voelde een afstand tussen hen. Ze had geen idee wat hij allemaal had doorstaan en hij wilde haar daarvoor straffen, ook al had hij erop gestaan dat ze thuisbleef.

'Liefje,' fluisterde ze. 'Het is verschrikkelijk. Het had niet slechter kunnen uitkomen.'

'Ja, wat is mijn vader toch een spelbreker dat hij vlak voor ons verlovingsfeest een been moest laten afzetten.'

'Dat bedoelde ik helemaal niet. Hoe durf je mijn woorden zo te verdraaien? Ik ben toch geen monster?'

'Natuurlijk niet, ik ben gewoon moe. Het spijt me, schat. Het ís ook verschrikkelijk.' En toen vroeg hij haar of ze het feest misschien konden uitstellen.

Daar had ze zelf ook al aan gedacht en ze was het volkomen met hem eens. 'We zullen het uitstellen tot je vader weer beter is,' zei ze en ze drukte een kus op zijn wang. 'We kunnen het feest onmogelijk zonder hen laten doorgaan.'

Zijn familie zou naar New York moeten komen. Waarom dacht hij daar nu pas aan? Zijn familie in Tuxedo. Hoe zouden ze zich gedragen? Hoe zou Jack zich tegenover hen gedragen?

Crea zei dat hij moest zorgen dat hij aan zijn rust toekwam, maar hij kon de slaap niet vatten. Waarom kon hij zich zo moeilijk een goede afloop voorstellen? Met Gwendolyn was hij op het ergste voorbereid geweest, en zij had alle geheime en niet-zo-geheime deugden van zijn ouders gezien, zelfs deugden die hij nooit in hen gezien had, en ze had volgehouden dat hij trots op hen moest zijn. Uiteindelijk paste zij nog beter bij hen dan hijzelf. Waarom zou dit niet net zo kunnen aflopen? Had hij dan niets geleerd?

36

Barry Vishniak maakt zijn debuut

Barry Vishniak stond midden in een dicht opeengepakt groepje mensen, en Robert – nieuwsgierig waarom Tracey, Claudia, Mark Pascal en nog een paar anderen zich om zijn broer hadden gegroepeerd – deed een stap in hun richting, maar het enige wat hij hoorde was Barry's schorre lach die door de volle woonkamer schalde. Daarna hoorde hij zijn stem boven het geroezemoes van gedempte gesprekken uitkomen. 'Ik meen het, Tracey. Ooit zal iedereen er een hebben. Hij zal je auto voor je besturen, je rekeningen betalen, je brieven dicteren...'

Robert ving een glimp op van Barry, zijn gezicht rood van de opwinding en de alcohol.

'...niemand zal nog een secretaresse nodig hebben of haar hersens wat dat betreft. Dat apparaat zal het denkwerk van ons overnemen, het vervelende denkwerk, bedoel ik. Waardoor wij ons met, eh, meer beschouwelijke zaken kunnen bezighouden.'

'Wie wil zich nou met beschouwelijke zaken bezighouden?' vroeg Pascal luid. 'Ik beschouw liever een paar naakte wijven.'

Robert hoorde een hoog gegiechel. Claudia. Hij hoorde haar zelden lachen. Ze had al behoorlijk veel gedronken, dat hadden ze allemaal, hoewel niemand kon wedijveren met Mark Pascal, die al uren voor de aanvang van het feest aan de cocktails was begonnen.

'Daar kan ik je wel introduceren,' vervolgde Barry op gedempte toon. 'Het softe genre. Volkomen legaal, goedkoop te vervaardigen. Heel veel bedrijven in de vermaaksindustrie hebben geheime geldschieters. De winstmarge is zo'n duizend procent. Resultaat gegarandeerd. De harde variant, daarentegen...'

Barry's stem daalde tot een gefluister en Robert kon de rest niet meer verstaan. Jack Alexander tikte hem op zijn schouder. 'In welke branche zat je broer ook alweer?' vroeg hij.

'In de effectenhandel,' antwoordde Robert. 'Bij Prudence Brothers.' Kort na kerst had Barry Robert verteld dat hij als cold-caller voor een effectenhandelaar werkte; hij zat de hele dag aan een simpel bureau en pleegde ontelbare telefoontjes naar nummers die hij uit klantenbestanden of uit het telefoonboek haalde. Het was nederig werk, maar Barry zei tegen Robert dat hij ergens moest beginnen. Was deze plotselinge werklust louter het gevolg van Vishniaks tweede amputatie? Een reactie op Roberts aanstaande baan bij A, L & W? Of had die beroving onlangs, door een vaste klant die hem ineens een mes op de keel had gezet, hem toch meer aangegrepen dan hij wilde toegeven? Misschien hadden alle drie de factoren meegewogen, maar het was een feit dat hij nu, zes maanden later, nadat hij razendsnel de benodigde papieren had behaald, in staat was om zijn professionele debuut te maken op het lang uitgestelde verlovingsfeest van Robert en Crea.

Jack trok Robert juist met zachte dwang mee naar een paar andere gasten die hem wilden feliciteren toen Stacia en tante Lolly hun kant uit kwamen. Robert had zijn broer gevraagd om een oogje op de familie te houden, maar Barry had het blijkbaar te druk om zich om hen te bekommeren. Zijn moeder keek hem uitdrukkingloos aan; vanaf het moment dat ze het landhuis in Tuxedo was binnengestapt, was haar gezicht volkomen wezenloos geworden. Lolly, modebewust in een roze zijden jurk gepropt, glimlachte enthousiast. Net als Cece had ze altijd meer om kleren gegeven terwijl Stacia een zwartwollen jurk met korte mouwen, kousen en gemakkelijke schoenen droeg – ze had brede wreven en last van eeltknobbels, zodat al haar schoenen een militaire indruk maakten. Het was erg warm in huis, zelfs voor degenen die zomerkleren droegen; hij had te doen met zijn moeder in die wollen jurk. De voor- en achterdeur stonden open en drie meter boven hun hoofd zoemden een paar ventilators aan het plafond. Een van de weinige dingen die Stacia met de Alexanders gemeen had, was dat geen van beide huishoudens van een airco gebruikmaakte, alleen had dat in Stacia's geval met de elektriciteitsrekening te maken terwijl Jacks redenen minder makkelijk te doorgronden waren. Over ongeveer een uur, als de zon onderging, zou het koeler worden in huis. Robert legde zijn hand vriendelijk op zijn moeders schouder, maar zij schudde hem af.

'Is het goed dat ik een paar foto's maak?' vroeg Lolly.

'Natuurlijk,' zei Jack joviaal, 'maar er zijn ook twee fotografen.' Hij wees ze aan in de zee van vrouwen in kleurige maxi-jurken en kokerrokken en de mannen met katoenen truien, vlinderdasjes en kakibroeken. 'Ik zal u de contactafdrukken sturen, dan kunt u de foto's uitzoeken die u hebben wilt.'

'Ik bedoel niet van de mensen,' zei tante Lolly terwijl ze een polaroid-cameraatje uit haar handtas viste, 'maar van het huis. Om thuis aan de rest van de familie te laten zien.'

'Ga uw gang,' mompelde hij. Daarna, zich bewust van zijn rol als gastheer, sloeg hij een andere toon aan en voegde eraan toe: 'Als ze goed gelukt zijn, zou ik er misschien een paar van kunnen gebruiken voor de taxateur van de verzekering!' Hij lachte om zijn eigen grapje, en Stacia en Lolly bedankten hem beleefd en liepen verder met hun camera's in de aanslag. 'Ik geloof dat alles op rolletjes loopt, ben jij ook tevreden, Robert?'

Robert knikte terwijl hij met zijn aanstaande schoonvader meeliep. Een paar uur eerder, toen Barry met Stacia de hal was binnengekomen, was Crea op haar toegesneld met het volle zelfvertrouwen van iemand die zich altijd geliefd weet, maar toen ze Stacia's gezicht zag, bleef ze plotseling staan. De zwarte jurk en het strenge kapsel maakten het er niet beter op. Ook Stacia bleef staan, haar hoofd achterover. 'Wat een werk om het hier schoon te houden,' merkte ze op. 'Door al die ramen zie je elk stofje.'

'Dat zal best,' zei Crea. Ze wilde een complimentje horen, iets bemoedigends. Maar Stacia wees slechts naar het schilderij aan de muur.

'Ben jij dat?' vroeg ze.

'Inderdaad.'

'Een karikatuur? Ik bedoel, moet dat een grap voorstellen?'

'Een litho van Warhol, maar sommige mensen zullen zeggen dat dat op hetzelfde neerkomt.'

Stacia had niets teruggezegd. Toen waren tante Lolly en oom Fred met uitgestrekte armen de hal komen binnenvallen, en achter hen dienden zich nog meer gasten aan. Zijn familie zou eigenlijk eerder gekomen zijn, maar ze waren onderweg verkeerd gereden. Ze hadden de avond tevoren kunnen blijven logeren – de uitnodiging was meer dan eens uitgegaan – maar dat hadden ze afgeslagen omdat ze Crea's vader niet tot last wilden zijn, en dus had Robert pensionkamers voor hen gereserveerd in de buurt. Toen ze binnenkwamen en het huis zagen, moesten ze hebben beseft dat Robert niet had gelogen toen hij had gezegd dat Jack hun aanwezigheid nauwelijks zou opmerken. Maar toen hadden ze zich al ingecheckt bij het pension en hun bagage er achtergelaten, en Robert wist dat het beter was zo. Zij konden wel wat privacy gebruiken en hij zou beter slapen als zij ergens anders verbleven, hoe schuldig hij zich er ook over voelde. Zoals altijd met zijn familie en hotels, zoals altijd wanneer zijn moeder Oxford Circle verliet, bezorgde de situatie hem heel wat hoofdbrekens. Hij wilde hun iets van de wereld laten zien, het hun naar de zin maken, terwijl hij ze tegelijkertijd op afstand wilde houden. Deze impulsen streden voortdurend om voorrang, maar nooit zo erg als op die dag.

Jack bleef staan om hem aan een oude vriend van hem voor te stellen, en daarna aan twee buren uit Tuxedo. Om de paar stappen bleven ze staan om met deze of gene een praatje te maken, waarbij Jack zijn hand vaderlijk op Roberts schouder liet rusten. 'Kijk, dit is hem nou, de man die mijn dochter zo gelukkig maakt. Hallo daar! Leuk dat jullie er zijn!' En tegen Robert: 'Hij lacht niet omdat hij problemen met zijn gebit heeft. Je moet het niet persoonlijk opvatten.' Hij vond Jacks plotselinge attenties, zijn uitsluitend voor hem bestemde gefluister, overweldigend. Jack had zich altijd merkwaardig onverschillig opgesteld ten aanzien van de verloving, opgetogen noch ontzet. Robert kon wel begrijpen waarom de mensen op kantoor met hem wegliepen; hij was zo karig en terughoudend met het schenken van aandacht, dat je hem niet kon weerstaan als die aandacht je plotseling volop ten deel viel. Robert dacht aan zijn arme vader, die thuis was achtergebleven met een verpleegster en met zijn twee broers; Stacia vond dat hij nog niet mocht reizen en de dokter had haar gelijk gegeven. Hij hád een vader, een vader die altijd van hem had gehouden en voor hem had gezorgd. Waarom was hij dan zo dankbaar voor de minste aandacht, het geringste blijk van goedkeuring, van Crea's vader? Omdat hij niet déze vader had, een man die hem in de wereld kon introduceren, een geslaagd man waar de mensen mee wegliepen, die niet om macht vroeg, maar die zelf greep.

Het gazon in de achtertuin was zo groen en vlak dat hij het gevoel had dat hij zich in een schilderij bevond. Links van hem bracht een strijkkwartet Vivaldi ten gehore. Kelners gingen rond met glazen wijn en champagne. Hij speurde de horizon af naar zijn familie en zag dat Barry, zijn moeder en zijn tante zich in de rij voor het buffet hadden opgesteld. Twee partners van kantoor voegden zich bij Robert en Jack: de een was strafpleiter en de ander bedrijfsjurist. Robert had hen nog niet eerder ontmoet. 'Nou, dit is hem dan, mijn aanstaande schoonzoon,' verkondigde Jack op overdreven toon terwijl hij beide mannen de hand schudde. 'Ik moest hem mijn dochter beloven om hem zover te krijgen dat hij bij ons in dienst trad!' Hij maakte nog een paar grapjes over de gestaag groeiende gastenlijst voor het huwelijk; volgens de laatste berichten was het aantal genodigden al vierhonderd. Toen kwam er, onvast ter been, een oudere man met een stok voorbij, en Jack volgde hem met zijn blik. De twee partners deden hetzelfde. 'Het spijt me, heren. Ik zie Schoenberg van de vastgoedcommissie,' zei Jack, waarna hij verdween; de twee anderen volgden zijn voorbeeld, en Robert kreeg gezelschap van Tracey.

'Robert, ik ben van plan wat geld te beleggen bij je broer. Hij weet het goed aan te prijzen.'

'Ben je gek geworden?'

Tracey keek hem aan. 'Ik dacht dat je blij zou zijn.'

'Hij heeft amper vijf minuten zijn licentie.'

'Ik geef hem om te beginnen maar een klein bedrag. Daar kan ik me geen buil aan vallen.'

'Het is jouw geld,' zei Robert schouderophalend. Het was zijn eer te na om Barry zijn kans te ontnemen. 'Ik ben ervan overtuigd dat hij dat zal waarderen.'

'Hij is onderhoudend en intelligent, zij het wat ongepolijst. Ik ben gewoon benieuwd hoe hij het zal doen. Claudia moet erg om hem lachen, dat is altijd een pre – en bovendien is het jouw broer.'

'Jezus, ik hoop niet dat hij Jack heeft benaderd,' zei Robert. 'Dat zou een ramp zijn.'

'Jack Alexander kan zijn eigen boontjes wel doppen. Je moet niet zo slaafs doen; sorry, dat is nogal sterk uitgedrukt, maar het dekt de lading. Als je wat minder naar zijn pijpen danst, zal hij meer respect voor je hebben.'

'Respecteert hij me nu dan niet?'

'Maak je daar verdomme toch niet zo druk om,' zei Tracey en hij pakte een drankje van het dienblad van een passerende kelner en voerde Robert weg van de muziek en de menigte, in de richting van de heg. 'Hij heeft je laten natrekken, wist je dat?'

'Laten natrekken?' vroeg Robert. 'Door wie?'

'Dat is de normale gang van zaken als niemand de bruidegom of zijn familie echt goed kent, en in jouw geval duurde het, wat was het, acht maanden voordat jullie ouders met elkaar kennismaakten?'

'Mijn vader was ziek.' Maar ze hadden elkaar al maanden eerder kunnen ontmoeten; Robert had van beide kanten verzoeken ontvangen, die hij op een of andere manier was vergeten over te brengen. Dat was deels zijn fout; hij had zijn familie en zichzelf willen ontzien. Maar dan nog, een privédetective?

'Ik zeg alleen maar dat niemand echt iets over je wist.'

'Jij toch wel?'

'Ik heb mijn best gedaan,' antwoordde Tracey. 'Maar wat weet ik nou helemaal? Ik had je ouders of je broer nog nooit ontmoet. Ik weet niet eens wat je sinds je afstuderen hebt uitgespookt.'

'Weet Crea hiervan? En, nu we het er toch over hebben, hoe weet je dat eigenlijk? Misschien heb je het wel verkeerd begrepen.'

'Tijdens een vergadering van de vereniging van eigenaren hoorde ik dat Trenton een detective bij Jack aanbeval. Blijkbaar had Trenton al eens van zijn diensten gebruikgemaakt toen er een muzikant om Mignonne heen hing.'

'Dus heel Tuxedo weet dat mijn doopceel is gelicht door een privédetective?'

'Ik weet zeker dat buiten mij niemand het gehoord heeft. En Crea weet van niets. Ze zou een beroerte krijgen als ze het wist. Ze is weg van je – en ze is loyaal.'

Wat had hij voor geheimen? Drugs toen hij jong was, net als de rest van zijn generatie. Een dealer in de familie, in elk geval tot twee maanden geleden. En Gwendolyn. Zelfs als ze iets over haar te weten waren gekomen, hij had niets illegaals gedaan, was alleen maar dom en naïef geweest. 'En hebben ze nog iets gevonden?' vroeg hij gemaakt nonchalant.

'Dacht je dat we hier dan zouden staan? Ik zei toch dat Jack beschermend zou zijn.'

'Ik had het liever niet geweten.' Hij pakte zijn inhaler en nam een preventieve puf. Nog een en hij zou gaan trillen.

'Ik ook niet,' viel Tracey uit. 'Ik dacht dat ik je er een plezier mee zou doen. Stom van me.'

Ze stonden naast elkaar en wisten niet wat ze moesten zeggen. Ze wilden allebei niet op kwade voet uit elkaar gaan en dus staarden ze zwijgend in de verte totdat Tracey iets anders had gevonden om een opmerking over te maken. 'Die man in dat blauwe pak, hoe komt hij ermee weg? Ik heb nog nooit een pak in die kleur gezien.'

'Mario Saldana,' zei Robert, 'hij komt uit Caracas. Vastgoedjurist. Aardige vent, als je het leuk vindt om over sport te praten.'

'Kan hij zeilen?' vroeg Tracey. 'Ik ben een bemanning aan het samenstellen en er is iemand afgevallen.'

'Laten we het hem gaan vragen,' zei Robert. 'Ze zeggen dat hij op de nominatie staat om compagnon te worden.'

Maar ze waren nog maar net op weg of ze botsten tegen Mark Pascal op, die nauwelijks meer op zijn benen kon staan.

'Crea Alexander en Robert Vishniak,' riep hij luid. 'Ongelofelijk! Maar aan de andere kant: je bent altijd al een geluksvogel geweest.'

'Ik denk dat ik maar eens met die man over zeilen ga praten,' zei Tracey. 'Ik ben niet zo goed in liefdesperikelen.' Hij sloeg even een vriendschappelijke arm om Pascals schouder en maakte zich uit de voeten.

'De wereld is vol vrouwen, Mark,' zei Robert. 'Je bent jong en rijk. Geniet ervan.'

'Ben je daar nou nog niet achter?' vroeg Pascal. 'Ik kán helemaal niet genieten.'

Dat was waar, dacht Robert; hij was altijd ouwelijk geweest, ook tijdens zijn studie. Pascal had zijn droom om journalist te worden opgegeven zonder er echt voor te vechten, en nu pakte Robert hem ook nog zijn laatste jeugdfantasie af. Maar zelfs Marks dromen waren in zekere zin ouwelijk en pragmatisch: hij had gedroomd van de enige schrijversbaan met een vast inkomen, en van een echtgenote met wie hij samen was opgegroeid, die door zijn familie werd goedgekeurd.

'Ze vond me te serieus,' zei hij terwijl hij zijn stem liet dalen. 'We zijn ooit met elkaar naar bed geweest, weet je. Toen ik negentien was en zij zeventien. Mijn zus en zij hadden de leiding van dat stomme zomerkamp en ik kwam langs op de open dag...'

'Genoeg, Mark.' Robert greep Pascal stevig bij zijn arm en probeerde hem weg te leiden uit de drukte, maar hij kwam niet erg ver.

'Naderhand deed ze net alsof het nooit gebeurd was. Daar heb ik me nog jaren het hoofd over gebroken – eens maar nooit weer. Ze wilde niet zeggen wat ik verkeerd had gedaan...' Hij schudde Robert van zich af, griste twee glazen champagne van een dienblad en beende weg in een andere richting. Tot Roberts opluchting werd Mark onderschept door zijn vader, die hem meetroonde naar een gang. Natuurlijk had Trenton Pascal de privédetective aanbevolen. Dat was zijn laatste wanhopige poging om de droom van zijn zoon te laten uitkomen. Robert zag zijn eigen familie, die in de buurt van het buffet zat, en met een merkwaardig gevoel van opluchting voegde hij zich bij hen.

Zijn moeder en zijn oom en tante waren net klaar met eten en zaten naar het uitzicht te kijken. Barry was weer verdwenen. Miriam, een nicht van zijn vader, het enige andere familielid dat was meegekomen, had zijn plaats ingenomen. Ze zaten in het Jiddisch met elkaar te fluisteren. Dat was altijd een slecht teken.

'Wat vinden jullie van het huis?' vroeg Robert terwijl hij ging zitten.

'Is ze hier opgegroeid?'

'Nee, hier gingen ze in de weekenden naartoe.'

'Oooh,' zei tante Lolly, langzaam uitademend.

'Vonden jullie het eten lekker?' vroeg Robert.

'Luxe liflafjes,' antwoordde oom Fred. Tante Lolly zei dat het vlees precies goed was en dat de jongen die het opdiende had gezegd dat ze bier in de marinade hadden gebruikt.

Crea kwam naar hen toe. Robert sprong op om haar zijn stoel aan te bieden, waarna hij een kelner staande hield en om een extra stoel vroeg. Die kwam algauw en Robert ging weer zitten. 'Ik heb je de hele dag nauwelijks gesproken,' zei Crea en ze pakte zijn hand. 'Ik weet niet of Robert het al heeft verteld, maar de bruiloft wordt definitief in het Plaza gehouden. Mijn vader was erop tegen. Te protserig, niet modern genoeg. Hij wilde het liever hier houden, maar ik heb voorgesteld om hier vrijdagavond een diner te geven voor de gasten van buiten de stad, en daar leek hij genoegen mee te nemen. Als kind was ik weg van het Plaza, net als mijn moeder, en je trouwt maar één keer.'

Robert betwijfelde of zijn tante en de anderen wisten wat het Plaza was, maar iedereen knikte. Crea, slecht op haar gemak, ratelde maar door over de bruiloft. Stacia, die wachtte tot ze een stilte zou laten vallen, boog zich naar haar toe en zei dat ze iets voor haar had. Daarna haalde ze uit haar handtas een stapeltje kaartjes van acht bij twaalf centimeter, bijeengehouden door een elastiekje.

'We hebben deze voor je opgeschreven,' vervolgde Stacia. Roberts bloedverwanten staarden haar glimlachend aan en Crea zocht verward zijn blik. 'Zijn grootmoeder, zijn tante en ik. Al zijn lievelingsrecepten. Wij deden altijd alles uit ons hoofd. Cece schrijft geen Engels. Maar we zijn er met zijn drieën voor gaan zitten en hebben ze allemaal opgeschreven.' Triomfantelijk stak ze haar de stapel kaartjes toe en Crea pakte ze aan. Robert keek naar de langzaam lichtroze kleurende hemel, de talloze kelners, de gejaagde cateraars en het bedienend personeel, plus Dinah en het geüniformeerde keukenmeisje, die meehielpen waar ze konden en zo veel mogelijk vaatwerk naar de keuken brachten.

'Dat is erg vriendelijk van jullie,' zei Crea, die de kaartjes nog altijd voor zich uit hield. 'Alleen... ik kook niet.'

De tafel viel stil. Oom Fred trok een wenkbrauw op en tante Lolly keek naar haar schoot.

'Kook je niet?' herhaalde Stacia luid. 'Bedoel je dat het altijd gaat zoals nu?'

'Nee,' zei Crea glimlachend. 'Niet zoals dit, geen cateraars of kelners. Niet in ons appartementje. Maar ik neem een huishoudster in dienst die kookt.' En ze voegde er nerveus aan toe: 'Een heel goede. Ze slaapt niet bij ons thuis, of zo.'

'Is dat soms iets feministisch?' vroeg Stacia.

Crea gaf haar de kaartjes terug en schudde haar hoofd.

'Nee, hou jij ze maar. Geef ze maar aan je kok. Misschien heeft zij er wat aan.'

Niemand zei een woord en toen kwam, tot Roberts opluchting, Dinah naar hen toe om te zeggen dat een oude vriend van Crea op het punt stond om weg te gaan. Crea verontschuldigde zich en vroeg Robert of hij met haar mee kwam.

Niet lang daarna ging zijn familie Jack Alexander bedanken met een warrige woordenstroom, waarna ze op Robert en Crea afkwamen met de traditionele witte enveloppen, die ze hun toestaken en in hun zakken propten terwijl ze hun mazzeltof wensten, om uiteindelijk en masse te vertrekken.

'Waar zijn deze eigenlijk voor?' vroeg Crea met drie enveloppen in haar hand.

'Er zit geld in,' zei hij. 'Ze geven altijd geld in plaats van kaarten.'

'Waarom geven ze geen kaarten?'

'Daar houden ze niet van,' zei hij. Alleen namen en 'liefs' op een envelop gekrabbeld. Zijn moeder vond kaarten maar geldverspilling, zeker als ze niet hergebruikt konden worden. Maar dat kon hij haar niet vertellen, niet op dat moment. Er waren nog enkele gasten in de tuin achtergebleven, maar Crea en hij trokken zich even terug in de gang aan de achterkant van het huis. Ineens bestookte ze hem met vragen. Waarom was zijn familie zo vroeg vertrokken? Waarom lachte zijn moeder nooit? Waarom ging ze in het zwart gekleed; was ze in de rouw vanwege zijn partnerkeuze? Had het met koken te maken? En waarom hadden ze geen enthousiasme getoond over het Plaza? Vonden ze het te overdreven?

Robert kromp ineen, omdat hij uit haar toon opmaakte dat zijn familie op zijn minst enig enthousiasme had kunnen tonen aangezien hun niet zou worden gevraagd om te delen in de kosten.

'Waarom maakte ze die opmerking over de Warhol, Robert? Vindt ze me niet aantrekkelijk genoeg voor je?'

Bij die laatste vraag begon Robert hardop te lachen. 'Het maakt haar helemaal niks uit hoe iemand eruitziet.'

Dat kwam er verkeerd uit, en Crea raakte in tranen. Hij nam haar in zijn armen. 'Ze heeft aangezichtsverlamming, dat heb ik je toch verteld, haar gezicht staat nu eenmaal zo. En dat was haar enige goede jurk.'

Crea staarde hem ongelovig aan. Zijn excuses klonken weinig steekhoudend, zelfs in zijn eigen oren. Haar zoon had zich verloofd. Voor die gelegenheid had ze toch wel een nieuwe jurk kunnen kopen? Maar Stacia kennende was ze aan het sparen voor het weekend van het huwelijk, waarvoor ze twee jurken nodig zou hebben en een heel mooi cadeau. Daar zou ze al moeite genoeg mee hebben.

Maar hoe kon hij het gedrag van zijn moeder verklaren? Hoe kon hij uitleggen dat ze vragen stelde, soms met een afkeurende ondertoon, omdat ze iets niet kende en het wilde begrijpen, niet om iets af te kraken? Als ze stokstijf bleef staan wachten en niet op Crea toeliep om haar te kussen, dan was dat omdat ze ook niet op Robert toeliep om hém te kussen. Kussen en omhelzen deed ze slechts bij hoge uitzondering. Wanneer haar gezicht soms een wezenloze uitdrukking aannam, zonder glimlach of frons – zoals toen ze het huis was binnengekomen en Crea had ontmoet – dan was daar een reden voor. Hij had zijn moeder maar een paar keer in zijn leven zo gezien: acht maanden geleden, toen zijn vader in het ziekenhuis werd opgenomen en de doktoren huiverig waren voor een operatie; zeven jaar dáárvoor, toen Robert als een vogelverschrikker bij zijn moeder op de stoep had gestaan, en de dag dat hij naar de universiteit was vertrokken. 'Dat is angst,' zei hij. 'Ze is doodsbang.'

'Maar waarvoor dan?' vroeg Crea. 'We hebben haar toch allervriendelijkst ontvangen? Ik weet echt niet hoe ik me tegenover hen moet gedragen.'

Hij kon het verder niet uitleggen; hij was moe en plotseling leek het zinloos om het zelfs maar te proberen.

37

Prenuptus interruptus

Er verstreken weken, en toen maanden. Robert slaagde voor zijn examen en werd toegelaten tot de orde van advocaten; hij had zo veel andere dingen om zich zorgen over te maken dat het niet eens bij hem opgekomen was dat het ook anders had kunnen lopen, en misschien droeg die instelling er wel toe bij dat hij bij de eerste poging slaagde terwijl er voor sommige van zijn hardwerkende medestudenten niets anders opzat dan een nieuwe poging te wagen.

De kerstvakantie was afgelopen en de huwelijksdatum kwam gevaarlijk dichtbij, maar voor Robert en Crea leek er geen einde te komen aan hun drukke sociale verplichtingen. De vorige avond, een donderdag, waren ze naar een benefietgala geweest ten behoeve van de restauratie van het oude Koopmanshuis in East 4th – Crea was een van de begunstigers van het project. Vergeleken met andere avondactiviteiten van Crea was dat nog wel meegevallen, maar daarna waren ze in SoHo nog naar een vernissage in een galerie geweest en waren pas tegen enen thuisgekomen. Haar publieke persoonlijkheid bij zulke feestelijke gelegenheden stak voor hem nu schril af bij de onbeholpenheid en de onzekerheid die hij had gezien toen ze zijn familie had ontmoet. Hoe speelde ze het klaar om zich in die intimiderende wereld zo gemakkelijk te bewegen terwijl ze geconfronteerd met de doodsbenauwde Vishniaks niet wist waar ze het moest zoeken?

Het lukte hem vrijwel niet om de hele nacht door te slapen. In een verre hoek van de woonkamer hing een wandklok, die sloeg op het hele en op het halve uur. Het was een jugendstil regulateur, vervaardigd door Gustav Becker. Nu was het inderdaad een fraaie klok, met een eenvoudige notenhouten kast en een rijk gedecoreerde slinger en gewichten. Hoewel het een groot appartement was met dikke muren, merkte hij dat hij tot laat in de nacht lag te luisteren naar het zachte slaan van de klok, dat hem in de oren klonk als *Bonn-Bonn-Bonn*, alsof de klok heimwee had naar zijn land van herkomst. Zij zei dat hij mettertijd wel zou wennen aan het geluid en hij kon het niet over zijn hart verkrijgen om tegen haar te zeggen dat ze hem weg moest doen. Bovendien had de klok een functie; zijn wekker, met zijn goedkope warenhuisgesnerp, ging om kwart voor zeven af, en als hij zijn bed nog niet uit was, nam de wandklok op het hele uur de wekkerfunctie over.

Toen Crea die ochtend Roberts wekker hoorde, draaide ze zich kreunend om, maar hij wist dat ze binnen een paar minuten weer in slaap zou zijn gevallen en pas rond tien uur zou opstaan. Robert ging stilletjes naar de badkamer, met een katerig en gejaagd gevoel, niet ongebruikelijk na zo'n avond waarop ze het laat hadden gemaakt. De alcohol, het gebrek aan slaap, de sterke, nieuwe astmamedicatie: zijn gestel was als een fout gelopen reageerbuisexperiment. Dit gevoel van onbehagen verdween pas wanneer hij op weg naar zijn werk een gigabeker koffie kocht en zich er aan zijn bureau toe zette om een muffin te eten. Maar het eerste uur was altijd desastreus. Hij bekeek zijn gezicht in de spiegel en wou dat hij zich niet hoefde te scheren. Op dagen als deze, wanneer zijn handen trilden, was hij bang dat hij zijn eigen keel zou openhalen. Kon een man die declareerde per vijftien minuten gelijke tred houden met een vrouw die alle tijd van de wereld had? Soms betwijfelde hij dat.

Hij kleedde zich snel aan, haastte zich de deur uit voordat de klok kwart over zeven sloeg en hield toen een taxi aan in Park Avenue. Hij viel vervolgens op de achterbank weer in slaap en werd op zijn plaats van bestemming wakker gemaakt door de chauffeur; de ritprijs was hoog, maar die betaalde hij grif, blij met de extra slaap, hoewel hij nu nog amper twintig dollar overhad om de week door te komen. De vorige dag had een brief van zijn bank hem geattendeerd op een geweigerde cheque. De kerstbonus van vijfhonderd dollar was opgegaan aan de verlovingsring. Ze lieten de ring van haar moeder opnieuw zetten, met een extra diamant erin. De rest van het geld kwam van wat hij bij elkaar kon schrapen van zijn salaris en het allerlaatste restant van het geld dat hij als taxichauffeur opzij had gelegd. Haar verlovingsring had al veel te lang op zich laten wachten.

Toen hij bij haar was ingetrokken had hij dit keer niet meer dan een halfslachtige poging ondernomen om te bespreken wat hij aan huur moest betalen. Toen hij haar desinteresse zag, had hij het onderwerp gelaten voor wat het was. Het appartement was haar eigendom en zij betaalde de rekeningen, niet haar vader, en als zij niet over geld wilde praten, liet hij het onderwerp ook maar rusten. In plaats daarvan betaalde hij simpelweg rekeningen zoals het uitkwam – hij schreef cheques uit voor de telefoonrekening of voor gas en licht; als hij eraan dacht, legde hij contant geld klaar voor de hulp in de huishouding en hij deed boodschappen wanneer hij vroeg genoeg thuis was om naar de winkel te gaan. In tegenstelling tot Gwendolyn accepteerde Crea zijn geld met een glimlach en een knipoog, of het geld verdween gewoon van de plek waar hij het had neergelegd. En hij betaalde altijd wanneer ze buiten de deur waren. Hij had eindelijk de juiste balans gevonden. Maar zelfs het bekostigen van een gedeelte van Crea's levensstijl liep behoorlijk in de papieren.

Om acht uur 's ochtends trof hij het gebruikelijke groepje collega's aan bij het koffiezetapparaat. Jacks secretaresse was er nog niet. Over het algemeen zorgden de secretaresses bij A, L & W voor de koffie, maar de junior juristen van het kantoor, die als eersten op het werk verschenen, waren altijd wanhopig – er stond nu al een kleine drom mensen te wachten tot de koffie was doorgelopen. Met hangende schouders, hun huid vaal en droog door het gebrek aan slaap en zonlicht, mompelden ze hallo of knikten naar hem; een aantrekkelijke brunette van Civiele Procedures complimenteerde hem met zijn overjas. Maar in tegenstelling tot de tijd dat hij een stagekracht was en niemand wist dat hij iets met Crea had, werden de echte gesprekken nu onderbroken wanneer hij eraan kwam. Precies zo ging het op het herentoilet dat uitsluitend door junior juristen werd gebruikt, waar verrassend lange gesprekken werden gevoerd, maar niet in het bijzijn van Robert. Iedereen veronderstelde dat Jack hem een luisterend oor bood, waaruit bleek dat ze niet erg goed observeerden. Na het verlovingsfeest, en vanaf de dag dat Robert bij het kantoor was begonnen, had Jack even weinig aandacht aan hem besteed als aan alle andere junior juristen die in hun eerste jaar zaten.

Wilton Henry, het wonderkind op onroerendgoedgebied, liep met hem mee naar zijn kantoor. De twee waren buren. 'Ik ga maar weer leningaanvragen behandelen,' verkondigde Henry. 'Ik verveel me te pletter.' Hij liet iedereen graag weten dat hij drie keer zo snel werkte als de anderen en ging steevast om zes uur de deur uit terwijl de rest nog aan het zwoegen was.

'Ik doe een paar dingen voor Saldana,' zei Robert. 'Niet onaardig.'

'De Zuid-Amerikaanse Beau Brummel?'

'Wat ben je toch trendy met die negentiende-eeuwse verwijzingen,' zei Robert. 'Ben je Lord Byron weer aan het lezen?'

'Als ik dat deed, zou ik een stuk interessanter zijn,' antwoordde hij. 'Sliep hij niet met zijn eigen zus?'

'Hebben we wellicht een duistere jeugdfantasie aan het licht gebracht?' vroeg Robert, over zijn kin wrijvend alsof hij een baard had.

'Ik bedoel alleen maar...' verklaarde Henry, en vervolgens wachtte hij even tot Robert papieren had aangenomen van Lola, de secretaresse die ze deelden, '...ik bedoel alleen maar dat er iets vreemds is aan die vent.'

Als er al iets vreemds was aan Saldana, dan was het dat hij de moeite nam om opdrachten uit te leggen en Robert behandelde als een mens, niet als een debiele ondergeschikte of als de bevoorrechte schoonzoon van Jack. Robert was hem daar dankbaar voor.

'Saldana is er trouwens nog niet,' voegde Henry er over zijn schouder aan toe toen Robert en hij ieder naar hun eigen deur liepen.

In Roberts raamloze kamer, die zo klein was dat het bureau haaks op de ingang moest staan, trok hij zijn trenchcoat uit, hing hem op het hangertje achter zijn deur en scheurde toen de maand maart van de kalender. Over twee weken zouden de uitnodigingen voor de bruiloft worden verstuurd. Ergens in Chinatown zat een groep vrouwen aan een lange tafel sierlijk gekalligrafeerde namen te schrijven op dikke, crèmekleurige enveloppen. Binnenkort moesten ze de puzzelstukjes voor het twee dagen durende evenement in elkaar passen. In TriBeCa was een al even vreemd ritueel gaande rond de kant voor Crea's japon. Zijn huwelijk leidde tot huisnijverheid als uit vroegere tijden en bood werk aan honderden mensen.

Roberts secretaresse kwam om kwart voor negen, en toen was hij al aan zijn derde kop koffie en een pufje uit zijn inhaler bezig, voortgedreven door nerveuze energie en adrenaline. Hij had de afgelopen maand niets anders gedaan dan het voorbereiden van koopovereenkomsten, het reviseren van eigendomsakten en taxatierapporten, het lezen en herlezen van kleine lettertjes totdat zijn ogen pijn deden. Maar Mario, die zijn frustratie zag en wist dat hij belangstelling had voor monumentenzorg, had net gevraagd of hij wat onderzoek wilde doen voor een cliënt die een vervallen hotel had gekocht dat hij wilde laten slopen, zonder zich te realiseren dat het pand een muur deelde met een gebouw dat ervoor in aanmerking kwam om de monumentenstatus te krijgen. Robert bracht de hele ochtend in de bedrijfsbiliotheek door. Toen Lola aanklopte, zat hij achter een stapel boeken en zijn aantekeningen en kwam verrast tot de ontdekking dat het al over twaalven was. 'Ga jij nu lunchen?' vroeg hij.

'Nog niet,' zei Lola. 'Selene belde. Meneer Alexander vraagt een paar minuten van je tijd.'

'Echt waar?'

'Ja.'

'Wanneer?'

'Nu,' zei ze met een bemoedigende glimlach.

'Enig idee waarom?'

Ze schudde haar hoofd. 'Haal even een kam door je haar.'

Hoewel Robert nu ruim zeven maanden bij het kantoor werkte, had hij nog niet eerder een uitnodiging gekregen om naar Jacks kamer te komen. Was dit een uitnodiging voor de lunch? Een opdracht? Werk kwam geleidelijk naar beneden via de voedselketen. Hij kreeg opdrachten van senior juristen, niet van vennoten.

Jacks secretaresse, Selene, was niet wat hij verwacht had. Elke keer dat hij haar zag, was hij weer even verrast door de ondoorgrondelijkheid van zijn toekomstige schoonvader. Hoewel ze niet jong meer was, kleedde Selene zich dellerig. De vrouwen op kantoor mochten niet eens een broek dragen, maar er rustte geen verbod op minirokjes of doorkijkblouses, in elk geval niet voor Jacks privésecretaresse. Telkens als hij Selene tegenkwam op de gang, vroeg Robert zich af wat er precies gaande was, of gaande was geweest, tussen die twee. Er werd nooit geroddeld over het privéleven van Crea's vader, niet op kantoor en niet in de bladen. Maar Jack was al lange tijd alleen, en voor die tijd had hij een ongelukkig huwelijk gehad. Was Selene het antwoord? Of duldde hij haar ordinaire smaak alleen omdat ze goed was in haar werk?

'Loop maar door, Robert.' Selenes haar was hoog opgestoken en rijkelijk met haarlak bespoten, en haar met sproeten bezaaide decolleté was opgekrikt tot boven de diepe v-hals van haar trui. 'Hij verwacht je.'

Jack, die achter zijn bureau zat, stond op om hem een hand te geven. Robert liet zijn blik rondgaan door het enorme, rechthoekige kantoor met zijn lage witte banken, witte tapijt en drie witte muren. Aan de vierde muur, die blauw-grijs was, hing een reeks witte schilderijen in smalle chromen lijsten. Over de witte doeken zigzagden en dansten dunne rode en zwarte lijnen. Tussen de twee banken stond een ronde glazen koffietafel met een reusachtige blauwe glazen bol erop. Aan de andere kant van de kamer prijkte Jacks glazen bureau, dat op zulke dunne poten rustte dat het op magische wijze in de lucht leek te zweven.

Jack gebaarde dat Robert plaats kon nemen op de bank, hoewel hij zelf bleef staan. 'Hoe maken je ouders het?' vroeg hij.

'Uitstekend, meneer, ze verheugen zich op de bruiloft.' Zij wisselden wat prietpraat uit over Jacks favoriete onderwerp – Crea. Ze zag er weliswaar moe uit, maar de drukte leek haar goed te doen, alle gebruikelijke dingen, totdat Robert zich begon af te vragen waarom hij was ontboden. Toen liep Jack naar zijn bureau en kwam terug met een dikke envelop. Kreeg hij werk van Jack? Markeerde dit het begin van een nieuwe professionele vertrouwelijkheid tussen hen? Jack kwam nu met de envelop in zijn hand naar Robert toe en liet zich, wat moeizaam, op de bank zakken. 'Ik wil graag dat je dit bekijkt,' zei hij en hij schoof de envelop over de tafel. 'Raadpleeg er iemand over als je wilt en zorg dat ik het weer terugkrijg.'

'Hoe lang heb ik ervoor?'

'Ik stel voor dat je het meteen afhandelt.'

Robert pakte de envelop op. Die was zwaar. Hij was een junior jurist in zijn eerste jaar en begon net de meest elementaire zaken onder de knie te krijgen – wat kon hij een van de oprichters in vredesnaam te bieden hebben? Bij A, L & W werd veel waarde gehecht aan de pikorde – hij kon het allemaal niet met elkaar rijmen, maar toch wilde hij dolgraag uitverkoren zijn.

'En wie is de klant precies?' vroeg Robert.

'Pardon?'

Robert maakte de envelop open. De randen waren scherp en hij kreeg een sneetje in een van zijn vingertoppen; hij zag het bloed langzaam opwellen en stak zijn vinger even in zijn mond terwijl hij de papieren in zijn andere hand nam om ze niet vies te maken.

'Ik heb Crea maanden geleden al gevraagd om met je praten,' zei Jack, 'maar ze blijft het maar uitstellen. Daarom heb ik besloten om het zelf maar af te handelen. Je bent op mij altijd overgekomen als een nuchtere jongen.'

Toen Robert de papieren uit de envelop trok en ze vluchtig bekeek, realiseerde hij zich dat het geen werk was dat hij na voltooiing kon declareren. Dit was een huwelijkscontract. Hij schraapte zijn keel en schoof de papieren terug in de envelop. Niet dat hij dit niet had verwacht – hij was jurist, wist wat een huwelijkscontract was en begreep dat juist zijn situatie om zo'n contract vroeg, maar een mens kan de logica van iets inzien en zich toch geschokt voelen wanneer het gebeurt. De enige huwelijkscontracten die hij tot nu toe had gezien waren de reeds lang verouderde, die als voorbeeld werden gebruikt tijdens zijn colleges over de huwelijkswetgeving. Hij stond met een onbehaaglijk gevoel op terwijl Jack bleef zitten.

'Neem het allemaal zorgvuldig door,' zei Jack. 'In je eigen tijd, uiteraard.'

'Uiteraard,' zei Robert. *Uiteraard zal ik geen seconde afpikken van je kostbare declarabele uren, klootzak die je bent.* Hij kon het idee niet van zich afzetten dat hij was overvallen. Voor de tweede keer. Eerst die privédetective en nu dit – wat moest er nog meer gebeuren voordat het tot hem doordrong dat deze man niet zijn vriend zou worden, laat staan familie? Hij zou ervoor zorgen dat Jack zich zou lospellen van die lage, ongemakkelijke bank, en hij ging toekijken. Het kon hem niet schelen hoe lang het zou duren, het kon hem niet schelen hoe moeilijk het voor hem was om overeind te komen. En het was inderdaad moeilijk; Jack kreunde en steunde terwijl Robert er met een glimlachje bij stond, zijn armen over zijn borst gevouwen. Net toen Crea's vader zich met een lichte zucht overeind hees en rechtop stond, bedankte Robert hem en liep naar de deur. 'U hoeft me niet uit te laten,' zei hij, en hij vertrok.

Zodra hij terug was in zijn kantoor sloot hij de deur en bracht de rest van de middag door met het bestuderen van de informatie die in de envelop zat – schijt aan de factureerbare uren. Hij probeerde de papieren te bekijken zoals hij voor een cliënt zou hebben gedaan, maar dat lukte niet. Daarom kon een jurist niet zijn eigen raadsman zijn; Robert kon nauwelijks meer normaal denken terwijl hij naar de lijsten van bezittingen zat te staren, moest stoppen om zijn inhaler nog eens te gebruiken, waarna hij nog een hele poos zat te trillen. Wie was in godsnaam die persoon met wie hij zou gaan trouwen? Het was één ding om rijk te zijn, maar Crea Alexanders mate van rijkdom was verbijsterend. Er was het appartement in New York, een winterverblijf in Aspen en een strandhuis aan de kust van North Carolina. Er was een huis in Frankrijk, hoewel dat al generaties lang werd bewoond door neven en nichten. Maar toch, de huur ging in een beheerd fonds en ze kon het pand op elk gewenst moment opeisen. Ze bezat ook een herenhuis in East Side, dat van haar grootmoeder was geweest en werd verhuurd aan een kunstgalerie. Er rustte een flinke hypotheek op haar Gramercy appartement, maar dat was vermoedelijk voor fiscale doeleinden. Er waren aandelenportefeuilles en ontelbare investeringen in de VS en in het buitenland, plus kunstwerken, heel veel kunstwerken, schilderijen en beeldhouwwerken die in bruikleen waren gegeven aan musea en universiteiten. Ze had kunstwerken in de opslag, foto's in galeries, tekeningen aan haar muren, ter waarde van miljoenen dollars. Technisch gezien bezat Crea veel van de kunstwerken in Jacks appartement in Manhattan. Hoewel ook zelf gefortuneerd, was hij niet half zo rijk als zijn dochter, die een fortuin had geërfd van haar moeder.

Robert wist al dat Jack minder had ingebracht in het huwelijk. Zijn vader was arts geweest, huisarts in Rye, New York, die de studie van drie zonen aan Columbia had betaald en vervolgens met pensioen was gegaan in Florida om te vliegvissen en in zijn slaap was overleden. Crea had Robert dat al in het begin van hun relatie verteld, alsof ze wilde suggereren dat het bijna een traditie was dat vrouwen in haar familie trouwden met minder welgestelde mannen, die vervolgens hun fortuin maakten. Ze twijfelde er niet aan dat Robert even succesvol zou zijn.

Toen Crea voor het eerst het kleinburgerlijke milieu van haar vader, zijn eenvoudiger afkomst, ter sprake had gebracht, had Robert willen zeggen dat de zoon van een arts uit Westchester County iets heel anders was dan de zoon van een postbode uit Oxford Circle. Nu ze zijn ouders had ontmoet, begreep ze dat misschien, maar hij betwijfelde het. De omvang van zijn schuld was hoger, zijn verplichtingen ten opzichte van zijn vader en moeder op oudere leeftijd waren groter; het familiekapitaal werd niet doorgegeven, maar eerder opgesoupeerd door te leven. Maar net zoals zij alle mensen uit de middenklasse op één hoop veegde, had hij iedereen uit de bovenklasse op één hoop geveegd. Hij begreep nu hoe naïef of misschien gewoon misleid hij was geweest. Waarom ging ze naar al die feesten met extreem rijke of beroemde mensen, en hoe kon ze zo veel cheques uitschrijven? Hij was een man met niets en niemendal, die ging trouwen met een vrouw die veel te veel bezat. Deels moest het haar ook hebben dwarsgezeten – dat hij dat allemaal had gezien, en de vaststelling dat er een enorme kloof gaapte tussen hun persoonlijke financiële situatie – want ze had de taak aan haar vader overgedragen. Maar was dat eigenlijk wel zo? Het was een voor haar ongewone, laffe daad. Of misschien was dit wie ze werkelijk was. Het contract beschermde haar volledig en droeg vrijwel niets aan hem over. Als ze gingen scheiden, moesten zelfs cadeaus worden teruggegeven.

Hij belde Stanley Dunphy, een vriend uit zijn studietijd, die samen met zijn vader een maatschap had, gespecialiseerd in huwelijksrecht. Echtscheiding, een niet aan inflatie onderhevige bedrijfstak, bood altijd werk te over. Zijn vriend had het zelfs zo druk dat het enige tijd duurde voordat Robert hem aan de telefoon kreeg, en toen hij hem eenmaal te pakken had, verontschuldigde Stanley zich; hij zat tjokvol met afspraken. Robert legde hem over de telefoon een paar dingen uit.

'Om te beginnen gaan we een bedrag ineens vragen,' zei Stanley, niet in staat de opwinding uit zijn stem te weren. De man hield van zijn werk.

Robert zei dat hij zo'n bedrag niet wilde; hij vond het een vernederend idee.

'Je denkt dat je edelmoedig bent, maar in feite ben je gewoon onpraktisch,' zei Stanley terwijl er allerlei pieptonen te horen waren en iemand die door de intercom zijn naam omriep. 'Ze verwachten ons aan de onderhandelingstafel. Breng morgenochtend het contract even langs. Ik ben hier vanaf zeven uur.' En toen hing hij op.

Niet in staat zich te concentreren vertrok Robert al vroeg van zijn werk en ging naar de juridische bibliotheek van NYU om onderzoek te doen naar recente precedenten met betrekking tot huwelijkscontracten. Over het algemeen was het de vrouw die minder bezittingen inbracht in het huwelijk, en dan behelsde het contract precies wat Stanley had genoemd – een bedrag ineens, in sommige gevallen onroerend goed, plus extra geld na elk kind. Maar hij was een man, en het voelde vernederend, onmannelijk, om geld te accepteren omdat hij met Crea ging trouwen. Niet dat iemand hem dat aanbood trouwens. Hij had het gevoel dat hij weer terug was op de universiteit. Naar de tijd met Gwendolyn, en voor haar, Tracey. Hoe was hij hier nu toch weer in verzeild geraakt?

Nu hij net als vroeger door de eindeloze gangen liep met hun geur van oude boeken, ontsmettingsmiddel en gestreste doctoraalstudenten, werd hij herinnerd aan de laatste drie jaar van zijn opleiding, aan alles wat hij had doorgemaakt. Als een rechtenstudie je één ding bijbracht, was het wel geestelijke discipline – je werd er beslist niet voorbereid op de praktijk; zoveel had hij inmiddels wel geleerd – en in de bibliotheek kwam hij tot rust en kreeg weer greep op zijn gedachten. Dit was een contract. Hij wist hoe je een contract moest benaderen. Als Crea een negentiende-eeuws huwelijk wilde, gebaseerd op het vermengen van bezittingen en een bruidsschat, waarom zou hij dat spel dan niet meespelen? Hij had zijn hart niet aan haar verpand, niet zoals eerder het geval was geweest. Dat kon hij voor zichzelf wel toegeven. Wat hij voor haar voelde, was alles wat hij verwachtte te voelen voor iedere vrouw die niet Gwendolyn was, maar het was nooit ofte nimmer genoeg geweest om zijn hoofd te verliezen.

Haar vader had hem erin geluisd. Als hij te veel vroeg – of überhaupt íets vroeg – dan kon Jack Crea en Pascal, en god weet wie nog meer, wijzen op wat onmiskenbaar was: dat Robert maatschappelijk hogerop wilde komen, op een rijke vrouw uit was, een geldbeluste jood was. Als hij niets vroeg, dan moest hij tot in lengte van dagen zijn hand ophouden bij zijn vrouw.

Hij had gezien wat voor leven ze gewend was; ze zou heus niet veranderen en van zijn salaris willen leven.

Uren later verliet hij de bibliotheek en besefte dat hij had nagelaten om Crea te bellen, zoals hij anders altijd deed wanneer hij pas na achten thuis zou zijn. Hij nam een taxi naar huis, liep de trap op, toetste de beveiligingscode in en ging het appartement binnen waar hij nu al ruim een jaar woonde. De wanden waren wit, dramatisch van bovenaf belicht. Hier hingen maar weinig foto's uit Crea's collectie; in plaats daarvan was het appartement gedecoreerd met lichamen. Op een sokkel in het midden van de hal stond een nogal uitgemergeld vrouwenlichaam in brons, een laat werk van Wilhelm Lehmbruck. In de woonkamer hing een olieverfschilderij van Oskar Kokoschka: een op de grond gezeten naakte vrouw met lang haar, de benen opgetrokken voor zich, met handen die in wanhoop naar haar hoofd grepen. Crea had hem verteld dat het een portret was van Alma Mahler, de grote liefde en muze van de kunstenaar, en dat ze zijn hart had gebroken. Boven hun bed hing een serie tekeningen van een ander melancholiek naakt, vroeg werk van Gustav Klimt. Hij begreep waarom een tijdschrift over woninginterieurs er een reportage over wilde maken; hij woonde in een museum. En dan was er nog die rotklok, die nu negen langgerekte slagen liet horen.

Ze hield van de Duitse en Weense separatisten en de overgang die ze vormden naar het expressionisme. Haar culturele geschiedenis, had ze hem verteld. Maar al die kunstenaars waren toch waanzinnig geworden? Hadden zelfmoord gepleegd of waren in ballingschap gegaan? Al die gezichten om hem heen straalden iets triests uit. Hun ogen waren gericht op een tragische toekomst die ze niet konden zien... of toch wel?

Hij dacht opnieuw aan Gwendolyn, aan hoe weinig waarde zij had gehecht aan de inrichting van een huis, hoe zorgvuldig ze zijn boeken had neergezet op haar lege planken omdat het voor hém iets betekende – voor zichzelf had ze vrijwel niets nodig. Hij wist dat het niet eerlijk was om de twee vrouwen zo scherp met elkaar te vergelijken. Crea zou het nooit bij haar halen. Niemand kon met een geest of een heilige concurreren. En Gwendolyn had niet de luxe gehad om verdriet te kunnen romantiseren; ze had ermee geleefd, overgeleverd aan de genade van haar hersenchemie. Hij schonk zichzelf een whisky in en ging aan de eettafel zitten. Daarop lag een briefje waarin stond dat Crea naar een restaurant in de buurt was gegaan, de romantische lokatie van een aantal etentjes toen ze elkaar pas kenden. Hij kleedde zich om en verliet het appartement haastig, alsof het er spookte.

Het restaurant was zo dichtbij dat hij ging lopen. Hij kwam langs de Players Club op de hoek, verlicht door straatlantaarns, maar hij kon nog steeds het sierlijke gotisch-victoriaanse lofwerk zien – de druipende prullen, zoals zij het noemde. Crea had hem geleerd hoe hij schoonheid kon classificeren en categoriseren, en hoe die te beschouwen. Er was veel dat hij niet wilde verliezen, maar als het moest, dan moest het. Hij wist dat zij meer van hem hield dan hij van haar.

Het was druk in de zijstraten van Lexington en de restaurants zaten vol – stelletjes dwaalden doelloos rond. Voor hem liep een moeder die een wandelwagen voortduwde naar de supermarkt alsof het drie uur 's middags was, alleen was het dat niet; het was over negenen 's avonds in een stad die in een permanent heden leefde terwijl Robert nog steeds met het verleden worstelde. Toen hij het restaurant betrad, werd hij door het personeel hartelijk begroet – iedereen daar kende hen – en toen begeleidde iemand hem naar een tafeltje achterin, waar Crea naar hem lachte alsof hij alles was wat ze nodig had. Vrouwen hadden zich altijd tot hem aangetrokken gevoeld, maar niet één vrouw had ooit naar hem gekeken zoals zij. Ze had naar zijn kantoor gebeld, maar hij was weg. Toch mopperde ze daar niet over. Misschien had ze het wel gewild, maar toen zij hem zag, was alles vergeven. Misschien was ze eraan gewend om op mannen te wachten; haar vader was haar hele leven lang laat thuisgekomen.

Ze bestelden en aten toen snel. Hij zweeg en wachtte het juiste moment af; nadat hij had afgerekend, besloten ze naar huis te lopen; het was nog warm buiten en het leek bijna lente. Onderweg vroeg ze hem een paar keer of er iets was, maar dat ontkende hij. Toen ze in de deuropening van het appartement stonden, wees ze hem er vriendelijk op dat hij het alarm niet had ingesteld voor hij vertrok. Dat vergat hij wel vaker en dat was niet verstandig.

Ze zette haar tas in de hal en liep naar de slaapkamer, waar hij zijn stropdas al stond los te trekken. Ze kwam naar hem toe en vroeg of hij haar even wilde helpen met haar kleding, een soort eendelige jumpsuit met een haltertopje dat sloot achter haar lange, witte nek, die ze naar hem toe draaide, zodat hij achter haar stond terwijl hij aan het frunniken was. 'Ik ga mijn baan opzeggen,' zei hij.

Ze draaide zich om, zodat hij de stof moest loslaten. 'Na acht maanden?'

'Ik wil meer zelfstandigheid.' Hij trok zijn jasje uit en hing het in de kast.

'Waarom?' vroeg ze terloops terwijl ze de rits op haar rug lostrok, zodat hij zich afvroeg waarom ze überhaupt zijn hulp had gevraagd.

'Je vader riep me vandaag bij zich op kantoor,' zei hij terwijl hij zijn overhemd losknoopte. 'Ik dacht dat hij me werk ging geven, maar hij schoof me een huwelijkscontract toe en zei dat ik het moest doornemen, maar niet in kantoortijd. Hij zei ook dat hij had gewacht tot je het zelf zou aankaarten, maar dat je het te lang uitstelde.'

'O, die kwestie,' zei ze, en toen ze zich omdraaide, had haar gezicht een kleur gekregen. 'Ik wist dat het gevoelig voor je zou liggen.'

'Dus heb je Jack het vuile werk maar laten opknappen?'

'Dat doet hij mijn hele leven al, zich met dingen bemoeien. Ik heb tegen hem gezegd dat ik eerst met je wilde praten.'

'Ik heb morgenochtend een afspraak met een advocaat.'

'Neem je een advocaat in de arm?'

'Nee, natuurlijk niet,' antwoordde hij. 'Ik zet gewoon wel mijn handtekening op de stippellijn.'

'Je moet dit niet op mij afreageren, Robert. Ik lees geen contracten. Ik weet van niets.'

Iedereen met zo veel bezittingen als zij was op zijn minst enigszins op de hoogte; ze gebruikte haar vader om zich aan verantwoordelijkheden of onaangenaamheden te onttrekken. Zo speelde ze het. 'Mijn advocaat zal het huwelijkscontract zoals het nu is verwerpen. Als ik dat teken, zal ik feitelijk niet meer zijn dan een gast in jouw huis.'

'We kunnen dit appartement verkopen en op zoek gaan naar een eigen huis. Je wordt mijn man, niet mijn gast.'

'In de eerste plaats zal het nog jaren duren voordat ik een aanbetaling kan doen op een vergelijkbaar appartement als dit, of waar je dan ook wilt gaan wonen, maar ik neem aan dat je iets groters wilt. Dat is wat binnen mijn mogelijkheden ligt – ben je bereid om van mijn salaris te leven? Ik denk het niet. Ten tweede ga ik dat contract niet tekenen zoals het nu is. Stan Dunphy zal iets anders opstellen, je vaders advocaat zal daarop reageren, enzovoorts, enzovoorts.' Hij zei dit allemaal nonchalant, rustig, zoals hij zich had voorgenomen. 'Het is niets persoonlijks, toch? Onze levens liggen nu in de handen van advocaten.'

Ze had alleen nog haar ondergoed aan, maar ging nu naar de kast en trok een zijden ochtendjas aan, een prachtige perzikroze. Ze droeg het niet voor de warmte – Crea had het nooit koud. Hij vermoedde dat ze iets om zich heen wilde, iets moois om heel dit lelijke gesprek te compenseren. 'Dit is niet wat ik wilde,' zei ze zachtjes.

'Wat wilde je dan wel?' vroeg hij.

'Ik weet het niet precies,' zei ze. 'Ik geloof dat ik ervan uitging dat we het gewoon onder elkaar konden bespreken.'

'Dan had je niet met zo'n contract moeten aankomen,' zei Robert. 'De lijst van bezittingen alleen al beslaat tien pagina's. Ik waardeer het dat je zo eerlijk bent over wat je allemaal bezit. Dus ik zal ook eerlijk zijn. Ik heb niets. Alleen schulden. Dat is wat ik inbreng in dit huwelijk. En het potentieel om geld te verdienen. Maar niet meer dan het potentieel. Nou, hoe gaan we dat aanpakken?'

'Heb je echt niets?'

Ze had zijn ouders toch ontmoet? Had ze, toen ze pas met elkaar omgingen, gedacht dat hij weigerde haar mee te nemen naar zijn ouderlijk huis omdat het gewoon te chic was? 'Ik kan het contract nu gaan pakken,' zei hij. 'We kunnen het verbranden in de open haard en doen alsof dit nooit gebeurd is. We hoeven helemaal niet te gaan trouwen; we kunnen samenwonen. Ik weet dat ik heb gezegd dat ik wilde doen wat juist was, maar misschien is het juiste in dit geval om maar niet te trouwen. Vrije liefde. Met de nadruk op het woord "vrije".'

'Maar ik wil graag getrouwd zijn. Ik ben bijna dertig en ik wil een gezin.' Ze ging in een hoek van de kamer op een stoel zitten, met opgetrokken benen, als een klein meisje. 'Leg het me nog eens uit. Waarom kun je er je handtekening niet onder zetten?'

Het was beurtelings charmant en ergerniswekkend, haar vermogen om hem met een wazige blik aan te kijken alsof ze net uit het niets was gekomen en te vragen waar ze nou al die tijd precies ruzie over hadden gemaakt. 'Het probleem is dat ik géén geld heb,' zei hij, 'en dat jij stapels geld hebt, en dat we nooit gelijken zullen zijn in dit huwelijk, ongeacht hoeveel ik verdien, en zelfs niet als ik compagnon word.'

'Natuurlijk wel,' zei ze. 'Wat heeft geld nou te maken met gelijkheid in een huwelijk?'

'Alles,' zei hij terwijl hij zijn overhemd uittrok en het toen over een stoel gooide. Ze stond op en begon het glad te strijken. Ze had hem meegenomen naar Charvet om hem dat overhemd te laten aanmeten; de katoen was zo fijn dat het zijde leek. Een perfect overhemd. 'Als we gaan scheiden en het gezin dat jij zo graag wilt uit elkaar valt, hoe moet ik onze kinderen dan onderhouden, al was het maar in de weekenden dat ze op bezoek komen, in de levensstijl waaraan ze dan gewend zijn geraakt?'

'We zijn nog niet eens getrouwd en jij bent al bezig met de scheiding en voogdijproblemen!'

'Advocaten, Crea, zijn ervoor opgeleid om alle onvoorziene omstandigheden te bekijken. Alle ellendige, kloterige, vreselijke mogelijkheden. We zullen waarschijnlijk kinderen krijgen en het zou op een scheiding kunnen uitlopen.'

Ze liep naar de woonkamer, in de verwachting dat hij zou meekomen. Hij zag dat ze zichzelf een drankje inschonk en ook een voor hem. 'In mijn ogen is geld ons enige probleem,' zei ze. 'En dat is gemakkelijk op te lossen. Als je situatie je zo dwarszit, dan geef ik je gewoon wat.'

Dat had hij niet verwacht. Ze was ongelofelijk verrassend en had de redenering doorgevoerd tot de logische conclusie, zonder zelfs maar een hint van zijn kant. Ze knapte het lastigste werk voor hem op.

'Vader hoeft het nooit te weten,' vervolgde ze, 'het is beter dat hij het niet weet. En het is mijn geld. Zijn verdiende loon nadat hij je er op kantoor zo mee heeft overvallen. Hij moet leren om zijn neus niet in mijn zaken te steken.' Ze nam een slok van haar drankje en haar stem werd krachtiger. 'Je zou je schulden kunnen afbetalen, en we zouden het als een verlovingsgeschenk kunnen beschouwen. Ik wilde bij Cartier een horloge voor je kopen, je weet wel, van vader, dat is een traditie, maar...'

'Ik hoef geen horloge van achtduizend dollar, Crea.'

'Hoe hoog is je schuld precies?'

'Ongeveer vijftienduizend dollar, maar ik kan er een duizendje naast zitten.'

'Nou, jullie advocaten zijn toch zo graag specifiek: ik geef je honderdduizend dollar. Hoe is dat?'

'Een half miljoen,' zei hij.

Ze lachte, al begreep hij niet precies waarom. Uit nervositeit? Of had ze er om de een of andere reden lol in? 'Honderdvijftigduizend,' was haar tegenbod.

'Vierhonderdvijftigduizend,' zei hij.

'Tweehonderd.'

Ze sjaggerden verder als handelaar en klant en maakten het uiteindelijk af op 275.000 dollar. 'Nou, dat viel toch wel mee?' vroeg ze, hoorbaar geeuwend. 'Is dat wat jullie advocaten de hele dag doen? Je had me gewoon meteen kunnen vragen wat je wilde. Dat was toch wat je wou, of niet?'

Ongelofelijk verrassend. Hij had al zo veel jaar openlijk over geld willen praten, zonder zich te verschuilen achter een code, juridische onderhandelingen of zijn eigen schaamte. Nu, met Crea, was het eindelijk tot dat gesprek gekomen, en hij voelde zich een beetje misselijk. Misschien was het niet Tracey of Gwendolyn of wie dan ook van hen die er een probleem mee had. Misschien was hij het wel.

'Ik heb wel één voorwaarde,' zei ze terwijl ze haar gezicht naar hem ophief. 'Ga niet weg bij het kantoor. A, L & W is geknipt voor je, voor ons. En mijn vader heeft je er graag.'

'Hij ziet me nauwelijks staan.'

'Hij wil je niet bevoorrechten, maar geloof me, hij heeft je er graag. Ik had geen zin om rechten te gaan studeren. Wie heeft hij nou verder? Zorg dat je compagnon wordt en als je het dan nog niet naar je zin hebt, kun je een zijsprong maken zonder dat ik er een woord over zal zeggen. Of misschien kun je vervroegd met pensioen en kunnen we gaan reizen. Wie weet? Dat ligt allemaal in de toekomst. Het huwelijk hoort een spannend avontuur te zijn.'

'Als het half zo spannend is als onze verloving, moeten we misschien gewoon vrienden blijven.'

Ze lachte. De crisis was bezworen, maar nog niet helemaal. Het moeilijkste moest hij haar nog vragen. 'Goed,' zei hij. 'Ik blijf voor je vader werken. Dat is niet wat ik wil, maar ik zal het doen.' Hij liep naar de bar en deed een smeltend ijsblokje in het restant van zijn drankje. 'Maar ik heb ook een voorwaarde.'

'Ik dacht dat we net een overeenkomst hadden gesloten,' zei ze. 'De ene voorwaarde in ruil voor de andere. Maar jij hebt er twee?'

Geld had ze te over en het weggeven ervan leek haar bijna moeiteloos af te gaan. Daar had hij niet op gerekend, maar goed, voor de rijken was geld weggeven vrijwel nooit een groot probleem. Gemakkelijker dan hun tijd afstaan of hun standpunt opgeven. 'Ik zal het huwelijkscontract ondertekenen zoals het is,' zei hij, 'maar jij geeft me geld. En ik blijf bij A, L & W en werk voor Jack. Maar ik wil geen bruiloft voor vierhonderd mensen in het Plaza. Ik wil in stilte met je trouwen, alleen wij tweetjes.'

'Als we het nu eens in Tuxedo deden, zoals we oorspronkelijk van plan waren, in plaats van in het Plaza? Ik kan de gastenlijst inkorten als het je allemaal zo vreselijk tegenstaat. Maar daar had je toch wel eerder iets over kunnen zeggen?'

'Je begrijpt het niet. Het gaat niet om het Plaza. Ik wil in stilte met je trouwen.'

'Mijn bruiloft opgeven? Robert, hoe kun je dat nu van me vragen?'

'Morgen meld ik me ziek en dan rijden we naar Maryland, waar we geen bloedonderzoek nodig hebben.' Allerlei familieleden van hem – zwangere bruiden, stellen die zo jong of zo arm waren dat ze zich zelfs niet het allereenvoudigste feest konden veroorloven – gingen al generaties lang naar Maryland om daar in stilte te trouwen. 'Ik heb gezegd wat ik wil en je kunt weigeren. Maar dan weiger ik ook en dan zijn we weer terug waar we begonnen zijn.'

Zijn familie. Hij zou hen sparen. Hij zei niet tegen haar dat dit verband hield met zijn familie, maar ze moest toch begrijpen dat het er wel iets mee te maken had. Hij kon het hun niet aandoen: de verslaggevers, 'avondkleding gewenst', het congreslid, de burgemeester, de garnalenvorkjes – en hij kon het zichzelf ook niet aandoen. Bovendien was er een fantastische bonus aan verbonden. Niemand zou dit harder raken dan Jack Alexander. Ze was enig kind. En niemand wilde meer betrokken zijn bij de besluiten van zijn dochter dan hij. Na al zijn bemoeienis en het onderzoek dat hij naar hem had ingesteld zou hij volledig worden buitengesloten. De gedachte aan zo'n triomf stemde Robert bijna vrolijk.

Aan de muur achter hen sloeg de wandklok *Bonn-Bonn-Bonn*. Ze had gelijk dat hij er op den duur aan zou kunnen wennen; de afgelopen paar uur was het geluid hem niet eens opgevallen, maar nu drong het zich hardnekkig op: *Bonn-Bonn-Bonn*. 'Dat is de enige manier,' zei hij over het lawaai heen.

Ze stond op slechts een armlengte afstand van hem, haar gezicht beschenen door de enige lamp die aan was in de kamer. Haar ogen waren opgezwollen door het gebrek aan slaap en hij zag twee dunne lijntjes langs haar mond, lijntjes die er eerst niet geweest waren. Toen knikte ze – dat was het enige antwoord dat ze gaf, een knikje – terwijl ze haar ochtendjas om zich heen trok en terugliep naar de slaapkamer, zodat hij alleen achterbleef met het slaan van de klok, nu zo luid en indringend dat de kamer de klank nauwelijks leek te kunnen bevatten.

III

38

Over trading floors en schoenpoetsmeisjes

De lenteregen viel in, eerst druppelsgewijs en toen als een gestage slagregen, roffelend op de voorruit van de lichtgele Mercedes die door Water Street reed. Op de achterbank had Robert Vishniak het allang opgegeven om het dikke pak paperassen dat op een uitklaptafeltje voor hem lag door te nemen, in plaats daarvan bekeek hij de gebouwen die oprezen langs het zuidelijke puntje van East River. Daartoe behoorde ook een winkelcentrum van drie verdiepingen, zo ontworpen dat het leek op een schip in een droogdok, en verder terrassen en winkels, allemaal aan een open promenade met opvallend propere straatkeien. Een groot zeilschip uit vroegere tijden lag permanent in de haven afgemeerd voor toeristen die aan boord wilden.

A, L & W had weinig bemoeienis gehad met het politieke en juridische geharrewar dat zich vijftien jaar had voortgesleept, noch met het architecturale geschipper waaruit de Seaport was voortgekomen – andere advocatenkantoren hadden daar de vruchten van geplukt – en dat deed Robert stiekem plezier. Toen ze pas een relatie hadden, was hij hier met Crea geweest om de bouwvallige woonhuizen en oude scheepspakhuizen te bekijken die stamden uit de federalistische negentiende eeuw, en hij moest toegeven, al was het alleen maar voor zichzelf, dat hij het gebied leuker had gevonden toen het er nog naar vis van de markt rook en toen er op straat zwerfkatten rondliepen, die zich nestelden in het portiek van kroegen waar havenarbeiders een goedkoop tapbiertje dronken. Toen was het nog echt een buurt geweest. Nu wist hij niet goed meer wat hij ervan moest vinden. Hij hield nog steeds van oude gebouwen, woonde met zijn vrouw en dochter in een gezichtsbepalend Beaux-Arts-huis in Upper East Side, maar zijn voorliefde was een schuldig genoegen, dat hij eerder in theorie dan in de praktijk beleefde. In het dagelijks leven werd hij betaald, en goed ook, om nieuwbouw te legitimeren.

De auto was bijna op de plaats van bestemming, een wolkenkrabber van vijftig verdiepingen, die erg afstak naast alle laagbouw. Robert zag stemmig geklede mannen en vrouwen door de draaideuren naar buiten komen met hun fleurige golfparaplu's, als enorme gestreepte bloemen in de beregende straten.

'Er is hier tenminste wel parkeerruimte,' mompelde Troy Gibbons, Roberts chauffeur. 'Ook al zijn we ongeveer van de rand van de aardbol gevallen.'

Robert verzamelde zijn paperassen en stopte ze terug in zijn aktetas, die hij net dichtklikte toen de auto stilhield bij de stoeprand. 'Ik heb je om twee uur weer nodig,' zei hij.

'Is goed,' antwoordde Troy, een stevig gebouwde man met blond stekeltjeshaar, terwijl hij uitstapte, het portier opende en vervolgens een paraplu boven Roberts hoofd hield toen die uit de auto stapte. Robert bedankte hem, liep snel naar de ingang en verdween dooor de draaideur.

Twee mannen, beiden in uniform, zaten achter een grote marmeren balie in de enorme hal.

'Prudence Brothers, zevenendertigste etage,' zei Robert, waarna ze gebaarden dat hij kon doorlopen.

De receptioniste was gebronsd, had witte tanden en lang, gepermanent blond haar dat hoog was opgekamd. Ze droeg een ivoorkleurige zijden blouse en een donkere blazer, die haar schouders even breed maakten als die van een vleugelverdediger. 'Meneer Vishniak, Hilary belde net,' zei ze terwijl ze zich met grote belangstelling naar hem toe boog. 'Hij komt eraan.' Toen schoof ze hem over haar bureau iets toe. Het was de bedoeling dat hij het aannam en dat deed hij – hij pakte een visitekaartje met het bedrijfslogo erop. Onderaan had ze, in een slordig handschrift, haar naam en telefoonnummer gekrabbeld.

'Ik zal het in mijn achterhoofd houden, Jennifer,' zei hij terwijl hij het visitekaartje in zijn zak stopte.

'Ik hoop het maar.' Haar tong gleed over haar lippen en ze wilde net nog iets zeggen toen Barry Vishniak, buik vooruit, de hoek omkwam; hij droeg zijn welvaart als een zwangerschap. Robert voelde tegenwoordig nog steeds een kleine schok van herkenning wanneer hij zijn broer zag. Het was alsof hij terugkeek in de tijd, naar hoe hun vader eruit had gezien in Roberts helderste herinneringen, met een dikke buik en een nagenoeg grijze, dikke bos krullen. Hun vader was een jaar geleden gestorven. Vishniak was al zo lang aan het doodgaan, en op zo'n gecompliceerde manier, dat ze verbaasd stonden over de onnozelheid toen hij eindelijk stierf: een snelle hartaanval, in bed met de televisie aan.

'Loop even mee,' zei Barry, 'dan laat ik je mijn nieuwe kantoor zien.'

Robert volgde hem door een reeks glazen deuren, die toegang gaven tot een reusachtige open kantoorruimte, waar rijen mannen een telefoon aan hun oor hielden en allemaal tegelijk praatten.

'Bingo!' Het woord doorkliefde de lucht als een strijdkreet.

'Als u zich tienduizend aandelen kunt veroorloven, dan kunt u zich vast ook wel vijftienduizend...'

'Hoezo moet u dat aan uw vróuw vragen?!'

'Zeker, mevrouw. Een volkomen veilige investering voor iedereen met een vast inkomen...'

De mannen legden, de een na de ander, hun telefoon neer, noteerden razendsnel iets en hielden dan wuivend een papiertje omhoog, dat snel werd meegegrist door een hele reeks jonge assistentes. Barry bleef even staan om een sigaar op te steken. 'De arena,' zei hij luid. 'We noemen ze de meute.' Daarna ging hij Robert voor naar een glazen kantoor in de hoek.

'Gefeliciteerd,' zei Robert terwijl hij naar binnen liep. 'Een hoekkantoor.' Het kantoor was niet groot en had ook geen raam dat uitzicht bood op de straat, maar het maakte de wereld duidelijk dat Barry zoveel binnenhaalde dat hij het waard was om een eigen ruimte te hebben, weg van de meute. Aan een kleiner, lager bureau zat een jongen; hij leek in elk geval weinig meer dan een jongen, met zijn eigen telefoon en een stapel kaartjes.

'Dit is Justin, mijn cold-caller,' zei Barry, waarop Robert de jongen een hand gaf. 'Ga maar lunchen, joh.' Barry stak een hand in zijn broekzak en haalde zo'n dik pak bankbiljetten tevoorschijn dat Robert zich afvroeg of hij die speciaal op zak had gestoken om hem te imponeren. Barry nam er een briefje van twintig af en stuurde de jongen weg, met de mededeling dat hij het wisselgeld mocht houden.

'Kale muren,' zei Robert. 'Hang op zijn minst wat wandversiering op en je diploma.'

'Ik heb dit kantoor nog maar net,' zei Barry. 'Hoe lang heb jij nou al niet dat appartement waar nog helemaal geen meubilair in staat?'

'Een maand of drie,' zei Robert. Het was zijn eerste onroerendgoedaankoop, een tweekamerappartement in 90th Street, vlak bij Broadway. 'Ik ben nog aan het bedenken of ik het zal verhuren, een jaar of twee vasthouden en dan weer van de hand zal doen, iets in die trant. Man, wat is die buurt vooruitgegaan sinds ik er woonde.'

'Gaat Crea het voor je inrichten?'

'Ze weet niet dat ik het gekocht heb,' zei Robert.

'Dat dacht ik al,' zei Barry. Hij wierp zijn hoofd in de nek en begon te lachen en rekte zijn plezier net iets langer dan prettig was.

'Uitgelachen?' vroeg Robert en hij sloeg zijn armen over elkaar. 'Jij maakt er iets achterbaks van terwijl ik zo trouw ben als een hond.' En als om zijn bewering kracht bij te zetten pakte hij het visitekaartje van Jennifer uit zijn zak en scheurde het in kleine stukjes, die hij als sneeuw in de prullenbak liet dwarrelen.

'Heb je je bankafschriften onlangs nog bekeken?' vervolgde Barry. 'Je kunt je wel dríe appartementen veroorloven met het geld dat ik voor je verdien.'

Robert vond dat hij gedeeltelijk had bijgedragen aan het succes van zijn broer. Zonder hem zou Barry nooit Tracey en Claudia hebben ontmoet en zou hij niet in contact zijn gekomen met cliënten uit de betere kringen. Ook al had Tracey geen kapitalen geïnvesteerd, het had wel Barry's reputatie gevestigd. In het begin had Robert zich nerveus gevoeld over Barry's nieuwe rol, maar hij had geen weerstand kunnen bieden aan de makkelijke winst. In eerste instantie had hij Barry een voorzichtige vijfduizend dollar toevertrouwd en daarna meer, omdat hij een flink rendement had behaald. Inmiddels was het merendeel van wat nog resteerde van Crea's voorhuwelijkse schenking belegd bij Barry, net als een groot deel van zijn spaargeld. Hij probeerde af te blijven van de hoofdsom, wat hij niet had gedaan in de begintijd van zijn huwelijk, toen hij brooddronken was van het idee dat hij werkelijk rijk was en bijna een derde ervan had uitgegeven. En hoewel hij het niet graag toegaf – het afschuwelijk vond dat hij, als oudste, nu zijn jongere broer nodig had – zonder Barry zou hij er maar met moeite in slagen, zo dat al zou lukken, om zijn eigen levensstijl te bekostigen.

Collega's van Robert keken over het algemeen neer op Wall Street, ook al belegden ze er wel. In Wall Street werd de kost verdiend met het spelen van spelletjes en was iedereen tegen zessen de deur uit, terwijl juristen, de allerbeste studenten die meer opleiding hadden genoten, tot diep in de nacht voor minder geld aan het zwoegen waren. Barry had nu een mooier kantoor en een hoger salaris dan Robert, terwijl hij minder uren werkte. Robert hield van zijn broer en probeerde niet jaloers te zijn. Maar Barry had altijd al veel meer speelruimte gekregen van hun ouders; hij had altijd al meer risico genomen, had gedaan waar hij toevallig zin in had, terwijl Robert, de oudste zoon, op zijn tenen liep en het iedereen naar de zin probeerde te maken. En alweer was Barry goed terechtgekomen. Uitstekend terechtgekomen. 'Ik krijg het vreselijk benauwd van die sigaar van je,' snauwde Robert. 'Maak uit dat ding. Waar wil je gaan lunchen?'

'Eerst gaan we naar boven, dan kun je kennismaken met een van de handelaren. Die heeft misschien een advocaat nodig vanwege gedonder met zijn Vereniging van Eigenaren. Ik hou altijd mijn ogen open voor je.'

'Prima, bedankt,' zei Robert. 'Vraag of hij mee gaat lunchen.'

'Handelaren gaan op dit uur van de dag niet weg van de Quotron,' antwoordde Barry terwijl hij zijn sigaar uitmaakte. Hij voegde er nog iets aan toe wat Robert niet kon verstaan omdat er plotseling gefloten en gejoeld werd op de werkvloer. De deur van het kantoor was op een kiertje blijven staan toen de cold-caller was weggegaan en toen het kabaal aanzwol, liep Barry ernaartoe om hem dicht te doen.

'Wat is dat in jezusnaam?' vroeg Robert. De meeste mannen in de arena waren nu gaan staan, en degenen die dat niet deden hadden hun handen in de lucht. 'Is er net iets gebeurd op de markt?'

'Hete donderdag,' antwoordde Barry. 'Zo noemen de jongens dat.'

'Wat bedoel je?'

'Moet je daar kijken,' zei Barry en hij wees naar de trading floor.

'Ik zie niks,' zei Robert, en net toen hij dat zei, zag hij haar wel: een blondine in een strakke spijkerbroek en een dun blauw T-shirt dat spande om haar omvangrijke borsten. Ze was uitzonderlijk lang, een en al borst en billen en lange benen, en aan een riem om haar schouder torste ze een grote rechthoekige kist. Ondanks de last die bij haar heup hing, liep ze met een theatrale zelfverzekerdheid, alsof ze zich ervan bewust was dat er naar haar gekeken werd. Ze deed hem denken aan een vrouw uit een ander tijdperk, een statige Rockette of een Ziegfeld-meisje. Toen ze op de man aan het eind van de eerste rij afliep, knikte hij en draaide zich zo om dat zijn benen onder het bureau vandaan staken, waarna hij zijn telefoongesprek voortzette.

'Wat gaat ze in vredesnaam met hem doen?' vroeg Robert.

Barry gaf geen antwoord. Het meisje had de kist op de grond gezet en boog zich nu voorover, wat Robert en Barry goed zicht bood op een schitterend, hartvormig achterwerk. De kist was ongeveer 40 centimeter hoog en had een roodleren zitje, waar ze zich langzaam schrijlings op liet zakken.

Daarna opende ze een klapdeksel dat schuin naar buiten kwam, waar een stuk metaal op bevestigd was. Uit de kist pakte ze vervolgens een geruite lap die ze uitspreidde op de vloer, toen twee grote borstels, een flesje met witte vloeistof en ten slotte een metalen blikje. Over haar dijbeen legde ze twee smoezelige flanellen lappen en toen pakte ze de instapper van de man en zette die op de metalen houder, zodat hij met zijn voet omhoog zat. Toen ging ze aan het werk; eerst maakte ze zijn schoen schoon met de witte vloeistof en een borstel, daarna veegde ze hem af met een van de flanellen lappen. Ze sloeg een doekje om haar vinger, deed er een lik schoensmeer uit een blikje op en terwijl ze zich over de schoen boog, begon ze die met een langzame draaiende beweging uit te smeren over het leer. De man zakte onderuit in zijn stoel, hing de telefoon op en keek toe hoe het meisje met twee schuiers zijn schoen bewerkte, eerst langzaam en toen heel snel, zodat haar hele lichaam heel licht op en neer veerde door de inspanning.

'Wie is dat?' vroeg Robert.

'Sally Johannson,' antwoordde Barry. 'Ons schoenpoetsmeisje. Ze is vroeg vandaag. Nog steeds haast om te gaan eten? Of wil je eerst een beurt?' Zonder zijn antwoord af te wachten liep hij het kantoor uit en sprak met het meisje, dat knikte en daarna verderging met haar klant en zijn eerste schoen afwerkte met snelle halen van de flanellen lappen. Toen zette ze de voet op de grond en ging verder met de andere. Toen ze klaar was, stak de handelaar zijn hand omhoog en stopte zijn geld in de brede zak van haar schort. Ze glimlachte, liep door het gangpad naar Barry's kantoor en trok de zware glazen deur open.

'Sally, dit is mijn broer, Robert Vishniak.'

'Aangenaam,' zei ze terwijl ze hem recht aankeek; ze waren ongeveer even groot. Robert stak zijn hand uit. 'Je wilt vast niet dat ik je een hand geef,' voegde ze eraan toe en ze liet haar eigen hand zien, de vingers zwart van de ingetrokken schoensmeer. 'Ik hou niet van handschoenen, daar krijg ik zweterige handen van.' Ze liet de kist van haar schouder glijden en zette hem voor zijn stoel. 'Instappers van Gucci, heel indrukwekkend; dat zijn de beste. Maar je moet wel schoensmeer op waterbasis gebruiken voor zulk dun leer. Iemand heeft was gebruikt.'

'Dat ben ik zelf geweest.'

'Poets je je schoenen zelf?' vroeg ze terwijl ze plaatsnam op het rode zitje.

'Als het zo uitkomt,' antwoordde hij, niet in staat zijn ogen van haar af te houden.

Barry was inmiddels teruggelopen naar zijn stoel en praatte door, maar Robert hoorde hem nauwelijks. Over het algemeen hield hij van subtiliteit, van meisjes die meer naturel waren, niet zo opzichtig. Hij viel ook niet zo op lichtblond haar, in elk geval niet als het haar overduidelijk gebleekt was, en ook niet op vrouwen die zo weelderig geproportioneerd waren. Haar gezicht was niet bijzonder knap, hoewel ze mooie, wijd uit elkaar staande blauwe ogen had, met lange donkere wimpers, maar haar neus was breed en haar mond groot, met te veel tanden. Toch had ze wel iets speciaals. En wat gebeurde er met zijn voet? De gedachte was nooit bij hem opgekomen wanneer hij zijn schoenen liet poetsen door een van de oude zwarte mannen in Grand Central, maar nu besefte hij dat als de schoenpoetser maar genoeg druk uitoefende, een poetsbeurt eigenlijk een soort voetmassage was.

Terwijl ze de flanellen lappen vlug en licht over het leer liet gaan, zag hij dat er een filmpje zweet op haar bovenlip was verschenen. Ze had lipgloss op – de onderlip was aanmerkelijk voller, glanzend en roze, en hij wilde hem in zijn mond nemen. Toen ze klaar was, deed ze al haar spullen terug in de kist en ging naar Barry. Op de grond gezeten achter het enorme bureau, met haar hoofd over zijn schoen gebogen, verdween ze nagenoeg. Robert ging in een hoek aan de andere kant van de kamer staan, waar hij van achteren naar haar keek.

'Sally, poets je ook schoenen op advocatenkantoren?' vroeg hij.

'Aan de lopende band.'

'Ga je wel eens naar Alexander, Lenox en Wardell? In 60th Street?'

'We moeten een contract hebben met het bedrijf,' zei ze, nog steeds geheel in beslag genomen door haar werk. Barry liet inmiddels een zacht, tevreden gebrom horen. 'Die zaak heeft een slechte naam.'

'Hoezo?' zei Robert terwijl hij een paar stappen dichterbij kwam.

'Ze hebben een hekel aan schoenpoetsers.'

'Heb je de bureauchef gesproken?'

'Dat weet ik niet,' zei ze. 'Mijn baas is degene die nieuwe klanten binnenhaalt.'

'Heb je een baas?' vroeg hij terwijl Barry van voet wisselde.

'Ja, we zijn een echt bedrijf. A Shining Star.'

'Laat me raden,' zei Robert. 'Actrices?'

'En musici, ja.'

'Je weet in elk geval de aandacht van je publiek vast te houden.'

'Meen je dat?' vroeg ze en ze draaide zich om en keek naar hem op, en in haar stem hoorde hij ineens een meisjesachtige onzekerheid die hem ontroerde.

'Ja, echt waar. Dus ik kan je niet overhalen om gewoon een keer te komen om mijn schoenen te doen?'

'Dat kan maar op één manier,' zei ze. 'Als je broer je een poetsbeurt cadeau doet. Maar dan moet je vooraf wel de receptioniste waarschuwen, anders laat ze me niet binnen.' Ze zweeg en gaf Barry's schoen haar volle aandacht. Robert zat op een hoekje van Barry's bureau toe te kijken en te wachten.

Toen ze klaar was, haar spullen had ingepakt en opstond om te gaan, pakte Robert zijn portemonnee en vroeg haar hoeveel ze rekende.

'Twee dollar voor een poetsbeurt, en als je wilt, kun je een fooi geven,' zei ze glimlachend. 'De meeste mannen geven een dollar fooi.'

Hij kwam dichterbij, zo dichtbij dat hij de vettige geur van schoenpoets op haar huid en de zoetige watermeloengeur van haar lipgloss kon ruiken. 'Alsjeblieft, voor twee poetsbeurten.' Hij wikkelde een briefje van twintig om zijn visitekaartje en stak het in haar schortzak.

'Dankjewel,' zei ze, 'Tjonge, dat is royaal.' Ze staarde terug naar hem, maar hij kon uit haar blik niet opmaken wat ze dacht – ze werd er immers voor betaald om vriendelijk te zijn.

'Ik wil een poetsbeurt cadeau doen aan Wilton Henry bij A, L & W,' zei hij. 'En aan Mario Saldana. En Barry hier gaat mij er een cadeau doen.'

Barry deed zijn ogen open alsof hij uit een trance ontwaakte. 'Ja, ja, best, hoeveel krijg je?'

'Ik trakteer,' zei Robert.

'Maar dan betaal je je eigen tegoedbon, dat kan toch niet?' zei Sally.

'Natuurlijk wel,' zei hij terug; hij boog zich dichter naar haar toe en schoof nog een twintigje in haar schort. 'Heb je nooit gehoord dat je jezelf iets cadeau kunt doen?'

39

Iedereen het water in

'Lieverd, niet doen,' zei Crea terwijl ze opsprong om het meisje weg te trekken, dat net haar handjes op het instrumentenpaneel wilde leggen. 'Kom maar bij mamma op de bank zitten.'

'Ik heb geen last van haar,' zei Tracey. 'Ze is een kapitein in de dop.' Hij had zijn Yankeepet op het hoofd van Gwen Vishniak gezet. Het kind, vijf jaar oud, zat op een stoeltje naast hem in de stuurhut en trok de pet wat omlaag. Toen zwaaide ze naar haar vader en riep: 'Kijk eens, pappa, kijk eens!'

Robert zwaaide terug vanaf de overkant van het dek. 'Ahoy, stuurman Vishniak,' riep hij terug. Hij zat op de ruim bemeten bank van Traceys nieuwe zeilboot. Tracey verwees voor de grap naar dat gedeelte als de 'luxsalon' – dat was de term geweest van de verkoper die hem had overgehaald de ruim vijftien meter lange boot te kopen. Mark Pascals kersverse vrouw, een Texaans meisje uit de societywereld en voormalig cheerleader van Dallas Cowboys, met de ongelukkige bijnaam Biscuit, zat rechts van Robert, tussen hem en Crea in. Mark zat rechts van Crea, en naast hem Claudia.

'Wat een geweldig kind!' merkte Biscuit op.

Robert lachte naar haar. Hij vond Marks vrouw onnozel – Pascal had wel iets beters kunnen vinden – maar hij kreeg er nooit genoeg van om complimenten over zijn dochter te horen.

'Dat háár!' voegde ze toe.

Het uitbundige haar van het kind ontlokte altijd commentaar, zelfs van vreemden. De zwarte lokken vielen tot op haar schouders en omlijstten haar gezicht met prerafaëlitische krullen, die nu uitstaken onder de roodwitte pet die schuin op haar hoofd stond.

'Het enige waar ik me zorgen over maak,' zei Crea op gedempte toon, 'is haar...' Ze wees op haar neus, hoewel het natuurlijk niet haar eigen neus was die haar zorgen baarde. 'We zouden hier wel eens een kandidate voor dokter Green kunnen hebben.'

'Die heeft de lippen van mijn nichtje gedaan,' zei Biscuit.

'Ik vind haar neus prima zo,' mompelde Claudia Trace. Ze stond op, stak een sigaret op en liep weg van het groepje om aan stuurboord te gaan roken.

In de stuurhut van de boot raakte Gwen verveeld door het gepraat over de koers en de windsnelheid, en ze sprong van haar stoel en holde de drie treden af naar het groepje volwassenen. Om haar middel droeg ze een tuigje dat bevestigd was aan een railing op het dek; de lijn bood haar slechts beperkte bewegingsvrijheid, maar daar benutte ze elke centimeter van. Nu stond ze midden in hun kring, gebruikte haar hand als microfoon, stak haar billen naar achteren en zong heupwiegend: 'I'm so excited, and I just can't hide it / Umabout to lose control and I think I...!'

'Ze heeft iets met The Pointer Sisters,' zei Robert en hij haalde zijn schouders op. 'De smaak van het kindermeisje.'

'Gwen Vishniak!' riep Crea, net toen de boot een slingerbeweging maakte en het kind op haar achterste viel. 'Wat had mamma gezegd? Over zitten of stilstaan!' Ze ging naar haar dochter en tilde haar op, maar Gwen riep om haar vader. Robert, die vlak achter Crea stond, nam Gwen van haar over en droeg haar de paar stappen naar zijn zitplaats. 'Ze heeft vannacht niet goed geslapen,' zei hij. Gwen, die na de zomer naar de kleuterschool ging, had al snel uitgedokterd hoe je D-U-T-J-E spelde, een woord dat ze nu omzichtig vermeden. 'Gwen-Gwenny-Gwendolyn, wil je even gaan rusten? Beneden?'

Ze zette meteen een keel op. 'Dat dacht ik al,' zei Robert. 'Als ik je losmaak uit dit ding, moet je bij pappa blijven. Zul je dat doen?'

Ze knikte en begon een lok haar om haar vinger te draaien, het gebruikelijke teken dat ze moe was. Nadat hij haar uit het tuigje had gehaald, nam hij haar weer op schoot. Binnenkort zou Gwen te groot zijn om nog zo bij hem te zitten, besefte hij. Ze hing tegen hem aan en hij hoopte dat ze in slaap zou vallen, rozig geworden van de zeelucht en de deinende beweging van de boot, hoewel dit middagtochtje onstuimiger was geweest dan verwacht. Hij stak zijn neus in haar haar en snoof de geur op van zout en babyshampoo.

'Ik zei toch al dat dit geen goed idee was,' fluisterde Crea.

'Ze gaat zo wel slapen,' antwoordde Robert, en toen luider: 'Onze kapitein is een zeer bekwame zeiler met een uitstekende assistent. Hebt u hulp nodig, kapitein Queeg?'

'Nee, blijf maar lekker zitten!' antwoordde Tracey en toen stak hij snel even zijn middelvinger op naar Robert, volkomen tegen zijn eigen regels in, want hij had verkondigd dat dit een tochtje voor alle leeftijden was. Ze leken wel een rondreizend circus, had Tracey gezegd toen ze vertrokken, compleet met een kind in een tuigje, en een hond zonder riem, die nu benedendeks zeeziek lag te zijn. Mario Saldana was bezig op het bovendek en controleerde de spanning van de lijnen. Hij was al jaren een vrij regelmatige weekendgast bij de Traces. Hij hield Tracey van de straat, zoals Claudia vaak zei. De twee deden samen mee aan plaatselijke zeilwedstrijden, en het jaar ervoor hadden ze getraind voor de marathon van New York. Als Mario niet op bezoek was, hadden de Traces wel een van de vele jonge tennispartners of zeilmaatjes van Tracey te gast. De week ervoor hadden ze allemaal noodgedwongen het gezelschap moeten verduren van een negentienjarige tennisser die op de wereldranglijst stond en de woorden 'zeg maar' zo vaak gebruikte dat het leek of hij een vreemde taal sprak. Mario's aanwezigheid was altijd een verademing.

Gwen spartelde op Roberts schoot, maar hij liet haar op en neer wippen alsof ze een baby was; ze giechelde, nestelde zich behaaglijk tegen hem aan en dommelde eindelijk in. Achter zich hoorde Robert zware voetstappen naar boven stommelen.

'Eindelijk!' zei Pascal luid, maar hij ging zachter praten toen Crea op het kind wees, wier ogen nu dichtgevallen waren. 'We wilden net een zoekactie beginnen naar die biertjes...'

'Ach, lul toch niet, zo lang was ik toch niet weg!' zei Barry Vishniak, die bovenkwam met vier flesjes Corona, die hij bij de hals vasthield. 'Mijn hond heeft beneden overgegeven.' Mark nam een biertje, net als Robert, die het doorgaf aan Mario en er toen zelf ook een pakte. De anderen dronken gin-tonic.

'Voor de laatste keer: wil je een beetje op je woorden letten?' zei Robert zachtjes.

'Ze slaapt,' antwoordde Barry. 'En ze is slim genoeg om te weten dat ik geen goed voorbeeld ben.'

Claudia, die de hele tijd niets had gezegd, begon ineens te lachen, gooide de peuk van haar sigaret overboord en kwam weer op de bank zitten.

'Je zou een Portugese spaniël kunnen overwegen,' zei Mario vanuit de stuurhut. 'Die hadden wij vroeger thuis. Die zijn dol op water.'

'Ik zal nooit een ander ras nemen,' antwoordde Barry. 'Er gaat niets boven een Engelse buldog. Zijn probleem is alleen dat hij oud is en korte poten heeft.'

'Ik weet hoe hij zich voelt,' zei Pascal.

'Spreek voor jezelf, lieverd.' Biscuit keek in een kleine poederdoos terwijl ze haar lippen opnieuw stiftte.

'Hoe dan ook, ik heb de hond wat valium gegeven. Hij zal wel een poosje buiten westen zijn,' zei Barry, terwijl de boot plotseling slingerde door de deining.

Crea legde haar hand op Roberts arm. 'Als de zee wat kalmer wordt, kun je haar beter beneden leggen,' zei ze. 'Maar doe je wel voorzichtig?'

'Ik doe altijd voorzichtig,' fluisterde Robert in de zachte krullenbos van hun dochter. 'Het lijkt wel of je nooit eerder op een boot bent geweest.'

'Daar gaat het niet om, Robert. Ik vind gewoon dat we vandaag helemaal het water niet op hadden moeten gaan.'

'Dat had met iets heel anders te maken.' Crea mocht Barry niet zo; ze vertrouwde zijn succes niet en had er moeite mee dat hij daardoor in betere kringen kwam te verkeren. Het gaf haar het gevoel dat de wereld gek geworden was, zei ze.

Toen de wind ging liggen, stond Robert op met Gwen in zijn armen zonder zich iets aan te trekken van Crea's overduidelijke bezorgdheid. Benedendeks waren de vertrekken net zo ruim als in veel New Yorkse appartementen. Er stond een rond tweepersoonsbed, afgescheiden met een kamerscherm, en aan de andere kant een klein eenpersoonsbed. Op de vloer naast dat bed lag een handdoek waarop Vishniak de hond luid lag te ronken. De ruimte rook naar ontsmettingsmiddelen; Barry had duidelijk moeite gedaan om de viezigheid van zijn hond op te ruimen. Robert legde Gwen op het bed. Heel even gingen haar ogen open. 'Ahoy, pappa,' mompelde ze. Hij glimlachte, kuste haar voorhoofd en trok toen het gordijn rond haar bed dicht om haar een idee van beslotenheid te geven.

Robert had niet verwacht dat Crea al binnen een jaar na hun trouwen zwanger zou raken. Ze had het nooit echt met hem overlegd, en indertijd had hij zich bedrogen en overvallen gevoeld. Maar vanaf het moment dat hij zijn piepkleine dochtertje had gezien, was hij helemaal weg van haar geweest, zijn gevoelens zo heftig dat hij er bijna door overmand werd. Vanaf dat moment was hij reddeloos verloren. Zijn dochter hield zijn hart in de palm van haar handje en dat wist ze, en helaas wist haar moeder dat ook.

Hij ging net naar de kombuis om een glas water te halen toen Claudia de trap af kwam, gevolgd door Barry. Robert legde zijn wijsvinger tegen zijn lippen om ze eraan te herinneren dat ze stil moesten doen, maar ze leken hem nauwelijks op te merken. Barry ging de kleine badkamer in en Claudia wachtte buiten en liep heen en weer. De badkamer was compact en bood net genoeg ruimte aan één persoon. Claudia was slanker dan gemiddeld, maar Barry compenseerde dat aardig. Een paar minuten later kwam hij weer tevoorschijn. 'Alles staat voor je klaar, meissie,' zei hij.

'En dan te bedenken,' zei ze lachend, 'dat ik het een paar maanden geleden al vervelend vond als ik in het zwembad water in mijn neus kreeg.'

Toen Barry langsliep, greep Robert hem bij de arm. 'Je hoeft maar naar haar te kijken om te zien hoe kwetsbaar ze is.'

'Rustig maar, Nancy Reagan,' zei Barry terwijl hij zijn arm lostrok. 'De laatste keer dat ik keek, leek iedereen hier prima in staat om "nee tegen drugs" te zeggen.' En weg was hij.

Toen Claudia eindelijk tevoorschijn kwam, stond Robert voorovergebogen in de kleine koelkast te kijken om te zien hoeveel verschillende merken bier de Traces op voorraad hadden.

'Hé, schoonheid,' zei Claudia en ze maakte een weinig damesachtig snuivend geluid. 'Ga eens rechtop staan.'

Robert draaide zich om met een koude Corona in de hand.

'Wil je ook wat?' Ze knikte met haar hoofd naar de badkamer.

Robert weigerde beleefd. Alsof het zo afgesproken was, kwam Mario Saldana de trap af, knikte naar hen beiden en ging de badkamer binnen.

'Slaapt Gwen?' vroeg Claudia. Robert knikte. Claudia boog zich over de bar waar Robert voor stond, drukte zichzelf op, zwaaide even met haar benen en liet zich toen weer op de vloer ploffen.

'Ga even zitten,' zei hij en hij wees op een stoel die, net als alle dingen in het vertrek, met bouten vastzat. 'Wil je een biertje?'

Ze schudde haar hoofd. Robert nam een beker, vulde die met water en reikte haar die aan. 'Je zult je straks prettiger voelen als je wat water drinkt.'

'Ik voel me al prettig genoeg,' zei ze terwijl Mario zacht mompelend uit de badkamer kwam.

'Je hebt niet veel overgelaten voor een ander, schat,' zei hij in het voorbijgaan.

'Ga hem dan om meer vragen!' snauwde Claudia, waarna Mario zwijgend de trap op liep.

Een paar minuten later kwam Biscuit beneden, haar teenslippers klepperend op het teakhout. Mark volgde haar. Zij zwaaide en hij knikte op weg naar de openstaande badkamerdeur. Robert vroeg zich af hoe ze daar in hemelsnaam samen in zouden passen, maar op de een of andere manier lukte het.

Claudia, gekleed in een witte spijkerbroek en een ruimvallend blauw-wit gestreept T-shirt, boog zich nogmaals over de bar, steunend op haar ellebogen. Robert kon de diepe kuilen van haar sleutelbeenderen zien. Haar lichtbruine ogen hadden een intense groene glans. 'Weet je waar ik onlangs aan dacht?' vroeg ze. 'Aan die keer toen we nog jong waren en jij probeerde je hand onder mijn jurk te steken.'

Hij knikte en nam een grote slok van zijn bier om haar blik te vermijden.

Door de wand heen konden ze een zacht gekreun horen en toen een luidruchtige inademing. Claudia keek getergd. 'Ze hebben thuis aan de wal dan ook maar een stuk of tien slaapkamers.'

'Mark wil ons alleen maar laten zien dat hij haar eindelijk heeft.'

'Biscuit heeft wel wat van Crea weg, vind je niet?' vroeg Claudia. 'Dat rode haar, die ogen?'

'Daar heb ik eigenlijk nooit bij stilgestaan. Zullen we aan dek gaan om aan dat demonstratieve gedoe te ontkomen?'

'Nee,' zei ze en ze liep om de bar heen en kwam naast hem staan, erg dicht op elkaar in de krappe nis. 'Misschien steek ik er nog wat van op.'

'Jij hoeft niets van ze te leren.'

'Ik wou dat je me nu zou neuken,' fluisterde ze, 'zoals je dat toen wilde.' Ze begon hem te zoenen en duwde zijn hand resoluut tussen haar benen, maar hij maakte zich van haar los en hield haar bij de schouders vast. Ze rook vreemd, weezoet, maar haar adem was bitter.

'Ik maak me zorgen over je, Claudia.'

'Nergens voor nodig!' Ze schudde hem af, liep weer om de bar heen en maakte een sierlijke pirouette. Toen ze stilstond, begon ze haar T-shirt over haar hoofd uit te trekken, zodat haar navel, haar smalle taille en de eerste uitstekende ribben van haar borstkas zichtbaar werden.

Hij liep snel naar haar toe en trok haar T-shirt weer naar beneden. 'Denk je nou echt dat ik iets zou beginnen met de vrouw van Tracey? Terwijl mijn dochter op twee meter afstand ligt te slapen en Crea boven is? Ga zitten.' Hij wees naar een stoel. 'We hebben altijd goed met elkaar kunnen praten. Laten we praten.'

'Er is niets om over te praten. Crea komt niet naar beneden. Ze beschikt over een geweldig zelfbeschermend talent, je weet wel, net als die aapjes van horen, zien en zwijgen.'

'Dat zouden mensen van jou ook kunnen zeggen.'

'O, ik zie wel degelijk. En ik hoor. En ik geloof er geen steek van dat het Tracey wat zou kunnen schelen als we zouden vrijen. Hij wil zelfs niets liever. Als hij maar mag toekijken.'

De geluiden uit de badkamer werden harder. Robert voelde zich gevangen in de relatief benauwde ruimte en de benauwdheid van zijn eigen kring. Hij wist te veel van deze mensen. Hij wierp bezorgd een blik achterom, naar waar zijn dochter achter het gordijn lag te slapen. 'Tracey zou woedend zijn en dat weet je,' zei hij. 'En bovendien jaloers.'

'Misschien zou hij inderdaad jaloers zijn,' zei Claudia, 'maar niet op jou, Robert, op mij.' Ze staarde hem aan, onrustig heen en weer wiebelend, de handen nu in haar zakken, met de zelfvoldane blik van een kind dat er een waarheid heeft uitgeflapt die geen van de volwassenen hardop had willen zeggen. Ze begon langs de omtrek van de kamer te lopen, waarbij ze haar hiel tegen haar tenen zette, alsof ze aan het opmeten was, haar blik op haar voeten gericht. 'Waarom denk je dat hij überhaupt met mij is getrouwd? Omdat hij wist dat er tussen jou en mij iets voorgevallen was. Hij heeft het me een keer gevraagd, toen we net verkering hadden. En toen vond ik het heel erg vreemd dat het hem iets kon schelen, zulke ouwe koek. Maar nu snap ik het. Als hij mij had, zou dat nog het dichtst in de buurt komen van... Nou ja, je begrijpt de transitieve relatie.'

'Claudia, ik kan me nauwelijks herinneren wat ik vanochtend heb gegeten, laat staan iets van zo veel jaar...'

'Natuurlijk wel,' onderbrak ze hem, 'jij vergeet nooit iets. Jij denkt dat vrouwen voor je vallen omdat je zo aantrekkelijk bent, maar de wereld is vol met aantrekkelijke mannen, ik heb in elk geval knappere gezien dan jij. De waarheid is dat we je aardig vinden omdat je luistert; je geeft aandacht.' Ze liep nu de andere kant op, met haar rug naar hem toe. 'Dacht je dat alle meiden van Gardner House die avond beneden waren? Er was een hele bovenverdieping met muurbloempjes die wachtten tot het feest afgelopen was. Er was maar één gerucht nodig en dan ging het rond als een lopend vuurtje.' Ook Claudia leek in vuur en vlam te staan, in de ban van haar eigen verhaal. Ze kwam weer dicht bij hem staan, sloeg haar armen om hem heen en duwde haar ranke lichaam tegen het zijne. 'In het begin heeft hij het wel geprobeerd, hoor,' fluisterde ze. 'Zo ongeveer de enige keer dat we een echt seksleven hadden, waren de eerste weekenden dat Crea jou meebracht. Toen begon ik het verband te leggen.'

Ze begon hem weer te kussen, maar Robert maakte voorzichtig haar armen los. 'Erg dramatisch,' zei hij terwijl hij ging zitten en net probeerde te doen alsof hij niet van zijn stuk was gebracht door wat ze had gezegd. 'Maar als je zo ongelukkig bent, ga dan gewoon bij hem weg en laat het achter je. Hou op met kwaadspreken over je echtgenoot.'

'Je zit er helemaal naast,' zei ze. 'Ik ben gek op Tracey! En bij hem weggaan, voor wie of wat precies?'

'Voor een ander leven. Voor een man die van je houdt zoals je wilt dat er van je gehouden wordt.'

'En hoe dan wel?' vroeg ze. 'Ik heb mijn grote, gecompliceerde liefde al gehad – één keer was genoeg. En ik ben hoe dan ook lui. Tracey laat me mijn gang gaan en ik verleen hem dezelfde gunst.'

'Daar hoef je niet getrouwd voor te zijn.'

'Maar het huwelijk heeft zo veel voordelen!' zei ze. 'Het magische "De Heer en Mevrouw" weerhoudt de buren ervan om te kletsen en andere vrouwen om hun echtgenoot scherp in de gaten te houden. En bovendien krijg je al die fantastische goedkeuring van anderen.'

'Wij zijn in stilte getrouwd,' zei Robert. 'Ik kan me weinig goedkeuring van anderen herinneren.'

Ze negeerde hem, ging sneller praten en liep weer verder langs de omtrek van het vertrek. 'Tuxedo is een klein dorp, waar veel geroddeld wordt. Ik ben over de veertig en niet van plan daar weg te gaan of bij Tracey weg te gaan. Getrouwd zijn is de allerbeste manier om ervoor te zorgen dat de mensen je met rust laten.'

'Dat is de beste tekst voor een bumpersticker die ik ooit gehoord heb,' zei hij. En toen werd elke verdere conversatie onmogelijk gemaakt door het kabaal aan de andere kant van de wand – Biscuit riep Marks naam uit als een ritmische mantra. Robert stond op; hij had er schoon genoeg van en wilde aan dek gaan.

'Ben jij het nog niet zat hier beneden?' vroeg hij.

'Deze kamer is precies twintig voet breed,'zei ze. 'Klinkt dat goed? Althans twintig keer de lengte van mijn voet. Ik reageer best goed op een afwijzing, vind je niet, Robert?'

'Ging het daarover? Je bent al zo lang aan het woord dat ik het vergeten was,' zei hij. Ze gaf hem een schop tegen zijn achterwerk en holde toen de trap op. Robert blies langzaam zijn adem uit en begon de trap op te lopen; hij was nog nooit zo blij geweest om weer daglicht te zien.

Aan dek was iedereen rusteloos, verlangend om terug te gaan. Crea ging naar beneden om Gwen wakker te maken en een paar minuten later kwamen Mark en Biscuit boven, die er iets te zelfingenomen uitzagen. Tracey stond aan het roer en gaf onderwijl zijn bemanning aanwijzingen om langzaam de zeilen te hijsen. 'Probeer ze in een hoek van negentig graden te houden,' zei Mario, toen Robert hard aan de schoot trok. 'Barry, blijf uit de buurt van de giek,' schreeuwde Tracey, 'of hij knalt tegen je hoofd!'

'Zou hem misschien goeddoen,' mompelde Robert. Hij had al vaak met Tracey gezeild, maar hij keek nog steeds vol bewondering toe wanneer de wind het grootzeil deed opbollen, helderrood onder de zeeblauwe lucht, en de boot begon te wenden. Plotseling kwam het beeld van het schoenpoetsmeisje bij hem op – hoe haar haar over haar ogen viel als ze bezig was; de klank van haar stem toen ze hem had gevraagd of ze echt de aandacht van haar publiek wist vast te houden; de ronde vorm van haar billen wanneer ze zich vooroverboog – en hij verzonk in een dagdroom, slechts onderbroken door de stem van zijn broer, die nu boven de wind uit kwam.

'Je neemt het gewoon één keer per dag 's ochtends in, net als vitamine c. Verandert je hele kijk. Geneest depressie, alcoholisme, dwangstoornissen. Maakt dikke mensen dun en laat dunne mensen beter slapen. En zonder bijwerkingen. Gaat voor een ommezwaai zorgen in de geestelijke gezondheidszorg.'

'Hoe is het mogelijk?' vroeg Biscuit terwijl ze haar haar voor haar ogen wegstreek.

'Therapie is niet meer nodig,' zei Barry. 'Je krijgt het gewoon op recept. Het gaat het leven zoals wij het kennen radicaal veranderen. En iedereen met aandelen in het bedrijf erg rijk maken.'

'Ik ben al erg rijk,' zei Claudia, over het water starend.

'Pillen die mensen gelukkig maken,' zei Mark Pascal. 'Die bestaan toch al?'

'Daar zit wat in,' zei Barry tegen de zon in turend. 'Maar geen van die bedrijven is beursgenoteerd.'

40

Over zaken en meisjes

'De stank is een mengeling van bepaalde straten in Calcutta en het herentoilet van het havenbedrijf,' zei Mark Pascal.

'Wanneer ben jij in Calcutta geweest?' vroeg Robert.

'Of op het herentoilet van het havenbedrijf?' voegde Elaine Norton eraan toe, een aantrekkelijke, tweedejaars collega die bij het gesprek aanwezig was om redenen die Robert niet helemaal kon doorgronden. Pascal had graag publiek. Elaine had in elk geval een paar mooie benen om naar te kijken onder de lange glazen tafel.

'Wat we moeten toepassen is schadebeperking, benadrukken dat er een grootscheepse schoonmaakactie op touw wordt gezet,' zei Mario Saldana, die gedachteloos met de steel van een tros druiven speelde. In het midden van de tafel stond een berg onaangeroerde broodjes en een half leeggegeten schaal vers fruit.

'Aan schadebeperking hebben we niets in Connecticut!' snauwde Pascal. 'Zodra mensen iets horen over een schoonmaakactie uit milieuoverwegingen, raken ze in paniek.' Hij wilde van het project af, de ontwikkeling van een appartementencomplex in een gebied vlak bij Long Island Sound, waar ongezuiverd rioolwater, vrijgekomen uit een nabijgelegen zuiveringsinstallatie, tijdens zware regenval de achtertuin van bewoners was binnengestroomd.

Robert bespeurde dat Pascal een van zijn buien had. Toen de markt in de jaren zeventig slecht was, had zijn vader zijn bedrijf enorm uitgebreid. Nu er een hausse was, slaagde Pascal, Inc. er toch niet in om onder leiding van de zoon door te groeien. Marks plan om zijn portefeuille te verruimen door de bouw van appartementencomplexen in de drie aangrenzende staten, leek nu zelfs minder haalbaar dan een jaar geleden. Onlangs had Tracey tegen Robert over Mark Pascal gezegd: 'Eindelijk gelukkig in de liefde, maar het tweede deel...'

'Al de tijd en energie die is geïnvesteerd in blauwdrukken en bouwvergunningen en die godvergeten juristenkosten, maar dat is nog niets vergeleken met wat ik er op de lange termijn bij zal inschieten als we er nu niet mee kappen.'

'Je knijpt hem gewoon,' zei Saldana. 'Zo reageerde je ook op Carroll Gardens, en daar ga je geld aan verdienen als je maar even afwacht...'

'In mijn branche kennen we geen geduld! Projectontwikkelaars zetten gebouwen neer, verkopen die en gaan verder. Ik ben geen huisbaas.'

'Oké, oké,' zei Mario sussend. 'Dus wat is plan B precies?'

'We gaan in Connecticut zoveel mogelijk verkopen en zetten dat om in een groter aandeel van Lower Manhattan,' kondigde Pascal aan. Toen betrok hij Chip bij het gesprek, die bedrijfskunde had gestudeerd in Harvard; hij had kort blond haar en zag er niet ouder uit dan twintig, hoewel dat nauwelijks kon, wist Robert. Chip had nog niet veel gezegd, maar nu schraapte hij zijn keel en begon snel en met groot enthousiasme te vertellen over het smalle woongebied tussen Battery Park City, TriBeCa en SoHo. 'We gaan voormalige zolderwerkplaatsen vlak bij het nieuwe centrum van investeringsbanken in Water Street renoveren tot luxe appartementen met een artistieke uitstraling,' zei hij. 'Enorme ramen met een weids uitzicht, zichtbare buizen en pijpen, kunstmatig verouderde balken. Bankiers kicken enorm op dat kunstenaarsgedoe.'

'Het bestemmingsplan ten zuiden van Canal ziet eruit als een dambord,' zei Mario Saldana. 'Heb je er met Carpenter over gesproken? Verdomme, als ik geweten had dat dit het plan was, had ik hem laten terugkomen uit de Hamptons.'

Carpenter was hun specialist op het gebied van bestemmingsplannen. Hij was weg- en waterbouwkundig ingenieur en ze hadden hem met veel geld weten weg te kopen bij een ander bedrijf. Net als de fiscale jongens, die wisten dat ze in trek waren, liep Carpenter rond in een vreemde staat van arrogantie of onnozelheid, Robert wist niet precies welk van de twee, maar het leek wel alsof hij nooit daar was waar je hem nodig had. Maar anderzijds had iedereen aangenomen dat de aanleiding voor deze vergadering het rioolwater in Connecticut was, niet bouwen in TriBeCa.

'Op dit moment steken we alleen onze voelhorens uit. Bovendien heb ik vorige week nog geluncht met Carpenter,' zei Pascal.

'Ik wou dat iemand de moeite had genomen me dat te vertellen!' snauwde Saldana.

Robert had de beheerste Saldana nog nooit iemand horen afsnauwen.

'We zijn bezig de eigenaren te benaderen van een oude knopen- en sluitingenfabriek in Hudson,' vervolgde Pascal. 'Al generaties in het bezit van één familie. Ze zijn terughoudend; het terrrein heeft sentimentele waarde, je kent het wel. Ik ga zaterdag lunchen met de grootvader en twee kleinzoons.'

'Familiebedrijven zijn lastig,' zei Robert.

'We hebben nog een paar andere opties, maar mij lijkt dit wel wat. De naastgelegen laadperrons geven ons behoorlijk wat armslag,' voegde Pascal eraan toe. 'Ik wil graag dat je zaterdag met me meegaat naar die lunch.'

Robert wist wat dat inhield. De eigenaren waren gewone mensen, die niet hadden gestudeerd, mensen met een accent. Hij stond erom bekend dat hij goed overweg kon met dat soort mensen en was meer dan eens ingeschakeld door Pascal, Inc., om hen te adviseren in geschillen met bouwmaatschappijen. Hij had geen arbeidersachtergrond, alleen zijn ervaring aan de andere kant van het management, als taxichauffeur. 'Prima,' zei Robert. 'Als je me erbij wilt hebben, dan ben ik er.' *Zeg maar hoe hoog ik moet springen*, dacht hij, *en ik spring. In elk geval dit jaar nog.*

De komende zes maanden zouden Robert, Wilton Henry en een derde jurist, een vrouw die Liesel MacDuff heette, officieel wedijveren om partner te worden, een procedure die hen nog een vol jaar in onzekerheid kon houden. Er waren nog drie mannen die ervoor in aanmerking kwamen, hoewel Robert dacht dat geen van die drie op veel steun kon rekenen. Er was enige pressie om de eerste vrouw die gespecialiseerd was in vastgoed in de maatschap op te nemen, en hoewel Wilton Henry niet veel werk had binnengehaald, was hij een uitstekende vakman met een talent voor ingewikkelde transacties, en hij had mensen die hem steunden. Robert had wel werk binnengehaald – grotendeels via Barry en diens contacten, de rijke nieuwe bankiers – maar voor de lange termijn zat het grote geld bij de stadsontwikkelaars met hun grote bouwprojecten, en daar was hij minder succesvol mee geweest.

Mario besprak nu de financiering. Met welke banken was Pascal in gesprek? 'Kies dit keer plaatselijke banken,' zei Mario. 'Niet meer die Duitse. Dat wekt geen vertrouwen.'

'Ik dacht dat jullie Zuid-Amerikanen de Duitsers wel mochten?' zei Pascal.

Robert keek naar Saldana en wachtte op een reactie, maar zijn aandacht werd getrokken door iets wat hij nauwelijks kon geloven: een vlek op de overhemdkraag van deze bijna overdreven goed gesoigneerde man, een klein, bruin, rond vlekje, misschien een beetje opgedroogd bloed van het scheren. Als er een kleine kolonie minimensjes op Saldana's kraag was verschenen, had Robert niet verbaasder kunnen zijn.

Een klop op de deur onderbrak zijn gedachten. In de veronderstelling dat het iemand was om de tafel af te ruimen, riep Mark: 'Binnen', en voegde eraan toe: 'Haal eens wat van die troep van tafel.'

Maar het was geen serveerster, het was Sally Johannson.

'Er was niemand bij de receptie om me te woord te staan,' zei ze. 'En ik... ik zag je door het raam... Je had gevraagd of ik vandaag wilde komen en...' Ze keek Robert hulpzoekend aan.

Hij ging staan, zich ervan bewust dat er helemaal niemand naar hém keek. Alle ogen waren gericht op Sally. 'Het spijt me. Dit is een kleine, maar slecht getimede verrassing van me. Sally is een schoenpoetsmeisje, en een heel goede bovendien. Je schoenen glimmen dagen later nog steeds. En ik trakteer jullie allemaal op een poetsbeurt. Als cadeau. Je wilt vast wel terugkomen als we klaar zijn? Dat zou zijn om... eh, Mark, hoe laat denk je?'

'Ik geloof dat we alles gezegd hebben wat vandaag gezegd moest worden,' antwoordde Mark, die Sally nog steeds zat aan te gapen. 'Mag ik als eerste?'

Robert kwam er nooit achter hoe ze dat hele stuk had kunnen doorlopen zonder te worden tegengehouden bij de receptie of door een van de secretaresses, maar het was laat in de middag, het liep al tegen vijven, en waarschijnlijk was de receptioniste eerder weggegaan. Eind juni namen de compagnons al weekenden van drie of vier dagen – velen van hen deden dat in plaats van een echte vakantie, die steeds moeilijker te realiseren was omdat de zaken goed gingen en de werkdruk navenant toenam, en degenen die misschien liever minder uren wilden maken, zoals partners in voorgaande jaren hadden gedaan, merkten dat ze even hard doorwerkten als altijd of ervoor kozen om met pensioen te gaan. Maar zelfs bij A, L & W werd niet helemaal voorbijgegaan aan de zomer of aan het feit dat bedrijven in de stad er van juni tot augustus aangepaste werktijden op na hielden, zodat de maandag en de vrijdag soms de hoop boden dat een vrije dag tot de mogelijkheden behoorde.

Toen Sally klaar was in de vergaderruimte, ging ze op zoek naar Elaine, die nog een poetsbeurt tegoed had. Terwijl ze van kantoor naar kantoor ging, keken de juristen op van hun werk, stonden op uit hun stoel, liepen naar de deuropening en keken hoe ze door de gang liep. Degenen die begrepen waarvoor ze kwam, vroegen om een poetsbeurt en degenen die dat niet begrepen hadden, zochten haar later op in het kantoor van hun collega's en vroegen hetzelfde. Mensen deden elkaar een poetsbeurt cadeau. Er werd gekletst en gelachen op de gangen zoals maar zelden was vertoond. Twee uur na haar komst verscheen Sally in Roberts deuropening om hem te bedanken en alle poetsbeurten in de vergaderruimte met hem af te rekenen.

'Ongelofelijk wat een klandizie ik heb gehad vandaag!' zei ze ademloos.

'Ik dacht dat jij niet voor klandizie zorgde? Ik dacht dat je baas dat deed,' zei hij terwijl hij ging zitten en zijn broekspijp optrok om zijn schoen te laten zien. 'Vergeet je weldoener niet.'

Ze zette haar kist neer bij zijn voeten. 'Nee, ik bedoel dat ik overal ons visitekaartje heb achtergelaten. Iedereen wil dat ik terugkom.'

'Dan zit er niets anders op dan terug te komen,' zei hij. 'We leven in een democratie.'

'Behalve wanneer de receptioniste me niet door wil laten of als een van de partners nijdig wordt.'

'Laat je baas me maar even bellen,' zei hij. 'Ik neem de volle verantwoording op me. Ik heb nog nooit in mijn leven zo veel ongelukkige mensen zien glimlachen.'

Ze had zijn schoen op de voetsteun gezet en spoot er rijkelijk witte vloeistof op. 'Mark Pascal wil ook dat ik bij hen kom. Tjee, ik ga bakken geld verdienen.'

'Hoeveel verdien je eigenlijk?' vroeg hij.

'Veel,' zei ze en toen op zachtere toon: 'Minimaal twintig dollar per uur, met fooien. Die zijn zwart. Bovendien heb ik niets te maken met eten of zatlappen.'

Ze borstelde zijn schoen af met een smal instrument dat iets van een tandenborstel weg had en zat geconcentreerd voorovergebogen. Hoewel de airco erg hoog stond, zag ze er wat smoezelig uit en rood van inspanning.

'Je zou je baas om provisie moeten vragen, een soort aanbrengloon voor nieuwe klanten,' zei Robert.

'Met de zakelijke kant wil ik niets te maken hebben,' zei ze. 'Ik werk maar vier dagen per week en daarnaast doe ik audities. Dit zijn Engelse schoenen, toch?'

Robert knikte. Haar tepels waren zichtbaar door de dunne stof van haar roze T-shirt. 'Ga je wel eens uit?' vroeg hij.

'Nauwelijks,' zei ze. 'Ik heb nu een rol in een toneelstuk en de repetities kosten veel tijd.' Ze hield even op met wat ze aan het doen was, liet haar borstel zakken en keek naar hem op. 'Ik weet waar dit op uitloopt. Dadelijk ga je vragen of ik met je uit wil gaan. Ik heb een vriend. Hij is nu op tournee met *A Chorus Line*.'

'En waar heb jij een rol in?' vroeg hij.

'Ach, je weet wel,' zei ze terwijl ze de poetsbeurt afrondde met het snelle wrijven met een flanellen lap. 'Een jonge toneelschrijver, een regisseur kersvers van New York University, gewoon roeien.'

'Gaat het stuk over roeien?'

Ze zei dat ze aan zijn andere voet toe was. 'Ik bedoel: roeien met de riemen die je hebt. In dit geval zijn de beroerde rol en de houterige dialogen de riemen. En als je dat maar genoeg jaren doet, komt er heel misschien iemand die je iets geweldigs ziet doen in een slechte rol in een vreselijk stuk.'

'Dat klinkt verschrikkelijk.'

'Eerlijk gezegd vind ik het 't allerleukste wat er bestaat,' zei ze, opkijkend van haar werk. 'Denk je dat iemand anders op deze manier zou willen leven?'

'Ik moet zelf maar eens komen kijken. Wanneer is de voorstelling?'

Ze onderbrak haar werk even om een met schoensmeer besmeurd papiertje uit haar schort te pakken. 'Hier is een flyer,' zei ze. Het stuk heette *Busziekte*, vijf voorstellingen in een theater vlak bij Union Square.

'Dat is al snel.'

'Over twee weken, en over drie weken moet ik mijn appartement uit – dat van mijn vriend, eigenlijk, omdat de onderverhuurder terugkomt. En bied nu niet aan om een appartement voor me te kopen. Dat hebben klanten me al eens aangeboden. Vaak zelfs.'

Hij moest lachen. 'Sally, jij denkt maar dat iedereen bijbedoelingen heeft.'

'Heb je die dan niet?' vroeg ze. 'Bijbedoelingen? Want dat is waar ik de hele dag mee te maken heb. Alsof ik te koop ben. Laat ik het meteen duidelijk maken: ik ben níet te koop.'

'Dat dacht ik ook helemaal niet!' Dit ging nog lastig worden. 'Sally, kijk eens naar me. Denk je dat ik vrouwen tekortkom?'

Ze stopte weer even om hem onderzoekend op te nemen. 'Waarschijnlijk niet,' zei ze en ze ging verder met haar werk.

'En ik ben getrouwd.'

Ze snoof. 'Vast wel.'

'Maar ik heb ook een appartement waar je zou kunnen wonen. Je moet wel huur betalen, uiteraard.'

'Hoeveel?'

'Het staat nu leeg. Een ruim driekamerappartement in Upper West Side.'

'Hoeveel?'

'Als ik quitte speel met de hypotheek, is het genoeg. Zeg zeshonderd dollar.'

'Het bestaat niet dat je hypotheek zeshonderd dollar is.' Ze nam een penseel uit een flesje met iets wat op zwarte inkt leek, waar een sterke geur van chemicaliën uit opsteeg. Daarna ging ze met de penseel langs de rand van zijn zool om die donkerder te maken.

'Wil je niet komen kijken?' vroeg hij. 'Het is van voor de oorlog, met prachtig licht.'

Ze ging rechtop zitten en veegde het haar uit haar ogen. 'Volgens mij is het zinloos om een appartement te gaan bekijken dat ik me niet kan veroorloven, want ik geloof er helemaal niks van dat die hypotheek van jou maar zeshonderd dollar is. Ik hou er niet van iemand iets schuldig te zijn. Mensen houden er zo hun eigen ideeën op na over hoe ze terugbetaald willen worden, vooral mannen.' Ze zette zijn andere voet terug op de lap en begon haar spullen op te bergen in de kist. 'Luister, je hebt me klandizie bezorgd, dat waardeer ik. Ik heb een prima dag gehad. Daar blijft het bij.'

'Oké,' zei hij zuchtend. Werd hij ouder of zag ze elke zin al aankomen voordat hij hem kon uitspreken? Ze had gelijk over het appartement, maar hij was ineens bereid om verlies te lijden en alle andere plannen te laten varen. 'Maar ik weet hoe moeilijk het is om hier woonruimte te vinden.'

'Hou op, ik weet het!' Ze ging staan en tilde de kist op. 'Onlangs heb ik het geteld. Weet je dat ik in negen verschillende appartementen heb gewoond sinds mijn vertrek uit Philly? Dat was zes jaar geleden.'

'Philadelphia? In Pennsylvania?'

'Niet in Mississippi. O, ik krijg nog acht dollar voor de poetsbeurten in de vergaderruimte. Hoezo, heb je nog nooit iemand uit Philadelphia ontmoet?'

'Ik kom zelf uit Philadelphia.' Hij gaf haar twintig dollar en zei dat ze het wisselgeld mocht houden.

Ze nam het geld aan en bedankte hem. 'Niets zeggen; je komt zeker uit de Main Line?'

Hij schudde zijn hoofd. 'Jij?'

'Uit het noordoosten,' zei ze. 'Oxford Circle. Weet je überhaupt waar dat is?'

'Ik ben opgegroeid in Disston Street.'

'Harbison.'

Mijn grootmoeder woonde in Harbison,' zei hij. 'De tuinflats.' De toevalligheid trof hen allebei even heftig, alsof ze uit een ver land kwamen dat alleen bekend was bij de inwoners. Lange tijd, zo leek het, zei geen van beiden iets.

'Drie jaar lang ben ik in New York nog nooit iemand van thuis tegengekomen.'

'Dat komt omdat ze er niet weggaan.'

'Nou ja, dat verandert de zaak wel een beetje,' zei ze; ze zette haar hand op haar heup en nam hem nogmaals op. Later zou ze hem vertellen dat ze haar klanten meestal niet aankeek; dat had ze zichzelf aangeleerd. Zelfs als ze over straat liep, waren de mensen slechts vage schimmen voor haar. Ze had geen boodschap aan het gefluit van mannen en de neerbuigende vragen van vrouwen, veilig in haar eigen kleine wereld. Ze was actrice. En misschien, dacht hij, moesten alle aantrekkelijke jonge vrouwen wel actrice zijn om de priemende ogen van de wereld en de nieuwsgierigheid en de agressie van mannen te kunnen doorstaan.

'Sally, je kunt dat appartement krijgen voor het bedrag dat jij ervoor overhebt,' zei hij. 'Mijn bedoelingen zijn integer. Ik zal je niet lastigvallen en verwacht niets van je. Ik zweer het. Je hebt mijn erewoord. Doe het gewoon; maak je leven wat gemakkelijker.'

Hij meende het, in elk geval op het moment dat hij het zei. Toen hij niet meer zo hard zijn best deed en het flirten en de spelletjes achterwege liet waarmee hij zijn leven lang zo veel succes had gehad, toen pas kreeg hij haar over de streep.

'Oké, Robert Vishniak,' zei ze. 'Wanneer kan ik de woning bekijken?'

41

Leeg huis

Robert was zijn huwelijk in gegaan met het voornemen trouw te zijn. Zijn ouders waren elkaar veertig jaar trouw geweest, en al zijn ooms en tantes ook. Voordat hij naar de universiteit ging, had hij zelfs nog nooit iemand met gescheiden ouders ontmoet. Naar zijn idee was het zelfs niet bij Stacia of Vishniak opgekomen om overspel te plegen; het huwelijk was een juridische en religieuze overeenkomst, een bindende afspraak, en los daarvan hadden ze geen van beiden een erg hoge dunk van hun eigen charme en hadden ze weinig contact met mensen buiten de eigen familie. Toch waren veel neven en nichten van zijn generatie al gescheiden. Barry was bijna vijfendertig en geen stap dichter bij een huwelijk dan hij twintig jaar geleden was. Toen Robert aan Stacia vroeg waarom er plotseling zo veel echtscheidingen in de familie waren, had ze geantwoord: 'De jaren zestig. Daarom. Iedereen denkt maar alle keuzes van de wereld te hebben. Nou, wat denk je, meneer, mooi niet.'

Maar het probleem was dat Robert in feite wél alle keus had. Hij was zich bewust van dit voorrecht en waardeerde het. Hij waardeerde het bijvoorbeeld dat hij een chauffeur had, hoewel hij er in eerste instantie tegen was geweest om iemand aan te nemen, tot hij zich realiseerde dat hij het beste van twee werelden kon hebben, vrijheid en privacy, als hij zelf de man uitkoos en zijn salaris betaalde. Hij waardeerde het dat Crea en hij zich nooit druk hoefden te maken over een oppas of hun levensstijl drastisch hoefden te veranderen, omdat ze een inwonend kindermeisje hadden. Het was een pretentieloos meisje, afgestudeerd in de taalwetenschap aan Hunter College, dat meerdere talen tegen hun dochter kon spreken en erg op zichzelf was als ze niet werkte. Crea had haar aangenomen. Hij genoot van de weelde van hun huizen, van de vrijheid van al die keuzes. Geen enkele aankoop was buiten hun bereik, geen vakantie te extravagant, als ze er maar de tijd voor konden vrijmaken. Crea was nog steeds erg gul met geschenken, wat een probleem schiep, omdat hij zich verplicht voelde om iets terug te doen, maar zich dat niet altijd kon veroorloven. En hij vond niets leuker dan de rekening in een restaurant te betalen, niets gaf hem een grotere kick. Hij nam elke gelegenheid te baat.

Zijn persoonlijke financiën en die van zijn vrouw (de 'familiefinanciën'), waren twee afzonderlijke, zij het onderling gerelateerde kwesties, maar voor zichzelf ontkende hij dat ze afzonderlijk waren. Doordat hij op dezelfde voet probeerde te leven als zijn vrouw, kon het zomaar gebeuren dat het openen van bepaalde bankafschriften hem het gevoel gaf dat hij zijn hand op schrikdraad legde. Het was eenvoudiger om dat soort post maar niet al te goed te bekijken. Ondertussen profiteerde hij wel van Crea's vrijgevigheid. Kortgeleden nog had ze hem een horloge van Patek Phillippe gegeven, waterdicht, platinum, met een grote blauwe wijzerplaat. Wanneer hij zich tijdens zijn werk op een probleem concentreerde, deed hij het soms af en hield het nu eens in de ene, dan weer in de andere hand, om het volle gewicht van zijn waarde te voelen. De eerste paar maanden dat hij het in zijn bezit had, voelde hij een genot dat bijna erotisch was wanneer hij het horloge van vijfentwintigduizend dollar afdeed, warm van zijn eigen pols, en dan weer omdeed. Maar die sensatie duurde niet lang en daarna bleef hij achter met een leeg gevoel, rusteloos hunkerend naar iets anders.

Het leven met Crea kon je precies gelijkschakelen aan dat horloge. Hij was nog steeds onder de indruk van wat het allemaal inhield, maar de nieuwigheid was er sneller van af dan hij had verwacht. Wat overbleef waren de verschillende vormen van voldoening, sommige daarvan aanzienlijk, van het werk en zijn gezin, van de zorg voor zijn dochter en het genoegen om haar te zien opgroeien. Dat en de zeldzame momenten van vredig samenzijn met zijn vrouw zouden voldoende moeten zijn. Het leven van de andere mensen op kantoor klonk hem helemaal saai in de oren: zorgen over het lesgeld van particulier onderwijs, het herbestraten van de oprit, moeite doen om te worden uitgenodigd voor de minst interessante feestjes en het vinden van een oppas, het onvervulde verlangen naar een tweede huis. Hij was dankbaar dat zijn huwelijk tenminste boven dát geneuzel uitkwam.

Als twintiger en dertiger had hij geloofd dat hij emotioneel uitgeblust was, teweeggebracht door het verlies van zijn jeugdliefde, maar nu begreep hij dat hij niet uitgeblust was geraakt door het verlies van Gwendolyn –

door zo lang verdriet te hebben om welke relatie dan ook raakte een man niet uitgeblust, dat maakte hem alleen bewuster van de latente diepte en kwetsbaarheid van zijn eigen gevoelens, mits ze aangeboord konden worden. Het huwelijk had hem juist uitgeblust en dat was heel snel gegaan. Als getrouwd man werd hij deelgenoot van de huwelijksgeheimen van andere mensen, hetzij openlijk, omdat getrouwde mannen soms na het werk en een paar glazen met andere getrouwde mannen van gedachten wisselden, hetzij door observatie, bij de diners en festiviteiten voor goede doelen waar Crea en hij naartoe gingen en waar je uitsluitend echtparen aantrof. En wat hij had vastgesteld was dat zijn huwelijk niet beter of slechter was dan dat van de meeste anderen.

Getrouwd was getrouwd, behalve dan voor een bijzonder, zeldzaam type echtpaar, dat onder hen leefde alsof het een aparte soort was. Op feesten letten gehuwden van dit type op de deur, niet omdat ze bang waren door hun wederhelft betrapt te worden op flirten met iemand anders, maar omdat ze met oprecht verlangen uitkeken naar de komst van hun wederhelft. Het maakte niet uit dat ze elkaar thuis zagen of elkaar al jarenlang kenden – ze letten nog steeds op de deur. Wanneer een dergelijk echtpaar in een restaurant had afgesproken, begonnen ze dikwijls al te praten voordat ze überhaupt waren gaan zitten en vielen iedereen om hen heen lastig met hun behoefte om alles met elkaar te delen, alsof er pas iets was gebeurd als de een de ander erover had verteld. Ze stelden hem voor raadsels, maakten hem zelfs razend, omdat ze niet binnen zijn theorieën pasten. Hij had veel theorieën tegenwoordig. En zijn favoriete theorie was dat een onstuimige passie aan het begin van een relatie geen garantie bood voor een gelukkig huwelijk, net zomin als een start met weinig meer dan liefdevol respect een rampzalig huwelijk voorspelde. En als hij het voor het kiezen had, verkeerde hij liever in zijn eigen positie dan in die van de meeste anderen. Behalve dan wanneer hij een doodenkele keer op een feest een van die vervloekte echtparen zag.

Zijn vrouw was een overtuigd aanhanger van personeel en specialisten, en hij inmiddels ook. Er was een vrouw gekomen om zijn kast te ordenen, met speciale plekjes en hulpmiddelen om alles smetteloos en overzichtelijk gerangschikt te houden. Al zijn veertig paar schoenen waren precies eender uitgestald. Daardoor zagen de mannen in zijn kringen er altijd zo piekfijn uit, in zekere zin nauwelijks meer herkenbaar als man, ontdaan van vlekken, baardstoppels, kreukels en saaie schoenen. Dure kleding van natuurlijke materialen moest worden gestoomd en chemisch gereinigd, in vloeipapier verpakt, geordend en verzorgd; gelukkig deden andere mensen dat voor hem. Het resultaat was dat zijn linnen of katoenen kostuums in de zomer zo onopvallend als een fluistering met zijn lichaam meebewogen; in de winter was fijne Italiaanse wol opmerkelijk warm, maar niet volumineus. Zijn zomer- en winterkostuums stonden mijlenver af van het grove uniform van blauw polyester dat zijn vader naar zijn werk had gedragen, met de naam op de borstzak geborduurd, een wit hemd eronder waarvan je de bovenrand kon zien, en schoenen met spekzolen, zodat je hem al van verre piepend hoorde aankomen. Wanneer Robert zich 's ochtends aankleedde om naar zijn werk te gaan, voelde hij het vakmanschap en het handwerk van zijn kleren.

Hoewel hij al die spullen droeg, hoedde hij zich nog steeds voor persoonlijke ijdelheid, zoals hij altijd had gedaan, en minachtte mannen die haargel gebruikten of te lang naar zichzelf keken tijdens het scheren – hij sneed zich af en toe juist omdat hij zijn best deed niet in die valkuil te trappen. Op elke straathoek van de stad had je nu sportscholen met hun gewichten en sauna's, ooit de oefenplek van dansers en beroepsatleten of de ontmoetingsplaats van homoseksuelen. Hij vond het hele concept ontluisterend. Puffend en zwetend door het park fietsen of joggen in je oude kloffie was één ding, maar je in spandex hullen om op en neer te springen terwijl je naar jezelf in de spiegel keek, dat ging hem te ver. Misschien was dit het enige wat hij nog kon doen nu er zo veel zorg aan zijn garderobe werd besteed, een klein bolwerk van stoere mannelijkheid in stand houden voor zijn persoonlijke strijd tegen narcisme.

Het was een moeizaam gevecht. Nu hij bijna veertig was, had hij zijn astma beter onder controle – met de jaren was die minder ernstig geworden – zodat hij er, slank als altijd, gezond uitzag door de lichaamsbeweging in de buitenlucht waar hij nu van kon genieten. Zijn postuur was nog steeds uitstekend, maar de tragedie van toen hij begin twintig was en zijn natuurlijke emotionaliteit hadden hun sporen nagelaten op zijn gezicht: zijn mond en voorhoofd vertoonden lichte expressierimpels; boven zijn neus zat een diepe groef, en het grijs overheerste steeds meer in zijn zwarte haar. Maar als hij lachte en de kuiltjes in zijn wangen verschenen, had hij nog steeds iets jongensachtigs.

Er was niets in New York waar vrouwen van alle leeftijden, en mannen trouwens ook, meer van hielden dan van een knappe man van zekere leeftijd, die zich onberispelijk kleedde en welvaart uitstraalde. Jonge vrouwen, en ook sommige mannen, gaapten hem aan op straat, in de rij voor de bioscoop of als ze op de lift stonden te wachten. Ze gaven hem hun telefoonnummer of nodigden hem uit voor een etentje terwijl ze doodgemoedereerd naar zijn trouwring keken. En het was nu nog makkelijker om ja te zeggen, omdat de vrouwen veranderd waren. Ze waren onbezorgder, klampten zich niet meer zo vast aan een man als voorheen – ze hadden nu zelf de gelegenheid, zoals mannen altijd de gelegenheid hadden gehad, om zich te amuseren. O, zijn generatie had dat ook, maar de vrouwen uit zijn jeugd waren helemaal opgegaan in de nieuwigheid van hun situatie en de uitdagingen die dat met zich meebracht. Hun energie ging zitten in het creëren van mogelijkheden, het openen van zware deuren die ooit stevig op slot hadden gezeten. Maar de jonge vrouwen die in de huidige tijd opgroeiden, hoefden weinig omver te halen, hadden alleen de wens om te leven en te genieten van het jong en single zijn, totdat ze zich, ooit, ergens in de verre toekomst, zouden settelen.

Kortom, Robert Vishniak te zijn in New York City in de zomer van 1986 betekende geconfronteerd worden met talloze verleidingen; mooie vrouwen te over die hem begeerden, vaak vrijblijvend – hij hoefde alleen maar zijn hand uit te steken. Meestal zei hij nee en daar was hij trots op, misschien wel te trots; zijn vrouw was zo volledig op hem gericht dat hij gewoon het hart niet had. Hij was bang dat ze eraan onderdoor zou gaan als ze erachter kwam dat hij een affaire had. Het zou in elk geval een einde maken aan het leven zoals hij het nu kende.

Terwijl hij achter in de auto zat en wachtte tot hij in het stralende licht van een vroege zomeravond voor de deur van zijn huis werd afgezet, vroeg hij zich onwillekeurig af waarom hij zo veel domme risico's had genomen met Sally Johannson, ondanks het feit dat hij zijn grenzen heel weloverwogen, heel precies had bepaald. Waarom juist zij? Ze was sexy en jong, maar niet jonger of sexyer dan allerlei andere vrouwen die zichzelf zo openlijk aan hem hadden aangeboden. Toch had hij haar geïntroduceerd op kantoor, een plek waar hij juist nu op zijn allervoorzichtigst moest zijn, toch had hij haar zijn appartement aangeboden, een appartement dat hij voor een heel ander doel had beoogd, en nu was daar met haar alleen te zijn het enige waar hij aan kon denken. Dit had meer om het lijf dan afkomstig zijn uit dezelfde buurt, dat kon niet anders. Vanaf het moment dat hij haar dat eerste paar schoenen had zien poetsen, was hij voor de bijl gegaan.

Toen Robert de alarmcode intoetste, kon hij aan de andere kant van de deur zijn dochter 'Pappa! Pappa!' horen juichen. Hij had niet verwacht dat er iemand thuis zou zijn. Sinds Gwen geboren was, waren Crea en zij van

Memorial Day tot de vierde juli in Tuxedo en ging Robert daar de weekenden naartoe. Van juli tot de Dag van de Arbeid in begin september gingen ze naar Bridgehampton, omdat Crea daar graag de polowedstrijden en de paardenshow bijwoonde en omdat haar jongere vriendinnen de voorkeur gaven aan de sinds kort hippe Hamptons boven Tuxedo. Ze hadden het huisje daar een paar jaar geleden gekocht. Omdat hij het een onverteerbare gedachte vond dat zijn vrouw alweer een stuk onroerend goed zou bezitten zonder hem, had hij een deel van de aanbetaling gedaan. De hypotheek was laag, maar samen met de hypotheekaflossing van zijn appartement in Upper West Side vond hij het toch een hele aanslag op zijn vijfenzeventigduizend dollar per jaar. Hij had ook nog andere vaste lasten, zoals het salaris van Troy, dat hij in zijn eentje voor zijn rekening nam omdat hij er het meest van profiteerde, en hij wilde de loyaliteit van zijn chauffeur en ook, ergens, zijn respect. Kon je door je vrouw onderhouden worden en tegelijkertijd kopje-onder gaan? Dat was zijn probleem – hij werd niet volledig onderhouden, maar was ook niet volledig onafhankelijk – maar hij had het zelf zo geregeld en kon niemand anders dan zichzelf de schuld geven.

Zijn dochter stond op en neer te springen en hij tilde haar op en kuste haar. 'Ik ben zo blij je te zien, Gwen-Gwenny-Gwendolyn! Wat doe je hier?' Met zijn armen losjes om haar achterste en zij met haar benen als een aapje om zijn borst geslagen droeg hij haar naar de woonkamer, waar zijn vrouw een tijdschrift zat te lezen.

'Een verrassing,' zei ze mat. 'We moesten naar huis.' Om het effect te vergroten zweeg ze even. 'De pillen die de allergiearts haar heeft gegeven werken gewoon niet.'

Zijn dochter had niet alleen zijn gelaatstrekken geërfd, maar ook zijn allergieën.

Robert ging zitten met Gwendolyn op schoot. 'Schatje, ga May eens vragen wanneer het eten klaar is,' zei Robert. 'Misschien mag je haar wel helpen.'

Gwen, slim genoeg om aan te voelen dat er iets in de lucht hing, klemde zich aan hem vast tot hij haar met enige dwang wegstuurde. Als zijn dochter eenmaal in de keuken was, ging ze helemaal op in wat daar allemaal gebeurde. Ze was gebiologeerd door wat hitte doet – vermengen, bakken, smelten – ze wilde niets liever dan de hele dag naar de alchemie van de ingrediënten kijken.

'Ik wil May liever niet met haar opzadelen,' zei Crea. 'Ze is de kok, niet de oppas. En we hebben vanavond bovendien een gast aan tafel.'

'O?'

'Mijn vader is met ons mee teruggegaan voor een afspraak. Hij komt langs om te eten – kijk niet zo! Hij overnacht in de stad, daarom heb ik hem uitgenodigd.'

'In Tuxedo zie je hem elke avond al. Kun je het niet één avond zonder hem stellen?' Robert stond op, liep naar de trap en riep het kindermeisje, dat Karen heette; ze had haar eigen appartement en badkamer op de tweede verdieping.

'Schreeuw toch niet zo,' zei Crea. 'Gebruik de intercom.'

'Ik heb de pest aan die intercom,' zei hij. 'Die geeft me het gevoel dat ik op mijn werk ben. En bovendien heeft ze daar muziek aan.'

Karen riep wat er was en hij vroeg of ze in de keuken op Gwen wilde letten. Het kindermeisje kwam meteen haar kamer uit, sloot de deur en kwam dreunend de trap af hollen. Ze had een zware tred.

'Probleem opgelost. Waarom was ze trouwens boven?' vroeg hij, nadat hij naast Crea op de bank was gaan zitten.

'Omdat Gwen bij ons was en Karen ook wat tijd voor zichzelf moet hebben.'

'Ze gaat ontzettend op in haar boeken.'

'Dat is beter dan ontzettend opgaan in de wijnkelder,' zei Crea zachtjes. 'Je moet consequenter zijn met het personeel. De ene keer vraag je niets van ze en de andere keer verwacht je dat ze je gedachten kunnen lezen en je op je wenken bedienen.'

'Ik weet het. Je hebt gelijk. Ook na al die tijd vind ik het nog steeds, eh, raar om zo veel vreemden in huis te hebben. Begrijp me goed, ik waardeer het gemak, maar ik heb het gevoel dat we nooit alleen zijn. Om maar te zwijgen over de "gasten" die langskomen om te eten.'

'Mijn vader is geen gast. En bovendien maken we de laatste tijd alleen maar ruzie als we alleen zijn,' zei ze terwijl ze haar hand wat dichter naar de zijne schoof.

'Vertel eens wat de dokter heeft gezegd.' Hij pakte haar hand en kuste die. Bij de geringste genegenheid van zijn kant ging zijn vrouw rechterop zitten en haar gezicht begon te stralen van plotselinge, angstwekkende hoop. Elke avond kwam hij thuis met het vaste voornemen om aardig te doen, maar binnen een paar minuten liet hij dat voornemen alweer varen. Zijn ouders hadden hun hele leven ruziegemaakt, maar zij hadden zorgen om geld en gezondheid gehad; Crea en hij ruzieden over onbenulligheden.

Ze spraken verder over Gwendolyns allergieën en de verandering van medicatie die ervoor moest zorgen dat ze 's nachts minder vaak wakker was en overdag minder suf. Over een paar jaar zou ze waarschijnlijk injecties nodig hebben. Robert hoorde in elk woord van Crea een beschuldiging: hun dochter had die aandoening door zijn genen. 'Het lijkt nu goed te gaan.'

'Ja, maar als we buiten zijn, gaat het altijd slechter.'

'Misschien moet je dan niet zo vaak de stad uit gaan met haar.'

'Dat is precies wat jij wilt, hè. Je grijpt elke uitvlucht aan om niet naar Tuxedo te hoeven.'

'De gezondheid van onze dochter is geen uitvlucht.'

'Ze moet in het volle leven staan, Robert. We kunnen haar niet behandelen als een porseleinen poppetje. Ze moet kunnen rondrennen en spelen en buiten zijn met andere kinderen.'

'Het is niet dat ik het niet leuk vind in Tuxedo en zelfs niet dat ik denk dat het haar kwaad doet,' zei hij. 'Ik zie gewoon niet in waarom we altijd bij je vader moeten logeren. In plaats van iets in de Hamptons te kopen, hadden we jaren geleden al iets in Tuxedo moeten kopen. Tracey en Claudia wilden ons met alle plezier die kavel verkopen.'

'Jack heeft zeven slaapkamers. Het is niet dat hij ons op de lip zit. En hij vindt het leuk om Gwendolyn te zien.'

'Mijn moeder vindt het ook leuk om haar te zien, maar daar gaan we toch ook niet elk weekend naartoe?'

'Ik hou je nooit tegen als je daarnaartoe wilt,' zei ze. 'Maar ik geloof niet dat ik er erg welkom ben.'

'Dat is belachelijk. Jij hebt geen zin om te gaan en daarom leg je de schuld bij mijn moeder. Maar goed, we hebben het niet over Philadelphia, we hebben het over Tuxedo.' Hij ging staan. 'Eerlijk, ik heb het gevoel dat ik nooit eens vrij kan ademen. Je vader en zijn mensen houden me op kantoor al in de gaten, en dan is hij er ook nog eens in het weekend. En dan hebben we Mario nog, die zit ook in de maatschapscommissie.'

'Je zegt altijd dat Mario je enorm geholpen heeft.'

'Maar dat betekent toch niet dat ik hem in het weekend wil zien!' Hij had het nog niet gezegd of Robert besefte dat hij belachelijk deed. Mario was niet degene aan wie hij zich ergerde. 'Jack ontloopt me op kantoor, en toch slaagt hij erin om zijn aanwezigheid voelbaar te maken. En wat hoor ik daar? Tjonge, hij komt als geroepen.'

De bel ging en Karen en Gwen gingen op een holletje opendoen. Zijn dochter juichte: 'O-pa, o-pa', en voor de tweede keer die dag werd het kind hoog in de lucht getild en daarna zachtjes op de grond gezet. Robert ging erheen en begroette zijn schoonvader alsof de laatste tien minuten van het gesprek niet hadden plaatsgevonden, met een glimlach op zijn gezicht gebeiteld. Jack liet zijn blik langs het meubilair in Arts en Craftstijl gaan, het glas-in-loodraam in de hal, de vroegtwintigste-eeuwse sfeer van het huis en keek afkeurend.

'Wat is dat ding daar?' vroeg hij aan Crea.

'Dat is een klok,' zei Robert. 'Erhard en Söhne,' voegde hij toe. 'Zilver op hout.' Deze, die niet sloeg, had de grotere, luidere klok uit haar appartement aan Gramercy Park vervangen. Hij wees op het verfijnde houtsnijwerk op de voet, van twee ridders in een steekspel.

'Wat heeft ze gedaan met dat portret van Chuck Close dat ik haar heb gegeven?' vroeg Jack. 'Als ik iets cadeau doe, wil ik het wel graag aan de muur zien.'

'Zullen we aan tafel gaan?' zei Robert. 'May heeft zojuist een seintje gegeven.'

Onder het eten zag Robert zich genoodzaakt zijn schoonvader een samenvatting te geven van de bespreking met Mark Pascal, hoewel hij probeerde om niet te diep op de rioleringsproblemen in te gaan.

'Misschien moet ik daar maar weer eens bij komen zitten,' zei Jack.

'Bespreek dat maar met Mario,' mompelde Robert. Nu Jack bijna zeventig was, begon hij zich terug te trekken uit de juridische praktijk om meer tijd te kunnen besteden aan de dagelijkse leiding van het bedrijf. Onder sommige van de jongere partners leefde de hoop dat het een stap in de richting van pensionering was, maar Robert wist dat zijn schoonvader zijn bedrijf – zijn kindje – absoluut niet zou kunnen loslaten, net zomin als hij zijn dochter kon loslaten.

'Dat was vijf jaar geleden een gezond bedrijf,' zei Jack. 'Nu neemt Mark allemaal idiote beslissingen.'

De onuitgesproken boodschap was: toen de oude garde nog de leiding had, was alles goed. Robert reageerde er niet op.

'Gwen, eet eens als een grote meid. Niet met je handen,' zei Crea. 'Moeten jullie tweeën tijdens het eten nu echt over kantoor praten? Ik voel me helemaal buitengesloten.'

'Je hebt gelijk, schat, vertel eens over Gwens allergieën,' zei Jack. 'Ze ziet er een stuk beter uit. Vanochtend heeft ze ons behoorlijk laten schrikken met dat gehoest.'

Robert keek naar Crea, maar die sneed een ander onderwerp aan. 'Gwen, dit vind je vast leuk,' zei Crea. 'We zijn zaterdag uitgenodigd voor een zwemfeest bij de familie Evans.'

'Mag ik mijn nieuwe zwembandjes aan?' vroeg Gwen.

Om ruzie te vermijden was Robert niet van plan was geweest het Crea al zo lang van tevoren te vertellen, maar nu moest hij wel opbiechten dat hij het weekend in de stad zou blijven vanwege een bespreking met Mark Pascal.

'Is dat echt nodig?' vroeg ze. 'Op een zaterdag? In juni?'

Jack ging zwijgend door met eten.

'Je kunt het aan Mark vragen als je me niet gelooft.'

'Waarom zou ik je niet gelóven? Gwen, eet eens wat van die geroerbakte spinazie, die is erg lekker. Zaterdagavond dan?'

'Ik denk dat ik het hele weekend nodig heb,' zei Robert. 'Ik wil mijn achterstand wegwerken.'

'Ik neem aan dat je wel komt voor de vierde juli,' zei ze. 'Je wilt de barbecue van Trace toch niet missen?'

'Tenzij er een crisis op kantoor is, ben ik van de partij,' zei hij met een blik op zijn schoonvader, die niet opkeek van zijn bord. 'Barry komt ook dit jaar.'

'Je mag je gelukkig prijzen dat je broer in de stad is,' zei Jack weemoedig. Zijn enig overgebleven broer was onlangs met pensioen gegaan en naar Palm Springs verhuisd.

'Ja,' zei Crea terwijl ze de karaf pakte en zich nog wat wijn inschonk, 'daar zijn wij allemaal reuzeblij mee.' Met een afkeurende klap zette ze de karaf terug op tafel.

'Crea, voorzichtig daarmee!' zei Jack. 'Die is nog van je grootmoeder geweest.'

Na het eten zaten Robert en Jack in stilte de krant te lezen. Boven was Crea bezig Gwendolyn in bad te doen toen het gekrijs begon, dat weergalmde door het hele huis.

'Dat klinkt niet goed,' zei Jack.

'Nee,' zei Robert. 'Ik ga maar even boven kijken.'

'Kun je dat meisje niet sturen?'

'Nee, ze krijst om mij.'

Jack schudde slechts het hoofd, alsof hij de raadselen van het moderne ouderschap overdacht, en ging door met lezen.

Gwen deed dit altijd als haar vader thuis was. Ze beweerde dan dat Crea zeep in haar ogen had laten komen, maar ze vond het prima dat haar moeder haar in bad deed en haar haren waste als hij niet in de buurt was. Op zulke momenten had Robert medelijden met zijn vrouw. Ze voelde zich dan zo afgewezen. 'Moet je haar arm eens zien,' zei Crea meteen toen hij de badkamer binnenkwam. Gwendolyn zat in de badkuip, haar gezicht vlekkerig en rood van het huilen. Haar arm, die door Crea omhooggehouden werd, was bezaaid met grote plekken uitslag.

'Ze is allergisch voor tomaten,' zei Robert.

'Laat me raden,' zei Crea, 'dat had jij vroeger ook.'

'Barry, Barry had dat,' zei hij. 'Nou ja, wie weet wat het geweest is, want wij gingen nooit naar de dokter. Maar hij had dat soort uitslag toen hij klein was en hij mocht geen tomaten eten.'

'En spaghettisaus dan?' vroeg Gwendolyn.

'Daar zit ook tomaat in, lieverd,' zei hij.

'Wil jij mijn haren wassen, pappa?' Ze pakte zijn hand en legde die op haar hoofd. Crea liet het waslapje vallen en ging de badkamer uit.

'Oké, Gwen-Gwenny-Gwendolyn, laten we maar eens aan de slag gaan,' zei hij en hij rolde zijn mouwen op, trok zijn broekspijpen iets op en knielde naast de badkuip. Hij pakte de babyshampoo en deed een klein beetje in zijn hand. 'Doe je ogen eens dicht.'

'Nu zijn we lekker met z'n tweetjes, toch, pap?' vroeg ze met gesloten ogen, haar stem voldaan en opgewekt. 'Alleen pappa en zijn Gwenny.'

42

Sally zwicht niet

'Even voor de duidelijkheid: ik ga niet met je naar bed. Ongeacht hoe mooi je appartement is.'

'Ik heb je nog niet eens een hand gegeven,' zei hij terwijl hij vlak bij haar stond in de lange gang. Hij legde zijn hand voorzichtig tegen haar onderrug alsof hij haar wilde rondleiden. 'Ik kan me beheersen.' Hij was laat teruggekomen van zijn zakenlunch met Pascal en de eigenaren van de knopenfabriek. De bespreking was goed verlopen; de familie toonde meer bereidheid om te verkopen dan Mark had geïmpliceerd, mits de prijs goed was. Mark, die in een uitgelaten stemming was, had Robert daarna meegenomen naar zijn club om bij een drankje nog het een en ander te bespreken. Dat had naar Roberts zin veel te lang geduurd, maar wachten zou sowieso eindeloos hebben geleken voorafgaand aan een ontmoeting met Sally.

'Je zei dat het ongemeubileerd was,' zei Sally terwijl ze een blik in de slaapkamer wierp, 'dus waarom staan er dan meubels?'

'Ik heb van de week een paar dingen besteld. Alleen een paar stoelen, een bank en een bed.'

'Als het gemeubileerd is, gaat de prijs dan omhoog?'

'Uiteraard,' zei hij. 'Laten we zeggen zeshonderdvijftig dollar.'

'Wat betaal je nu echt aan de hypotheek? Ik ga niet akkoord voordat je me dat vertelt.'

'Vijftienhonderd, plus driehonderd per maand aan servicekosten.'

Ze keek bedenkelijk. 'Ik kan niet meer betalen dan achthonderd. Voor een korte tijd. Totdat ik iets anders vind.'

'Je had het voor zesvijftig kunnen krijgen. Bij onderhandelen is het niet de bedoeling dat de koper de prijs opdrijft. Dat is hoogst ongebruikelijk.'

'Je zou dit aan ongeacht wie kunnen verhuren, voor de volle prijs of meer,' zei ze. Ze stonden in de woonkamer, die uitkeek op een binnenplaats en 's middags zon had. Sally droeg een kort zomerjurkje en platte rode sandalen, haar haar bijeengehouden met een clip. Ze zag er decenter uit op kantoor, maar hij kon nu wel haar benen beter zien. Zij leken eindeloos lang en dan was er nog de lijn van haar slipje, zichtbaar onder het dunne jurkje.

Ze liet zich neerploffen op de bank, waar de plastic bezorghoes nog omheen zat. 'Plastic,' zei ze terwijl ze hem aankeek, 'net als thuis.'

'Je moet wel de enige Johannson zijn geweest in Oxford Circle,' zei hij.

'Wie zegt dat dat mijn echte naam is?'

Hij ging naast haar op de bank zitten. 'Je bent wel een rare.'

'Er zitten heel wat apen in deze mouwen,' zei ze, gebarend naar haar naakte armen.

Hij legde zijn hand op haar biceps en streelde met zijn vinger over haar zachte, bleke huid.

'Ik heb het je al gezegd,' zei ze, terwijl hij opstond, 'het gaat niet gebeuren. Zelfs niet omdat je me matst met de huur. Ik doe dit alleen maar omdat ik wanhopig ben. Over een maand of twee ben ik weer weg.' Ze liep naar de vensterbank en bekeek het lijstwerk. 'Hoeveel vrienden uit Philly heb je in New York?'

'Alleen mijn broer.'

'Barry Vishniak?' vroeg ze sarcastisch. 'Jij en ik zouden vrienden kunnen worden. Dat zou voor jou een patroon doorbreken, durf ik te wedden. Bevriend zijn met een vrouw. Probeer voor de verandering eens iets nieuws.'

'Ik heb een vriendin,' zei hij. 'Claudia.'

Sally zuchtte. 'Wie is Claudia, zeker een vriendin van je vrouw of zoiets?'

'Onder andere.'

'Dat telt niet. Ik heb het niet over iemand die je vriendin is omdat het je leven zou verwoesten als je met haar naar bed ging. Ik bedoel iemand die je vriendin is omdat je, je weet wel, dingen met elkaar gemeen hebt of met wie je na het werk een biertje gaat drinken of zoiets.'

'Wat hebben wij met elkaar gemeen?'

'Van alles.'

'Ik kan niet bevriend met je zijn. Niet wanneer ik je naakt wil zien,' zei hij. 'Ik probeer alleen maar eerlijk te zijn.'

'Oké, eerlijk ben je wel,' zei ze terwijl ze terugliep naar de gang. 'Waarom heb je dit appartement eigenlijk gekocht? Is het een investering of iets dergelijks?'

'Zoiets,' riep hij vanaf de bank, toen stond hij op en liep haar kant uit.

'Weet je vrouw ervan?'

'Jazeker.'

'Moet ik haar bijvoorbeeld bellen om te vragen hoe ze ertegenover staat dat je het onder de marktwaarde verhuurt?' vroeg ze. 'Jezus, wat een kleine keuken.'

'Alle keukens in New York zijn klein.'

'Deze is voor een meisje dat onder de vijftig kilo weegt. Dus wat is dit dan? Je liefdesnestje? In wat voor soort huis woon je met je vrouw?'

'Een Beaux-Arts-herenhuis uit 1921, East 73d Street.'

Ze floot. 'En dan koop je zoiets? Hoezo, had je niet genoeg aan drie verdiepingen?'

'Je zult het waarschijnlijk niet geloven, maar ik wilde een plek waar ik alleen kon zijn en nadenken.'

'Dat geloof ik wel,' zei ze. Ze stond nu ongemakkelijk dicht bij hem. Hij kon de watermeloengeur van haar lipgloss ruiken en de zwakke geur van kauwgom die ze achter in haar mond had geparkeerd. 'Je hebt echt alles, hè, Robert?'

'Min of meer, ja.'

'De meest trieste mensen ter wereld, als je het mij vraagt.'

'Wie?'

'Mensen die alles hebben.'

43

Onafhankelijkheidsdag

In de laatste week in juni ging Robert naar Sally's voorstelling, een vreselijke draak over een groep soldaten, een verpleegkundige en een aan drugs verslaafde arts in Vietnam. De dialoog kwam nauwelijks boven het niveau van slechte televisie uit, maar hij zag wel iets in haar acteren, een vonk die meer was dan louter fysieke uitstraling, en hij merkte dat hij zich opgelucht voelde. Ze was geen bedriegster. Ze kon acteren. Het zou om de een of andere reden verschrikkelijk zijn geweest als ze zichzelf voor de gek hield. Tegen het eind had ze een monoloog over een vriendje dat ze had achtergelaten, met wie ze het zou moeten uitmaken zodra ze terugkwam, omdat hij, die zelf nooit zoiets had meegemaakt, niet zou kunnen begrijpen wat zij had meegemaakt, maar voorlopig hield ze hem aan het lijntje, hoe egoïstisch ook, omdat ze niet buiten zijn brieven kon, omdat ze iemand nodig had, ongeacht wie, om lieve woorden van te horen. Terwijl ze haar tekst uitsprak, leek ze naar Robert te kijken – zo te zien de enige in het publiek die volwassen was geworden in het tijdperk dat deze acteurs van begin twintig nu dapper probeerden te reconstrueren. Of misschien kwam het gewoon doordat het een erg klein publiek was – maar een man of vijftien in een zaaltje met minstens drie keer zoveel stoelen – en hij graag wilde dat haar verlangen specifiek zou zijn, op hem gericht.

Toen hij haar na afloop opzocht achter het toneel, had hij gevraagd of ze wat wilde gaan drinken om het te vieren, maar ze ging met de cast, een sjofel groepje jongemannen uit de voorstelling. Ze gingen gekleed in nogal viezige, hippieachtige kleren, wat maakte dat hij zich ongemakkelijk voelde in zijn Italiaanse pak, en omdat hij zich oud en een vreemde eend in de bijt voelde, vertrok hij al snel en vroeg zich af waarom hij het meisje maar niet uit zijn hoofd kon zetten.

Zelfs in Tuxedo dat weekend dacht hij aan haar. Het was de vierde juli, een dag van optochten, avondlijk vuurwerk en de jaarlijkse barbecue van de Traces, die zoals altijd plaatsvond in hun reusachtige achtertuin met uitzicht op het meer en de heuvels in de verte. Het huis van de Traces was een kasteel, immens en gotisch, compleet met ronde torens en een grote, spitse hoektoren met een vensterbankzitje bij het raam helemaal bovenin. Als je er durfde te zitten, werd je beloond met een uitzicht dat zich uitstrekte over het park, de rivier en tot ver over de districtsgrens. Robert genoot altijd van de mate waarin Traceys huis dat van Jack overvleugelde. De enige keer dat hij zijn schoonvader ooit onzeker zag kijken was wanneer hij het landgoed van de Traces overzag en er misschien over mijmerde hoe het zou zijn om een huis te hebben dat generaties lang in de familie was geweest in tegenstelling tot een huis dat het verleden zo grondig had uitgewist.

Robert vond het nog steeds het meest romantische huis in Tuxedo Park, in elk geval vanbuiten. Claudia had lang geleden het onderhoud van de tuin op zich genomen; buiten werken met de tuinman was het enige waar ze echt plezier in had. Voor het huis lag een uitgestrekte bloementuin en rondom waren er bedden met kruiden en groenten. Gasten vroegen dikwijls hoe één vrouw met slechts de hulp van een bejaarde man zo veel werk kon verzetten. Ze was altijd aan het wieden en snoeien. Behalve vandaag, toen ze in een kort wit broekje en een zwarte mouwloze coltrui op Robert af kwam lopen, zodat zijn blik van verre, en van dichtbij nog meer, vooral getrokken werd door haar lange, zo opvallende en akelig magere benen – haar dijen hadden amper de omvang van die van een jong meisje – en door haar dunne, maar welgevormde armen, gespierd van het vele wieden en buiten werken. Tijdens het lopen kon hij bijna zien hoe het bot, het weefsel en de spieren samenwerkten onder haar huid. 'Wat is Gwen groot geworden!' Claudia kuste Crea, glimlachte naar hem en liep toen snel op Barry af. 'Eindelijk, ik had de hoop al bijna opgegeven! Je gaat je te pletter vervelen, dat besef je toch wel, hè?'

Barry, die uit zijn nieuwe Audi cabriolet stapte, keek zelfingenomen. 'Ik ben een eenmansformatie, meissie. Als ik hier ben, is het nooit saai.'

Claudia pakte hem bij de hand en holde met hem naar het huis.

'Mag ik met ze mee?' vroeg Gwen.

'Nee, lieverd, we gaan naar de jongleur kijken,' zei Robert.

'Wat hebben die twee elkaar nou in vredesnaam te melden?' vroeg Crea.

'Hij kan soms heel charmant zijn,' antwoordde Robert terwijl ze naar de patio achter het huis liepen.

Tracey was op en top gastheer; hij schudde handen, maande de kelners tot spoed, hield baby's in zijn armen en wees de mensen op het croquetspel dat op het gazon werd gespeeld. Toen het eten bijna klaar was, ging Tracey zich ermee bemoeien en nam de vleestang over van de cateraar om de braadworsten en hamburgers om te draaien, zodat hij, net als op de universiteit, met de eer kon gaan strijken zonder daadwerkelijk iets te hebben gedaan. De kinderen, die allemaal aan de andere kant van het huis waren, werden nu geroepen voor het eten, dat voor hen apart werd opgediend. Crea wierp haar hoofd lachend achterover en legde haar hand op de schouder van Mark Pascal. Robert hoorde haar nog maar zelden zo lachen, alleen in Tuxedo. Om haar heen stonden een aantal jeugdvrienden en een paar oudere buren, mensen die haar al zo lang kenden dat ze min of meer tot de familie behoorden.

Robert herinnerde zich wat ze hem tijdens zijn eerste bezoek had verteld: dat er geen plek ter wereld was waar ze zich meer op haar gemak voelde. Tuxedo was haar geschiedenis. Maar hoe zat het met die van hem? Hij zag maar zelden de vertrouwde gezichten uit zijn jeugd – de neefjes met wie hij was opgetrokken of de meisjes met wie hij zijn eerste seksuele ervaringen had gehad. Stacia was een stem aan de telefoon of het schuldige gevoel na een haastig bezoekje, alleen en soms een middagje met Gwen. Hij had gedaan waarvoor hij was grootgebracht, was weggegaan uit Oxford Circle en had geld verdiend. Maar wanneer hij zag hoe Crea zich hier op haar gemak voelde, alsof Tuxedo een oude trui was die ze aantrok omdat hij lekker warm was, voelde hij zich ontheemd.

In de loop van de middag maakte hij een praatje met een succesvolle aannemer, schudde vervolgens de hand van een projectontwikkelaar die de afgelopen twintig jaar steeds beweerde dat hij 'overwoog' om zich te laten vertegenwoordigen door A, L & W. Robert maakte de zoveelste lunchafspraak met de man en hoopte dat hij dit keer zou worden nagekomen, maar hij had er een hard hoofd in, zelfs Jack was er na tal van pogingen niet in geslaagd om hem binnen te halen. Daarna raakte hij in gesprek met een 'onafhankelijke financieel adviseur', wat een fraaie manier was om te zeggen dat de man het kapitaal van zijn familie investeerde. Traceys vriendengroep was vrijwel onveranderd en die mensen waren, in zakelijk opzicht, als het enigszins kon al uitgemolken. Voor Robert was er geen eer meer aan te behalen.

Voor Barry daarentegen was de dag vol mogelijkheden. Robert hoorde hem aan de andere kant van het gazon met enkele leden van de plaatselijke bridgeclub in gesprek over commanditaire vennootschappen. Hij klonk zelfverzekerd, betrouwbaar, nuchter zelfs, toen hij uitleg gaf over investeringen in olie en aardgas die slechts een laag risico inhielden. Waar haalde hij die toon toch vandaan? Niet van thuis, dat was een ding dat zeker was. Iemand informeerde naar junkbonds – Boesky was nog steeds in het nieuws, en nu deden er geruchten de ronde over Milken. 'Junkbonds zijn niets voor jou, Cathleen, die zijn voor miljardairs, en voor pensioen- en verzekeringsfondsen. Niet voor de gemiddelde investeerder,' zei Barry. 'We kunnen het beter hebben over véilige...'

Barry had nu al begrepen wat Robert zich pas na jaren had gerealiseerd: dat de rijken graag dachten dat ze tot de middenklasse behoorden. Dat idee vonden ze op een rare manier geruststellend en het was zo ongeveer het enige wat ze gemeen hadden met de armen. Robert liep in zijn eentje weg om van het uitzicht te genieten. Op dit moment was Sally terug in New York en ze zou met twee vrienden haar spullen overbrengen naar zijn appartement; het was vandaag ontzettend vochtig, wat in de stad nog erger zou zijn, en hij kon haar voor zich zien, badend in het zweet, natte plekken onder haar armen, zweetdruppeltjes die op haar bovenlip parelden terwijl ze met haar meubels liep te zeulen en dozen en vuilniszakken vol spullen naar boven sjouwde – in zijn verbeelding had Sally om de een of andere reden eindeloos veel spullen, net zo veel als hij, hoewel hij wist dat het onwaarschijnlijk was. Daarna zouden de drie waarschijnlijk uit eten gaan in de buurt, ergens waar het goedkoop was. Hij vroeg zich af of ze met een van die jongens naar bed ging... of was ze trouw aan haar vriendje? En wanneer zou die terugkomen om haar te claimen?

Uren later verdween de zon achter de horizon, en Robert hoorde het zwakke geplof van het eerste kleine vuurwerk dat werd afgestoken op een veld achter de club. De volwassenen zaten op klapstoelen terwijl de kinderen in afwachting van de festiviteiten op dekens op het gras omhoog lagen te staren naar de donkere, met sterren bezaaide hemel. Hij had Barry de hele dag nauwelijks gesproken en ook nu was hij nergens te bekennen.

Crea zat achter hem op een klapstoel en Robert zat op de deken bij Gwen. Ze had een zware dag gehad – de ambrosia bloeide al vroeg dat jaar. Ook al had Gwen 's ochtends haar hooikoortsmedicijnen al ingenomen, toch moest ze voor het avondeten nog antihistamine gebruiken. Hij voelde haar voorhoofd; dat was warm, maar ze had per se op willen blijven om het vuurwerk te zien, maar nu ze lekker zat, voelde hij dat ze wegdommelde tegen zijn schouder. Hij sloeg zijn arm om haar heen. 'Pappa,' fluisterde ze terwijl haar ogen openvlogen, 'heb ik iets gemist?'

'Je kunt niet door het vuurwerk heen slapen, lieverd, dat is onmogelijk.'

'Ik hou niet van jongleurs,' zei ze. 'Daar is niks aan.'

'En hoe vond je het zaklopen? Of de eierrace?'

'Niet leuk,' zei ze. 'Mensen vallen en dan gaan ze huilen.'

'Toen ik klein was,' zei hij, 'hield ik ook niet van de meeste activiteiten die volwassenen verzonnen om kinderen leuk bezig te houden.' Daar had Stacia wel voor gezorgd. Maar wat was Gwens excuus? Hij streelde haar haren. Misschien was het aangeboren, had ze een aardje naar haar vaartje. Van jongs af aan was hij sceptisch geweest over goochelarij en verveelde hij zich erbij, maar had dat niet durven zeggen die ene keer dat oom Frank hem had meegenomen naar het circus, en er waren afgezien van Monopoly maar weinig gezelschapsspelen die hij leuk vond, het kinderspel dat achteraf bezien helemaal geen spel was.

'Weet je, pappa?'

'Wat, lieverd?'

'Ik wou dat we altijd zo tegen elkaar aan konden blijven zitten, net als die tweeling die we in het nieuws zagen.'

'Maar die zaten met hun hoofd aan elkaar vast en weet je nog hoe ongemakkelijk dat eruitzag? Je vroeg me of ze allebei wel hun eigen gedachten konden hebben, weet je nog?'

'Ik hoef geen eigen gedachten,' zei ze. 'Ik zou de jouwe kunnen hebben. We zouden kunnen delen.'

'Nee, schat,' zei hij. 'Je kunt beter je eigen gedachten hebben.' Hij drukte haar dichter tegen zich aan. Het kind was zijn familie, zijn verleden en zijn toekomst. Zouden zijn ouders ook zo'n golf van emoties hebben gevoeld als ze naar hem keken? Nee, zij hadden er niet zo'n behoefte aan om geaard te zijn, omdat ze omringd waren met familieleden, stevig verankerd in alles wat vertrouwd en blijvend was. Ze hadden zich vast niet zo alleen gevoeld als hij.

Vlak voor hen groeide een luide knal uit tot een explosie van magenta, gevolgd door groen en toen goud en wit. Zijn dochtertje, dat eindelijk, eindelijk eens werd overweldigd door kinderlijk ontzag, ging met open mond zo in het spektakel op dat ze nauwelijks merkte dat hij ging staan. Hij voelde zich onrustig. De hemel was nog niet helemaal donker, maar kon dat elk moment worden, en toen hij naar het huis liep, zag hij in de schaduw van de verlaten, schemerige patio Tracey tegen een muur geleund staan naast een lange kelner; de twee waren grinnikend aan het dollen en probeerden elkaar uit balans te duwen.

Robert ging het huis door de zijdeur binnen en liep door een bedrijvige keuken met het geluid van borden die werden opgestapeld, rinkelend tafelzilver en stemmen die bevelen brulden. Hij kwam uit in een lange gang waar lichtjes flakkerden voor zijn ogen, twinkelend in de uitgespaarde muurnissen. Kaarsen – daar ongetwijfeld neergezet om deze sfeer te creëren, in principe romantisch, maar nu griezelig – wierpen lange schaduwen op de grond. Niet wetend waarnaar hij op zoek was, volgde hij het licht.

Toen hij bij een aantal deuren kwam, hoorde hij een bekende mannenlach en toen gegiechel. Robert opende de deur op een kiertje en tuurde naar binnen: beschenen door een lamp in de hoek stond zijn broer met zijn rug naar Robert toe met Claudia geknield voor hem. In eerste instantie dacht Robert aan het meest voor de hand liggende, en dat idee was zo schokkend dat hij zijn blik bijna afwendde totdat hij zich opgelucht realiseerde dat het een optische illusie was: ze stond gebogen over een tafel terwijl Barry naar haar keek. Robert klopte zacht. Barry snelde naar de deur en toen hij zag wie er was, vroeg hij hem binnen te komen.

'Doe in vredesnaam op z'n minst de deur op slot,' zei Robert, de deur achter zich sluitend.

Claudia keek op en snoof in één snelle, efficiënte beweging op wat voor haar lag. Hij zag de transpiratie op haar voorhoofd en bovenlip en toen ze wankelend opstond en naar de twee broers toe kwam, haalde Robert zijn zakdoek tevoorschijn en veegde haar gezicht af.

'Toe, Robert,' zei ze terwijl ze hem bij de hand pakte. 'Doe gezellig mee.'

'Claudia, ik gebruik die troep niet meer, niet meer sinds Gwen er is.'

'Ook best! Ach, die kleine Gwen, wat een mooi meisje, het kan me niet schelen wat Crea over haar neus zegt...' Ze ging terug naar de tafel, waar de lp in zijn hoes lag en ze streek met haar vinger langs de kartonnen rand om de laatste restjes te vergaren.

'Hoeveel heeft ze gebruikt?'

'Ik weet het niet, ze weet van geen ophouden. Geen goeie gemoedstoestand. Kun jij wat whisky voor me halen?' vroeg Barry. 'Ik heb een paar valiumpjes bij me. Ze heeft een downer nodig.'

'Wie zegt dat ik dat wil?' riep Claudia.

'Er is niets meer,' zei Barry. Claudia liep heen en weer bij het raam terwijl ze met haar vingers door haar haar streek. 'Ik ben helemaal los, lieverd.'

'Kun je haar niet met rust laten?' vroeg Robert.

'Dan regelt ze wel dat ze het van iemand anders krijgt,' zei Barry. 'En ik zorg ervoor dat haar niets overkomt.'

'Hoe kun je daar zo zeker van zijn?'

Barry's zwart-bruine ogen vlogen heen en weer. 'Ik zorg ervoor dat haar niets overkomt,' zei hij, zo zacht dat Robert het nauwelijks kon verstaan, 'omdat ik van haar hou.'

'Ben je wel goed bij je hoofd?' fluisterde Robert.

'Ze is het mooiste, meest stijlvolle meisje dat ik ooit heb ontmoet,' antwoordde Barry en Robert vond dat hij ineens klonk als een jongen van veertien, de leeftijd waarop vrouwen hem eerst voor een raadsel hadden gesteld en vervolgens hadden bedrogen. Claudia liep heen en weer voor het raam, met een papieren zakdoekje tegen haar neus gedrukt.

'Dat is ze ooit wel geweest,' fluisterde Robert.

'Je hebt een oogje op haar gehad, hè?' vroeg Barry. 'Jaren geleden. En ze moest je niet.'

'Het wordt mij te banaal. Ik ga.'

'Wil je die whisky gaan halen waar ik om vroeg,' zei hij. 'Alsjeblieft.'

Robert liep de lange gang door en ging de achterdeur uit. Wat bezielde Barry en Tracey en alle anderen toch die beweerden dat hij verliefd was op Claudia, de enige vrouw in zijn leven voor wie hij alleen maar broederlijk mededogen voelde? Was dat wat er gebeurde als je je verleden verzweeg en je geheimen niet deelde met de mensen om je heen? Namen ze dan gewoon maar brokstukken van je verleden om die te gebruiken voor de rechtvaardiging van een conclusie naar keuze?

De barman was naar binnen gegaan; Robert vond een vrijwel lege fles whisky en schonk een bodempje in een kartonnen beker. Boven zijn hoofd, vlakbij, spatte het laatste rood en roze uiteen en toen het blauw en groen, wat de vallei in steeds grotere uitbarstingen verlichtte, zoals het laatste gepassioneerde vrijen aan het einde van een relatie. Hij nam de whisky mee naar de kamer waar Barry en Claudia waren geweest. De deur stond open en ze waren verdwenen. Hij zette het bekertje op een tafel naast het bed en veegde toen met een punt van de sprei de platenhoes af. De Dave Clark Five. Dezelfde plaat waar Tracey naar had geluisterd tijdens hun eerste studiejaar. Hij bekeek even de glimlachende, keurige jongemannen met hun donkere stropdas en smalle revers en liep toen haastig de kamer uit.

44

Zomer, deel II

Nu Crea en Gwen aan zee waren, kon Robert de rest van de zomer doordeweeks vrij over zijn avonden beschikken. Soms werkte hij over, maar dikwijls voelde hij zich rusteloos – zelfs de meest ambitieuze juristen werkten na de vierde juli niet langer door dan tot een uur of acht. Prudence Brothers had Barry als beloning naar Hongkong gestuurd omdat hij een van hun topeffectenhandelaren was, en Tracey was op stap met een van zijn jeugdige tennispartners of in Tuxedo bij Claudia. In plaats van te genieten van deze eenzaamheid, zoals hij verwacht had, voelde Robert zich verward en onrustig.

En zo kwam het dat hij de meeste dinsdagen, en ook menige woensdag, na zijn werk met een biertje in de hand op het goedkoop beklede bankje zat dat hij voor Sally had gekocht, terwijl hij zat te zweten van de warmte – ze had geen airconditioning – en ze bij elkaar kropen voor een roestige draagbare ventilator die ze van een vriend had geleend. Er was geen denken aan dat ze naar zijn huis zou komen om van de centrale airco te genieten; dat plan had ze al getorpedeerd voordat hij het had kunnen voorstellen. Soms keken ze naar de televisie of speelden Monopoly, maar hoewel de warmte je de eetlust bijna ontnam, kon hij haar meestal wel overhalen om een hapje te gaan eten in het van airco voorziene restaurant op de begane grond.

De rekening was voor hem, want ze had uitgelegd dat hij moest betalen als hij buiten de deur wilde eten. Haar leven was anders dan het zijne, liet ze hem weten, ze kon zich niet permitteren om elke avond geld te spenderen. Eén keer wist hij haar over te halen om in een beter restaurant te gaan eten. Ze trok een jurk en hoge hakken aan en toen gingen ze naar Union Square Café. Hij dacht dat ze het wel leuk zou vinden, hoewel hij dat niet zei; ze was temperamentvol en trots; hij moest uitkijken met wat hij wel en niet voor haar deed, en hoe hij het bracht. Hij zei alleen dat hij wel eens naar een andere buurt wilde. Het twee verdiepingen tellende restaurant dat een jaar geleden was geopend was populair, en hij had een week van tevoren moeten reserveren, zelfs voor een woensdagavond, maar hij was niet bang om er mensen tegen te komen die hij kende. Hij kon iedereen recht in de ogen kijken en in alle eerlijkheid zeggen dat ze gewoon vrienden waren.

Hij genoot er vooral van om naar haar te kijken wanneer ze de menukaart bestudeerde en haar blik door het vertrek liet dwalen langs de goed geklede gasten met hun zacht murmelende gesprekken, de witte tafelkleden, de eiken vloer en de zalmkleurige muren. Hij herinnerde zich zijn jongere zelf, en hoe het had gevoeld de eerste keer dat hij naar een goed restaurant ging en echt werd bediend. Dat was op de universiteit geweest, toen er ouders op bezoek kwamen en hij deel uitmaakte van een groep die zo groot was dat hij niet opviel, zodat hij anoniem en vol ontzag kon observeren.

Hij zag dat ze naar hem keek; ze bootste zijn tafelmanieren na, legde het servet op haar schoot, ging rechtop zitten. Toen het eten kwam, fraai gearrangeerd op grote felgele borden, glimlachte ze breed. 'Wat wordt het mooi opgediend!' zei zij. Maar toen hij haar halverwege de maaltijd vroeg hoe het eten haar beviel, antwoordde ze: 'De lekkerste vis die ik in mijn hele leven heb gehad, maar het is gevaarlijk om te wennen aan wat je je niet kunt veroorloven.'

'Dat klinkt vreselijk.' Als iets wat zijn moeder had kunnen zeggen. 'Het is gewoon een maaltijd. En ik kan het me veroorloven.' Natuurlijk wist hij wat ze bedoelde en begreep het. Maar het weerhield hem er niet van om er zijn voordeel mee te doen. Ze kon zeggen wat ze wilde, maar er was geen kind ter wereld dat ervan droomde om naar Manhattan te komen om een hamburger te bakken op een oud gasfornuis in een Pullman-keuken. Iedereen droomde van hetzelfde: perfect georkestreerde diners, Broadwayshows, vernissages in kunstgaleries en chique kleding. Succes. Dat kon hij haar allemaal bieden. Dat lag binnen zijn macht.

Ze deelden een crème brûlee, en hij keek toe hoe ze langzaam de slagroom van haar lepel likte en hij moest zich ertoe dwingen om zijn aandacht te houden bij wat ze zei. Ze had het over Atlantic City. Daar was zij als kind ook geweest en ze zei dat ze er jaloers op was dat hij het had gekend toen de echte Steel Pier er nog was. Zij kende alleen de promenade met de gokhallen en zijn vreemde commerciële mengeling van glitter en verval, vrouwen in een polyester broek die aan de gokautomaten stonden, de met geld smijtende Japanners die toffees kochten met hun platinumcard. Maar ze kende ook het oude Atlantic City, van haar ouders en uit hun fotoalbums: kiekjes van familieleden die in hun beste kleren poseerden voor Convention Hall, en van een reeks foto's van haar moeder op het strand, in een geruit mantelpakje en met een vlinderzonnebril, die werd opgetild door Sally's vader, in een geruite zwembroek met een nog niet aangestoken sigaar in zijn mond. 'Ik was gefascineerd door het andere leven dat ze hadden gehad,' zei ze, 'toen ze jong waren. Het is een raar idee dat je ouders ooit jong zijn geweest, vind je niet?'

Robert had ook wel eens een blik in die oude fotoalbums geworpen en zich afgevraagd waar die mensen gebleven waren. Zijn moeder was ooit een bruid geweest. Ze had geld uitgegeven aan een trouwjurk, een mooie lange, en een bruidsboeket in de hand gehouden. Toen kon ze nog met beide kanten van haar mond lachen. En had lang haar gehad. Zijn vader was ooit slank geweest, of bijna slank. Gezond. Wat was er gebeurd? Zou dat langzame verval van de geest – ging het eigenlijk wel langzaam? – zich ook bij hem voordoen? Was het al ingetreden?

Hij zei tegen zichzelf dat hij het zich niet verbeeldde dat ze vaak thuis was wanneer hij 's avonds langskwam – bleef ze thuis voor het geval hij toevallig in de buurt was? Was het omdat ze vanwege het vriendje niet uit wilde gaan, geen 'echte' afspraakjes wilde maken? Of wilde ze gewoon vermaakt en onthaald worden nadat ze een dag had rondgezeuld met die zware kist? Hij wist dat ze zich na haar werk soms omkleedde in een jurk, en hij vroeg zich af of dat voor hem was. Maar als hij tegen haar zei dat ze er mooi uitzag, stak ze haar handen omhoog om hem haar zwarte vingers te laten zien, als voor het contrast. Maar om de een of andere reden wilde ze dat hij haar zag als een dame en niet als een meisje dat de hele dag knielde voor het kruis van mannen om hun schoenen te verzorgen. En één keer, toen hij op een donderdag onaangekondigd langskwam, liet ze hem wachten in de woonkamer terwijl ze ging douchen, haar haar in model bracht en zich omkleedde, alleen om eerst met hem thuis te zitten en daarna uit eten te gaan. Dat vond hij ontroerend; het deed hem denken aan zijn jeugd, toen mensen nog echte werkkleren hadden en zich bij thuiskomst verkleedden tot een ander zelf, voor hun vrije tijd – om al dat gedoe achter zich te laten.

Geleidelijk begon hij haar andere dingen over zichzelf te vertellen, en uiteindelijk, begin augustus, liet hij Gwendolyns naam vallen. De vermelding van een andere vrouw wekte haar belangstelling – weer vroeg hij zich af of ze geïnteresseerd was op een jaloerse of een nieuwsgierige manier. Hij wist het niet.

Wat bezielde hem om haar dat te vertellen; kwam het door de hitte, door zijn eenzaamheid, door het gevoel dat hij de afgelopen tijd had gehad dat niemand in zijn omgeving wist wie hij was? Ze kon goed luisteren, en iets in de rustige, gestage aandacht in haar blauwe ogen moedigde hem aan. Toen hij, twee weken nadat hij het onderwerp voor het eerst had aangesneden, het verhaal ten slotte helemaal tot het einde aan toe vertelde, met de zelfmoord en alles wat daarop volgde, vroeg hij zich af of hij daar wel verstandig aan had gedaan; hij had dat verhaal nooit aan iemand verteld. Nu was zij de hoedster van zijn geheim, zoals hij dat ooit van Traceys geheim was geweest. Zou Tracey dat gevoel over hem ook hebben gehad? Hij had het iemand verteld en de aarde had zich niet geopend om hem te verzwelgen.

'Wat een verschrikkelijk, afschuwelijk verhaal,' zei ze, toen hij uitverteld was, en toen stond ze op en ging een eindje bij hem vandaan zitten op de bank. 'Geen wonder dat je zo in de war bent.'

'Ik ben niet in de war,' zei hij terwijl hij zich afvroeg waarom ze plotseling was opgestaan. Had ze een afkeer van hem gekregen? 'Ik vertrouw erop dat je het niet doorvertelt. Zelfs Crea weet dit allemaal niet.'

'Tuurlijk niet,' zei ze. 'Ik zal haar niet gauw tegen het lijf lopen bij een van die liefdadigheidslunches. Maar waarom zou het haar iets kunnen schelen? Gwendolyn is er niet meer.'

Hij repte met geen woord over zijn dochter. Deed niet uit de doeken dat hij zulke diepgaande gevoelens had ervaren toen hij haar voor de eerste keer in zijn armen hield, dat hij het niet voor mogelijk hield dat hij die nog eens zou kunnen beleven. De bevalling had zo lang geduurd dat Crea uiteindelijk met spoed een keizersnee had moeten ondergaan. In de eerste uren daarna, toen hij weer bij haar mocht, was ze maar half bij kennis geweest. Ze hadden het er maanden over gehad om het kind Alexandra te noemen als het een meisje was, Alexa als roepnaam, maar het was niet moeilijk geweest om haar een geboorteakte met een andere naam te laten ondertekenen; ze zou op dat moment alles hebben ondertekend om van hem af te zijn, als ze maar weer kon gaan slapen. Toen zij en de baby waren aangesterkt, had Jack de zaak vergemakkelijkt door de naam Gwendolyn, roepnaam Gwen, afschuwelijk te vinden en te beweren dat Crea was gemanipuleerd. Het was, naar Crea's idee, de zoveelste keer dat haar vader zich bemoeide met dingen die hem niet aangingen – wanneer ze zijn bemoeienis nu precies wel en niet op prijs stelde bleef Robert een raadsel – en algauw moest zelfs Crea toegeven dat de naam goed bij het kind paste. Nu konden ze haar zich niet anders voorstellen dan als Gwen. En toen hij die eerste avond Gwendolyn Vishniak op de geboorteakte schreef – deed wat zijn volk eeuwenlang had gedaan met de namen van overledenen – had hij eindelijk het gevoel gehad dat hij zijn verdriet achter zich kon laten.

'Misschien is er wel een tijd geweest dat ik het haar had kunnen vertellen, maar nu zijn er te veel jaren verstreken,' zei hij tegen Sally. 'Dan zou ze erachter komen dat ik die informatie achterhield met een reden. Dan zou ze erachter komen dat ik, toen ik haar ten huwelijk vroeg, niet in de juiste staat verkeerde om met wie dan ook te trouwen – dat ik nog steeds verliefd was op iemand anders.'

'Wie had ooit gedacht dat je er zulke romantische ideeën over de liefde op na hield?'

'Ik was jonger dan jij nu bent toen dat allemaal gebeurde,' zei hij, 'en lang niet zo gehard.'

'Ik ben helemaal niet zo gehard,' zei ze. 'Als ik dat was, zou je me dit waarschijnlijk allemaal niet verteld hebben. Maar hoe kon iemand die zo romantisch was ineens veranderen en trouwen voor het geld?'

'Wie zegt dat ik voor het geld getrouwd ben?'

'Hoor eens, ik zeg gewoon wat ik denk.' Ze stond weer op en ging van het eind van de bank naar de andere kant van de kamer.

'Sally, waarom ga je steeds verder bij me vandaan? Je bent praktisch in de andere kamer.'

'Dat moet je niet verkeerd opvatten.'

'Wat betekent dat nou weer?'

'Rustig maar. In mijn ervaring denken mannen over het algemeen dat ze troost verdiend hebben als ze een triest verhaal uit hun verleden vertellen. En voor de meesten van jullie betekent dat seks. "Kijk mij nou, ik heb gevoelens laten zien, zorg er eens voor dat ik me beter ga voelen." Maar ik doe niet aan sekstherapie. Ik was gewoon voorzorgsmaatregelen aan het nemen.'

Hij moest lachen. 'Ik weet niet waarom ik nog met je omga.'

'Zie ik het dan verkeerd? Leidt dit niet tot "en daarom begrijpt mijn vrouw me niet"?'

'Ik heb je net iets toevertrouwd wat niemand anders weet.'

'Ik weet het,' zei ze, even iets milder, 'en ik voel me vereerd door je vertrouwen. En ik zal het waard zijn, dat zweer ik je. Maar, zit ik ernaast met die andere dingen?'

'Nee,' zei hij, 'niet echt.'

'Haal die ondeugende glimlach van je gezicht,' zei ze. 'Ik wil je helpen, weet je, om het juiste te doen.'

'En wie bepaalt wat het juiste is?' vroeg hij terwijl hij naar haar toe liep.

'Met zo'n juridisch argument kun je beter op een afstandje blijven. Ik meen het.'

Hij voelde zich zweterig en gefrustreerd. 'Ik heb me nog nooit zo hoeven uitsloven voor een vrouw.'

'Dan ben ik verfrissende verandering,' zei ze en toen pakte ze hem bij de arm en bracht hem naar de deur.

De volgende dag was Sally op kantoor om schoenen te poetsen. Hij bracht altijd extra paren mee, omdat ze had verteld dat er in de zomer minder te doen was, en terwijl zij aan het werk was, maakten ze grappen en praatten wat. Als ze klaar was, bleef ze soms nog even en die dag kwam Wilton Henry binnen en zag haar in de stoel tegenover zijn bureau zitten, als een cliënt.

'Bij mij komt Sally nooit eens even zitten,' zei hij.

'Jij neemt nooit drie paar schoenen mee om te poetsen,' zei ze terug.

'En wiens kantoor is dit precies?' vroeg hij en hij lachte naar Robert toen hij de deur sloot.

'Dat was niet best,' zei Robert hoofdschuddend, maar hij had genoten van de blik op Henry's gezicht. Hij had tot dusver een erg veilig leven gehad en deed alles volgens de regels. Zelfs een kleine, onschuldige inbreuk daarop gaf al een verrassende kick. 'Heb je zin om wat te gaan drinken als je klaar bent?' vroeg hij.

'Als jij betaalt,' zei ze. 'Ik heb niet zo'n goede dag vandaag.'

'Met alle plezier,' zei hij. 'Ik zal je zelfs mee uit eten nemen, als je wilt.' Toen hield hij haar een briefje van twintig voor. 'Pak aan,' zei hij. 'Ik heb wel een goede dag.'

'Hoe weet jij nou wanneer je een goede dag hebt? Jij hoeft om zes uur je fooien niet te tellen.'

'Ik hoef niet altijd geld te verdienen om een goede dag te hebben,' zei hij. 'Soms heb ik behoefte aan andere dingen.'

Ze staarde slecht op haar gemak naar de grond en ging toen weg, en

Robert stortte zich op zijn werk, in de hoop dat het zijn aandacht voldoende zou opeisen om de rest van de dag voorbij te laten vliegen.

Om zeven uur trof hij haar in de entreehal, waar ze een praatje maakte met de jongens van de beveiliging terwijl drommen gebruinde mannen in katoenen broeken en polo's, en vrouwen in zomerjurkjes met sneakers eronder, hun schoenen in een tas, zich de deur uit haastten. Toen Sally hem zag, lachte ze en wuifde komisch, als van over een uitgestrekte vlakte. Dichterbij gekomen zag hij dat ze haar handen had schoongeboend, haar lippenstift had verfrist en haar sneakers had verruild voor sandalen. In plaats van het met schoensmeer bevlekte blauwe T-shirt waarin hij haar eerder op de dag had gezien, had ze een schone roze aangetrokken. Ook de kist was verdwenen; de schoenpoetsers zetten die in een voorraadkast bij een investeringsbank die de allereerste klant was geweest van het bedrijf. Ze zag er zo opgewekt en optimistisch uit, zo fris en levendig. Hij kende haar nu al maanden en had haar nog niets eens op de mond gekust. Hij sloeg zijn arm bezitterig om haar taille, en een paar heerlijke seconden lang voelde hij haar heupen tegen de zijne. Toen, voordat ze een woord had kunnen zeggen, loodste hij haar de deur uit en de trap af naar een gereedstaande taxi.

45

Robert komt in aanmerking voor compagnon

In het najaar kwamen zijn vrouw en dochter terug, en hij begon weer lange dagen te maken. In september ontmoette hij Sally een paar keer na het werk voor een snel drankje en ging dan terug naar kantoor, waar hij bijna elke avond tot elf of twaalf uur bleef. Maar in oktober zag hij Sally helemaal niet na het werk – er bestond geen 'na het werk' voor hem; hij maakte dagen van vijftien uur, kwam pas tegen middernacht thuis en viel in bed. Nog erger was dat ze in oktober haar dagen op kantoor verminderde en het werk deelde met een ander meisje, met de verklaring dat ze moest repeteren voor haar voorstelling. Haar komst op woensdag werd nu het hoogtepunt van zijn week, het enige moment dat hij de deur dicht kon doen en volledig zichzelf zijn. Ze wisten nu dingen over elkaar, persoonlijke dingen, en dat besef creëerde een intimiteit die, slechts één keer per week ervaren, in een klein raamloos kantoor, door een man die zich nu nog maar bitter weinig vrije tijd veroorloofde, prikkelend aangenaam was, zo aangenaam zelfs dat hij haar altijd langer liet blijven dan gepast was. Hij besefte dat dit volgens de zelfhulpboeken emotioneel overspel was. In dit tijdperk van verhoogde seksuele angst – en het onontkoombare feit dat seks gevaarlijk kon zijn, dodelijk zelfs – hoorde je die term overal. Maar toch, hij was jurist en kende het belang van technische details. Aan emotioneel overspel werd niet zwaar getild, dat was niet het soort overspel waarop zijn huwelijk zou stuklopen. Althans, dat dacht hij. En zodra ze weg was en hij de deur sloot, wist hij zijn hoofd weer bij zijn werk te houden; daar was hij altijd goed in geweest, en dus werkte hij en sloot zich af voor de rest.

Thuis was iedereen ervan doordrongen dat Robert voor de nabije toekomst een soort contractarbeider was: in de komende negen of tien maanden zou hij compagnon worden of verdoemd zijn. Crea ging alleen of met vrienden naar benefietvoorstellingen en evenementen voor goede doelen, en overdag hadden zij en haar vriendinnen afspraken met cateraars en evenementplanners en brachten hun tijd door met het maken van schema's voor de tafelschikking en het aanbrengen van een persoonlijk tintje op honderden uitnodigingen voor goede doelen – voor haar was het ook een drukke tijd. Hij bracht Gwen nu 's ochtends naar school om wat extra tijd met haar te hebben en zag het met lede ogen aan wanneer ze met een sprongetje uit zijn auto stapte, nu al verlangend om alleen te zijn. Hoe kon het ook anders gezien het feit dat ze haar zo vaak aan andere mensen hadden toevertrouwd en ze al sinds haar derde jaar op school zat?

Maar voor Gwens eerste Halloween had hij beloofd om met haar langs de deuren te gaan, en hij probeerde zijn beloften aan haar na te komen, ook al lukte hem dat niet altijd bij anderen. Het jaar ervoor was ze ziek geweest op Halloween en waren ze weken lang bezig geweest, zo leek het althans, om dat goed te maken, dus dit jaar waren Gwens verwachtingen extra hoog gespannen. Aanvankelijk was hij ook enthousiast geweest, maar na tien minuten snoep ophalen besloot hij dat Halloween meer iets voor de voorsteden was. 's Avonds bij vreemden aankloppen, zelfs in zijn chique wijk, gaf hem een hoogst onbehaaglijk gevoel. Te veel tieners, te veel boomlange jongens die naar je toe kwamen rennen om je iets in het gezicht te schreeuwen, en dan dat snoepgoed – wisten mensen dan niet dat dat verpakt hoorde te zijn? Hij zou de helft weer van haar in beslag moeten nemen.

Gwen, verkleed als ballerina, leek geen enkele angst te kennen, en voordat hij haar kon tegenhouden, liep ze recht op een dakloze man af en vroeg hem naar zijn kostuum, dat onder meer bestond uit één schoen en een overhemd zonder knopen. De reactie van de man was een binnensmondse verwensing. Robert trok Gwen snel in zijn armen en liet toen een dollar vallen in de verfomfaaide doos bij zijn voeten en ging er haastig vandoor. Brachten ze haar op die exclusieve, particuliere school dan helemaal niets bij over de gevaren van de grote stad? De andere ouders die voorbij kwamen verkeerden in een soortgelijke angsttoestand. Hij kon het zien aan hun gezicht, hun gereserveerde groet en hun waakzame ogen. Hij jakkerde haar door het hele gedoe heen en had amper twee straten en een paar restaurants met haar afgewerkt voordat hij, een uur voor haar bedtijd, alweer op huis aan ging. Ze trok aan zijn arm en zei dat hij een mopperkont was.

Toen ze dichter bij huis kwamen, zag hij een hele menigte op de treden bij de voordeur staan, hoofdzakelijk volwassenen en tieners met hier en daar wat kinderen ertussen; ze hielden kussenslopen en plastic zakken voor zich om het snoepgoed in ontvangst te nemen en wrongen zich met wijd opengesperde ogen in allerlei bochten om eens goed naar binnen te kijken.

'Waarom ben je alweer zo snel terug?' vroeg Crea vanuit de hal, waar ze May had geholpen bij het uitdelen van Snickers. Robert, met Gwen op de arm, baande zich een weg door de mensen. Gwen liet zich uit zijn armen glijden en ging op een holletje naar haar moeder om te vragen of zij een tweede poging met haar wilde doen, nog een paar minuten in nog een paar straten, en het gezicht van Crea klaarde helemaal op omdat haar dochter háár eens iets vroeg.

'De sfeer op straat bevalt me niet,' zei Robert. 'Ik vind het wel mooi geweest zo.'

'Gloria Wardell had gezegd dat jullie naar haar huis konden komen,' zei Crea. 'Heb je het daar geprobeerd?'

'Ik had geen zin om helemaal naar Central Park West te gaan,' antwoordde Robert.

'Ze gaan de deuren langs voor snoep in het gebouw en daarna is er ijs voor iedereen in een kamer beneden.' Zijn dochter stond op en neer te springen en smeekte of ze erheen mocht.

'Als jij zin hebt om te gaan, moet je dat vooral doen,' zei hij. Gloria Wardell was de schoondochter van de inmiddels gepensioneerde compagnon van haar vader en Crea's beste vriendin, dat was ze in elk geval geworden sinds Crea Claudia min of meer had laten vallen omdat ze haar nieuwe gewoonten afkeurde. De Wardells hadden geen kinderen en hadden zichzelf op de een of andere manier tot de peetouders van Gwen benoemd.

Toen ze weg waren, hoorde Robert een geluid en zag toen een vreemde vrouw in de woonkamer die iets begon te vragen over een schommelstoel alsof ze een rondleiding door het huis kreeg. Snel escorteerde hij de vrouw naar buiten en hij vroeg May te stoppen met snoep uitdelen en zei dat ze naar huis kon gaan; het kindermeisje was gelukkig naar een feest. Hij sloot alle ramen en de deuren en ging daarna naar zijn studeerkamer om nog wat te werken, maar hij keek regelmatig uit het raam, wachtend op de terugkeer van zijn vrouw en dochter.

Hij dacht aan de jaren waarin hij op een taxi had gereden zonder angst te kennen en op alle mogelijke en onmogelijke uren naar Harlem en de South Bronx was gereden. Hij had toen minder te verliezen gehad, maar er speelde nog iets anders mee. Waarom voelde de stad zo onveilig terwijl er zo veel geld binnenstroomde in New York? Met een ziekte die niemand kon genezen, een explosie van dak- en thuislozen en een legertje zelfbenoemde burgerwachten die de metro bewaakten, terwijl ze er in zijn ogen net zo eng uitzagen als de criminelen. Urenlang, leek het wel, bleef hij uit het raam staren totdat hij eindelijk een taxi zag stoppen voor het huis; hij zag Crea's been half uit het portier steken terwijl ze afrekende met de chauffeur, toen stapte ze uit en hielp zijn dochter hetzelfde te doen. Waarom voelde hij zich uitgerekend nu zo gespannen, terwijl zijn dochter nooit in een metro hoefde te stappen en al hun dure spullen werden geleverd met een verzekering en een alarm, alsof hij wakker was geworden in het verkeerde leven – een leven dat werd geleefd achter autoruiten en afgesloten deuren? Hij zag nu, in tegenstelling tot toen, hoe fragiel de hem omringende wereld was, de wereld die zijn dochter plotseling en zonder zijn toestemming was binnengegaan.

46

Eindelijk kerst

Het regende mannen, en de diepe, volle stem van de zangeres gebood: 'Rip off the roof and staaaay in bed!' toen de jonge juristen en de assistenten hun jasje en schoenen uittrokken en met hun handen in de lucht de dansvloer op gingen en terugzongen: 'Rip off the roof and stay in bed!' Sommigen sprongen hoog in de lucht terwijl anderen zich draaiend en twistend diep door de knieën lieten zakken.

'Ik dacht dat je zei dat de meeste mensen zich hier ongelukkig voelden,' fluisterde Crea.

'Denk je dat gelukkige mensen zo zouden drinken en dansen?' zei Robert terug.

Crea, die haar atletische figuur op zijn voordeligst liet uitkomen in een mouwloze, lichtblauwe zijden jurk, boog zich naar voren en tuurde om het beter te kunnen zien. Ze had een bril nodig, maar wilde dat niet toegeven. 'Ik geloof dat je gelijk hebt,' antwoordde ze. 'Ze lijken wel half getikt.'

De band was gekozen door de jongere partners, in de hoop de jaarlijkse kerstviering een beetje op te peppen. Het Pierre, gunstig gelegen, zou altijd een bezadigde entourage blijven, maar de grote zaal was versierd met slingers en spandoeken met de tekst PRETTIGE KERSTDAGEN EN EEN GOED UITEINDE, A, L & W! Op alle tafels stond een woud van gebladerte, bloemstukken die ervoor zorgden dat alles er groen en feestelijk uitzag, maar die je ook elk zicht op de andere kant van de tafel benamen, alsof het voeren van een conversatie bij dergelijke gelegenheden al niet hachelijk genoeg was.

De secretaresses en het ondersteunend personeel, met hun man of vrouw of partner, zaten aan de tafels aan de buitenrand van de zaal. De meesten hadden al heel wat kerstvieringen meegemaakt. Sommigen zouden uiteindelijk de dansvloer op gaan, maar pas tegen het einde, wanneer de oudere compagnons al waren vertrokken. Een paar van hen wiegden al heen en weer op hun stoel, alsof ze aan de warming-up bezig waren, maar ze bleven zitten, dronken wat en praatten met elkaar. Slechts een enkele jurist ging ernaartoe om ze te begroeten, en Robert was een van hen. Hij schudde Hayward van de postkamer de hand, kuste Lola, zijn secretaresse, en knikte toen haar man, Rafael, hem de foto's in zijn portefeuille liet zien van een klein meisje met weinig haar en een grote roze strik om haar hoofd. Toen wenkte hij Lola mee naar een hoekje om haar alvast de kerstbonus te geven, zodat ze met de feestdagen niet krap zou komen te zitten; hij wist dat er elk jaar over gemopperd werd dat het geld pas zo laat kwam, en daarom schoot hij het meestal uit eigen zak voor en liet het dan stilletjes terugstorten op zijn rekening door iemand van de loonadministratie. Lola bedankte hem en stak de envelop in haar handtas terwijl ze haar man een veelbetekenende blik toewierp. Hij kende die blik van opluchting; die had hij in zijn leven al zo vaak gezien.

De maaltijd voldeed niet aan Crea's normen: de ribkotelet was droog, liet ze Robert weten, en de groenten waren niet gaar genoeg, maar bij de uitstekende chocoladesoufflé die als nagerecht werd geserveerd vrolijkte ze weer een beetje op. Hij stemde in met wat ze zei; ze waren bijna altijd eenstemmig in het openbaar, waren aanhankelijk en complimenteus tegen elkaar en zouden die avond naar huis gaan en waarschijnlijk de liefde bedrijven. Sommige mannen gingen vreemd omdat ze thuis geen seks kregen, maar gebrek aan seks was nooit een probleem geweest in zijn huwelijk – het was meer een extraatje, een zoethoudertje om ervoor te zorgen dat de deal niet spaakliep. Crea en hij ruzieden altijd vaker in deze tijd van het jaar. Zij wilde een boom, maar hij niet. Hij wilde Chanoeka vieren, en dat weigerde zij. Hun compromis was een kwijnend boompje, dat nu in de erker stond, waarvan de dunne takken zelfs onder de kleinste versierselen al doorbogen. Robert gaf Gwen op Chanoeka een drejdel en wat chocolademunten, maar zonder context sloeg het nergens op en de nieuwigheid ervan viel in het niet bij de bijna vier meter hoge boom die in Jacks woonkamer in Tuxedo stond, met talloze zilver- en goudkleurige doosjes van folie, en de belofte van bergen speelgoed dat onder de boom lag opgestapeld.

'Waar is Saldana?' vroeg Phillip Healey. Hij was naast Roberts stoel komen staan. 'Ik verheug me er al op om de Miss Buenos Aires van dit jaar te zien.'

Mario's stoel was onbezet, maar hij kwam ook meestal pas laat naar dit soort aangelegenheden. Elk jaar kwam hij met een ander Latijns-Amerikaans model met een diepe rokersstem en een zwaar accent, de een nog slanker en schaarser gekleed dan de ander. In plaats van de naam te onthouden werden ze door zijn collega's allemaal Miss Buenos Aires genoemd. Mario was nog altijd een opvallend goed geklede man met een voorliefde voor felle kleuren, woonde nog steeds in Prince Street in een zolderappartement dat hij tijdens zijn studie had gekocht, en reed nog steeds in een zilverkleurige Porsche Carrera zonder zich veel aan te trekken van de snelheidslimiet. Maar wat tien jaar geleden als overdreven, buitenlands en merkwaardig werd beschouwd – zijn opvallend modieuze kleding, het ontbreken van een vaste relatie, per se in het centrum willen wonen – was nu in een ander licht komen te staan. Robert wist niet of Mario bewust aan zijn pr had gewerkt, wat onder meer inhield dat hij zich publiekelijk met uiterst aantrekkelijke vrouwen vertoonde, of dat hij zich eenvoudigweg gelukkig mocht prijzen dat hij de veranderende tijden meehad. Maar tegenwoordig was hij de *GQ*-donjuan van het kantoor, een man die de afgelopen tien jaar de trends leek te hebben begrepen nog voordat ze zich hadden gemanifesteerd.

Roberts blik dwaalde door de zaal en bleef rusten op Jack Alexander, die van tafel naar tafel ging en glimlachend handen schudde als een zeventigjarige bar mitswa-jongen. Jonge medewerkers en partners vielen niet langer stil wanneer Robert een kamer binnenkwam – ze waren jaren geleden al tot de slotsom gekomen dat Robert geen enkele invloed had op Jack – integendeel, hij moest zich voortdurend teweerstellen tegen Jacks hardnekkige neutraliteit en de boodschap die daarvan uitging. Hoe minder Jack betrokken was bij Roberts carrière, hoe vastbeslotener Robert werd om zichzelf te bewijzen, en dat was ongetwijfeld precies waar zijn schoonvader op uit was. Geen enkele andere medewerker kostte het zo veel moeite om medestanders te vinden of iemand die goede raad wilde geven. Nu Robert zijn lot in Mario's handen had gelegd of, beter gezegd, nu Mario zich over hem had ontfermd, trokken die twee – jong, knap en financieel onafhankelijk – de aandacht. Nu de markt weer opleefde, was de afdeling vastgoed sexy geworden, net zoals fusies en overnames nu sexy waren bij kantoren die grote bedrijven als klant hadden, en Robert en Mario waren daarvan de mascottes. De twee mannen werden benijd, en misschien wel een beetje gehaat, omdat hun leven er in de ogen van anderen zo goed uitzag.

Robert was zich er net zo goed van bewust als iedereen dat een imago zijn eigen waarheid creëert, dus toen Healey naar Mario informeerde, haalde hij zijn schouders op en glimlachte schaapachtig, alsof hij wilde impliceren dat Mario god mocht weten wat in zijn schild voerde. Toen zag hij, met enige opluchting, de jonge partner over de dansvloer lopen terwijl hij een elegante vrouw in een minuscuul, met rode lovertjes bezet jurkje meevoerde. Terwijl ze door de menigte liepen, draaiden alle hoofden zich om.

'Je hebt het eten gemist,' zei Healey, toen het paar dichterbij kwam.

'We hebben al gegeten,' antwoordde Mario, die zijn arm om de taille van het meisje sloeg. 'Dit is Graciella.' De jonge vrouw gaf eerst Phillip en vervolgens Robert een slap handje. Haar huid voelde ijskoud.

Ze zei iets in zwaar geaccentueerd Engels dat Robert niet kon verstaan. Ze was langer dan Mario en boog zich iets omlaag om hem wat in het oor te fluisteren.

'Ze wil dansen op Madonna,' zei hij. 'Eerst moeten we even een paar mensen gedag zeggen, *amor*.' Ondanks zijn goed gecultiveerde verschijning – het achterovergekamde haar, het zwarte Armani-kostuum, een kakikleurig overhemd, geen stropdas – zag Mario er moe uit, met zware wallen onder zijn ogen. Robert vroeg zich af waar hij geweest was, maar voor hij het hem kon vragen, gingen Mario en zijn vriendin mensen begroeten.

Phillip Healey kletste wat met Robert en klapte uit de school over een cliënt die een zeer publieke echtscheiding doormaakte. Healey had meer dan eens gesuggereerd dat hij Mario zou steunen wanneer die Robert voordroeg als compagnon, maar Robert vertrouwde hem niet. Hij had eigenlijk nooit iemand gesteund, tenzij die persoon al de steun van iedereen had; de enige voor wie hij zijn nek uitstak was Phillip Healey. Robert keek om zich heen en vroeg zich voor de zoveelste keer af op wie hij kon rekenen. Was Mario invloedrijk genoeg, gewaardeerd genoeg, om zijn zaak te bepleiten? De werkelijk onberekenbare factor was Jack, die net naar hem toe kwam. Als Jack zich voor eens en altijd voor Robert zou uitspreken, zou alles in orde komen en zou hij in een mum van tijd promotie maken. Als hij het Crea zou vragen, zou ze ingrijpen – ze was een van de weinige mensen met macht over Jack – maar Robert wilde het gevoel hebben dat hij het had verdiend om partner te worden, dat het was opgevallen dat hij een harde werker was en dat hij al die moeite niet voor niets had gedaan.

'Phillip, ik heb je daar nog helemaal niet gezien,' zei Jack, gebarend in de richting van de dansvloer.

'Mijn ischias,' zei Healey. 'Mannen die de hele dag zitten, gaan niet meer zo gauw uit hun dak.'

'Leuke avond, pap. Die zangeres is echt top,' zei Crea; ze keek naar hem op en pakte zijn arm vast. Zijn gezicht ontspande zich tot een brede glimlach.

'*Shout, shout, let it all out!*' brulden de zangeres en haar backingkoortje. De menigte op de dansvloer stampte luid met hun voeten. '*These are the things I can do without...*'

'Tears for Fears,' zei Crea. 'Dat is de naam van de groep.'

'Dat klinkt als de leus voor een opstand,' zei Jack.

De dansers hadden meer weg van robots dan rebellen, met hun door het lastige ritme telkens onderbroken gedans. Alleen de vriendin van Mario Saldana, die ze vlakbij konden zien dansen, bleek een goed ritmegevoel te hebben. Robert, Crea en Jack keken met belangstelling naar haar. Haar glinsterende jurk leek als een tweede, golvende huid met haar mee te bewegen wanneer ze met haar achterste schudde. Haar benen waren eindeloos en hoewel haar bewegingen vreemd waren, leken ze goed samen te gaan met de muziek.

'Zit die vriendin van Saldana soms bij de Martha Graham Dance Company?' vroeg Jack, precies toen er een kelner voor Robert kwam staan om Crea's lege wijnglas nog eens te vullen. Toen de kelner wegging, was de menigte op de dansvloer ineens onverklaarbaar stil geworden. Iemand riep: 'Bel een ambulance!' Het licht ging aan en Jack holde naar voren om de situatie in ogenschouw te nemen. In de fractie van een seconde dat Robert niet had gekeken, was Mario Saldana in elkaar gezakt en hij lag nu bewusteloos op de grond.

47

Terug op kantoor

Toen de juristen de volgende ochtend laat en katerig op kantoor kwamen, vond iedereen een memo, dat op alle bureaus in het twee verdiepingen tellende kantoor was neergelegd, waarin werd uitgelegd dat Mario Saldana een virale hersenvliesontsteking had opgelopen en in het ziekenhuis lag. Het kantoor had al een bloemstuk gestuurd en in het memo stond het adres van het Upper East Side-ziekenhuis en zijn kamernummer, voor het geval mensen een kaartje wilden sturen of op bezoek wilden gaan. Het memo was met zorg verwoord; het vermeldde dat virale meningitis het minder ernstige soort was, weliswaar besmettelijk, maar niet meer dan elk ander koutje of virus. Er werd hun aangeraden om hun handen regelmatig te wassen en naar de huisarts te gaan als ze plotseling koorts kregen. Robert kwam kort na negen uur en las het memo over de schouder van de receptioniste voordat hij door de gang naar zijn kantoor liep. Onderweg passeerde hij Wilton Henry en twee medewerkers die dicht op elkaar stonden te fluisteren. Ze keken naar hem toen hij voorbijkwam, en hij knikte en zei goedemorgen.

Kort nadat hij met zijn secretaresse had gesproken, zette Robert zijn spullen neer en liep snel door diezelfde gang naar het kantoor van Jack Alexander. Het was nu twintig over negen en hoewel alle deuren gesloten waren, zag hij door de facet geslepen glaspanelen – een decoratief element naast elke deur, dat niet alleen diende om de gangen een voornaam aanzien te geven, maar ook om medewerkers scherp te houden – dat de meesten aan het bellen waren. In tegenstelling tot zijn collega's had Robert geen tijd voor geroddel of een paniekerig telefoontje naar de huisarts – hij was ontboden. Hij was altijd gespannen voor dit soort besprekingen in Jacks kantoor, hoewel het er in de loop van de jaren maar weinig waren geweest.

Jacks kantoor was al een hele poos geleden gemoderniseerd van de minimalistische look uit de jaren zeventig tot de minimalistische look uit de jaren tachtig. Aan de muur hingen nu gigantische abstracte doeken bespat met dikke kringen van bruin, zwart en oker, met hier en daar dreigende zachtpaarse vlekken. Tussen twee donkerbruine leren banken stond een eenvoudige, vierkante stalen tafel. Jack liet Robert plaatsnemen in een armloze stoel tegenover zijn inmiddels stalen bureau, maar ging zelf niet zitten; hij ging bij de ramen aan de andere kant van de kamer staan.

'Ik neem aan dat je het memo over Mario hebt gekregen,' zei Jack.

'Ja,' zei Robert. 'Weten we al hoe lang hij uit de running zal zijn?'

'Minstens een week, waarschijnlijk langer,' zei hij terwijl hij terugliep naar het bureau en plaatsnam. 'Ik heb die vriendin van hem gesproken, maar ze was moeilijk te verstaan.'

'Graciella,' mompelde Robert.

'Aangezien Saldana en jij heel nauw samenwerkten en jij Spaans kunt spreken met zijn Venezolaanse klanten, zul je een deel van Mario's werk moeten overnemen. Ik weet dat het een extra belasting is, maar het is maar voor een poosje en, nou ja, het is ook een kans.'

Robert knikte, onzeker hoe hij moest reageren.

'Kies wie je wilt om je te helpen. Elaine is goed, hè? En Phillip Healey zal natuurlijk beschikbaar zijn als je vragen hebt.'

Robert fronste zijn wenkbrauwen. 'Ik ben blij met het vertrouwen dat u in me stelt,' zei hij. 'Maar toen u zei dat dit een kans was, neem ik aan dat u bedoelt dat ik dit jaar in aanmerking kom om partner te worden?'

'Dat had ik eigenlijk al met je willen bespreken.'

'O?' Robert ging op het puntje van zijn stoel zitten.

'Je bent hier gerespecteerd, Robert, omdat je dat respect zonder mijn tussenkomst hebt verworven, en dat was precies wat me voor ogen stond. Ik weet dat het zwaar is geweest voor je. Maar je moet het opnemen tegen een aantal uitstekende kandidaten. Het zal een moeilijke beslissing worden, en eerlijk gezegd zou het raadzaam zijn om beter op je tellen te passen.'

'Als ik nog beter op mijn tellen moet passen, meneer, komt er niets meer uit mijn handen.'

'Wat moet ik ervan denken dat jij een schare halfnaakte meisjes uitnodigt die hier hun diensten aanbieden?'

'Doelt u op de schoenpoetsmeisjes?'

Hij knikte. 'Daar ben ik niet over geraadpleegd.'

Was dit nu echt wat Jack dwarszat? Terwijl de schoenpoetsmeisjes al maanden bezig waren? Was hij niet goed bij zijn hoofd? Robert werd ineens bekropen door het griezelige gevoel dat de introductie van de schoenpoetsmeisjes de ware reden was dat Jack hem wilde spreken en niet Mario's ziekte. Healey was de aangewezen persoon om hem opdrachten te geven; er was geen enkele reden voor de bemoeienis van Jack. 'De meisjes poetsen schoenen,' zei Robert. 'U wilt vast dat uw medewerkers er professioneel uitzien.'

'Mijn medewerkers kunnen hun schoenen in hun eigen tijd laten poetsen in Grand Central of op straat. Ze dragen een kostuum, maar ik laat ook geen kleermakers op kantoor komen.'

'Er is wel een service die stomerijgoed ophaalt en aflevert.'

'Dat is zodat onze mensen kunnen overwerken en zich geen zorgen hoeven te maken over hun kleding.'

'De schoenpoetsmeisjes hebben de sfeer enorm verbeterd, dat is u toch vast wel opgevallen?' vroeg hij. 'Op maandag en woensdag is iedereen in een veel betere stemming.'

'Stripdanseressen op de gang zouden de stemming nog veel meer kunnen verbeteren. Maar zo'n soort sfeer wil ik niet op kantoor – er wordt over gepraat. Het is niet goed voor ons prestige.'

'Waarom hebt u ze de toegang dan niet ontzegd?' vroeg Robert.

'Omdat een aantal partners me dat heeft ontraden.'

Robert probeerde vergeefs een glimlach te onderdrukken. 'We kunnen er ons voordeel mee doen, echt waar. We staan bekend als nogal, eh, conservatief. Ik denk dat die reputatie de personeelswerving in de weg staat.'

'Bedoel je dat we tweederangs juristen aantrekken?'

'Nee, dat bedoel ik niet. Maar de sfeer kan nogal deprimerend zijn, zelfs met al die prachtige kunst. De glaspanelen naast de deuren werken een soort paranoia in de hand. Niemand lacht en er wordt zelfs amper geglimlacht.'

'Waar vind je gelukkige juristen, Robert?' snauwde Jack hem toe. 'Misschien zie je er een paar op het strand in Hawaï.' Met een zucht stond hij op, keerde Robert de rug toe en liep terug naar het raam. Toen hij zich weer omdraaide naar Robert was zijn toon bewust beheerst, zijn stem zacht. 'Het kan me niet schelen of mijn mensen opgewekt of somber zijn – hun geestestoestand gaat me niet aan. Voor mij telt alleen dat ze productief zijn. En gluren in het truitje van een rondborstig meisje maakt juristen niet productiever, dat zorgt alleen maar voor afleiding!' Hij gebaarde naar de deur om Robert duidelijk te maken dat hun gesprek ten einde was.

Binnen tien minuten na zijn gesprek met Jack werd Robert begroet door een van de jongens van de postkamer, die stapels dossiers van Mario op de grond van zijn kantoor liet ploffen. Afgezien van de omvangrijke computermonitor met bijbehorend toetsenbord was er nu nauwelijks nog een plekje op zijn bureau of de grond dat niet door paperassen in beslag werd genomen. Toen de jongen wegging, werd er aangeklopt door een meisje, dat vroeg of hij zijn schoenen wilde laten poetsen.

Deze heette Augusta en ze was klein en androgyn; ze had glanzend, piekerig zwart haar en beide oren zaten van boven tot onder vol met piercings.

'Is Sally nog steeds ziek?' vroeg hij terwijl hij haar zijn schoen toestak. Sinds twee weken was ze helemaal niet meer bij A, L & W geweest.

'Ze is nooit ziek geweest,' zei Augusta, die haar kist met een klap neerzette. 'Ik had toch al verteld dat ze dit bedrijf niet meer doet. Weet je hoe vaak me op een dag wordt gevraagd waar Sally is? Ik zweer je dat het op mijn zenuwen begint te werken.'

'Sorry,' zei hij, terwijl ze zijn schoen op de voetsteun zette en hem begon in te smeren met schoenpoets, waarbij ze per ongeluk een vlek op zijn sok maakte. Hij deed alsof hij het niet gezien had. Sally had niet gereageerd op de boodschappen die hij bij haar bedrijf had achtergelaten – thuis had ze een geheim nummer – en evenmin op de briefjes die hij had afgegeven bij de portier. Op een avond was hij in de entreehal gaan zitten terwijl hij het werk van een junior medewerker doorlas om te wachten tot ze zou thuiskomen; na veertig minuten had hij het ten slotte opgegeven.

'Zit ze in een ander toneelstuk?' vroeg hij, toen het meisje zijn voet kordaat op de grond zette.

'Wat?'

'Sally, zit ze in een ander toneelstuk?'

'Ik verstrek geen persoonlijke informatie,' zei ze, en ze ging verder met haar werk.

Haar huur kwam nog steeds elke maand binnen, een postwissel in een envelop met een New Yorks poststempel, maar zonder zelfs maar een begeleidend briefje.

'Ze is toch niet ziek, hè?'

'Voor de laatste keer! Ik weet helemaal niets over haar!' snauwde Augusta. Ze was bijna in tranen. 'Ik neem nu al drie weken haar adressen over en de fooien zijn nog steeds beroerd. Zelfs met kerst! Ik moet toch ook eten.' Ze zette zijn schoen op de lap en begon hem schoon te maken zonder verder nog een woord te zeggen.

'Je hebt gelijk,' zei hij. 'En ik zal je wat vertellen. Ik betaal voor twee. Wat vind je van tien dollar?'

'Wat moet ik daarvoor doen?' vroeg ze.

'Ik wil iemand een poetsbeurt cadeau doen. De man in het grote kantoor, als je binnenkomt rechts. Laat je niet afschrikken door de schilderijen.'

'Leuk,' zei ze, opgemonterd. 'Enge kunstwerken.'

'En laat je niet afpoeieren door de secretaresse. Je bent assertief genoeg.' Hij gaf haar tien dollar. 'En Augusta, vergeet niet om meneer Alexander te vertellen dat het van mij komt.'

Na het werk ging Robert naar het ziekenhuis, onder andere in de hoop meer informatie te krijgen. Mario lag te slapen in een grote privékamer – groot naar de normen van Manhattan – terwijl Tracey in een stoel bij het raam zat te dommelen. Mario was aangesloten op een infuus en een apparaat – zuurstof? Robert wist het niet precies. Boven hen beiden, aan de muur, was de televisie zonder geluid afgestemd op *Jeopardy*. Het bezoekuur was al bijna afgelopen. Hij liep naar de hoek en schudde Tracey wakker. 'Wie ben jij in godsnaam?' vroeg Tracey terwijl hij lachend overeind ging zitten.

'Het is een mooie kamer,' fluisterde Robert, die op de stoel tegenover hem ging zitten.

'Je hoeft niet te fluisteren; hij slaapt zo vast dat ik heb gecontroleerd of hij nog wel ademde.'

'Ik wist niet of je hier wel zou zijn,' zei hij. Mario was al in geen maanden in Tuxedo geweest en Robert had aangenomen dat hij uit de gratie was geraakt, of erger.

'Ik begon hem een beetje beu te worden. Misschien wel omdat hij altijd zo moe was. Maar ik zou een vriend in nood nooit in de steek laten.'

'Hoe is zijn toestand?'

'Hij is uitgedroogd, zijn temperatuur was 39,4. Ze dienen hem vocht toe en een soort pijnstiller, zodat hij kan slapen. De hoofdpijn was zo erg dat zijn gezichtsvermogen wazig werd.'

Op dat moment kwam er een blonde verpleegkundige met een paardenstaart binnen; haar mondkapje hing slap onder haar kin. Ze kwam bloed afnemen.

'Waarom gaan we niet even naar de cafetaria?' stelde Tracey voor. 'Ik heb de hele dag nog niets gegeten. Even snel.'

'Het bezoekuur is bijna afgelopen. Ik wil hem op zijn minst even gesproken hebben.'

'Maak je daar maar geen zorgen over. Ik heb hier enige invloed,' zei hij. 'Ik heb ook speciale privileges geregeld voor Graciella.'

'Wat heb je gezegd dat zij van hem was?' vroeg Robert toen ze naar de lift liepen.

'Zijn vriendin.'

'Ja, zo kun je het ook noemen,' zei Robert zachtjes.

'Graciella is een econome uit Paraguay, Vishniak,' zei Tracey terwijl hij op de liftknop drukte. 'Ze is hoogst intelligent, dat zegt Mario althans; ik versta geen woord van wat ze zegt.'

De deuren gingen open met een pinggeluid. De lift was leeg en de twee mannen stapten naar binnen, toen sloten de deuren zich weer. Robert draaide zich om en keek Tracey aan. 'Is hij getest?'

'Getest op wat?' vroeg Tracey.

'Op aids,' zei Robert korzelig. Hij had er al een lange dag op zitten. Hij was niet in de stemming voor flauwekul. 'Weet je nog? Een nieuwe ziekte die geen moment saai is? Ongeneeslijk? Waar iedereen het over heeft?'

'Het is een virale hersenvliesontsteking,' zei Tracey kalm. 'De artsen waren duidelijk. Er was geen test nodig.' De liftdeuren gingen open en ze stapten uit. Tracey sloeg rechts af een verlaten gang in en Robert liep mee. 'Als je zo'n gerucht in omloop brengt, ruïneer je zijn leven. Begrepen?' Zijn stem was zacht en gespannen en op zijn voorhoofd zwol een ader op, als een bliksemschicht. 'Wil je zijn leven ruïneren? En bovendien je kans schaden om partner te worden? Hij is je grootste medestander. En hoe denk je dat je zijn steun hebt weten te krijgen?'

'Omdat ik Spaans spreek?' opperde Robert. 'En ik ben goed in mijn werk.'

'Omdat ik hem heb aangemoedigd je onder zijn hoede te nemen,' zei Tracey. 'Je bent ongetwijfeld een uitstekend jurist; dat heeft Mario ook met zo veel woorden gezegd. Maar naar wat ik gehoord heb, is het er een slangenkuil, en je hebt hem nodig.'

Robert wist dat Tracey gelijk had en besefte ook dat hij hem voor het hoofd had gestoten terwijl hij alleen maar eerlijk had willen zijn.

'Zul je je niet langer gedragen als een bezorgd oud wijf?' vroeg Tracey.

Robert knikte en stak zijn handen omhoog. 'Ik geef me over.'

'Het is niet de Slag bij Appomattox, Vishniak,' zei Tracey. 'En als je je mond niet houdt, loop je het genoegen mis om mij ziekenhuiskost naar binnen te zien werken. En dat zou je toch leuk moeten vinden.'

Robert liep met Tracey mee door de ingang van de Sanford en Genevieve Trace Cardiologie-vleugel, waar ze links afsloegen bij het portret van rechter Harding Trace, terwijl de twee mannen zwijgend naar de imposante, en voorlopig nog naamloze, ziekenhuiscafetaria liepen.

48

Renovaties

Hij was verbaasd geweest toen ze ja zei. Maar ze hadden de hele winter onenigheid gehad en ze probeerde het hem naar de zin te maken, en toen ze als gezin op weg gingen naar Philadelphia, met Robert achter het stuur, voelde hij zich dankbaar, opgewekt zelfs. Crea en Robert zongen folksongs voor Gwen, de liedjes van hun generatie: Simon en Garfunkel, Joni Mitchell, en Peter, Paul and Mary. Daarna wilde ze liedjes die ze op school had geleerd en zongen ze 'Vijf kleine eendjes' en alles wat ze hun verder opdroeg, als een gezin in een Disney-film. Wat een verademing om met elkaar overweg te kunnen, al was het maar voor een paar uur. Crea en hij zongen uit volle borst, zij het nogal vals, en moesten lachen toen hun dochtertje de spot met hen dreef. Als hij had geweten wat er zou komen, zou hij niet gezongen hebben, maar zijn stem hebben gespaard.

Ze waren oud geworden. Toen Robert binnenkwam, kwamen ze langzaam, maar enthousiast, op hem af schuifelen. Sommige kinderen herkende hij niet, die waren van een stel neven en nichten die allemaal een tweede vrouw of man hadden die hij nog nooit had ontmoet. Crea liet zich kussen; ze was niet opzettelijk onbeleefd, daar zou ze niet eens toe in staat zijn. Maar ze had een spel kaarten meegebracht, en toen de vrouwen zich verdrongen rond het eten in de kamer en later in de keuken, haalde Crea dat tevoorschijn en leerde Gwen en het dochtertje van oom Frank een simpel kaartspel. Ja, ze was goed met kinderen, dat werd door iedereen waarderend opgemerkt. Maar ze bleef een groot deel van de avond in dat hoekje zitten, zonder een woord te wisselen met iemand boven de twaalf.

Toen het bijna tijd was voor het dessert, liep Robert bij zijn oom vandaan en ging op de leuning van haar stoel zitten. De kinderen hadden de benen genomen en ze was aan het patiencen. 'Heb je al iets gegeten? Ze zitten daar allemaal op je te wachten.'

'Je moeder mag me niet,' fluisterde ze. 'En die vrouwen zitten allemaal naar me te staren.'

Hij zuchtte. 'Ze kénnen je niet, Crea. En jij moet de eerste stap doen.'

'Waarom? Ik ben de gast.'

'Je bent altijd de hele dag bezig met mensen inpalmen en organiseren en prietpraat verkopen,' zei hij. 'Als je niet opziet tegen het Black and White Ball, hoef je ook niet op te zien tegen de Vishniaks.'

Dat waren twee totaal verschillende dingen, onderstreepte ze. 'Hoe zit het toch met die schilderijen, Robert? Zijn er nu meer? Ik kan me niet herinneren dat het er zo veel waren toen ik hier de vorige keer was.'

'Om de paar jaar gooit ze het hele huis om. Net als jij.' Hij kon een lachje niet bedwingen. 'Je houdt toch van kunst, schat? De oudste schilderijen kreeg je cadeau in ruil voor spaarzegels, weet je nog?' Maar hoe kon zij dat weten? 'Of ze kreeg ze van mensen.'

'Als cadeau?' vroeg ze met hoge stem terwijl ze een kaart omdraaide, toen schudde ze het hoofd. 'Wat een rotkaart,' mompelde ze.

Hij liep weg en ging bij Gwen staan die, buiten haar moeders toeziend oog, een stuk kersentaart in haar mond propte; de taartvulling kleurde haar lippen en kin rood. Gwen probeerde Stacia te vragen of ze haar wilde leren om zelf zo'n taart te bakken, maar kwam niet boven het kabaal uit. Robert moest tussen hen in gaan staan om de vragen en antwoorden heen en weer te brullen als een dolgedraaide tolk; zijn moeder was doof aan het worden. 'Jezus, ma!' schreeuwde hij. 'Kun je geen gehoorapparaat kopen?'

Zijn dochter keek hem aan en wist niet wat ze ervan moest denken. Ze was niet gewend aan deze kant van hem, de kant die hier weer bovenkwam. Hij gaf klopjes op haar schouder. Niet alleen waren ze allemaal luidruchtig, de kamer was ook een erg bont geheel. 'Kleurig,' zei Gwen. In tegenstelling tot Stacia, die van praktische neutrale kleuren hield, gaven de vrouwen uit Northeast de voorkeur aan felle kleuren en glitterende accessoires: broeken van rode velours, blouses met pailletten, tasjes van goudlamé en andere oogverblindende details. Vergeleken met hen zag Crea er in haar donkerbruine suède rok en witte coltrui, bruine laarzen en een eenvoudige gouden ketting uit als een bezoeker van een andere planeet.

Toen de vrouwen naar de keuken verhuisden, zich in dat kleine vertrek propten om te helpen met opruimen, en Crea bleef kaarten, viel bij hem ineens het kwartje. 'Het zijn de recepten, of niet soms?' vroeg hij haar. Ze gaf geen antwoord en draaide gewoon een kaart om alsof ze niets had gehoord. Hij wist dat hij gelijk had. De recepten die Stacia en Lolly voor het verlovingsfeest hadden uitgeschreven op gelinieerde kaartjes van acht bij twaalf. Crea had ze vóór hun verhuizing ergens opgeborgen en had nog steeds geen idee waar. Ze wilde niet dat ernaar gevraagd zou worden. Ze hadden er in acht jaar huwelijk nog niet één enkel gerecht van geprobeerd. Geen braadstuk of *kneidelach*, zelfs niet een simpel maanzaadkoekje. Het kon hem in feite niet zoveel schelen, behalve dat ze altijd de eersten waren als er een nieuw restaurant werd geopend in Manhattan, vooraan stonden om de Mongolische fusionkeuken of een macrobiotisch eethuisje te proberen en zelfs een restaurant dat al het eten in een blender vermaalde tot het vrijwel vloeibaar was. Maar zodra je het over kippensoep met een matzebal had, had Crea last van geheugenverlies.

Om halfnegen lag Gwen ineengedoken op de bank te slapen. Omdat hij de situatie niet langer kon aanzien nam Robert Crea bij de hand en trok haar mee naar de tafel waar het eten stond uitgestald – ze had alleen een kippenvleugel gegeten en een beetje kasha. Terwijl hij naast haar stond en haar dwong om een gesprekje aan te knopen met zijn familie, schreeuwde hij haar antwoorden op hun vragen door en werd steeds heser. Toen raakte hij in één lange kreet zijn stem kwijt, zodat zijn vrouw noodgedwongen voor zichzelf moest spreken. Ze glimlachte en vertelde hun onbenulligheden over het huis – op de een of andere manier kon ze zich nu wel verstaanbaar maken – en ze bogen zich dichter naar haar toe om te horen wat ze over Gwens school vertelde. 'De leerkracht leert ze op de kleuterschool al lezen,' zei Crea, en ze knikten alsof ze had gezegd dat de kinderen naar de maan gingen. De kamer begon zich te ontspannen. 'Ik heb het erg naar mijn zin gehad,' zei ze en ze kuste Stacia gedag, en toen de anderen.

Ze keken elkaar verwonderd aan en vervolgens besloten ze zich tevreden te stellen met dat weinige; ze wilden haar zo graag aardig vinden dat hij het opnieuw hartverscheurend vond.

Het weekend daarna was Crea in Aspen, een uitje dat ze al lang geleden had gepland met haar vriendinnen, die nog een laatste keer lekker wilden gaan skiën. Het was uitgesloten dat Gwen mee kon gaan naar Aspen. Ze werd ziek op die hoogte, net als haar vader. Zij waren dus samen thuis dat weekend. Op zaterdag moest Robert werken – Gwen zou die dag doorbrengen met een vriendinnetje en het kindermeisje – maar hij had de hele zondag voor haar gereserveerd, zijn enige vrije dag. Toen Crea wegging, verwachtte ze tranen, maar Gwen was het gewend om achter te blijven of weg te gaan; ze huilde nooit. En bovendien zou ze haar vader een hele dag voor zichzelf hebben, en dat vooruitzicht vergoedde alles.

Eerst gingen ze naar Upper West Side om Barry's nieuwe appartement te bekijken. Nadat Robert terug was uit Philadelphia, had hij zijn broer opgebeld. Hij had Barry maandenlang nauwelijks gesproken, deels omdat hij het zo druk had en deels omdat hij het bijna niet kon aanhoren om hem op die verontrustende, bezitterige manier over Claudia te horen praten. Maar Robert moest ook toegeven dat hij zijn broer had gemist en bovendien maakte hij zich zorgen om de doofheid van hun moeder. Barry wist al van Stacia's gehoorprobleem; hij ging er bijna elke maand naartoe, voerde hij aan, terwijl Robert maar twee keer per jaar op bezoek ging. 'Mijn reis naar Hongkong was trouwens fantastisch, leuk dat je het vraagt,' snauwde Barry. Maar lang bleef hij er niet over doorgaan. Hij had ander nieuws: Vishniak de hond was dood. Hij was oud, maar toch was het een klap, zelfs voor Robert, die niet eens gesteld was geweest op het dier. Maar die naam, om die naam kon je niet heen.

Barry's appartement was op de hoek van 87th Street en Broadway, een hoekwoning met twee geheel uit ramen bestaande buitenmuren in de slaapkamer. In Roberts ogen verschilde het weinig van alle andere nieuwe gebouwen die de afgelopen tien jaar uit de grond waren gestampt: grote, vierkante kamers, een goedkope, maar fraaie vloer en een keuken met alle mogelijke apparaten, waaronder een dubbele koelkast van het formaat van een kleine auto. Halverwege de rondleiding hoorde Robert twee kinderen in het naastgelegen appartement moord en brand schreeuwen en daarna een moeder die ze op hun donder gaf. Zelfs voor zo'n bedrag konden ze er in deze nieuwe appartementen niet de tijd of het geld voor uittrekken om de muren dikker te maken. Dat was wat het publiek tegenwoordig wilde: snel uit de grond gestampt, groot en anoniem, met een fantastisch uitzicht. Hij vroeg Barry niet wat het gekost had, maar glimlachte op een manier die naar hij hoopte bewondering uitdrukte. Na tien minuten begon Gwen ongeduldig te worden en gingen ze met zijn allen naar het park.

Ze liepen naar Riverside, en omdat Barry wist dat Robert hem vragen zou gaan stellen over de aandelenmarkt, zoals hij altijd deed wanneer ze samen waren, begon hij te vertellen over een effectenhandelaar die Barnett heette. 'Zijn intuïtie is altijd uitstekend,' zei Barry. 'Dankzij hem heb ik net een kapitaal verdiend aan valuta futures. De Zwitserse frank is een goudmijn geweest.'

'De valutahandel is riskant,' zei Robert, die zijn dochter een hand gaf toen ze voorzichtig de lange, kronkelende trap afdaalden die van de straat naar het park in 91st Street voerde.

'Je bent jong. Je kunt je wel wat risico permitteren. Zonder dat word je niet rijk. Dat is wat onze ouders nooit hebben begrepen. Je moet ballen hebben, ballen van staal, om rijk te worden.'

'Ik pieker snel, dat is alles.'

'Ja, jij piekert altijd. Laat het piekeren maar aan mij over.'

'Wat krijgt Barnett nou eigenlijk als tegenprestatie voor zijn uitstekende intuïtie?' vroeg Robert.

'Mijn eeuwige dankbaarheid,' antwoordde Barry. 'Ik behaal resultaat voor je, dat weet je. Anders zou je me nooit zo'n groot deel van je geld toevertrouwen.'

Ja, het was verslavend om elke maand het afschrift open te scheuren, de bedragen te zien stijgen. Op zijn rekening stond nu bijna een kwart miljoen dollar en als hij partner werd, was hij aardig op weg om een rijk man te worden.

'Pappa, kijk!' riep Gwen, die naar het park holde, waar hier en daar al een krokus boven de grond kwam. Vlakbij was een aantal vrijwilligers onkruid aan het wieden en graszaad aan het zaaien. Stelletjes liepen hand in hand; het was de eerste dag die warm genoeg was om buiten te zijn zonder winterjas. Ze liepen zuidwaarts naar een speelplaats bij 83rd Street. De langwerpige speelvijver in het midden van de speeltuin stond droog in maart, maar er was een draaimolen waar Gwen een Russisch jongetje aantrof met zijn vader, die een beetje Engels sprak, en de volwassenen duwden hen beurtelings rond terwijl de kinderen, als echte slavendrijvers, steeds sneller en sneller wilden. Toen het zijn beurt was, begon Robert te zweten en te puffen, maar het was heerlijk om te bewegen in de frisse buitenlucht en toen hij opkeek, zag hij Sally Johannson tussen de bomen door aankomen; ze jogde op een manier die eerder hardlopen was; haar blik recht voor zich uit gericht.

Hij was zo verbaasd dat hij de stang losliet. De draaimolen had voldoende vaart om nog even vaart te houden, maar kwam piepend tot stilstand toen hij haar naam schreeuwde. De kinderen begonnen te mopperen en de Russische man nam het van hem over. Barry en Robert liepen Sally's kant op, die bleef staan en zich omdraaide om te zien wie haar riep.

'Wat een toeval!' zei ze terwijl ze naar hen toe kwam.

'Ik heb mijn schoenen al klaarstaan voor maandag,' zei Barry.

'Kom je wel bij Prudence Brothers? Ik dacht dat je de stad uit was.'

'Wie heeft je dát verteld?' Ze droeg een slobberige grijze trainingsbroek en een half dichtgeritst roze sweatshirt over een rood-wit T-shirt van de Phillies. Haar gezicht was verhit en vlekkerig, haar haar zat achterover in een lage paardenstaart en ze had een paar kleine puistjes op haar voorhoofd. Ontdaan van een groot deel van haar glamour zag ze eruit als een willekeurig meisje uit de buurt dat hoognodig iets aan haar uitgroei moest doen.

Gwen sprong van de draaimolen, holde naar hem toe en pakte hem bij de hand. 'Wie is dat, pappa?' vroeg ze.

'Ik heet Sally, lieverd, ik ben een vriendin van je vader.'

'O,' zei ze. 'Waarom ken ik je dan niet?'

'Dat is een goede vraag,' zei ze en ze boog zich iets en stak haar een hand toe. 'Leuk je te ontmoeten. Hoe heet jij?'

'Gwen,' zei ze.

'Komt dat van Gwendolyn?' vroeg Sally, die geen blijk van herkenning gaf.

Gwen knikte en schopte toen met haar voet in het zand. 'Blijf je hier lang staan praten?' vroeg ze Robert.

Barry stelde voor om met haar naar de zandbak te gaan en zei dat hij zich herinnerde dat er een beeld van een zeemeermin stond. Robert stelde voor dat ze met z'n allen zouden gaan, maar bleef een beetje achter met Sally.

'Ik begrijp niet waarom je ineens verdwenen was en waarom heb je in vredesnaam een geheim nummer?'

'Ik sta wel in het telefoonboek. Maar onder mijn echte naam. Sally Jacobson,' zei ze. 'Ik had toch gezegd dat Johannson een valse naam was, maar je geloofde me niet.'

'Je ziet er niet bepaald uit als een Sally Jacobson.'

'Ik ben geadopteerd,' antwoordde ze nonchalant, 'door een echtpaar dat nauwelijks tot mijn schouders komt en die na hun zoon een dochter wilden, maar dat lukte niet. Vandaar dus, ik ben een echte in de mikvah gedoopte Jacobson, de hele santenkraam.'

Robert keek waar Gwen was. Ze zat tot aan haar middel in het zand en trok schaamteloos gekke bekken naar haar oom, die nu met een kleine camera de ene foto na de andere maakte.

'Hoe dan ook, er stond al een andere Sally Jacobson ingeschreven bij de acteursbond,' vervolgde ze. 'En ik vind het leuk om een alias te hebben. Er zijn van die baantjes die je liever niet onder je eigen naam doet.'

'Stonden er dan al niet minstens zevenenveertig Johannsons ingeschreven bij de acteursbond?' vroeg hij.

'Kennelijk zijn er niet veel Zweedse acteurs.'

'Dus je hebt geen geheim telefoonnummer. Het staat onder je alias.'

'Nee, *Johannson* is mijn alias. *Jacobson* is wie ik ben.'

'Maar je verdwijnt zomaar wanneer het je uitkomt.'

'Wat heb je nou eigenlijk te klagen?' vroeg ze terwijl ze op een bankje gingen zitten. 'Ik betaal de huur. Wil je me er soms uitzetten voor iemand die meer kan betalen?' Ze zweeg. 'Ik weet dat ik heb gezegd dat ik binnen een paar maanden weg zou zijn. Maar ik geloof dat ik er inmiddels aan gewend ben geraakt. Ik bedoel aan zo'n groot appartement. Met een portier. Maar als je wilt, ga ik verhuizen.'

'Doe niet zo belachelijk,' zei hij. 'Ik heb je gemist, dat is alles.' Hij begreep nu hoe Tracey zich had gevoeld. Ze had zich een vriendin genoemd en was verdwenen. En natuurlijk vertikte hij het om haar als een vriendin te zien, dat was de helft van het probleem. Dat was ook Traceys probleem geweest. 'Ik heb berichten voor je achtergelaten bij de portier. Ik ben zelfs op een avond langsgekomen en heb in de hal zitten wachten. Weet je wel hoe kostbaar mijn tijd is?'

'Ik deed het voor je eigen bestwil,' zei ze. 'De mensen begonnen te kletsen.'

'Welnee.'

'Jij hoort niet wat ik hoor.'

'Dan zal ik je niet meer vragen om aan mijn bureau te komen zitten,' zei hij. 'Ik zal niet meer zo veel paren schoenen meenemen om te poetsen. Als je me op kantoor niet meer wilt zien, laten we dan ergens anders afspreken.'

'Voor jou bestaat er geen "ergens anders" – je bent altijd op kantoor.'

'Dat duurt nog maar een paar maanden,' zei hij. Zelfs zonder al haar glamour, zoals vandaag, begeerde hij haar nog. Het was niet eerlijk om het leven te willen dat hij met Crea had, met zijn comfort en luxe – en een intact gezin voor zijn dochter – en ook Sally te willen. Hij wist het, maar hij kon er niets aan doen. Nu hij hier zo met haar zat, wilde hij alles. 'Ik wilde rust vinden, daarom heb ik dat appartement gekocht.'

'Maar toen heb je het aan mij verhuurd,' zei ze, 'en je rust opgegeven.'

'Juist integendeel,' zei hij. 'En ik laat je niet zo makkelijk gaan.'

Gwen riep hem; hij ging naar haar toe en klopte het zand van haar kleren. Sally kwam achter hem aan en vertelde dat er vlakbij schommels waren, en toen liepen de drie volwassenen daar met Gwen naartoe. Gwen babbelde met hem over de zeemeermin, en Robert was opgelucht dat ze niet protesteerde; dit hoorde hun dagje samen te zijn, maar gelukkig was ze dol op Barry en ze zag hem niet zo vaak.

In de verte stond een schommel en Gwen pakte Robert bij de hand en trok hem er mee naartoe. Ze wilde geduwd worden en dat deed hij. Sally bleef bij Barry staan terwijl Robert keek hoe Gwen vrolijk door de lucht zwierde. Hij duwde haar nog een paar minuten, toen zag ze het Russische jongetje van de draaimolen en wilde ze eraf. De volwassenen lieten haar naar het jongetje hollen en liepen toen naar wat lage rotsen aan de rand van het park. Barry probeerde een praatje te maken met de Russische man.

Roberts broer bleef hem maar tijd met Sally gunnen; was dat omdat Barry zo'n hekel had aan Crea? Of was hij gewoon in een gulle bui vanwege al het geld dat hij verdiende? Robert zag zijn dochter op een platte rots klauteren en zei dat ze niet te hoog mocht gaan. Sally hield samen met hem een oogje in het zeil.

'Wil je op zoek gaan naar ze?' vroeg hij. 'Naar je biologische ouders, bedoel ik?'

'Als je Gwen en jou zo samen ziet, tja, dan zou je dat inderdaad verwachten. Ik bedoel, om te zien op wie ik nu precies lijk van alle mensen op aarde. Maar nee, die behoefte heb ik niet. Ik weet waar ik thuishoor en bij wie ik thuishoor.'

'Echt?' vroeg hij. 'Dan bof je.'

'Ik bewaar de dramatiek uit mijn leven voor het toneel. Ik ben niet op zoek naar een soort B-filmscenario voor mijn privéleven.'

'Ik snap het,' zei hij.

'De mensen die me hebben grootgebracht zijn mijn ouders,' vervolgde ze. 'Ze hebben eindeloos met me zitten dammen als ik ziek was, zijn naar alle schoolvoorstellingen gekomen, hebben een tweede hypotheek genomen toen ik naar New York University ging. Als je stenen gaat lichten, vind je voornamelijk prut.'

'Ik had geen idee dat je zo pragmatisch was.'

'Ik zou mijn kind niet naar mijn overleden verloofde noemen, als dat is wat je onder pragmatisch verstaat,' fluisterde ze. 'Geen wonder dat je niet wilde dat ik het je vrouw zou vertellen. Schaam je je niet?'

'Ik heb je al gezegd dat niemand dat verhaal kent.'

'Waarom heb je het mij dan verteld?'

'Ik vertrouw je,' zei hij zacht terwijl hij even naar de grond staarde. Toen keek hij op en riep naar zijn dochter, die hoger was geklommen, dat ze voorzichtig moest doen. Ze protesteerde even voordat ze naar beneden kwam, toen liep hij terug naar waar Sally stond.

'Hoe gaat het met de instapper?' vroeg ze.

'De wát?'

'Ik heb een bijnaam voor jullie allemaal. Saldana is de gesoigneerde Italiaanse instapper.'

'Hij komt uit Venezuela.'

'Dat weet ik, maar hij draagt uitsluitend Italiaanse schoenen. En hij ziet er goed uit.'

'Het gaat prima met hem,' zei hij. 'Hij is weer aan het werk en factureert nog steeds de meeste uren van iedereen. Het was meningitis.'

'O ja?' vroeg ze. 'Want ik hoor nog wel eens het een en ander. Zoals dat jij en Wilton Henry in een nek-aan-nekrace verkeren om partner te worden, samen met die vrouw, Liesel, die met de dikke brillenglazen? En dat de maatschap jullie waarschijnlijk alle drie zal opnemen, wat een record zou zijn. De zaken gaan uitstekend op het moment.'

'Jezus, je bent in geen maanden bij ons op kantoor geweest.'

'De echte informatie, de pikantste details,' zei ze, 'komt van de concurrentie. Mensen praten gewoon waar wij bij zijn. Ze denken zeker dat we analfabeet of achterlijk zijn, of zoiets.'

'Nou ja, daardoor zetten ze zichzelf voor schut, vind je niet?' Hij riep naar zijn dochter dat ze nu naar huis gingen. 'En ik?' vroeg hij, toen Gwen haar nieuwe vriendje gedag ging zeggen. 'Je hebt een bijnaam voor iedereen. Hoe noem je mij?'

Ze keek hem recht in de ogen. 'Jou? Jou noem ik "gevaarlijk".'

49

Mario

De enige leugen die Robert Sally die dag op de speelplaats had verteld was dat het prima ging met Mario Saldana. Verre van dat, maar hij wist het met zijn kleding goed te camoufleren. Als een scherp observator van de gewoonten die mensen eropna hielden, had Robert Saldana's metamorfose met een mengeling van bezorgdheid en bewondering gadegeslagen. Mario had zich altijd pico bello gekleed, zonder op de kosten te letten, maar nu liet hij alles op maat maken. Toen hij stevig en gespierd was geweest, hadden zijn kostuums hem slanker gemaakt en langer doen lijken dan een meter tweeënzeventig. Nu droeg hij uitsluitend double-breasted kostuums, de standaardkeuze van de smalgebouwde man, met brede revers en brede schouders, die de illusie van een stevig postuur wekten. Op het werk leken de mensen nauwelijks te merken dat Mario behoorlijk was vermagerd. En als ze dat wel deden, spraken ze er niet over waar Robert bij was. En toen de zomer intrad en het koeler werd op kantoor, trok Mario vrijwel nooit zijn jasje uit.

Maar zelfs de beste kleermaker kon niets veranderen aan het feit dat Saldana, een uiterst nauwgezet vakman die twee talen machtig was, zijn werk begon te verprutsen. Kleinigheden, concentratiefoutjes, naar alle waarschijnlijkheid. Robert moest oppassen, want Mario was zijn superieur, en hij kon niet riskeren dat aan het licht kwam dat hij hem controleerde. Maar Mario mocht er geen zootje van maken, niet nu Robert hem nodig had.

Het voorjaar en een deel van de zomer werd onder andere besteed aan werk voor Pascal, Inc. New York had de ingewikkeldste regelgeving van alle steden ter wereld. In bepaalde gevallen kon het jaren duren voordat een ontwikkelaar het groene licht kreeg van Stadsplanning voor zijn bouwplannen en zijn financiering kon gaan rondmaken. En op elk willekeurig moment, zelfs als er geen vuiltje aan de lucht leek, kon de uitvoering van bouwplannen worden stopgezet, bijvoorbeeld door de afdeling Bouw- en Woningtoezicht, of als er geen toestemming werd verleend door het nutsbedrijf of door de verkeersdienst en zelfs door Monumentenzorg, als daar wrevel was ontstaan over het detoneren van het gebouw in zijn omgeving.

Maar Mark Pascal was optimistisch. Zijn vader was niet erg handig geweest in het aanknopen van vriendschappelijke contacten met de juiste stadsbureaucraten, het verstrekken van steekpenningen en het uitdelen van schouderklopjes, maar op de een of andere manier had Mark dat al jong onder de knie gekregen, zeer tot de verbazing van zijn familie en vrienden. En daarom was hij ambitieus, misschien wel te zelfverzekerd, van start gegaan met het verkopen van bepaalde panden om kapitaal vrij te maken met het oog op de aankoop in TriBeCa, die hij in de komende paar maanden wilde zien rond te krijgen.

Het eerste vastgoed dat hij van de hand deed, eind juni 1987, was in Queens, een in onbruik geraakte elektriciteitscentrale en het kleine, omliggende perceel, dat oorspronkelijk, aan het begin van de jaren zeventig, was aangekocht door de vader van Pascal voor een toekomstig project dat nooit doorgang had gevonden. Het grondstuk was enorm in waarde gestegen en zou nu zo'n vijftien miljoen dollar opbrengen. De opbrengst van de verkoop zou geparkeerd worden op een speciale rekening, zodat het geld voor toekomstige vastgoedtransacties kon worden gebruikt zonder er belasting over te hoeven betalen. De dag voordat de transactie zou worden gesloten, ging Robert naar Mario's secretaresse, Inez, en vroeg of hij de documenten mocht inzien. De eerste keer dat hij zoiets vroeg, was ze heel defensief geweest en had geweigerd, maar deze keer gaf ze hem, zonder dat ze verdere uitleg vroeg, alles wat ze moest fotokopiëren voor de bijeenkomst. 'Doe het snel,' zei ze. 'Hij kan elk moment komen.'

Robert nam de documenten door en net toen hij ervan overtuigd was dat alles klopte, zag hij dat in de begeleidende brief de juristen van de koper werd verzocht het geld van hun cliënt over te maken naar de verkeerde rekeningen. De begunstigde, Chicano Exchange, bestond niet. Hij had bedoeld Chicago Exchange. Waren het überhaupt wel de juiste rekeningnummers?

Mario stond bekend om zijn oog voor detail en zijn nauwkeurigheid; hij maakte zelf geen fouten en liet fouten van anderen niet passeren. Inez beweerde dat zij verantwoordelijk was voor de fout, maar een instructie met betalingsgegevens werd altijd door de jurist zelf nagekeken of opgesteld na zijn zorgvuldige instructies. Als er weer iets fout ging, moest Robert daar dan zelf werk van maken? Hij keek mee over Inez' schouder toen ze samen de fouten corrigeerden, toen haastte Inez zich naar de kopieermachine.

Robert ging terug naar zijn bureau. Als hij niet beter wist, zou hij denken dat Mario geld wilde ontvreemden. Dit zou een simpele manier zijn om dat te doen, het doorsluizen van geld naar een rekening die offshore bestond, een rekening van een bedrijf met een naam die veel leek op de naam van de begunstigde. Tijdens zijn rechtenstudie had Robert colleges ethiek gevolgd – die waren verplicht gesteld na Watergate – en de hoogleraar was zijn eerste college begonnen met de opmerking dat zij, als jurist, naar alle waarschijnlijkheid toegang zouden hebben tot enorme bedragen en dat het verbazingwekkende niet was hoeveel advocaten zich schuldig maakten aan verduistering, maar juist hoe weinig dat voorkwam, gezien de verleidingen.

Mario had het geld niet nodig; hij had zijn eigen fortuin. Robert, die dat niet had, had zelf wel eens aan verduistering gedacht, op avonden dat hij tot middernacht op kantoor zat te zwoegen ter meerdere glorie van Phillip Healey en Jack Alexander. Het geld opstrijken en wegwezen. In alle vrijheid een nieuwe start maken. Achter zijn bureau fantaseerde hij dan dat Sally met hem mee zou gaan, zij tweeën als de Bonnie en Clyde van de witteboordencriminaliteit; ze zouden naar een tropisch paradijs gaan, zonder uitleveringsverdragen en met liberale bankwetten. Of anders Parijs, ook een geweldige keus. Hij was er met Crea geweest, in 1983, voor de opening van het Centre Pompidou, en de architectuur van de stad had hem diep geraakt, maar die van het Pompidou niet – het zag eruit als een gedrocht van gigantische buizen. Sally zou helemaal weg zijn van Parijs. Ze zouden een appartement kunnen bewonen in de studentenwijk, een buurt die hij toen leuk had gevonden, maar nu misschien wat minder omdat hij geen student meer was. Maar ze zouden er in onopvallende, ingetogen luxe kunnen wonen te midden van de prachtige zeventiende-eeuwse gebouwen, in de stad waarvan de wijken door de eeuwen heen bewaard waren gebleven, waar ze niet gesloopt waren of een andere bestemming hadden gekregen of om de tien jaar stukje bij beetje waren verkocht, zoals in New York. Voor de lol borduurde hij voort op het idee en voelde zijn stemming met sprongen vooruitgaan. Sally kon weer een nieuwe gedaante aannemen; daar leek ze goed in, en hij ook. Toen stond Sally plotseling voor hem, in het echt, met haar schoenpoetskist op haar heup.

'Ik klopte, maar je hoorde me kennelijk niet.'

'Ik was aan het dagdromen.'

'Waarover?' vroeg ze. Ze was weer in werkkleding. Een strak T-shirt en spijkerbroek, in de make-up, het haar zonder uitgroei.

'O, hetzelfde als altijd,' zei hij, 'geld verduisteren en met jou de benen nemen naar een ander land.'

'Ik heb al een keer huis en haard verlaten voor een ander land, en één keer is genoeg. Ik ga nooit meer weg uit New York. Heb je niet de moeite genomen om je schoenen te poetsen terwijl ik weg was? Zo zien ze er tenminste uit.' Ze zette de schoenpoetskist aan zijn voeten.

'Ik heb ze uit protest niet gepoetst,' antwoordde hij. 'En zoals ik al eerder heb gezegd: je bent een verontrustend praktisch meisje. Maar je bent in elk geval terug. Voorgoed, hoop ik.'

Ze ging op het lage rode bankje zitten en haalde de flanellen lappen en de andere benodigdheden tevoorschijn. Hij trok zijn broekspijp op en ze zette zijn schoen op de metalen beugel. Daarna stak ze haar hand in haar schort en pakte er een flyer uit. 'Een nieuw stuk,' zei ze.

'Je wordt vaak gecast.'

'En slecht betaald,' antwoordde ze. 'Maar dit is een goede rol. Een goed stuk.' Ineens wendde ze haar blik af, naar de deur, alsof ze zich geneerde. 'Dus zorg dat je er bent, oké?'

'Is dat een bevel?'

'Yep,' zei ze, haar aandacht weer bij zijn schoen.

'Hoe zit het met dat vriendje van je?' vroeg hij terwijl hij zijn andere voet op de beugel zette. 'Nog steeds op tournee?'

'Je zei dat je mij vertrouwde, en dat is me veel waard, dus ga ik jou vertrouwen: er is geen vriendje. Ik bedoel, er zijn heel wat vriendjes geweest, maar nu is er geen speciaal iemand. Ik zeg dat ik er een heb, omdat het gemakkelijker is, je weet wel, met klanten.'

'Dat is logisch,' zei hij glimlachend. Er was niemand.

'Bedoel je dat ik eruitzie als een meisje dat geen vriendje heeft?' Ze haalde de borstels tevoorschijn en liet ze heen en weer gaan over het schoenleer en wreef het daarna op met een lap.

'Nee, je ziet eruit als een meisje dat door iedere man wordt begeerd, maar dat geen man serieus durft te benaderen.' Hij zag haar een beetje blozen. 'Dus ik denk dat het niet werkt. Het denkbeeldige vriendje.'

'Moeilijk te zeggen. Hou het maar voor je.' Ze was klaar met zijn schoenen en stopte haar spullen terug in de kist.

'Ik kijk wel uit; ik ga het echt niemand aan de neus hangen,' zei hij toen ze opstonden. Haar afwezigheid had hem van slag gemaakt, net als de keer dat hij haar in het park was tegengekomen. Hij was bang dat ze weer zou verdwijnen. 'Heb je het erg druk met de repetities?'

'Ik hou weinig tijd over.'

Hij liep dichter naar haar toe en stopte het geld in haar schort. 'Kan ik je overhalen om met me te gaan eten?' vroeg hij. 'Een heel goed etentje in een heel goed restaurant?' Hij miste die geur, van vettige schoensmeer en van lipgloss die naar watermeloen rook.

'Je probeert me altijd in verleiding te brengen, hè?'

'Het is maar een etentje.'

Ze vertelde dat iemand haar geboekt had, maar haar stem was zachter. Maakte hij eindelijk vorderingen? Of was haar houding ten opzichte van hem veranderd? Hij zou een verandering afdwingen. Hij zou zich dit keer niet laten afpoeieren. Ze had een blosje op haar gezicht en hij legde zijn hand tegen haar wang.

'Er staat iemand bij de deur,' zei ze zacht.

'De deur is dicht.'

'Ik zie een reflectie in het glas.'

Robert liep bij haar vandaan en riep: 'Binnen!', maar er was niemand meer. Als er al iemand geweest was.

50

De zomer voor de storm

Crea had al voorbereidingen moeten treffen om juni en een deel van juli in Tuxedo door te brengen, maar ze vertrok pas laat dat jaar. Gwens schoolvakantie begon in de eerste week van juni, maar hun dochter moest nog naar verjaarspartijtjes en er waren activiteiten en lessen die naar tevredenheid moesten worden afgerond. Dat begreep hij wel, maar Crea had voorheen altijd alles rond gekregen vóór 1 juni. Hij had het gevoel dat ze het aan het uitstellen was, dat ze het om de een of andere reden niet vertrouwde om hem alleen te laten. En haar gevoel bedroog haar niet.

Hij had nu een reden om geen ruzie met haar te maken of geïrriteerd te raken. Hij had een doel. Ze hadden geen ruzie, vrijden nog maar sporadisch en hij begon er ook niet meer over, nam de moeite niet meer en voldeed alleen aan zijn huwelijkse plichten als het niet anders kon. Zelfs met al deze gladde wellevendheid – een compleet nieuwe ervaring voor hem, eigenlijk alsof je een kamergenote had, maar een die gemakkelijker in de omgang was dan Barry, en lekkerder rook – had hij nog steeds het gevoel dat hij deel uitmaakte van een vreemd, onuitgesproken conflict. Ze draaiden om elkaar heen, deden wat de ander vroeg en wachtten af tot er iets zou gebeuren.

Als ze toch in de stad moesten blijven, liet ze hem weten, dan konden ze het maar beter druk hebben. Hoewel het uitgaansseizoen in Manhattan was afgelopen, wist ze op de een of andere manier toch een aantal kleine diners en obscure benefietavonden op te delven, van het soort waar ze voorheen niet veel belangstelling voor had getoond. Het was zomer, en hij had geen zin om zijn avonden door te brengen in de woonkamer van vreemden en te luisteren naar lezingen over Italiaans aardewerk of antiek smeedijzer.

Maar in tegenstelling tot haar gedrag in de winter maakte ze elke keer duidelijk dat ze het hem niet zou vergeven als hij niet op z'n minst acte de présence zou geven.

Ze wilde hem dicht bij zich hebben, daar stond ze op, en hij voldeed aan haar wensen in de hoop dat ze zich eindelijk zou ontspannen en haar gewone plannen doorgang zou laten vinden. Op de tweede zaterdag in juni was hij thuis in zijn studeerkamer aan het werk toen Crea aankondigde dat het tijd was voor een gezinsuitje. Gwen moest een cadeautje kopen voor een kind dat de volgende dag jarig was en Crea wilde naar een galerie waar een collectie tekeningen van Max Ernst werd tentoongesteld. Ze zouden even naar FAO Schwartz gaan en daarna naar het centrum.

'Het verkeer zal vreselijk zijn,' zei hij. 'In deze tijd van het jaar komen er horden toeristen.'

'Je begint te klinken als een gemeentewerker.'

'Wat is een gemeentewerker?' vroeg Gwen. Ze was zes nu, boordevol vragen.

'Verkeersagent? Buschauffeur?' Crea glimlachte. 'Parkeerwachter.'

'We kunnen beter de metro nemen,' zei hij kalm, want hij had geen zin om zich op de kast te laten jagen.

'Je hoeft toch zelf niet te rijden,' zei ze. 'Wat kan het jou nou schelen of het druk op de weg is?'

Ze volgden haar plan; Crea, Robert en Gwen achterin en Troy voorin, met de radio aan en de geluiddichte scheidingswand omhoog. Robert vond dat niet prettig, maar Crea hield van privacy. Na een uur was Troy nog niet ver gekomen en Gwen begon ongedurig te worden. Ze verhuisde van schoot naar schoot, hoewel ze daar eigenlijk te groot voor was geworden, en uiteindelijk kwam ze tussen haar ouders in zitten met een grote bonk kauwgom in haar mond.

'Waar gaan we heen na Schwartz?' vroeg ze.

'Naar Max Ernst,' antwoordde Robert.

'Wie is dat?'

'Hij tekent grappige plaatjes,' zei Crea, 'maakt interessante tekeningen. Soms lopen er mensen op rond zonder hoofd, soms vliegen ze naar de daken. Je vindt ze vast leuk.'

'Ja, weer een zonnige zomermiddag doorgebracht met de vluchtelingen uit Hitlers Europa,' mompelde Robert.

'Waarom begin je toch altijd over iemands levensloop en over geschiedenis?' vroeg Crea. 'Dat lijkt voor jou wel het enige wat telt. Het werk van een kunstenaar omvat meer dan waar hij vandaan kwam.'

'Waarom ben jij alleen maar in esthetiek geïnteresseerd? Dat is een oppervlakkige manier om de wereld te beschouwen.'

'Bedoel je dat ik oppervlakkig ben?'

'Wie is Max Ernst?' viel Gwen hen in de rede.

Een hele rij auto's toeterde toen ze eindelijk van 60th Street Fifth Avenue in sloegen. De hele stad wemelde van de mensen, maar nergens had je zo'n mensenmassa als hier, in het hart van de door winkels gevormde Bermudadriehoek – Bendel, Bergdorf Goodman en Barneys – uitgerekend het blok waar Crea en Robert negen jaar geleden hadden geruzied om een taxi. Bij 59th Street boog Robert zich voorover, klopte op het glas en beduidde Troy dat hij hen moest laten uitstappen zodat ze verder konden lopen. 'Ik heb geen idee waar hij op ons moet gaan staan wachten in al die drukte,' zei Robert tegen Crea.

'Ik zweer het, Robert, ik geloof dat je je meer zorgen maakt over het welzijn van Troy dan van ons,' zei Crea.

'Wie is Max Ernst?' vroeg Gwen vasthoudend.

'Een getalenteerde man die twee ex-vrouwen en een minnares achterliet in Duitsland om ervandoor te gaan met Peggy Guggenheim en aan de nazi's te ontsnappen,' antwoordde Robert.

'Hoe moet ze dat nou in vredesnaam begrijpen?' vroeg Crea terwijl Troy het portier opende. Mensen zwermden om de auto heen. Een vreemde maakte een foto van hen. Twee jongens sloegen op de motorkap, totdat Troy, die op de middelbare school football had gespeeld, riep dat ze moesten oprotten.

'Wie zijn de nazi's?' vroeg Gwen, toen ze zich door de menigte heen wrongen naar hun bestemming.

'Kijk, lieverd,' zei Robert, die het kind optilde om haar niet kwijt te raken in het gewoel en gedrang, 'daar, zie je die reuzenrobot? En dat luipaard van tweeduizend dollar?'

'Schwartz,' zei ze, in haar handen klappend.

'Ja, lieverd, dat is ons Xanadu.'

Crea gaf hem een arm, niet zozeer uit genegenheid, maar om tijdens het lopen niet te worden meegevoerd door de menigte. Dit was zijn vrije dag. Hij had het gevoel dat het wel eens een lange dag kon worden.

De volgende avond aten ze met z'n tweetjes, omdat Gwen bij een vriendinnetje logeerde. Maar ook al was hun dochter er niet, ze praatten toch over haar allergieën, haar plannen voor dagjes naar een zomerkamp, haar tennislessen en wat Crea had gehoord over de leerkracht van de eerste klas waar ze na de zomer naartoe zou gaan; ze praatten aan één stuk door over het kind dat er niet was, alsof ze haar zo konden terughalen. En toen alle aan Gwen gerelateerde onderwerpen waren uitgeput, keken ze elkaar aan over de kip met citroen en constateerden dat ze elkaar niets meer te zeggen hadden. Hij had geen nieuwtjes over zijn werk; zij had geen kamers meer om opnieuw in te richten en geen foto's meer om te vervangen door andere foto's die in de vleugels van het huis stonden te wachten, en er waren geen feesten meer die ze konden bijwonen. Ze hadden alle shows die ze wilden zien al gezien in Broadway. Alle bronnen waren drooggevallen.

Hij luisterde naar het rustige tik, tik, tik van hun bestek, het vrijwel onhoorbare geluid van zijn vrouw die haar wijn doorslikte. Ze keek hem over tafel aan, en hij haar, maar hij vroeg zich niet af wat ze zat te denken. Hij was te moe om het zich af te vragen, zo lamgeslagen dat het hem niet meer kon schelen.

'Ik denk dat we aanstaande zaterdag vertrekken,' zei ze ten slotte.

'Ja, dat is prima,' zei hij, zo neutraal mogelijk.

'En kom je dan elk weekend?' vroeg ze.

'Ik zal mijn best doen,' verklaarde hij met het gevoel dat hij iets had gewonnen terwijl hij in feite alleen maar lijdzaam verzet had geboden en had standgehouden. Het was een kille overwinning.

51

Sally wordt iets toeschietelijker

Drie avonden later, toen zijn vrouw en dochter waren vertrokken, zat hij in een ander vestzaktheater, deze keer op een verdieping van iets wat van buitenaf op een soort kantoorgebouw leek, maar binnen een puinzooi was van dozen en vieze tafels en donkere gordijnen, die toegang gaven tot smalle gangetjes. Aan het eind van een daarvan zag hij rijen ouderwetse pluchen stoelen die in een flauwe halve kring rond een klein podium stonden opgesteld. Het zaaltje was half leeg toen hij binnenkwam, maar begon al snel vol te stromen. Ook al kreeg Sally niet veel betaald, ze trad in elk geval op voor een groter publiek.

De cast bestond geheel uit vrouwen en het stuk speelde zich af op een vrouwenuniversiteit in de vroege jaren zeventig. De personages verschenen eerst ten tonele in een chaotische studentenkamer en vervolgens in een facsimile van een fraaie, maar enigszins armoedige woonkamer. De meisjes voerden rituelen uit: theedrinken en crackers met pindakaas eten, bijvoorbeeld, en droegen een flanellen nachtpon met parels. De huismoeder was een gluurster, een oude lesbienne in de tijd dat niemand dat woord gebruikte.

Hij dacht aan zijn eerste bezoek aan Smith College, ruim twintig jaar geleden, aan de schoenen op de gewreven vloer, en aan de vrouw die punch serveerde, aan de zanggroepen en aan Claudia, arme Claudia, die op haar twintigste, beeldschoon, wachtte tot een man haar kwam claimen. Terwijl hij naar een luchtige komedie zat te kijken, kreeg hij een vreemd voorgevoel, alsof er iemand over zijn graf liep.

Misschien had zijn broer wel gelijk en nam hij de dingen gewoon te serieus. Het stuk was immers geen Tsjechov. Alle stereotypen van het studentenleven waren vertegenwoordigd: het rijke blanke meisje met een protestants werkethos, het Italiaanse meisje uit de arbeidersklasse dat te veel over seks sprak; het neurotische, nouveaux riches-joodse meisje met een moeder die niets anders wilde dan dat ze zou trouwen; het getroubleerde meisje dat niet sprak, en een komisch irritant tweetal dat communiceerde via een speelgoedvarken. Sally speelde de Italiaanse, het stoere meisje, dat slechte cijfers haalde en op het punt stond om er de brui aan te geven. Ze liet kauwgom ploffen, droeg een heel kort broekje en een mannenhemd en bezigde het woord 'fuck' nogal eens. Ze had alle geestige teksten en oogstte al het gelach, maar bezielde haar karakter ook met de enige echte pathos die het stuk toeliet. En aan het eind stal ze de show en kreeg applaus dat overging in gejuich.

Later, met nog veegjes grime langs de rand van hun gezicht, stroomde de cast naar buiten, waar ze werden opgewacht door vrienden en familie. Sally wrong zich breed lachend door de menigte. Ze had diezelfde gloed over zich, de vonk die hij een jaar geleden had gezien in de foyer van een ander klein theater. Hij stak zijn hand uit om haar aan te raken, omdat hij iets van haar energie wilde voelen.

'Hoe vond je het?' fluisterde ze terwijl haar medeacteurs hem verdrongen en opzijschoven om haar gillend te omhelzen. Een man die beweerde dat hij theateragent was vroeg haar telefoonnummer, hoewel hij er eerder uitzag als een geile tiener dan een legitieme zakenman. Robert herkende een paar schoenpoetsmeisjes en een paar jonge medewerkers van A, L & W, nog steeds in het pak, die hem gegeneerd de hand drukten en zich toen het gebouw uit haastten alsof het in brand stond.

Hij keek hoe Sally de complimentjes in ontvangst nam en hij verwachtte dat ze hem zou laten staan voor een feestje met collega's of een borrel in een café, maar ze kwam naar hem toe en zei koket: 'Nu ben ik in de stemming voor dat chique etentje. Je mag me fêteren.' Verbaasd ging hij haar voor en ze daalden heel wat verdiepingen omlaag naar zijn auto en wachtende chauffeur.

'Wil je echt dat ik daarin stap?' vroeg ze.

'Ik wil niet dat je op de motorkap meerijdt.'

Troy opende het portier voor hen met een onverstoorbaar gezicht. 'Bedankt,' zei Sally tegen de chauffeur.

'Tot uw dienst,' mompelde Troy.

'Laten we naar de Village gaan,' zei Robert en hij gaf Troy een adres vlak bij Perry Street, een buurt waar hij dol op was omdat het nog zo de sfeer van oud New York had. Daar was een restaurant dat hij wilde proberen.

'Geef je hem een fooi?' fluisterde Sally.

'Nee,' zei Robert, 'ik betaal zijn salaris.' Hij sloeg een arm om haar heen en kuste haar, en ze kuste hem terug. Het was een lange kus, en hij voelde de warmte van haar lichaam naast zich; haar mond smaakte naar spearmint, alsof ze net haar tanden had gepoetst. Ze duwde hem weg en keek uit het raampje. 'Je gaat het ver schoppen,' zei hij. 'Op een dag raak ik je kwijt aan de wereld.'

'Je hebt me niet,' zei ze. 'Je kunt niet kwijtraken wat je niet hebt.'

Troy zette de auto stil aan de stoeprand voor een klein restaurant met een grote vaas bloemen voor het raam. Zonder op hem te wachten stapte ze uit en liep naar de deur.

'Echt weer iets voor mij om de laatste principiële actrice van Manhattan te treffen,' merkte hij op, half in zichzelf.

Het restaurant had slechts tien tafeltjes en was romantisch verlicht. Ze bestelden een fles wijn en hij zei dat ze moest bestellen waar ze zin in had; ze koos een pastagerecht met stukjes kreeft. 'Het op één na duurste gerecht op de kaart,' zei ze zacht.

'Ik kijk niet meer naar de prijzen, Sally. Ik heb geleerd er niet op te letten.'

'Wow,' zei ze. 'Ik wed dat je daar jaren over hebt gedaan.'

'Ja, dat wel,' antwoordde hij en hij nam een slok wijn.

Ze spraken over het toneelstuk, over andere stukken, over haar talent, haar carrière. Het kwam bij hem op dat hij nooit iemand had gekend die werkelijk artistiek talent had, talent waar je je opofferingen voor getroostte en een leven omheen bouwde; er waren de kunstenaars geweest die hij had geholpen bij de wetswinkel, maar was dat anders, hij kende hen noch hun werk. Haar acteren had iets oprechts – ze was écht op het toneel en, zoals hij haar had leren kennen, had ze ook iets eerlijks in het dagelijks leven. Ze pretendeerde niet te weten wat ze niet wist of leuk te vinden waar ze een hekel aan had. Haar plezier was echt en niet ingehouden, net zomin als haar misnoegen. Al haar emoties tekenden zich af op haar gezicht, en juist op dat moment keek ze zo enthousiast als een kind en complimenteerde elk gerecht alsof hij het eigenhandig had klaargemaakt. Hij concentreerde zich volledig op haar, iets waar hij altijd goed in was geweest met vrouwen, hoewel hij het al een poos niet meer had hoeven toe te passen. 'Waarom vroeg je of ik je mee uit eten wilde nemen? Terwijl je daar vorige week nog zo op tegen was?'

'Dat zal ik je een andere keer vertellen,' zei ze geheimzinnig. De kelner kwam om haar wijnglas en waterglas bij te schenken, en ze bedankte hem uitbundig alsof nog nooit iemand haar wijnglas had bijgeschonken, maar de man vertrok geen spier, tot groot vermaak van Robert.

'Het is toch niet zo raar om eens een avond te willen uitgaan?' vroeg hij.

'Van jouw geld?'

'Met alle plezier, wanneer je maar wilt.'

'Doe geen beloftes die je niet kunt nakomen.' De kelner kwam terug met de dessertkaart en vertelde wat de desserts van de dag waren; ze bestelde een ijscoupe. 'In zekere zin zou ik willen dat ik je nooit had ontmoet. Want dan was ik niet binnen geweest in een restaurant als dit hier en had ik niet meegereden in een dure auto, en nou ja, alles. Ik heb geen vrienden die zo leven en als kind kwam ik niet in dit soort gelegenheden. Ik had nooit gedacht dat zoiets me in verleiding kon brengen. Maar hoe kun je in verleiding komen door iets wat je nog niet hebt ervaren?'

'Daar heb je helemaal gelijk in,' zei hij. 'Pas als je het hebt ervaren, wordt het écht verleidelijk.'

'Voorheen had ik zelfs nooit iemand gesproken die in een huis als het jouwe woonde.'

'Heb je mijn huis dan gezien?'

'Ik heb alleen wat rondgelopen door je buurt,' zei ze en ze dronk haar glas witte wijn leeg. 'Het is een vrije stad. Ik zag een foto van je vrouw in de *Times*, op dat museumbal. Ze is mooi. Ik ken mensen die een jaar zouden kunnen leven van wat haar jurk waarschijnlijk heeft gekost.'

'Ik ook,' zei hij. 'Vergeet dat niet.' Hij wilde door haar niet als iemand uit een andere klasse worden gezien. Ook al deed hij er in zekere zin zijn voordeel mee. Hij wilde graag voor haar zorgen, en een deel van haar verlangde daar ook naar; dat voelde hij. Alle andere vrouwen op wie hij verliefd was geweest hadden ook prima zelf kunnen betalen; ze lieten hem afrekenen om zijn ego te ontzien. Nu hij de rekening vroeg, keek ze hem dankbaar aan en zei dat ze misschien wel nooit eerder zo lekker had gegeten. Tracey was de eerste geweest die hem had laten zien dat er een andere wereld bestond, een wereld van elegantie, eenvoud en kwaliteit, een wereld die tastbaar was en misschien zelfs binnen zijn bereik lag. Hij wilde haar graag dat gevoel van weelde geven, maar hij wilde ook haar dankbaarheid, want hij genoot van het machtsgevoel.

Nadat hij die avond met haar mee naar binnen was gegaan en de oude marmeren trap naar de eerste verdieping op was gelopen, begonnen de onderhandelingen. Voordat ze de donkerrode voordeur van het appartement had kunnen opendoen, duwde hij haar ertegenaan en kuste haar opnieuw.

Ze sloeg haar armen om zijn nek en kuste hem terug, haar lippen eerst heel zacht op de zijne, aarzelend, daarna heftiger. De kus was verre van onverschillig; ze gingen naar binnen en toen ze in de gang stonden, sloeg de deur hard achter hen dicht; hij maakte de bovenste twee knoopjes van haar blouse los, deed het licht op de gang aan en streelde de indrukwekkende ronding van haar borsten, hoog opgeduwd in haar donkere bh. Hij snoof de delicate geur van talkpoeder op; heel even reageerde ze, maar toen wrong ze zich los. 'Thee?' vroeg ze terwijl ze het haar uit haar ogen blies.

'We zijn volwassenen, Sally, je kunt me niet afschepen met thee en koekjes.' Hij volgde haar naar de keuken. 'Ik ben verliefd op je geworden.'

'O,' zei ze en ze pakte de ketel en vulde hem met water.

'Betekent dat dan niets voor je?'

'Het betekent alles voor me,' zei ze terwijl ze de ketel op het gas zette. Haar haar zat in de war, de bovenkant van haar bleke borsten was ontbloot, haar wangen verhit. 'Maar ik ben nog steeds niet van plan om met je naar bed te gaan.' Ze trok de bovenkant van haar blouse bij elkaar en knoopte hem dicht.

'Ben je wel menselijk?' vroeg hij.

Ze kwam naar hem toe en kuste hem opnieuw, sloeg haar armen om zijn middel, drukte zich een paar heerlijke momenten tegen hem aan en maakte zich toen weer los uit zijn greep.

'Je speelt met me,' zei hij.

'Nee!' zei ze met flitsende ogen. 'Jíj speelt met míj! Omdat ik enig talent heb, omdat ik single ben en op kantoor een vrolijk gezicht opzet en grapjes maak, denk je zeker dat mijn leven perfect is? Niets van wat ik doe, leidt ooit tot iets. Weet je wel hoe moeilijk dat is? Je mocht vanavond met me uit, ik heb je zelfs gevraagd met me uit te gaan omdat ik me voor één keer in mijn leven wel eens succesvol wilde voelen. In plaats van elke cent om te draaien en me een hopeloze mislukking te voelen!'

'Je hebt vanavond de show gestolen.'

'Ik steel altijd de show,' zei ze, en ze pakte twee bekers en sloeg de kastdeurtjes hard dicht. De plafondspotjes, drieënhalve meter boven hun hoofd, verspreidden een zachtgele gloed. 'Ik krijg altijd het meeste applaus, de meeste aandacht. Als ik geluk heb, is dat precies wat een criticus van de een of andere krant zal zeggen als hij het stuk bespreekt. En waar zal dat toe leiden? Wat zal het me opleveren? Hoogstwaarschijnlijk niets! Denk je dat ik tot in lengte van dagen schoenen wil blijven poetsen? Ik heb auditie gedaan voor tv-series, maar ze blijven maar zeggen dat ik te lang ben voor de tv of te opvallend, of te god weet wat. Ik heb eindelijk een agent en die stuurt me van de ene auditie naar de andere en soms krijg ik de rol, maar altijd in een productie die flopt. Dát is mijn leven.'

'Je bent pas vierentwintig. Je hebt alle tijd van de wereld.'

'Ik word volgende maand vijfentwintig en niemand heeft alle tijd van de wereld!' zei ze. 'Alleen een man kan zoiets stoms zeggen! De houdbaarheidsdatum van vrouwen is zo verstreken in dit vak. Alles wat we doen en elke beslissing die we nemen is bedoeld om de race tegen de klok te winnen. Je kunt jarenlang keihard werken zonder dat je iets bereikt en dan op een dag wakker worden zonder ziektekostenverzekering, zonder geld en zonder vaardigheden waar vraag naar is. Hoeveel banen vereisen een Brits accent of de mogelijkheid om op commando te kunnen huilen? Ik kan niet typen, ik weet niets van computers en ik ben waardeloos in wiskunde. Dit is het enige waarvoor ik ben opgeleid. En nu wil jij dat ik bij jou ben en van je hou, zodat jij een goed gevoel over jezelf kunt hebben, zodat de passie voor het leven die ik heb en die jij waarschijnlijk tien jaar geleden al bent kwijtgeraakt op je afstraalt – en dan zit ik zowel met een carrière als met een relatie die helemaal nergens toe gaan leiden!'

'Misschien leidt het wel ergens toe,' zei hij.

'Ik heb je samen met je dochter gezien. Jij blijft gewoon bij je vrouw.' Ze moest iets gezien hebben in zijn gezicht, want haar stem werd zachter. 'Ik ken je beter dan jij jezelf kent. Jij wilt alles, en dan sta je hier zonder me ook maar iets te bieden en zegt...' De woorden stierven weg. Ze begon zachtjes te huilen. Kort daarvoor, in het theater en daarna in het restaurant was ze extatisch geweest. Nu zat ze te snikken. Hij sloeg zijn armen om haar heen.

'Het spijt me.' Hij streelde haar haar. 'Ik wil niet dat je me haat.'

'Nou, ik haat je echt!' zei ze.

Hij nam haar gezicht in zijn handen en kuste haar zacht. 'Ik meen het als ik zeg dat ik van je hou, en ik ga het bewijzen.'

'Hoe dan?' vroeg ze, sniffend.

'Ik ga naar huis,' antwoordde hij toen de ketel begon te fluiten; ze keken toe en luisterden naar de aanhoudende, hoge fluittoon, een geluid dat het midden hield tussen passie en alarm, terwijl de stoom zich omhoog perste door het harde metaal en de keuken vulde met damp.

52

Orde op zaken bij de Traces

Er waren mensen die zeiden dat Sanford Trace, als het had gekund, in de zomer van 1987 het liefst figuurlijk, zo niet letterlijk, een slotgracht had gegraven en de ophaalbrug omhoog had gedaan. De Traces waren al maanden niet gesignaleerd op een van de gebruikelijke feesten of etentjes. Voor hun eigen feest op de vierde juli – min of meer een gevestigde gewoonte – telde de gastenlijst maar tien mensen. Naar de maatstaven van Tuxedo Park was dat nauwelijks een feest te noemen.

Robert en Crea hadden de Traces sinds februari niet meer gezien en waren al even nieuwsgierig als de anderen. Gwen bracht de dag bij een vriendinnetje door, want er waren geen andere kinderen uitgenodigd, zodat ze zich ongetwijfeld was gaan vervelen. Het eerste wat Robert en Crea opviel toen ze het landgoed naderden, was dat er twee bewakers bij de toegang stonden die om een legitimatie vroegen. In een omheinde gemeenschap, waar de meeste gasten bovendien plaatsgenoten waren, voelde dat als overkill.

Er waren geen kelners die vrijwel onopgemerkt rondgingen in de achtertuin – met zo weinig gasten konden Traceys kok en de huishoudster het zelf af, geholpen door de kleindochter van de huishoudster. Robert en Crea liepen op Mark Pascal af, die met zijn vrouw, Biscuit, op het gazon achter het huis stond dat er merkwaardig verlaten bij lag – geen kinderen, geen zakloopwedstrijden of jongleurs, gewoon een uitgestrekte groene vlakte.

‘Wat vond je van die ongure types bij de toegang?’ vroeg Pascal aan Robert.

'Hebben ze op dit feest ooit last gehad van ongenode gasten?'

'Ik weet niet of het de bedoeling is om mensen búiten te houden,' fluisterde Pascal. Biscuit verontschuldigde zich; ze wilde liever gaan zitten, omdat ze erg moe was de laatste tijd – de Pascals verwachtten een kind, zij het pas over een paar maanden – en Crea ging met Biscuit mee om haar gezelschap te houden.

'Ik ben blij dat we even een moment alleen hebben,' zei Mark. 'Ik heb dingen over je gehoord.'

'Kun je iets specifieker zijn?'

'Neuk jij met dat prachtige schoenpoetsmeisje?'

'Dát is nog eens specifiek,' zei Robert. 'Nee, hoezo?'

'O, gewoon iets wat ik hoorde.'

'Nou, als dat het gerucht is, doe me dan een plezier en druk het de kop in, want het is niet waar.'

'Als het waar was, zou je een bofkont zijn.' Hij zweeg. 'En vertel eens, hoe lang duurde het na Crea's bevalling voordat jullie weer, je weet wel?'

'Je hebt me net gevraagd of ik neuk met het schoenpoetsmeisje, maar je durft niet ronduit te vragen hoe lang het duurde voordat mijn vrouw en ik seks hadden nadat Gwen was geboren?'

'Ja, dat is anders. Binnen het huwelijk, en Crea is zo'n oude vriendin.'

Daar ging Robert maar niet op in. 'In het begin ben je allebei zo moe dat je aan weinig anders dan slaap kunt denken,' zei hij, 'maar dat eerste jaar is geweldig.'

'Nou ja, we hebben het zelf gewild,' zei Mark mismoedig.

'Je bent gewoon zenuwachtig, meer niet.'

'Ik ga mijn vrouw maar eens zoeken,' zei hij, 'om te horen of ze iets hebben wil.'

Robert bleef even alleen achter en besloot zich toen bij Mark en de vrouwen op de patio te voegen. Crea en Biscuit zaten net buiten de gestreepte luifel in de zon. Biscuit was iets dikker dan Crea, hoewel er van haar zwangerschap nog niet zoveel te zien was, en haar haar was blonder. Maar toen hij dichterbij kwam, zag hij plotseling wat Claudia Trace had bedoeld toen ze een keer had gezegd dat de twee vrouwen op elkaar leken. Misschien kwam het door de hoek van waaruit hij hen zag of misschien had hij ze nooit eerder samen gezien. De gelijkenis hield in elk geval op bij het fysieke. Was Mark getrouwd met een soort stand-in van Crea, weliswaar van keurige huize, maar zonder de innerlijke verfijning van het origineel? Robert hoopte voor Mark maar dat het een onbewuste keuze was geweest.

Het stel leek niet ongelukkig. Juist op dat moment haalde Mark een clubsoda bij de huishoudster, kwam terug, gaf het glas aan Biscuit en kuste haar op het voorhoofd. Misschien had Mark Pascal eindelijk, na tientallen jaren van oefening, de kunst van het settelen onder de knie gekregen. En toen voegde ook Robert zich bij zijn vrouw.

Algauw kregen ze gezelschap van Roberts schoonvader en Trenton Pascal, en binnen de kortste keren zaten alle gasten bijeen op de patio, met inbegrip van de Gordons en de Trumbles, Traceys bejaarde buren, die bevriend waren met zijn ouders. De kleindochter van de huishoudster ging de gasten langs om te vragen wat ze wilden drinken, en Robert wilde haar juist wenken toen Jack Alexander naar hem toe kwam, hem bij de arm nam en een paar minuten van zijn tijd vroeg. Zonder zijn antwoord af te wachten nam hij Robert mee in de richting waar hij net vandaan was gekomen, totdat ze alleen in de uitgestrekte achtertuin stonden. Gezien het feit dat er maar zo weinig gasten waren, leek iedereen wel erg gesteld op privacy – of althans, op privacy wanneer ze in gesprek waren met Robert. Dat was geen goed teken.

'Hoe laat ben je gisternacht thuisgekomen?' vroeg Jack.

'Ik had een lekke band,' mompelde Robert, 'op de ringweg.'

'Misschien moet je in het vervolg wat eerder weggaan.'

'Sorry als ik je wakker heb gemaakt.'

'Je werd om tien uur verwacht. Heb je gezien dat de auto is voorzien van een telefoon?'

Robert hoorde zijn naam en toen hij zich omdraaide zag hij Tracey, die haastig naar hen toe kwam. De drie spraken even over nieuwe buren, die renovatieplannen hadden die door slechts weinig bewoners van het Park op prijs werden gesteld. Robert vertelde dat Gwen onlangs om een sint-bernard had gevraagd. Jack was het gesprek al snel beu; hij was gekomen om hem de mantel uit te vegen, niet voor een kletspraatje, en nu hij zich van zijn taak gekweten had, verontschuldigde hij zich en ging terug naar zijn leeftijdgenoten.

Robert liep met Tracey mee naar de tuin opzij van het huis. De tomatenplanten waren omgevallen, topzwaar geworden door het gewicht van het rijpende fruit. De komkommers waren zo rijp dat er al bijna rotting optrad. 'Ik moet echt iemand voor de tuin zien te vinden,' zei Tracey. 'Het ontbrak me gewoon aan de tijd.' Tracey was ouder geworden in de maanden dat Robert hem niet had gezien. Zijn blozende gelaat vertoonde opvallend veel rimpels, zijn neus was bezaaid met kleine adertjes en zijn blonde haar was vergrijsd tot een vale, onbestemde kleur.

'Waar is Claudia?'

'Binnen, in bed,' zei Tracey, 'maar ze zal uiteindelijk wel beneden komen.' Hij zweeg even om een tomaat op te rapen die op hun pad was gevallen. 'Ik heb je broer niet uitgenodigd, want ik wil niet dat Claudia nog met hem omgaat.'

'Je hoeft mij niets uit te leggen,' zei Robert. Ze waren nu aan de voorzijde van het huis gekomen en keken uit over de lange, lege oprit. In de verte hingen de twee bewakers onderuitgezakt op hun stoel.

'Ik neem het Barry niet kwalijk, echt niet. Ik heb hem hier zelf uitgenodigd en de relatie aangemoedigd. Ik wist wat er gebeurde – was er zelfs opgelucht over. Hij maakte haar aan het lachen. Hij zorgde ervoor dat ze het huis uit kwam. Ze leek gelukkiger, energieker. Ik redeneerde dat ik mijn pleziertjes had en dat zij recht had op haar eigen pleziertjes. Ik voelde me er zelfs prettiger onder toen ik wist dat ze zo haar eigen dingetjes had.'

'Er was geen affaire, als dat is wat je denkt,' zei Robert. 'In elk geval niet in de technische zin.' Als dat wel het geval was geweest, zou Barry wel een manier hebben gevonden om erover op te scheppen tegen zijn broer.

'Seks? Ik zou blij zijn als het zoiets simpels was als seks. Ik heb het over coke en pillen.'

'En wat doe je daar nou precies aan?'

'Ik neem voor de verandering eens het heft in eigen handen. Ze gaat afkicken, al moet ik haar desnoods de hele zomer in de gaten zitten houden. Er komt hier niets binnen en er gaat niets uit zonder dat ik het weet. Ook geen gasten, tenzij ik absoluut zeker weet dat ik ze kan vertrouwen. Vandaar die bewakers.'

'Ik weet niet of dat nou de juiste aanpak is.'

'Ik ben niet van plan haar naar zo'n afkickcentrum te sturen, als je dat bedoelt. Om haar in een groep te laten zitten met hoe-heet-ie-ook-alweer van de Allman Brothers. Dat is niets voor Claudia.'

Volgens Robert was het niet Claudia's gêne waar Tracey zich zorgen over maakte.

'Het heeft me bijna een maand gekost voordat ik haar hele voorraad het huis uit gewerkt had. Ze verstopte het spul overal. En dan hadden we nog personeel dat kwam – nou, ik heb uiteindelijk zelfs een deel van de staf vervangen.

'Helpt het?'

'Er zijn dagen dat ik gek van haar word. Ze huilt en smeekt. Eerlijk gezegd word ik daar beroerd van. Maar ik moet doorzetten. Je zou me een groot plezier doen door naar boven te gaan en haar op te zoeken. Over het algemeen praat ze met niemand, maar ze heeft jou altijd graag gemogen.' Tracey stak een sigaret op; na een lang sabbatical was hij weer gaan roken. De twee mannen liepen terug naar het huis.

'Natuurlijk, als je denkt dat het helpt,' antwoordde Robert. 'Maar ik begrijp niet hoe je haar in haar eigen huis gevangen kunt houden.'

'Wat weet jij daar nou van?' vroeg Tracey. 'Als jij meer tijd met haar had doorgebracht, zou ze misschien niet zo naar Barry zijn getrokken en...'

'Ik?' zei Robert. 'Ik kan nauwelijks mijn eigen huwelijk in stand houden, laat staan als jouw plaatsvervanger optreden. Ik weet niet wat zich heeft afgespeeld tussen jou en Claudia, of wat jullie precies van dit huwelijk hadden verwacht, maar laat mij er in godsnaam buiten!'

Robert liep om de voorkant van het huis heen en wandelde om te kalmeren wat rond door de overwoekerde tuin. Het ongerijmde zootje dat Tracey van zijn leven had gemaakt sloeg helemaal nergens op, maar ja, was zijn eigen leven wel zoveel beter? Gisteravond had hij buiten, voor het gebouw, afscheid genomen van Sally. Dat was nu de regel: hij ging niet eens de hal binnen. Ze omhelsden elkaar in het donker, weg van de nieuwsgierige ogen van de portier, de felle straatverlichting en de voetgangers op Broadway. Terwijl hij haar in zijn armen hield, kuste hij haar een paar verrukkelijke seconden lang totdat ze zich losmaakte uit zijn greep en naar binnen ging, waarna hij zo gefrustreerd als een veertienjarige achterbleef. Toen was hij snel naar East 73rd Street gegaan, waar hij zich had omgekleed en daarna zelf met honderddertig kilometer per uur over de snelweg naar Tuxedo was gereden, waar hij na middernacht aankwam. Het huis verkeerde in diepe rust en hij was veel te laat. Hij had zijn schoenen uitgetrokken en was door de gang naar hun slaapkamer geslopen, had stilletjes zijn kleren uitgetrokken en was in bed geschoven. Crea lag naast hem, diep in slaap en zwaar ademend. In het donker stak hij zijn hand naar haar uit, en ze reageerde, half slapend. Hij schoof haar nachthemd omhoog en was ruw in haar binnengedrongen, haar gespierde benen sterk als staal om hem heen, hun hunkerende lichamen strak van verlangen. Algauw kwamen ze klaar. Om zich in te houden drukte ze haar mond tegen zijn schouder, smoorde haar kreten met zijn huid; haar hete adem en woede, haar teleurstelling en verlangen, samengebald in dat gedempte geluid, dat overging in een beet, zo hard, dat hij nu een afdruk ter grootte van een honkbal op zijn bovenarm had.

Hij neukte zijn vrouw – er was geen ander woord voor wat ze de afgelopen tijd deden, boos en midden in de nacht – hoewel ze overdag nauwelijks in staat waren om een beleefd gesprek te voeren, en hij maakte zijn geliefde tot een soort gezelschapsdame terwijl hij zich al die tijd in martelend technicolor de dag voorstelde dat ze eindelijk haar kleren uit zou trekken en zich aan hem zou geven. Hoe lang kon dat allemaal nog doorgaan?

Moe van zijn omzwervingen ging Robert ten slotte naar binnen. De gordijnen waren open in de woonkamer, zodat de zijden tapijten en neorenaissancestoelen en de divan goed uitkwamen. De kamer, met zijn victoriaanse tierelantijnen, zag eruit zoals hij er honderd jaar geleden had kunnen uitzien, en hij bedacht dat Tracey en Claudia merkwaardig ouderwetse mensen waren gezien hun smaak, de kringen waarin ze verkeerden, hun desinteresse voor een loopbaan (wie anders dan Tracey was nog steeds een 'rentenier' in de technische zin van het woord?), en zelfs in hun visie op de verbintenis en het maatschappelijk aanzien van het huwelijk. Maar misschien waren alle mensen met een aanzienlijk geërfd fortuin wel vluchtelingen uit een ander tijdperk, en misschien konden ze wel niet anders – het echte werk, het dynamische streven, was al gedaan voordat zij ten tonele kwamen. Alleen Jack Alexander weigerde om in het verleden te leven. Hij was zijn loopbaan begonnen zonder hun geld of hun zienswijze. Op een bepaalde manier wreef hij hun dat onder de neus, met zijn smaak in kunst en zijn doorkijkhuis. Robert voelde een sprankje bewondering voor zijn schoonvader, die hij in de loop van de jaren was gaan verafschuwen.

De kamers boven leken afgesloten, maar voor één deur stond een dienblad met onaangeroerde eieren en geroosterd brood, overgebleven als van een slecht roomserviceontbijt in een hotel. Hij liep naar de deur en klopte aan. Toen er niet gereageerd werd, kondigde hij zichzelf luid aan en werd er gezegd dat hij mocht binnenkomen.

'Ik heb dagen niet kunnen slapen,' mompelde ze, 'dus slapen is nu het enige wat ik wil.' Ze ging rechtop in bed zitten en deed het licht aan. 'Is Barry er?'

'Nee.'

'Ga zitten,' zei ze met een klopje op de plek naast haar. Maar hij trok een stoel bij. 'Heeft hij niets voor me meegegeven?'

Robert schudde het hoofd. 'En als hij dat wel had gedaan, zou ik het je niet geven.'

Zij pakte een doosje sigaretten van het nachtkastje. 'Iedereen heeft me in de steek gelaten,' zei ze, 'jij ook.'

'Nee, dat is niet waar.' Haar handen waren beverig en hij nam de aansteker van haar over om haar een vuurtje te geven.

'Hij heeft me opgesloten, zodat hij kan doen wat hij wil en me niet hoeft te zien.' Ze stak hem haar hand toe. 'Kun je Barry niet gewoon bellen? Ik heb het al ontelbare keren geprobeerd, maar als hij me al heeft teruggebeld, heeft niemand me dat verteld. Misschien kun je hem bij jou thuis uitnodigen? Of je zou voor me naar de stad kunnen gaan; daar is een jongen die gesigneerde honkballen verkoopt...'

'Wil je je van kant maken? Want er bestaan snellere manieren.'

'Ja, want het lijkt hier verdomme wel een mausoleum. Tracey is onze begrafenisondernemer. En wie zal hém begraven? Jij, neem ik aan.'

'Tracey mankeert niets.'

Toen Claudia glimlachte, spande de huid zich strak over haar ingevallen gezicht, een aanblik die ronduit demonisch was. Ze zei dat hij de deur dicht moest doen als hij wegging.

Er werd dat jaar vuurwerk afgestoken, maar Robert zou het zich niet herinneren. Jack vertrok al vroeg met Trenton Pascal en Biscuit; Mark bleef achter om naar het vuurwerk te kijken. De weinige overgebleven gasten zaten in een groepje dicht bijeen op de patio. De twee bejaarde echtparen hadden oordopjes in uit voorzorg tegen het lawaai. Crea zat naast Robert en at de laatste paar hapjes van een stuk ijstaart. Mark zat aan haar andere kant en had een onderonsje met haar over een liefdadigheidsinitiatief. Naast Mark zat Tracey als een oververmoeide babysitter te dommelen in een klapstoel. In de verte speelde een band 'The Stars and Stripes Forever'. Robert miste zijn dochter; wat had al dit ritueel voor zin als er geen kinderen waren om het draaglijk te maken?

Toen verscheen Traceys bejaarde huishoudster, Famke, en schudde Tracey wakker. Zachtjes, en toen luider, om boven de muziek uit te komen vertelde ze hem dat mevrouw Trace was verdwenen.

Ze was naar boven gegaan met een dienblad voor mevrouw Trace en had de deur op een kier en het bed leeg aangetroffen. Tracey schoot meteen overeind en sprintte het huis binnen. De gasten keken elkaar verbaasd aan. Toen hij terugkwam, was de lucht een en al kleur omdat het vuurwerk in volle gang was. Hij schudde zijn hoofd en keek bezorgd. Ze was inderdaad verdwenen. De oude mensen excuseerden zich al. Robert zei tegen Crea dat ze beter naar huis kon gaan; Gwen zou over niet al te lange tijd terugkomen. Mark en hij zouden Tracey helpen zoeken, samen met de nutteloos gebleken, schuldbewuste bewakers.

'Ze is waarschijnlijk gaan liften,' zei Robert. 'Er is veel verkeer op de weg. Dat wordt zoeken naar een speld in een hooiberg. Je moet de autoriteiten bellen, hulp vragen.'

'Geen politie! Opschieten en doe wat ik zeg.'

Mark kwam het huis uit met zaklantaarns. Robert was kwaad, was de hele dag al kwaad geweest, niet op Tracey, maar op de hele situatie. Als Tracey voor de verandering eens een probleem erkende en het daglicht erover zou laten schijnen, was dit allemaal niet nodig geweest. Als Robert Barry niet had uitgenodigd, als Tracey niet was getrouwd. Als, als, als. De ene leugen op de andere, en dan nog zijn eigen leugens, die de kroon spanden.

Ze gingen met Traceys auto, maar Robert reed omdat hij Tracey in deze toestand niet achter het stuur vertrouwde. De beide bewakers gingen er in afzonderlijke auto's op uit. De huishoudster reed met Mark mee, omdat ze de omgeving goed kende en haar steentje wilde bijdragen. Ze zochten in Sterling Forest en in de naaste omgeving van Tuxedo Park. Ze speurden allemaal urenlang de uitgaande buitenwegen af, waarbij ze eerst te kampen hadden met de vakantiedrukte op de weg en daarna met de duisternis; ze deden het groot licht aan en speurden in het donker de verlaten buitenwegen af, heen en terug door de heuvels van Orange County, en toen, zonder zichzelf veel kans te geven, de grote verkeerswegen, de snelwegen, totdat ten slotte zelfs Tracey moest toegeven dat de zoekactie zinloos was. Tegen middernacht reden ze terug naar het huis, in de hoop dat iemand anders succes had gehad.

Maar iedereen was onverrichter zake teruggekomen. De bewakers maakten een dodelijk vermoeide indruk. Mark Pascal liep ongedurig op en neer. Tracey ging de ziekenhuizen bellen, maar Robert belde zijn broer, iets wat hij al uren geleden had moeten doen. Barry was net thuisgekomen van een avondje stappen met een paar effectenhandelaren en had Claudia aangetroffen in de hal van zijn flatgebouw, met niets anders aan dan sneakers en een mannenpyjama. Ze wilde niet dat hij haar terugreed naar Tuxedo. Ze zat nu op de bank in zijn woonkamer van een glas cognac te nippen.

'Je moet haar verder niets geven, hoor,' zei Robert tegen zijn broer. 'Nee, bij nader inzien, geef haar maar een slaapmiddel. We komen eraan.'

Ze reden naar de stad en haalden Claudia op. Ze lag als een kind ineengedoken op de achterbank te slapen. 'Het begint gewoon weer van voren af aan als je niets onderneemt,' zei Robert, zijn stem moe en beschuldigend toen ze de lange oprijlaan insloegen.

'Ik weet het,' zei Tracey. 'Je hoeft niet zo'n toon aan te slaan, Vishniak. Ik weet het.'

Tegen de tijd dat de huishoudster Robert bij het huis van Jack afzette, was het al na drieën. Hij trok zijn kleren uit en kon aan niets anders dan aan slapen denken. Maar toen hij het dekbed terugsloeg en in bed stapte, draaide Crea zich om en ze knipte het leeslampje aan omdat ze wilde weten wat er gebeurd was.

'We moesten naar de stad om haar op te halen bij Barry. Het is een erg lange avond geweest.'

'Ik lig hier al een hele poos, Robert, en probeer het gevoel van me af te zetten dat je niet de behulpzame padvinder zou hebben uitgehangen als ik er zomaar vandoor was gegaan.'

'Wat een waanzin,' zei Robert. Hij was zo ontzettend moe. 'Jij zou niet op die manier zijn verdwenen, Crea; jij doet dat soort dingen niet. Zo zit je, godzijdank, niet in elkaar.'

'Ja, ik ben een rots in de branding. Dat zegt iedereen. Iemand nodig om de carpool te organiseren? Zoek je een biedermeier secretaire voor een zacht prijsje? Een goede cardioloog voor je vader? Bel Crea. Maar niemand onderneemt zoekacties of rijdt de halve nacht rond om uiterst competente mensen te redden, is het wel? Dat soort grote gebaren is voorbehouden aan zwakke, zielige mensen.'

'Je kletst uit je nek.'

'Voor jou ben ik vanzelfsprekend.'

'Misschien is dat wel zo,' zei hij, zijn trots inslikkend, en toen pakte hij haar hand. 'Mag ik nu gaan slapen, dan praten we er morgenochtend verder over.'

Ze trok haar hand weg. 'Je hebt een affaire met haar gehad, hè?'

'Met Claudia?' zuchtte Robert. 'Nee.'

'Op feestjes verdwijnen jullie altijd voor een tête-à-tête.'

'Ja, we praten. Ze heeft het moeilijk.'

'O, ja, iedereen zou zulke problemen wel willen! Een knappe vrouw met geld en een goed stel hersens, als daar nog wat van over is, en iedereen slooft zich uit om iets voor haar te doen. Claudia is zo depressief. Claudia eet niet genoeg. Claudia is nooit over Charlie heen gekomen. Dat was twintig jaar geleden, maar jullie zwermen allemaal om haar heen en nemen haar temperatuur op. Wat zijn mannen toch dol op hulpeloze vrouwen.'

'Ik zweer je, Crea, dat ik geen affaire heb gehad met Claudia Trace.'

'Je hebt een affaire met iemand,' zei ze scherp.

'Je bent op het moment irrationeel,' zei hij zacht. 'Dit gesprek heeft geen enkele zin.'

'Als ik irrationeel ben, Robert, of als ik gek lijk, dan heb jij me zo gemaakt. Daar heb je maar tien jaar over gedaan. Gefeliciteerd.' En toen knipte ze het licht uit en trokken ze zich allebei terug op hun eigen helft van het bed en keerden elkaar de rug toe.

53

De herfst van '87

Eind september vertelde Sally hem dat ze het voor één keer bij het verkeerde eind had gehad. Haar toneelprestatie was door iemand opgemerkt; ze was opgevallen. En ze was gecast voor de vrouwelijke hoofdrol, Billie Dawn, in een productie van Garson Kanins toneelstuk *Born Yesterday*, in een Equity-theater in Hartford, met een gage en een verblijfsvergoeding. Ze zou zes weken weg zijn. Op de laatste dag dat ze schoenen poetste bij A, L & W straalde ze van triomf en leek op een wolk door de gangen te zweven. Ze keek alsof ze verliefd was geworden, en het was moeilijk om te erkennen dat hij jaloers was. Was hij jaloers omdat ze haar aandacht op iets anders ging richten of jaloers op haar zekerheid? Allebei een beetje.

'Dit is echt uitstekende timing,' zei ze terwijl ze zijn schoenen opwreef; toen stond ze op en pakte de kist in. 'Het begon een beetje afgezaagd te worden, dat aantrekken-afstoten. Voor jou ook, geloof ik. En ik kom in elk geval terug.'

Hij knikte en probeerde te kijken alsof hij er vrede mee had. Misschien was dit voor haar het begin van iets; misschien zou haar hierna iets nog groters wachten. Zo ging dat immers bij acteurs? Die leidden toch eigenlijk een zwervend bestaan en gingen daarheen waar het werk was? Maar dat zei hij niet, want dat zou niet eerlijk zijn. Want wat had hij haar nu eigenlijk te bieden? Hij zei dus maar dat hij veel werk had dat hem in beslag zou nemen.

'Misschien ben je al partner geworden als ik terugkom,' zei ze, 'dan gaan we uit om het te vieren.' Ze legde haar hand op zijn schouder en toen, met een blik op de deur, boog ze zich snel naar hem toe om hem op de wang te kussen. 'Niet zo somber.'

Hij stak haar vijftig dollar toe, die ze eerst niet wilde aannemen, maar hij stond erop. Toen keek hij haar na en hij probeerde zich te onttrekken aan het gevoel dat de lucht uit zijn leven wegstroomde, dat de komende maanden niets anders zouden brengen dan saai, eindeloos werk, huiselijke conflicten en zorgen. Kortom, zoals het voorheen was geweest.

In één ding had Sally gelijk: bij Alexander, Lenox en Wardell hing het vonnis in de lucht. Niemand noemde een specifieke datum, er was geen officiële vergadering, maar op enig moment vóór december zou een van de compagnons zijn kantoor binnenkomen om hem het nieuws te vertellen. Meestal waren er van tevoren wel aanwijzingen en geruchten, maar Robert had niets gehoord. Het was usance in vastgoed dat je lang moest wachten voordat je partner werd, acht of negen jaar in tegenstelling tot de gebruikelijke zeven. Elk verstrijkend jaar was een jaar doorgebracht in de steeds hoger gespannen verwachting van een goede afloop. Als die goede afloop je niet reëel leek, als je 'niet in het team paste', deed je er goed aan om er tijdig mee te kappen en over te stappen naar een ander bedrijf. Als je te lang wachtte, werd je gewoon een mislukte, oudere medewerker in een bloeiende markt, waar vraag was naar talent en waar zelfs eenvoudige ijver in hoog aanzien stond, dus waarom was het jou dan niet gelukt om het te maken? Uiteindelijk was bedrijfspolitiek het gebruikelijke antwoord of bijzondere omstandigheden, botsende persoonlijkheden, of talloze variaties daarop, die ervoor zorgden dat juristen op een zijspoor werden gezet en hun naam niet boven aan het briefpapier kwam te staan. Dan werd je een jurist met een verhaal. En welke jurist wilde rondlopen met een verhaal, als met een blok aan zijn been?

Mario Saldana was ongetwijfeld een jurist met een verhaal. Begin september was hij naar Caracas vertrokken om zijn bejaarde moeder te bezoeken, en in de eerste week van oktober was het duidelijk geworden dat hij niet meer terug zou komen. De ontslagbrief was aangetekend verzonden, gericht aan de compagnons, en verklaarde dat de gezondheid van Mario's moeder en zijn wens om dicht bij zijn familie te zijn van invloed waren geweest op zijn beslissing om zeer vervroegd met pensioen te gaan, op zijn zevenenveertigste. Hij schreef een vlammende aanbeveling ten gunste van Robert Vishniaks kandidatuur voor het compagnonschap, maar dat telde niet echt meer – Mario had daar geen stem meer in.

Op dezelfde dag ontving Robert een persoonlijke brief van hem, verzonden naar zijn huisadres. Tot Roberts verrassing schreef Mario hem de waarheid: hij was stervende aan aids. Hij zei dat het hem oprecht speet dat hij er niet kon zijn om Robert te helpen het compagnonschap te bemachtigen dat hij naar zijn idee verdiende. Robert was diep geraakt door Mario's eerlijkheid, vooral omdat hij zo'n gereserveerde, trotse en gesloten man was. Maar toch vroeg hij zich af hoe dat alles zijn eigen lot zou beïnvloeden.

In het begin respecteerden de andere medewerkers van het kantoor de waarheid, of delen daarvan – Mario was een man met uitstekende kwaliteiten, knap om te zien en voorbeeldig, zowel in zijn arbeidsethos als in zijn liefde voor zijn familie, zijn toewijding en decorum – maar toen, na enkele weken, begon de mythevorming. Als de geruchtenmolen draaide, kon die je maken of breken. Eerst werd er gesproken over een mogelijke bedrijfsvestiging in Caracas: misschien kon Mario worden overgehaald om weer in dienst te treden. Toen ontstonden er geruchten over een verloofde in Caracas en werd er een totaal ander leven voor hem verzonnen: hij had de krankzinnige werktijden voor gezien gehouden en was ergens gaan wonen waar het mooi was en waar hij niet alleen tijd kon doorbrengen met zijn zieke moeder, maar ook met de vrouw die hij liefhad. Voor New Yorkse juristen, die een werkweek van tachtig uur maakten, was het een droom waar ze zich mee konden vereenzelvigen. Het hield de moed erin wanneer ze 's avonds laat naar hun computerscherm zaten te staren. Mario's portretfoto, waarvan Robert het bestaan niet eens had geweten, werd nu tevoorschijn gehaald uit een achterafkamer en in de entreehal gehangen. Gewoonlijk werd iemands portretfoto daar pas opgehangen wanneer hij dertig jaar bij het bedrijf had gewerkt. Of iets opmerkelijks had gedaan.

In oktober organiseerde het bedrijf een afscheidsdiner voor Mario Saldana in een grote, besloten eetzaal bij Peter Luger Steakhouse in Brooklyn. Dat Mario er niet bij was, was niet zo belangrijk: ze lieten een stoel vrij, alsof hij verwacht werd, zoals Roberts familie met Pesach voor de profeet Elia deed. Alle compagnons en medewerkers waren aanwezig en bestelden eerste kwaliteit ribkarbonades van vier ons, vergezeld van gerechten als spinazie à la crème en maïs, die ze naar binnen lepelden als babyvoeding.

Robert had niet gedacht dat mensen Mario goed genoeg kenden om iets over hem te kunnen zeggen – en daar had hij gelijk in. De toespraken bestonden deels uit lovende woorden en deels uit speculatie. Mensen memoreerden gunsten die Mario hun had verleend, cadeaus bij de doop van kinderen, grappen die hij had gemaakt wanneer een transactie rond was – en Robert durfde te wedden dat het merendeel van wat ze vertelden niet eens was gebeurd. De kreet 'Work hard, play hard' werd zo vaak gebezigd dat Robert het gevoel kreeg dat hij in een commercial voor sportschoenen zat.

Ze deden alsof Mario niet het summum van gereserveerdheid was, alle intimiteit vermeed en zijn sociale contacten met collega's het liefst tot het voetbalveld of de tennisbaan beperkte, plaatsen waar mannen gewoonlijk niet praatten.

Het deed er niet toe dat de aanwezige juristen niets van Mario's jeugd af wisten, nooit zijn familie hadden ontmoet of ook maar een voet in Venezuela hadden gezet. Er was nu sprake van een hele trits weeskinderen die hij van de straat had gered en op zijn kosten naar school stuurde, van een voetbalelftal in de South Bronx dat dankzij Mario nu een veld had om op te spelen en echte voetbalschoenen. Er was sprake van summa cum laude afgestudeerd zijn aan Duke, terwijl Robert zeker wist dat Mario had gezegd dat zijn cijfers op de universiteit weinig voorstelden. Vooral de strafpleiters blonken uit in deze verbale uitweidingen; slechts een enkeling van hen had misschien wel eens met Mario gewerkt, maar een groepje serveersters dat even was blijven staan om te luisteren werd tot tranen geroerd.

De oudere partners zeiden niet veel, maar ze glimlachten goedkeurend en klapten op het juiste moment, als trotse ouders. Maar Phillip Healey, de jongste van de ouderen, stond op en vertelde een lange anekdote, iets over Mario proberen bij te benen op de tennisbaan – Robert luisterde inmiddels niet echt meer – en vervolgens ging Phillip zitten en richtten alle ogen zich op Robert. Hij was de logische keus om een toost uit te brengen op zijn vroegere mentor, en dat was duidelijk wat nu van hem verwacht werd – het was zijn beurt.

'Sta eens op, Robert,' fluisterde Jack.

Met zijn glas whisky in de hand, alsof hij dat elk moment kon heffen voor een toost, stond hij met zijn mond vol tanden. Na een lange, pijnlijke stilte zei hij hardop Mario's naam. Een paar juristen bogen zich naar voren op hun stoel, anderen glimlachten – uit minachting of omdat ze verwachtten dat hij op het punt stond iets verrassends en geestigs te doen? Maar Robert zette het glas neer en schudde zijn hoofd. Hij wilde niet de herinnering bezoedelen van de enige jurist die echt aardig voor hem was geweest. Wilton Henry stond op van zijn plaats aan de tafel ernaast, kwam naar Robert toe, legde een hand op zijn schouder en fluisterde: 'Lukt het niet?' Robert schudde het hoofd en ging zitten. Nadat Henry een paar woorden had gezegd over hoe aangedaan Robert was door Mario's vertrek, ging hij snel over tot een monoloog die zo onderhoudend en toch plechtig was dat hij een staande ovatie kreeg. Liesel MacDuff zette in het openbaar haar bril met de jampotglazen af – voor het eerst in mensenheugenis – om de floers van haar lenzen te vegen; vervolgens stond ze op en deed ook een poging, maar ze gaf toe dat ze in een weinig benijdenswaardige positie verkeerde na de vorige spreker.

Robert wist dat deze avond nog wel eens door zijn hoofd zou gaan spoken – hij had niet gedaan wat er van hem verwacht werd – maar ineens kon het hem niet schelen. Hij had dan misschien wel meer tijd met Mario doorgebracht dan de anderen, maar hij kon zich slechts twee persoonlijke gesprekken herinneren die ze ooit hadden gevoerd – en dan nog alleen als hij het eerste gesprek meetelde, toen ze elkaar op de gang waren tegengekomen tijdens Roberts eerste maand als een stagekracht. De enige die Mario goed kende, was niet aanwezig bij dit diner, en Robert was ervan overtuigd dat hij vol afgrijzen zou zijn weggevlucht als hij er wel bij was geweest.

Toen het achter de rug was, stapte Robert snel in zijn gereedstaande auto, omdat hij zijn collega's het liefst wilde ontlopen. 'Breng me in godsnaam naar huis,' zei hij tegen Troy. De hele rit keek hij uit het raampje naar de vervallen fabrieken, braakliggende percelen en verkommerde rijtjeshuizen van Williamsburg. Toen de auto de brug naderde, drong het tot Robert door dat niemand zich een rad voor ogen had laten draaien door Mario's maatpakken of door de volharding waarmee hij tot op het laatst lange dagen had gemaakt, en zelfs niet door de hele reeks aantrekkelijke vrouwen die hij had meegenomen naar de kerstvieringen van het kantoor. Het diner draaide niet om Mario's prestaties en zelfs niet om zijn karakter – de avond was alleen bedoeld als blijk van erkentelijkheid voor wat Mario voor Alexander, Lennox en Wardell had gedaan. Hij had hen behoed voor een schandaal, had voorkomen dat zij of een van hun concurrenten A, L & W ooit zou associëren met het woord aids.

54

Het vonnis

Toen Lola kort na de lunch Roberts kamer binnenkwam en zei dat de heer Alexander hem wilde spreken, keek ze blij. Robert wou maar dat hij zich zo optimistisch kon voelen. Hij had altijd tegen haar gezegd dat ze opslag zou krijgen als hij partner werd. 'Volgens mij krijgen we het pas over een maand te horen,' waarschuwde hij, omdat hij niet wilde dat haar verwachtingen te hoog gespannen zouden zijn. Eerdere bezoeken aan Jacks kantoor hadden niet altijd tot een positief resultaat geleid. Terwijl hij door de gang liep, vroeg hij zich af of hij het zich misschien maar verbeeldde dat advocaten hun kantoor uit kwamen en secretaresses hun ogen opsloegen om naar hem te kijken.

Zonder op te kijken van haar werk zei Selene dat hij kon doorlopen. Jack stond op zijn favoriete plek bij het raam en keek naar het uitzicht. Hij draaide zich om en wees naar de stoel tegenover zijn bureau en kwam toen aan de andere kant zitten. 'Ik wil er niet omheen draaien,' zei hij terwijl Robert haastig plaatsnam. 'Je hebt me in een uiterst lastige positie gebracht.'

'Hoezo precies?' vroeg Robert en hij rechtte zijn rug.

'Nu Mario met pensioen is, wordt het hoog tijd dat we twee vastgoedpartners aanstellen – er valt zelfs iets te zeggen voor drie. We hebben een uitstekend jaar gehad en het aantal medewerkers is aanzienlijk gegroeid. Jij hebt het meest te maken gehad met Mario's cliënten, maar zoals je weet, hebben die vrijwel allemaal hun zaken overgeheveld naar advocatenkantoren met een sterker ontwikkelde internationale praktijk. Er zaten veel familieleden van hem bij, heb ik begrepen, en hij was de trekpleister.'

Robert knikte en wou maar dat hij ter zake kwam.

'Je bent een degelijk jurist, Robert. Het staat buiten kijf dat je je werk naar behoren doet en cliënten hebt binnengehaald. Ik heb meteen gezegd dat ik me dit jaar van stemming zal onthouden om niet de indruk van nepotisme te wekken. Maar nu Mario gepensioneerd is en Harold Thoms ermee gaat stoppen, hebben we de inzet van alle beschikbare vastgoedpartners nodig. Je kunt je wel indenken dat mijn mening aanzienlijk gewicht in de schaal legt, ook al zal ik mijn collega's op het hart drukken dat mijn stem niet zwaarder mag wegen dan die van anderen.'

Voor de draad ermee, dacht Robert. *Zeg het nou maar.*

'Maar ik zal jouw kandidatuur niet steunen.'

Robert voelde dat zijn borst zwaar werd en daarom pakte hij zijn inhaler uit zijn jasje en nam snel een pufje. Jack wachtte beleefd, zijn gezicht ondoorgrondelijk. Toen Robert eindelijk weer kon praten, kwam zijn vraag er hees en schor uit. 'Mag ik vragen waarom precies?'

'Omdat het compagnonschap van dit bedrijf meer omvat dan alleen een goed jurist zijn. Een compagnon heeft een voorbeeldfunctie.' Hij ging staan en Robert ook, zodat ze tegenover elkaar aan het bureau stonden.

'Ik vind dat ik een prima voorbeeld ben geweest. En impliceer je nu dat ik niet genoeg werk heb binnengehaald, want...'

'Je hoort niet wat ik zeg,' zei Jack met afgemeten stem. 'Het hele bedrijf heeft het over jou en dat schoenpoetsmeisje. Je bent overal in de stad met haar gesignaleerd: een stel tweedejaars heeft gezien dat je haar stond te zoenen onder een lantaarnpaal bij een of ander café in het centrum. Je bent gezien terwijl je arm in arm met haar door Upper West liep. En er is meer dan eens gezien dat je haar hier trof, in de hal van dit gebouw, en dat jullie, zoals het werd genoemd, "niet van elkaar af konden blijven". Ik keur die roddelpraatjes niet goed, maar het is nu eenmaal de realiteit binnen een bedrijf, en jij bent al veel te lang de risee. Het feit dat je je daar niet van bewust bent, is op zich al schokkend, zodat ik me afvraag waar je in godsnaam met je hoofd hebt gezeten in de afgelopen paar maanden, hoewel ik het antwoord vermoedelijk wel kan raden! Maar je bent ook mijn schoonzoon, en hoe oneerlijk het misschien ook lijkt, ik kan in dit opzicht mijn persoonlijke gevoelens niet scheiden van mijn professionele gevoelens.' Zijn stem trilde nu. 'Ik laat niet toe dat mijn dochter nog langer tot het mikpunt van spot wordt gemaakt!'

'Maar ik ben Crea niet ontrouw geweest,' zei Robert.

'Pardon?'

'Ik ben niet met het schoenpoetsmeisje naar bed geweest,' zei hij. 'En ik zie niet in wat mijn privéleven met mijn werk te maken heeft. Ik heb me volledig ingezet voor het bedrijf.'

'Vanaf het moment dat je met Crea trouwde, waren je werk en je privéleven niet meer volledig te scheiden.'

'Maar je hebt me toch ook niet beter behandeld omdat ik je schoonzoon ben, dus waarom zou je me dan slechter behandelen? Ik zeg je toch dat ik geen seks heb gehad met Sally Johannson. Geloof je me niet?'

'Zelfs al zou ik je geloven, dan is dat nog niet relevant. Omdat iedereen dénkt dat het wel het geval is.' Hij zweeg. 'En gezien het bewijsmateriaal vind ik het moeilijk om je te geloven.'

'Geloof wat je wilt, maar we zijn alleen bevriend.'

'Het kan me niet schelen hoe ze het tegenwoordig noemen!' zei hij. 'Ik ben me ervan bewust dat het heel vernederend voor je is om dit jaar geen partner te worden, om de doodeenvoudige reden dat iedereen het verwacht.'

'En omdat de hele juridische gemeenschap in New York zal veronderstellen dat ik te incompetent ben om partner te worden, zelfs binnen het advocatenkantoor van mijn eigen schoonvader!'

Jack leek te bedaren nu het onaangenaamste deel achter de rug was en ging weer zitten. 'Ga naar huis en vertel Crea wat er heeft gespeeld. Jullie zouden eens lekker op vakantie moeten gaan met z'n tweetjes. Dat meisje moet je nooit meer zien. Je gaat haar vertellen dat ze hier geen schoenen meer mag komen poetsen. Als de praatjes zijn opgehouden, misschien over een jaar of twee, zullen we je in heroverweging nemen om partner te worden. Maar je moet het Crea vertellen. Als jij het niet doet, doe ik het.'

'Wat wil je dan dat ik zeg?' vroeg Robert, die zich niet langer kon beheersen. 'Dat ik geen partner word omdat het hele kantoor denkt dat ik naar bed ga met het schoenpoetsmeisje terwijl ik in werkelijkheid niet met het schoenpoetsmeisje naar bed ga?'

Robert geloofde er niets van dat al die collega's hem hadden gezien. Manhattan was te groot – de zeldzame keren dat de junior medewerkers gingen stappen, was dat in cafés of restaurants vlak bij kantoor, en die had hij vermeden. Had zijn schoonvader hem laten volgen? Of iemand anders? Wilton Henry of Liesel MacDuff? Alles was mogelijk. 'Je hebt me nooit gemogen, hè?' vroeg Robert.

'Of ik je wel of niet mag, staat hier los van.'

'Maar je hebt me nooit goed genoeg gevonden voor Crea, is het wel?'

'Dat is irrelevant.'

'Ik vind het ontzettend relevant.'

'Je hebt zelf een dochter,' zei Jack. 'Zal iemand ooit goed genoeg zijn voor haar?'

Er werd op de deur geklopt, maar Jack riep dat hij niet gestoord wilde worden. Maar het kloppen hield aan, zodat hij genoodzaakt was om op te staan en naar de deur te lopen. Hij liep langzaam, met gebogen rug. Hij was oud, en toch besefte Robert dat hij nooit een duimbreed zou toegeven.

Hij wist dat hij Jacks kantoor nu hoorde te verlaten, maar het omvangrijke lichaam van zijn schoonvader blokkeerde de deuropening. Advocaten hadden aan de lopende band affaires – alleen was hij er op de een of andere manier in geslaagd om een zedenmeester op zijn dak te krijgen zonder dat hij daadwerkelijk plezier had gehad.

Jack was een hele poos fluisterend in gesprek met Selene. Waar kon het over gaan? Een gratieverlening? Was er iets veranderd? Zijn schoonvader bedankte zijn secretaresse en kneep in haar hand. Toen hij zich omdraaide en Robert aankeek, was alle kleur weggetrokken uit zijn gezicht.

'Wat is er?' vroeg Robert. 'Is er iemand overleden?'

'Nee,' zei Jack terwijl hij haastig naar de telefoon liep. 'Er is een crash.'

'Een vliegtuigcrash?' vroeg Robert. 'Zijn er doden bij gevallen?'

Jack ging aan zijn bureau zitten en staarde naar de lichtjes op zijn telefoons, alsof hij een inkomend gesprek wilde afdwingen. Robert schraapte zijn keel en Jack keek op, verbaasd hem daar nog te zien staan.

'Wat is er in godsnaam aan de hand?' vroeg Robert.

'De aandelenmarkt begint te kelderen,' zei Jack, 'en het eind lijkt nog lang niet in zicht.'

55

Waar is Barry Vishniak?

Op amper een meter afstand van de ingang stonden twee werklieden, met oorpluggen in en hun mond afgedekt met een masker, net als een chirurg, aan weerszijden van een grote drilboor die in de aarde wroette en de straat vulde met een aanhoudend, pulserend gedreun en de geur van verbrand asfalt. Robert liep haastig langs hen heen en ging de draaideur in. De smetteloze entreehal zag eruit als een spookstad.

Hij had Barry telefonisch niet kunnen bereiken – niemand kon vandaag zijn effectenhandelaar bereiken – dus was hij zelf maar op pad gegaan. De beurs was nu gesloten, na een koersval van 508 punten, de grootste daling binnen één dag in bijna vijfenzeventig jaar. Nadat Robert uit de lift was gestapt en door de glazen toegangsdeuren op de eerste verdieping naar binnen was gegaan, liep hij naar de receptioniste, dezelfde Jennifer die een jaar geleden zo vriendelijk was geweest, maar die nu niet eens opkeek. Talloze telefoonlijnen bliepten en lichtten rood op, en zonder onderbreking beantwoordde ze het ene na het andere telefoontje en herhaalde op zangerige toon dezelfde zin: 'Hij is momenteel niet aanwezig; kan ik een boodschap aannemen? Hij is momenteel niet aanwezig; kan ik een boodschap aannemen? Hij is momenteel niet...' Ze noteerde niets op het kladblok dat voor haar lag. Ze keek niet op. Haar anders zo hoog opgekamde haar hing nu slap op haar schouders, alsof ze was verlept.

Op de voorste rij van de arena liet een jonge man, in stropdas en hemdsmouwen, werktuiglijk zijn hoofd neerkomen op zijn bureau in een 1-2-1-2-ritme. Op de achterste rij had de enige andere aanwezige zich tot op zijn broek en sokken na ontkleed. Hij liep heen en weer terwijl hij geanimeerd in zichzelf praatte. Tussen hen in stonden rijen lege bureaus.

Barry's kantoor was verlaten, afgezien van Justin, de cold-caller, die aan Barry's bureau zat met zijn voeten omhoog en belde met een meisje dat Tia-Marie heette over een film waarin het bloed uit iemands oogbol spoot. Robert schraapte zijn keel en toen hij daarmee nog niet de aandacht van de jongen wist te trekken, kwam hij dichterbij en zei: 'Ophangen die telefoon, Justin, voordat ik je wurg met het snoer.'

Justin zei tegen Tia dat hij zou terugbellen, pakte een sigaret uit zijn jasje en stak hem op.

'Waar is hij?' vroeg Robert.

'Afgelopen donderdag moest hij, onder begeleiding van twee beveiligers, het pand verlaten. De dag daarvoor was hij urenlang in de vergaderruimte met mensen van de financiële toezichthouder. Uw rekening is overgeheveld.'

'Wat heeft Barry uitgespookt?'

'Dat zult u hem zelf moeten vragen.' De telefoon ging weer en de lange rij lichtjes knipperde aan één stuk door.

'En hoe kan ik bij mijn geld komen?'

'Door contact op te nemen met Joe Harper. Maar de komende dagen weet niemand hoe de zaken ervoor staan. Het is een puinhoop.'

'En waar is Joe Harper?'

'Kijk daar, ziet ú iemand?' vroeg Justin. 'Ze zijn weg. Naar het café beneden, waarschijnlijk. Weet u wat het probleem vandaag was, als u het mij vraagt? Technologie.'

'Ik heb je niets gevraagd...'

'De handelaren,' zei de jongen zonder zich iets van hem aan te trekken, 'zelfs toen ze het wilden, zelfs toen alles helemaal in de soep draaide, konden ze niks meer verkopen. Te veel transacties in het systeem, geen prijsnoteringen. Alles liep spaak. Je zag de cijfers op de Quotron dalen en dalen en geen mens die iets kon doen om het tegen te gaan.'

Robert trok een briefje van honderd uit zijn zak. 'Barry zou nooit iemand in dienst nemen die niet een beetje handig was. Joe Harper heeft ongetwijfeld dossiers?' vroeg hij.

De jongen nam het geld nonchalant aan. 'Misschien kan ik achterhalen wat u afgelopen donderdag nog had. Dat is zo'n beetje het beste wat ik kan doen.' Hij zweeg even. 'Vandaag weet niemand iets.'

Robert ging zitten wachten en luisterde met bonkend hart naar de stilte. Toen er een halfuur verstreken was en hij vreesde dat Justin niet meer terug zou komen, zag hij hem komen aanslenteren over de trading floor. Justin deed de deur open en liet Robert weten dat hij bofte; er lag al dagen een stapel papierwerk op het bureau van de secretaresse van Joe Harper, om bijgewerkt te worden of gewoon vol afschuw neergekwakt.

'Wat is mijn tegoed?'

'Na de sluiting van de beurs op donderdag: zeventigduizend dollar.'

'Vóór de crash?' vroeg Robert.

'Dat is wat hier staat,' antwoordde de jongen terwijl Robert het dossier uit zijn hand griste.

'Hoe bestáát het dat hij tweehonderdduizend dollar in beheer kreeg en er zeventigduizend van heeft gemaakt?'

'Hoor eens even, ík ben niet verantwoordelijk.'

'Je weet wat ze in het oude Rome deden,' zei Robert. Hij stapte dichterbij, omdat hij ineens zin had om de jongen door de glazen wand te flikkeren. 'Wat heb ik dan in jezusnaam na vandaag nog over?'

'Niet veel,' fluisterde Justin en vervolgens liep hij de deur uit.

Robert gebruikte zijn inhaler weer. Hij hoorde geruis in zijn oren, als het gefluister van een menigte. Hij was geruïneerd. Hij had geen geld meer.

Hij nam de metro vanaf het station bij het World Trade Center naar Barry's huis, maar zijn broer was er niet; de portier had hem al dagen niet meer gezien. Hij gaf de man een biljet van twintig dollar – Barry bleef hem maar geld kosten! – kreeg de sleutel, nam toen de lift naar de bovenste verdieping, maar trof de flat zo keurig aan dat het wel een hotelkamer leek. De schoonmaakster was zo grondig te werk gegaan dat hij zou hebben aangenomen dat hij in het verkeerde huis was als er niet een foto had gestaan van hem en Barry met hun vader, genomen op de promenade toen ze klein waren. Hij bladerde door Barry's Rolodex en belde een paar mensen, onder wie Victor Lampshade, maar niemand had iets van hem gehoord.

Urenlang dwaalde hij door de straten van Manhattan, eerst door Central Park West, toen door het park, en daarna in zuidelijke richting door Midtown, terug langs zijn kantoor en vervolgens in de richting van Times Square. Het was donker tegen de tijd dat hij daar was aangeland, de plek waar hij als taxichauffeur in de avonddienst zo veel vrachtjes had afgezet. In de buurt van Sixth Avenue knipperde een explosie van licht: GIRLS GIRLS GIRLS. Krantenpagina's waaiden over zijn voeten, de stoep was bezaaid met glasscherven en in zijn hoofd dreunde een stem: *Je moet geld verdienen, geld verdienen, geld verdienen*. Na al die jaren en al dat harde werken was hij weer terug waar hij begonnen was. Of erger. Hij dacht weer aan al het geld van andere mensen waar hij dagelijks toegang toe had: fondsen voor rechtsbijstand, zekerheidsstellingen en geblokkeerde vastgoedrekeningen, zoals Mario voor Mark Pascal had geopend. Hij herinnerde zich zijn fantasie over het doorsluizen van het geld dat Pascal had overgehouden aan de verkoop van zijn laatste pand naar een offshorerekening – al over een paar weken zou Pascal een ander beleggingspand van zijn vader verkopen, voor elf miljoen dollar. Nu Mario weg was, was Robert de senior jurist van de transactie. Hij had al eerder offshorerekeningen voor cliënten geopend; dat was in een middag rond en kon tegenwoordig per telefoon en fax geregeld worden. Hij liet het idee keer op keer rondgaan door zijn hoofd en voelde dat zijn ademhaling rustiger werd. Hij kon opnieuw beginnen en als hij het handig aanpakte, kon hij het land verlaten als een rijk man. De reden waarom zo veel mensen tegen de lamp liepen, was dat ze in eigen land bleven. Was het echt zo'n misdaad om verzekerd geld te stelen van een rijk man?

Robert bleef staan en bekeek zichzelf in de etalageruit van een drogist. Zijn spiegelbeeld zweefde in een zee van gezichtscrèmes, haarverf en pijnstillers. Bezweet en hoognodig aan een scheerbeurt toe probeerde hij zich voor te stellen hoe het zou zijn om zijn naam te veranderen, zijn baard weer te laten staan. Toen hij op de taxi had gereden, kende hij een man die auto's onderhield, maar van wie iedereen zei dat zijn grootste bron van inkomsten bestond uit het vervalsen van paspoorten. Het zou niet zo moeilijk zijn om te verdwijnen. Geen emotionele banden. Geen geldzorgen. Vrij.

Geen Sally.

Geen Gwen.

Hij schrok van de gedachte. Zijn dochter achterlaten? Hoe was het mogelijk dat hij de hele middag nog geen seconde aan haar had gedacht? Hij wierp een laatste blik op zichzelf in de etalageruit. Hij had geen flauw idee wat zijn volgende stap zou kunnen zijn, wist niet hoe hij ervoor stond of wat hij moest beginnen. En dus ging hij naar die ene plek waar hij altijd naartoe leek te gaan wanneer hij met zijn rug tegen de muur stond, wanhopig en onzeker was, en naar de enige persoon wiens leven op dat moment even gecompliceerd en teleurstellend was als dat van hem. Hij liep in oostelijke richting naar Park Avenue en toen naar 55th Street, waar hij een luxueus gebouw binnenging en aan de portier, een nieuwe, vroeg of de heer Trace thuis was en bezoek ontving.

Hij liep heen en weer over het mokkakleurige marmer totdat de man eindelijk gebaarde dat hij kon doorlopen. Hij nam de lift naar boven. Tracey stond in de deuropening op hem te wachten. 'Een dag vol verrassingen,' zei hij. 'Alleen is dit een aangename verrassing. Kom binnen.'

'Dus je hebt naar het nieuws geluisterd?' Robert ging het appartement binnen, en Tracey, blootsvoets en casual gekleed in een spijkerbroek en T-shirt, liep naar de bar om een drankje voor hen klaar te maken. 'Een stevige borrel,' zei Robert terwijl hij ging zitten, 'een erg stevige borrel.'

'Heb je veel verloren vandaag?' vroeg Tracey, nog steeds met zijn rug naar Robert toe.

'Ik heb geen idee hoeveel precies en zelfs niet hoeveel geld er feitelijk was. Laten we het erop houden dat Barry niet zo'n goede administratie bijhield. Hij is vorige week weggevoerd van de trading floor.'

'Dus hij handelde niet eens?'

'Nee,' zei Robert. 'De aandelenmarkt is erin geslaagd om te crashen zonder Barry Vishniak.'

Tracey kwam naar hem toe met de cocktailshaker en twee volle martiniglazen op een dienblad. Hij was kalmer dan Robert hem in jaren had gezien.

'Zit jij er niet over in?' vroeg Robert terwijl hij zijn drankje pakte.

'Ach, soms win je, soms verlies je. Dat is inherent aan de aandelenmarkt. Ik heb Barry nooit een groot deel van mijn geld toevertrouwd, en die rekening heb ik opgeheven voordat Claudia vertrok. Maar hoe dan ook, ik ben vandaag ongetwijfeld een klein fortuin kwijtgeraakt. Ik heb piekeren alleen nooit zo zinvol gevonden.'

'Ik heb Barry vrijwel alles gegeven wat ik had.'

'Je loyaliteit aan je familie is bewonderenswaardig,' zei hij. 'Misschien is het allemaal niet zo erg als je denkt.'

'Je klinkt niet erg overtuigd.'

'Robert, je bent gezond en hebt een goede baan. En een rijke vrouw. Je redt je wel.'

Robert vertelde Tracey wat er die dag was voorgevallen in Jacks kantoor, vertelde over Sally en hoe zijn huwelijk ervoor stond, vertelde hem, kortom, wat een treurig zootje zijn leven was.

'Ga je kappen met dat meisje?'

'Ze heeft met mij gekapt. Ze is in Hartford voor een productie.'

'Ze komt wel weer terug,' zei Tracey.

Robert dronk op een lege maag en werd in rap tempo dronken. Hij voelde zich licht in het hoofd. 'Heb je toevallig toastjes in huis?'

Tracey ging weer naar de keuken en begon wat spullen van de plank te pakken.

'Je hoeft echt niet te gaan koken,' zei Robert.

'Het is een dag vol verrassingen, Vishniak, niet vol wonderen.' Een paar minuten later kwam Tracey terug met drie soorten kaas op een plankje, en fraai geschikte toastjes, druiven en plakken meloen, samen met twee goudgerande porseleinen bordjes. 'Ik durf te wedden dat je je tot nu toe altijd hebt afgevraagd of ik eigenlijk wel een homo was.'

Robert staarde hem aan. 'Ik heb je dat woord nog niet eerder horen zeggen.'

'Ik heb het huis in Tuxedo te koop gezet.'

'Maar dat is toch familiebezit?'

'Mijn broer is niet geïnteresseerd en mijn moeder komt niet meer terug naar de vs. Ik hou het daar niet meer uit. Te veel huis voor één persoon.'

'Woon je hier permanent?' vroeg Robert, die nog een toastje met kaas nam.

'Nee, ik ga een zeiltocht rond de wereld maken. Of in elk geval zolang ik het uithou. Wat heb je aan een boot waar je op kunt wonen als je hem niet gebruikt?'

'Ga je in je eentje?'

'Nee, ik heb twee flinke jonge kerels ingehuurd als bemanning. Allebei erg aantrekkelijk.'

'Ik benijd je erom dat je weg kunt gaan uit New York,' zei Robert.

'Ga dan mee,' zei Tracey, plotseling heel ernstig.

'Ik geloof dat ik beter kan gaan puinruimen en orde op zaken stellen.'

'Voor mij is dit zo ongeveer de beste gelegenheid om de benen te nemen,' zei Tracey en hij dronk zijn glas leeg.

'Hoe zit het met Claudia?' vroeg Robert terwijl hij nog wat toastjes pakte.

'Ik denk dat ze in Parijs gaat wonen als ze eenmaal uit die instelling is. Daar zit haar familie. En Parijzenaars bemoeien zich niet met andermans zaken – daarom is Rock Hudson er vermoedelijk naartoe gegaan om te sterven.'

Er was een vraag die Robert Tracey al heel lang had willen stellen. De alcohol en het noemen van de dode acteur gaven hem moed. 'Ga je ooit nog een keer, je weet wel, de test laten doen?'

'Ik zie er het nut niet zo van in.'

'Wil je het niet weten?'

'Of ik sterf van verlangen om te weten of ik doodga? Helemaal niet. Ik ben een lafaard, en als je dat na al die jaren nog niet doorhebt, heb je niet goed opgelet.'

'Maar als je nu iemand tegenkomt?'

'Seks is geweest. Verdwenen met wijd uitlopende broekspijpen en de typemachine.'

'Serieus, Tracey.'

'Ik ben serieus.' Hij pakte de shaker en stond op. 'Als je zin hebt, zal ik nog wat bij maken.'

Robert knikte. Tracey ging weer naar de bar en Robert legde nog wat hapjes op zijn bord.

'Je hebt nooit van Crea gehouden, hè?' vroeg Tracey. 'Ik wilde het niet zien. Ik wilde je in de buurt houden.'

'Dat had sowieso gekund.'

'Draagt ze nog wat aan je over, als je weggaat?'

'We hebben een waterdicht huwelijkscontract,' zei hij. 'Ik krijg niets als ik bij haar wegga, niet eens dit horloge.' Hij hield zijn pols omhoog. 'Ik had opnieuw kunnen onderhandelen nadat Gwen was geboren, maar daar was ik te trots voor. En eerlijk gezegd wist ik dat ik het niet verdiend had. Ik ben een waardeloze echtgenoot geweest. Het voelt goed om dat eens te erkennen.'

'Je hebt je altijd veel te veel met geld beziggehouden,' zei Tracey tot Roberts verbazing, terwijl hij hun drankjes op tafel zette.

'Makkelijk praten als je altijd geld hebt gehad.'

'Of je wordt zeer binnenkort rijk of je wordt over twintig jaar rijk. Hoe dan ook, je zult meer dan genoeg hebben.'

'Bied je me nou een baan aan?'

'Nee, maar ik ga dood.'

Robert zette zijn glas neer. 'Maar je hebt je nog niet eens laten testen.'

'Vroeg of laat, ik ga een keer dood. Wij allemaal. Als ik de pest heb, wat heel goed mogelijk is, zelfs waarschijnlijk is, dan zul je snel rijk worden, binnen een jaar of twee. Als ik het niet heb, moet je maar zo denken: mannen in mijn familie worden zelden ouder dan zestig. Ik zou de uitzondering op de regel kunnen zijn, maar die kans is niet groot.'

'Ik wil je geld niet.'

'Dat zeg je nu, maar ik heb aardig wat aan je vermaakt. Maar een klein stukje van de taart, maar er is verschrikkelijk veel te verdelen.'

'Maar je familie dan?'

'Veel gaat terug naar hen en naar de goede doelen, maar dan blijft er nog meer dan genoeg over. En wie heb ik om het aan na te laten? Je bent zo'n beetje de enige.'

'Je brengt me in een vreselijke positie.'

'Omdat je mijn dood zou willen bespoedigen?' Tracey lachte. 'Juich maar niet te vroeg. Op het moment voel ik me kiplekker. Ik heb zelfs geen koutje.' Als om zijn bewering kracht bij te zetten sloeg hij zijn vierde martini achterover. 'Ik heb me altijd afgevraagd hoe je zou zijn als je echt genoeg had, of ruimschoots genoeg, naar je eigen idee. Als je niet hoefde te hunkeren naar meer of te doen alsof. Niet zo hard hoefde te werken, en niet zo heel voorzichtig of kwaad hoefde te zijn. Als je gewoon meer zou bezitten dan je nodig had, zou je begrijpen dat een mens zich ondanks al die vrijheid toch nog doodongelukkig kan voelen. Jij hopelijk niet. Maar dat zal ik nooit weten, hè? Dan ben ik dood.'

'Hou op, Tracey. Jezus christus!' Dit laatste nieuwtje, aan het eind van zo'n lange, vreselijke dag, plus de alcohol – hij had het gevoel dat hij in tweeën zou breken.

'Ach, maak je niet zo druk. Ik kan wel honderd worden. Dat zou nog eens een giller zijn.'

'Ik hoop dat je het wordt.' Robert veegde de kruimels van zijn mond. 'Wanneer vertrek je?'

'Volgende week.'

'Zo snel al?'

'Ik heb geen reden om te blijven. Ik zou op zee kunnen sterven, weet je?'

'Als je er grappen over blijft maken...'

'Nee, het is geen grap,' zei Tracey. 'Helemaal niet.'

Robert stond op, onvast ter been. 'Ik denk dat ik maar beter naar huis kan gaan.'

'Ja, het is al laat. Red je het wel?' vroeg Tracey. 'Anders kan de portier een taxi voor je aanhouden.'

Tracey liep met hem mee naar de deur. Alles wat gezegd moest worden, was gezegd. Robert zei tegen Tracey dat hij goed op zichzelf moest passen, en Tracey kwam naar Robert toe alsof hij hem wilde kussen, maar in plaats daarvan stak hij hem glimlachend een hand toe. Robert drukte die stevig, trok zijn oude vriend naar zich toe en omhelsde hem. Toen liet hij Tracey even snel los als hij hem naar zich toe had getrokken en liep naar de lift.

56

Robert vertelt het Gwendolyn

Hij kwam vlak voor één uur thuis. Het huis was donker. Hij trok zijn schoenen en sokken uit; het gewreven hout van de hal voelde koel en rustgevend tegen zijn vermoeide voeten. Hij dacht aan niets anders dan slapen terwijl hij naar de trap sjokte. Toen sloop hij langs Gwens kamer en hoorde haar naar hem roepen. Hoe had ze hem kunnen horen? Ze riep hem nog eens. Hij deed de deur net wijd genoeg open om een blik naar binnen te kunnen werpen; het was donker in de kamer, afgezien van een paar straaltjes licht van een straatlantaarn die door de jaloezieën vielen en het getwinkel van oplichtende sterretjes en een maan die op het plafond geschilderd waren. Ze geeuwde. 'Pappa, waar ben je gewéést?' vroeg ze terwijl ze ging zitten, haar stem nog dik van de slaap.

'Ik was op kantoor, lieverd,' zei hij en hij deed de deur achter zich dicht en liep naar de zijkant van het bed.

'Je bent altijd op kantoor,' zei ze terwijl ze haar hand uitstak naar de bureaulamp. Robert deed die voor haar aan en de kleine rechthoek om haar hoofd baadde nu in het licht. 'En dan krijgt mamma een rotbui en praat tegen niemand en ik mís je,' voegde zij er in één adem aan toe. Hij vroeg zich af hoe ze er, met zes jaar, in slaagde om zowel als een klein meisje als als een puber te klinken. Haar haar viel in een krullerige massa voor haar ogen; met beide handen streek ze het opzij, alsof ze een gordijn openschoof.

'Ik heb geprobeerd om partner te worden. Dat bracht mee dat ik veel op kantoor moest zijn.'

'En?' vroeg ze. 'Ben je dat geworden?'

'Nee,' zei hij en ging op de rand van het bed zitten. 'Ik denk niet dat ik het word.'

Ze trok rimpels in haar voorhoofd. Het idee dat hij niet kreeg wat hij wilde, was voor haar vreemd en verwarrend. 'Wat betekent het, pappa, om partner te zijn?'

'Meer geld verdienen en meer zeggenschap bij beslissingen. Zoals wanneer je een kind bent en als je ouder wordt van mamma je eigen kleren mag uitkiezen of soms mag zeggen hoe je je tijd wilt doorbrengen. Als je partner bent geworden, ben je volwassener op je werk.'

'Als ik meer te zeggen had, zou jij de hele tijd thuis zijn. En dan zouden we op de grond spelen. Net als vorig jaar, weet je nog, die dag? Toen we van lego het Empire State Building hebben gebouwd? En naar *Singin' in the Rain* hebben gekeken? Met die man die op dat muurtje danste, weet je nog?'

'Ik weet het nog.' Als hij wegging, zou hij een hele strijd moeten leveren voor elk moment dat hij met haar wilde doorbrengen. Zou haar moeder haar tegen hem opzetten? Op dat moment stelde hij zich voor dat hij zou blijven, het zou bijleggen op zijn werk, Sally niet meer zou zien. Mensen getroostten zich zulke opofferingen voor hun kinderen. Zijn vader en grootvader hadden zelfs meer dan dat voor hem opgegeven. Zij hadden hun gezondheid opgegeven, hun leven.

'Pappa, wat is er?' vroeg ze terwijl ze zijn hand pakte.

'Gwen-Gwenny-Gwendolyn, heb ik je wel eens verteld dat ik je heb vernoemd naar iemand van wie ik heel veel hield?'

'Meer dan van mamma?' vroeg zijn dochter, haar stem hoog en onzeker. 'Houden mamma en jij van elkaar?'

'Een mens kan van meer dan één mens houden, lieverd. Een mensenhart is heel groot. Pas wanneer je denkt dat je geen ruimte meer overhebt – dat je hart zo gebroken is dat je niet meer kunt liefhebben – dan pas maak je fouten.'

'Ik begrijp het niet.'

'Ik heb je vernoemd naar een meisje dat Gwendolyn heette en heel mooi en slim was, de liefste vrouw die ik ooit gekend heb. We waren verloofd en woonden in Boston. Weet je waar dat is?'

'Waar je gestudeerd hebt? Met oom Tracey?'

'Precies,' zei hij. 'Jij vergeet nooit iets, hè?'

'En wat is er met haar gebeurd, pappa? Wat is er gebeurd met het meisje dat Gwendolyn heette?'

'Ze is doodgegaan, schat, en dat was deels mijn schuld, omdat ik niet genoeg aandacht aan haar besteedde.'

'Omdat je partner probeerde te worden?'

'Nee, omdat ik heel lang negeerde dat ze ziek was, omdat ik het niet wilde zien.'

'Waarom niet?' vroeg ze.

'Omdat het te pijnlijk was. Ik wilde graag dat ze gezond zou zijn vanwege alle plannen die ik voor ons had. En toen ze dood was, dacht ik dat ik nooit meer van iemand anders zou kunnen houden, niet zo. Ik dacht dat ik helemaal was opgebruikt. En toen ontmoette ik je moeder, en werd jij geboren. En ik realiseerde me dat ik het helemaal fout had.'

'Waarom pappa, waarom had je het helemaal fout? Omdat je van ons hield?'

'Omdat ik bijna vanaf de dag dat jij geboren werd, wist dat ik meer van jou hield dan ik ooit van iemand had gehouden. Meer dan ik dacht dat iemand ooit van een ander kon houden.'

'Maar mamma dan? Hou je dan niet van haar?'

'Ik hou van je moeder, maar op een andere manier.'

'Op wat voor manier? Anders dan van Gwendolyn?' vroeg ze. Toen vroeg ze, heel rustig: 'Pappa, gaan mamma en jij scheiden?'

Dat was een woord dat ze maar al te goed begreep. Ze wist precies wie er bij haar in de klas hun vader in het weekend zagen en wie alleen de feestdagen en de zomervakantie. Het was te vreselijk om bij stil te staan en daarom gaf hij haar de enige verzekering die hij kon bedenken: 'Wat er ook gebeurt, ik zal jou nooit in de steek laten, Gwen-Gwenny-Gwendolyn.' Hij boog zich voorover, kuste haar op het voorhoofd en stak toen zijn hand uit om de lamp uit te doen, maar dat maakte geen verschil. Het werd niet donker in de kamer door binnenvallend licht vanuit de gang. En toen zag hij haar, op blote voeten, met alleen een nachthemd aan, in de deuropening staan.

Hij stond op en ging naar haar toe. Haar nachthemd was huidkleurig en ze droeg haar haar uit haar gezicht, dat uitzonderlijk bleek was. Zelfs haar lippen hadden geen enkele kleur meer. Ze leek versteend op die plek in de deuropening van hun dochters kamer, wel de laatste plek waar hij een gesprek wilde voeren. Hij probeerde haar mee te krijgen naar de gang, maar ze verroerde zich niet.

'Crea?' vroeg hij. Ze stond te beven. Hij trok zijn jasje uit en sloeg het om haar schouders, maar ze schudde het af.

Ze hoorden dat hun dochter lag te woelen en draaien in bed. Gwen was gaan liggen en had het kussen over haar hoofd getrokken, een hand aan elke kant, en drukte het tegen haar oren. Eindelijk stapte Crea de gang op en sloot de deur. Aan de deur hing een met de hand beschilderd bordje, waarop in groene krulletters omzoomd door een krans van roze rozen stond: GWENDOLYNS KAMER. Crea keek ernaar en haar ogen vulden zich met tranen. Van alle dingen die hij haar had aangedaan, was dit het ergste. De naam van de andere vrouw, waar ze voorgoed mee verbonden was. Ze zou hem keer op keer moeten zeggen, dag in, dag uit. De naam van hun dochter.

Ze zag er zo klein en kwetsbaar uit in haar dunne nachthemd. Haar oogranden waren rood, niet van het huilen, vermoedde hij, maar van de inspanning die het haar kostte om haar tranen in te houden. Hij begon te vragen of er iets was wat hij voor haar kon doen, iets wat hij mogelijkerwijs kon zeggen, maar ze kapte hem af, ging rechtop staan en streek een haarlok uit haar ogen; haar stem werd plotseling zakelijk. 'Ik denk dat we het haar morgen maar moeten vertellen. Hoewel ze het al weet, ze weet het al een hele tijd.'

'Wat?' vroeg Robert.

'Dat haar ouders niet meer bij elkaar blijven wonen.'

57

Het einde van Disston Street

Stacia Vishniak had het merendeel van haar spaargeld in staatsobligaties en een geldmarktfonds gestoken, de rest bestond uit klinkende munt. Maar in de afgelopen twintig jaar, en met name sinds haar zoon in die wereld verkeerde, had ze af en toe een zijsprong gemaakt naar de aandelenmarkt. Barry had een deel van haar geld in een indexfonds belegd, en ze had hem wat aandelen General Electric laten kopen, omdat iedereen altijd gloeilampen nodig had, en Sony, omdat de televisie die ze voor de uitzending van het aftreden van Nixon had gekocht het nog steeds goed deed.

Stacia las *The Philadelphia Inquirer*, ook de financiële pagina. Ze keek naar *Wall Street Week* op PBS. En je hoefde geen genie te zijn om te zien dat er iets ophanden was: de waardevermindering van de dollar, hogere rentetarieven, sluipende inflatie en een republikeinse president die niet in regulering geloofde. En vooral de koopziekte van de jongere generatie, die dure spullen aanschafte terwijl ze te weinig spaargeld en te veel schulden hadden. Stacia voelde aan haar water dat er financieel onheil dreigde, maar de komst van de kat gaf de doorslag. Een slecht voorteken. De eerste week van oktober belde ze Barry en zei dat ze uit het indexfonds wilde stappen en dat hij haar het geld moest overmaken.

Barry zei dat ze niet goed bij haar hoofd was. Wat wist zij nou helemaal van de aandelenmarkt? En sinds wanneer was ze bijgelovig? Wie verkocht er nu aandelen vanwege een kat? Was ze soms ook vergeetachtig? Wist ze nog welke dag het was?

Ze verzekerde hem dat ze op haar zeventigste nog steeds de gezondste van de hele familie was. En toen vertelde ze hem het verhaal over de zwarte kat, een verhaal dat Barry nog geen paar weken later, op de sjivve na de begrafenis van zijn moeder, zou navertellen.

Stacia, die erom bekendstond dat ze een hekel aan airconditioning had, verheugde zich altijd op de nazomer. De hele maand september en tot ver in oktober sliep ze met het slaapkamerraam open, maar dat verklaarde niet echt hoe het dier het huis überhaupt had kunnen binnenkomen. Barry speculeerde dat de kat via het souterrain was gekomen, slim genoeg om het rottende hout aan de onderkant van de garagedeur te benutten, zacht, buigzaam hout; al jaren drong hij erop aan dat ze het moest laten vervangen, ook al gebruikte ze de garage nooit. Vermoedelijk was de kat eronderdoor gekropen, door het souterrain de trap op gegaan en het huis door gelopen en was uitgekomen bij Stacia, die midden in de nacht wakker werd door zo'n zwaar gevoel op haar borst dat ze in paniek begon te raken en ervan overtuigd was dat ze een hartaanval had. Toen hoorde ze zacht miauwen en voelde de pootjes van het dier, die zich verplaatsten op de dunne deken. Nadat ze moeizaam overeind was gekomen, deed ze het lampje naast het bed aan. De kat sloeg haar klauwen in de lakens en de vrouw daaronder. Vloekend schoof Stacia haar opzij, maar toen ze zag dat de kat niet van plan was om te vertrekken, pakte ze haar op, liep naar beneden, deed de voordeur open en gooide het boze, harige mormel op het betonnen pad.

Ze wist precies waar het rotbeest vandaan was gekomen. Haar buurvrouw, Gertrude, een kinderloze weduwe, had een zwarte kat die Nefertite heette, en een van de weinige dingen waar alle buren van Stacia het over eens waren, was dat Nefertite een pretentieuze naam was voor een kat. Nefertite kreeg duur blikvoer en had speelgoedmuizen met kleine belletjes aan hun staart, die Gert soms meenam naar haar terras om het dier te vermaken. Maar Nefertite zwierf liever door de buurt. Ze was al in heel wat huizen in de straat aangetroffen, maar haar gehechtheid aan Stacia bleek van blijvender aard. Dat najaar vond de kat avond aan avond haar weg naar het huis van Vishniak en werd dan weer op straat gezet.

Stacia wachtte geduldig tot er iets zou gebeuren, en toen het gebeurde, op 19 oktober, had ze zich zelfvoldaan en tevreden, veilig en buiten gevaar moeten voelen. Haar zuster belde en vroeg of ze soms helderziend was of een financieel genie. Stacia verzekerde haar dat ze niet zoiets drastisch had verwacht. Het feit dat ze het bij het rechte eind had gehad, gaf haar geen voldoening; ze vond het eerder angstaanjagend. Wie maakte er in vredesnaam de dienst uit wanneer een voorteken accurater was dan een honderd jaar oude beleggingsfirma met personeel dat ervoor gestudeerd had? Hoe zat het met haar spaargeld? Duizenden dollars stonden daar nog steeds, onbewaakt. Lolly probeerde haar te kalmeren – de banken gingen niet dicht – maar terwijl Stacia de telefoon aan haar oor hield, luisterde ze naar de woorden die keer op keer werden herhaald door nieuwslezers, commentatoren en mensen die op straat werden geïnterviewd. Haar zus luisterde thuis ook, met het geluid zo hard mogelijk, zodat Stacia en Lolly de woorden in stereo hoorden, dezelfde woorden die hun als kind de stuipen op het lijf hadden gejaagd: *crash*, *corruptie*, *crisis*, *calamiteit*, *catastrofaal*. Het zou slechts een kwestie van tijd zijn, hield Stacia vol, voordat de nieuwslezer een letter opschoof in het alfabet.

'Ik ga kijken of ik nog genoeg in voorraad heb.' Ze hing op en ging waarschijnlijk naar het souterrain om haar voorraad conserven te controleren. Dat was de laatste keer dat Lolly haar zus sprak.

De volgende dag had Stacia in het Joods Gemeenschapscentrum van Oxford Circle achter de kassa moeten zitten voor de gesubsidieerde seniorenlunch, zoals ze de afgelopen vijf jaar elke dinsdag, woensdag en donderdag van elf tot twaalf had gedaan. Het was een vrijwilligersbaan, maar er hoorde een gratis maaltijd bij. Ze kwam niet opdagen. Nadat de directeur van het centrum Stacia herhaaldelijk thuis had proberen te bereiken, belde hij om drie uur uiteindelijk naar Lolly.

Rond dezelfde tijd begon ook Gert ongerust te worden; de kat kwam altijd tegen de middag thuis om te eten, maar deze keer niet. Gert ging de hele buurt af om te vragen of iemand Nefertite had gezien. En hoewel ze opzag tegen de confrontatie, ging ze ten slotte naar het huis van Stacia en klopte aan. Er was niemand thuis. Ze probeerde het nog eens en wilde het juist opgeven toen ze Stacia's zuster zag aankomen. Lolly gebruikte haar sleutel en samen liepen ze door de woonkamer, de eetkamer en vervolgens de keuken terwijl Gert haar kat riep. Lolly ging naar het souterrain en Gert naar boven. Boven aan de trap gekomen hoorde ze het vertrouwde miauwen, en daar vond ze Nefertite, die boven op het levenloze lichaam van Stacia stond alsof ze het graf van een oude farao bewaakte.

Niemand kon Barry bereiken, en Robert verwachtte hem niet, dus hij schrok toen hij zijn broer die donderdagochtend door de brede glazen toegangsdeuren van Goldmans uitvaartcentrum in Broad Street zag binnenkomen. Zijn haar wees in wilde, grijzende krullen alle kanten uit, en zijn broek was wijd en werd nauwelijks opgehouden door een smalle riem. Er zat een vlek op zijn overhemd. Als hij in zijn jaren van overvloed niet zoveel dikker was geworden, zou hij er precies hetzelfde hebben uitgezien als voordat hij bij Prudence Brothers was gaan werken. Robert keek vol stil ongeloof toe toen Barry zich voorstelde aan de kalende, sproeterige begrafenisondernemer, die zijn woorden langzaam uitsprak, alsof hij het tegen een klas kleine kinderen had. Hij nodigde hen uit om mee te lopen naar zijn kantoor. Barry legde zijn hand op Roberts arm en nam hem even apart. 'Ik heb geen geld,' fluisterde hij, 'niet vrij opneembaar in elk geval.'

'Ik ook niet, door jouw toedoen,' zei Robert terug.

'Je hebt meer dan ik. Het is niet zo dat je alles kwijt bent.'

'Het scheelt verdomme niet veel.'

'Laten we het daar nu maar niet over hebben.'

'Ik heb geen werk meer en Crea heeft gevraagd of ik ergens anders wil gaan wonen.'

'O,' zei Barry. 'Maar jij hebt wel een creditcard, toch? Betaal daar maar mee. En als we ons erfdeel krijgen...'

'Wat voor erfdeel?'

'Ma's geld,' zei Barry. 'Van al dat sparen. We zullen toch wel íets erven?'

'Heb je wel eens gehoord van gerechtelijke verificatie van een testament? Laten we eerst maar eens horen wat die man te zeggen heeft.'

'Ma had de pest aan begrafenisondernemers. Grotere oplichters bestonden er niet, zei ze altijd.'

'We kunnen haar nu eenmaal niet op een ijsschots zetten en laten afdrijven naar zee,' snauwde Robert en hij trok Barry mee naar de droefgeestige man, die in zijn gelambriseerde kantoor op hen stond te wachten. Robert en Barry namen plaats op de twee stoelen tegenover hem. De kamer rook naar een luchtverfrisser met een dennengeurtje.

'We willen de goedkoopste kist die u hebt,' zei Barry.

De begrafenisondernemer keek naar Robert, die niet gekleed was als een man die een goedkope doodskist wilde.

'Hebt u iets wat voordelig geprijsd is?' vroeg Robert.

'Voordelig?'

'Vijf- of zeshonderd dollar?'

'Zoiets goedkoops heb ik niet, niet in de toonzaal.'

Barry stond op om te vertrekken. Robert vroeg zich af waar hij heen wilde. Er zaten maar een paar joodse begrafenisondernemers in Philadelphia, en die ontliepen elkaar niet veel. 'Dan laten we haar cremeren,' zei Barry.

'Wij verzorgen ook crematies,' zei de man. 'Ik kan u onze tarieven geven.

Maar veel joden hebben er religieuze bezwaren tegen. Was uw moeder praktiserend?'

'Helemaal niet,' zei Barry.

'Af en toe,' corrigeerde Robert terwijl de begrafenisondernemer door de dikke, glanzende catalogus bladerde die voor hem lag. Toen schoof hij Robert het boek toe. De doodskist zag eruit alsof hij van kunststof was met metalen beslag en kostte 1200 dollar. 'Dit is model Sjalom. Die is redelijk geprijsd.'

'Zoals ik al zei, meneer, we hebben een liquiditeitsprobleem.'

'We hebben ook een eenvoudige houten kist. Heel gewild bij orthodoxe joden,' zei de man daarop. Hij liet hem iets zien wat op de verpakkingsdoos van een koelkast leek, maar dan van hout, en 875 dollar kostte.

'Wat rekent u voor een crematie?' vroeg Barry terwijl Robert nu zelf door de catalogus bladerde.

'We laten haar niet cremeren,' zei Robert. 'We gaan haar begraven, naast pa.' De doodskist was maar één onderdeel van het hele pakket. Daarnaast waren er nog de kosten van het graveren van de blanco helft van de dubbele marmeren grafsteen, plus wat ze nu meteen moesten betalen om hun moeder daar opgebaard te houden, de lijkverzorging voor de begrafenis en het overbrengen van het lijk naar de begraafplaats. Goldman kon tevens gebedenboeken en keppeltjes leveren voor de uitvaart, een rouwadvertentie in de krant plaatsen, vervoer naar de begraafplaats regelen en ook een rabbijn aanbevelen. Ze hadden een lijst, die de begrafenisondernemer een 'menu' noemde. Die schoof hij Robert toe, samen met de doodskistcatalogus, en hij vroeg of ze ook van plan waren om een onderhoudscontract af te sluiten, dan zou iemand twee keer per jaar het onkruid rond de grafsteen wieden. De begrafenisondernemer kon een korting aanbieden op de begraafplaats.

Doodgaan kostte een vermogen, en omdat joden zo snel begraven moesten worden, was je genoodzaakt om beslissingen te nemen wanneer je het minst rationeel was. Maar Robert had de afgelopen week zoveel op zich afgekregen dat de dood van zijn moeder, gek genoeg, niet zo'n enorme schok was geweest, eerder de zoveelste gebeurtenis in een lange reeks van ingrijpende veranderingen, en allemaal zo slecht getimed dat hij zich met Job kon hebben vergeleken als hij gelovig was geweest. Dat had hij kunnen doen als hij zich er niet van bewust was geweest hoeveel daarvan hij over zichzelf had afgeroepen. Hij schoof het boek terug naar de begrafenisondernemer. 'Die,' zei hij. 'Die daar.'

'Dat is feitelijk geen doodskist,' zei de man. 'Het is een binnenkist die we voor crematies gebruiken.'

'Is hij biologisch afbreekbaar?' vroeg Robert. 'Is het wettelijk toegestaan om haar daarin te begraven?'

'Technisch gesproken wel, maar hij bestaat uit geperste, gerecyclede houtdeeltjes. Weinig meer dan een pakkist.' De begrafenisondernemer staarde naar zijn schoot en zag eruit alsof hij in tranen kon uitbarsten uit schaamte over twee zoons die zoveel van hun moeder hadden gekregen en haar zo weinig teruggaven. 'Ik denk dat u dit gaat betreuren als u over de eerste schok heen bent. Het gaat toch om de nagedachtenis aan uw moeder?'

'Ze is dood,' zei Barry. 'Ze zal het nooit weten.'

'We hebben al eerder begrafenissen mogen verzorgen voor de familie Kupferberg en Vishniak. Wat zullen haar broer en zus en hun gezin hiervan vinden? We zouden niet graag de indruk willen wekken dat dit onze reguliere dienstverlening is.'

'Ze weten al dat we buitenbeentjes zijn,' mompelde Barry.

'Het heeft wel iets poëtisch.' Robert hield hem zijn creditcard voor. 'Weet u, niemand hield zo van een koopje als onze moeder,' legde hij uit. En toen begonnen Barry en hij te lachen, eerst zachtjes en toen luider, tot de man hen hulpeloos aankeek, Roberts MasterCard aanpakte en naar de naastgelegen kamer liep terwijl de twee broers brulden van het lachen en de tranen langzaam over hun wangen rolden.

De begrafenis duurde maar kort, want ze hadden geen rabbijn; Stacia had niet tot een synagoge behoord, en ze wilden geen geld uitgeven aan een rabbijn die ze niet kenden, vonden het niet nodig voor een familie die slecht of helemaal geen Hebreeuws kon lezen. Ze plaatsten ook geen overlijdensadvertentie in de *Philadelphia Jewish Exponent* voor verre neven en nichten of oude kennissen die de begrafenis misschien zouden willen bijwonen of een donatie zouden willen doen aan een goed doel. Familieleden moesten het maar via via aan de weet komen.

De temperatuur was die ochtend amper tien graden, en veel mensen die naar de begraafplaats kwamen waren al op leeftijd en droegen een winterjas. Ze werden vergezeld door hun volwassen kinderen, die hun broze ouders uit de auto hielpen en hun een arm konden geven bij de wandeling over het terrein. De twee resterende broers Vishniak waren er. De een liep achter een rollator, de andere met een stok. Tante Lolly steunde op oom

Fred, een van de weinige lange mannen in de familie, maar inmiddels kromgebogen. Alleen oom Frank en zijn vrouw waren nog betrekkelijk jong, maar oud genoeg om een volwassen dochter te hebben. Frank kwam naar de broers toe en omhelsde hen, te aangedaan om iets te kunnen zeggen.

Een vrouw van het Joods Gemeenschapscentrum van Oxford Circle prevelde iets over hoe goed Stacia was in het tot stand brengen van veranderingen. Daarna kwam er een man van in de dertig naar hen toe die zei: 'Ze heeft de kinderen altijd veilig naar de overkant gebracht', en voegde eraan toe: 'En nu ben ik osteopaat.'

Robert bedankte de mensen voor hun gemeenplaatsen, de herinneringen waarin ze vooral zelf een rol speelden en voor de clichés. Toch was Stacia Vishniak de minst clichématige persoon die hij ooit had gekend. Er zou nooit meer iemand zoals zij bestaan.

Hij liet de gebedenboeken rondgaan die het uitvaartcentrum had klaargelegd. De meeste mannen haalden uit hun jaszak hun eigen dunne zijden keppeltje tevoorschijn, het soort – gekregen op bruiloften of eerdere begrafenissen – dat nooit zijn vorm behield en een puntje vormde boven op hun hoofd. Tot Roberts verbazing bleek Barry nog over enige rudimentaire kennis van het Hebreeuws te beschikken; Robert zelf was alles vergeten. Oom Frank stond naast Barry en hielp hem. Barry zong: '*Yisgadal v'-yiskadash sh'mei raba, b''alma di v'ra khir'usei...*'

Robert las het Engels voor: 'Moge Zijn grote naam verheven en geheiligd worden in de wereld die Hij geschapen heeft naar Zijn wil.'

'*...v'yamlikh malkhusei b'-hayeikhon u-v'yomeikhon, uv'-hayei d'khol beis yisrael...*'

'Moge Zijn koninkrijk erkend worden in uw leven en in uw dagen en in het leven van het gehele huis van Israël, weldra en spoedig.'

Het woord *dood* werd in het gebed niet genoemd, alleen de ideale wereld, en het koninkrijk der hemelen, dat God zou scheppen na de komst van de Messias. Alleen bestond er geen ideale wereld, geen hiernamaals, in de hemel noch op de aarde. Zijn moeder dat had geweten en hij wist het ook. *Er bestaat slechts de wereld die we zelf creëren, onze eigen hemel en hel.*

Toen de rouwdienst, of wat ervoor moest doorgaan, afgelopen was, pakten Robert en Barry ieder een kleine spa, schepten wat aarde van het bergje naast het pas gedolven graf en gooiden die op de kist. Daarna staken ze hun spa weer in de aarde en vormden de andere rouwenden een rij om hun beurt af te wachten. Ze moesten eigenlijk het geluid kunnen horen van de aarde die op de kist viel om hen eraan te herinneren dat de dood onherroepelijk was. Maar toen de schepjes aarde op de bordkartonnen kist vielen, maakten ze vrijwel geen geluid.

Robert en Barry hadden amper met elkaar gesproken in de achtenveertig uur tussen hun bezoek aan de begrafenisondernemer en de feitelijke begrafenis. Barry had bekeken wat er allemaal in het souterrain lag, maar had uiteindelijk alle rotzooi op een hoop gegooid en het Leger des Heils gebeld. Niets van wat zijn moeder had bewaard – lege wc-rollen, gebutste glazen, gedeukte blikjes, half kapotte paraplu's, stokoude winterjassen en massa's uit beddenlakens en handdoeken geknipte lappen – leek de moeite waard. Op de eerste verdieping bekeek Robert haar slaapkamer en vergaarde de financiële bescheiden die ze in haar ladekast had opgeborgen – hij was executeur-testamentair en moest ook de financiële kant afhandelen. Ze waren geen van beiden van plan om heel lang in het huis te blijven en er moest veel opgeruimd worden. De beide mannen aten zelfs apart en maakten broodjes met koud rundvlees dat nog in de koelkast lag, en aten koekjes en kasha in het besef dat het de laatste keer was dat ze ooit van hun moeders kookkunst konden genieten.

Alleen over het eten voor de sjivve waren Barry en Robert het moeiteloos eens geworden; ze hadden het besteld bij de delicatessenzaak en er werd niet op beknibbeld. Robert betaalde. Het werd zondagochtend bezorgd toen ze zich aan het kleden waren voor de begrafenis. Corned beef en rosbief en pastrami; bergen roggebrood en pompernikkel; koolsla, tafelzuur en olijven; een plateau met gesneden fruit en een andere met zes verschillende soorten koekjes, noten en andere lekkernijen, plus een donkere chocoladecake.

Het eten vergemakkelijkte alles. Na de rouwdienst kwamen de mensen naar het huis en verzamelden zich om het eten, pakten een bord en maakten een praatje. Tegen lunchtijd werd het nog drukker. Er kwamen buren en nog meer neven en nichten, mensen die hij nauwelijks herkende. Allemaal zo oud geworden. Ze informeerden naar zijn vrouw en dochter en omhelsden hem terwijl ze hem dingen in het oor schreeuwden. Robert schepte koud vlees op zijn bord en liep toen naar de bank, waar de nog altijd zwijgzame oom Frank plaats voor hem maakte. Barry kwam ook bij hen zitten.

'Waar woon je nu?' vroeg Barry.

'In mijn appartement,' zei Robert. 'In elk geval wanneer ik terug ben.'

Barry liet zijn stem dalen. 'Met het schoenpoetsmeisje?'

'Nee,' antwoordde Robert. 'Ze is er op het moment niet. Ze kreeg een rol aangeboden.'

'O,' zei Barry. 'Ik ben niet meer op kantoor geweest.'

'Dat heb ik gehoord,' snauwde Robert. 'Vertel eens, hoe ben je er precies in geslaagd om 90 procent van het geld te verliezen dat ik op mijn rekening had staan?' Toen hij eindelijk het saldo had gezien, was hij duizelig geworden van de bedragen. Van de ruim tweehonderdduizend dollar op het hoogtepunt resteerde er nog maar krap vijfentwintigduizend – precies genoeg om zijn schulden af te betalen en zo'n vijfduizend dollar over te houden, waarvan het merendeel zou opgaan aan de begrafeniskosten. Er was gelukkig geen restschuld over. 'Alleen jij kon het voor elkaar krijgen om me financieel weer daar te brengen waar ik begonnen was.'

'Niet hier.' Barry stond op. 'Ik heb behoefte aan frisse lucht.'

'Goed,' zei Robert. 'Ik ga vragen of de tantes en nichten nog iets van haar sieraden willen hebben.'

Boven zocht Robert de kettingen van glazen en plastic kralen uit die op een verward hoopje lagen, en de vlekkerig verkleurde broches en armbanden. Hij herkende een ronde broche, bezet met groene steentjes, die vroeger van Cece was geweest en veertienkaraats goud was gebleken. Die hield hij apart voor zijn dochter, samen met Stacia's bescheiden diamanten verlovingsring, en legde vervolgens de rest van de sieraden die niet stuk waren op een hoopje. Geleidelijk kwamen de tantes en een paar nichten om ze te bekijken en uit te zoeken wat ze mooi vonden. Ze wilden een aandenken, maar een mens moest wel gek zijn om naar een sieraad te kijken en daarbij terug te denken aan Stacia Vishniak, zoals tante Lolly hem toefluisterde voordat ze voorzichtig weer de trap af liep. Ze had zelfs vrijwel nooit oorbellen gedragen.

Het was een komen en gaan van familieleden, zodat voor het gemak de voordeur en de hordeur open bleven staan. De meest ambitieuze bezoekers gebruikten de traplift om naar boven te gaan en een paar woorden met hem te wisselen. Die moeite hadden ze niet hoeven te doen; iedereen beneden praatte zo luid dat hij ze prima kon verstaan. Ongeveer een uur nadat hij naar de slaapkamer van zijn moeder was gegaan, werd hij zich bewust van een opvallende stilte beneden en hij liep de trap half af om te zien wat er gaande was. Onder aan de trap stonden twee lange zwarte mannen. Ze waren gekleed in een spijkerbroek en een felgeel T-shirt met een logo erop en hadden grote gewatteerde verhuisdekens bij zich.

'Het zijn de verhuizers!' riep Robert naar beneden. 'Ze komen wat meubels weghalen!'

Een luid, opgelucht: 'O!' steeg op uit de menigte in de woonkamer. En toen het onophoudelijke rondzingen van de woorden: 'Verhuizers? Verhuizers! Ik kreeg bijna een hartaanval!' De een na de ander. En toen: 'Meubels weghalen tijdens een sjivve?' Dat ging over de schreef, zouden ze wel zeggen, maar Robert trok zich er niets van aan. Hij had die middag wel andere dingen aan zijn hoofd.

Er was de ladekast in de slaapkamer, gemaakt van kersenhout, en een eiken secretaire die onder aan de trap stond. Die had zijn moeder vijf jaar geleden allebei geërfd toen Cece was overleden. Robert had geen idee hoe oud die meubels waren. Ze waren niet gemaakt door een bekende meubelmaker, maar het waren de enige dingen in huis die de moeite waard waren, ze waren niet overdekt met beschermend plastic en hij wilde ze allebei zelf houden.

Hij gaf de verhuizers opdracht om de ladekast als eerste mee te nemen en ze sloegen er een verhuisdeken omheen, namen hem op de schouders en liepen er de trap mee af. Gesprekken vielen stil en kinderen spoedden zich weg. Een nicht had belegde broodjes klaargemaakt voor de verhuizers – er was zo veel eten – en liep achter hen aan en bood ze de keus tussen corned beef of gehakte lever. Toen de mannen terugkwamen, een deken om de secretaire sloegen en die langzaam het huis uit droegen, hoorde Robert Barry terugkomen, hoorde hem zijn naam roepen en hoorde hem met dreunende voetstappen de trap op rennen. 'Wat ben je in godsnaam aan het doen?'

'Ik laat meubels overbrengen naar mijn appartement,' zei Robert kalm.

'Vandáág?'

'Hoezo, ben je ineens religieus geworden?'

'Je bent van mij aan het stelen. Ik heb recht op de helft!'

'Wil jij het met míj over stelen hebben?' vroeg Robert. 'Serieus?' Hij had zich twee dagen lang ingehouden terwijl hij met Barry in één huis aan het werk was, en had zijn woede ingeslikt, maar nu kon hij dat niet meer opbrengen. Hij dook op zijn broer af en de twee mannen vielen op de grond. Maar de zoveel zwaardere Barry was in het voordeel en drukte Roberts beide handen tegen de grond.

'Ze was ook mijn moeder!' schreeuwde Barry. 'Ik ben toch geen stiefkind!'

Barry had zijn gewicht mee, maar Robert was bozer. Hij gaf zijn broer een knietje in zijn kruis en greep hem bij de nek terwijl ze tegen een nachtkastje aan rolden. Toen de lamp tegen de vloer ging, zat Robert boven op zijn broer en had zijn handen om zijn keel. 'Je hebt mijn leven naar de klote geholpen! Je hebt godverdomme mijn leven naar de klote geholpen!'

'Je hebt verdomme je eigen leven naar de klote geholpen...' hijgde Barry.

'*Waar is mijn geld? Waar is mijn geld!*' herhaalde Robert terwijl hij het hoofd van zijn broer herhaaldelijk tegen de grond sloeg. Er verzamelden zich familieleden om heen die naar hem schreeuwden, maar dat haalde niets uit.

'Stop daarmee, Robert! Stop nu!' Plotseling stond Sally Johannson naast hem, die aan zijn armen trok. 'Straks vermoord je hem nog. Hij is je broer,' zei ze. 'Straks vermoord je hem nog.'

Robert liet Barry's nek los. Barry hoestte en snakte naar adem, ging toen rechtop zitten en trok zich terug in een hoek van de kamer, als een gewond dier. Roberts inhaler zat in zijn jasje dat in de slaapkamer hing en hij stond langzaam op om hem te gaan halen. Oom Frank, die erbij was geweest met tante Lolly en de twee oude ooms Vishniak, kwam naar hem toe en zei voor het eerst die dag iets tegen Robert. 'Ga naar beneden om sjivve te zitten voor je moeder,' zei hij vermoeid. 'Ze zou zich omdraaien in haar graf als ze jullie zo kon zien.'

De gasten gingen hinkend en schuifelvoetend de trap af. Robert pakte zijn inhaler en nam een pufje, toen ging hij naar buiten. Sally volgde hem.

Ze hadden op de patio kunnen gaan zitten. Er stonden twee metalen klapstoelen met plastic bekleding tegen de muur, maar zoals de meeste dingen in het huis van zijn moeder waren ze oud, roestig en gescheurd, en zouden waarschijnlijk niet het gewicht van een volwassene van enige omvang hebben gehouden. Dus gingen ze maar op het trappetje zitten. Vanuit de woonkamer hoorden ze de stem van de omroeper op de televisie; het geluid stond zo hard dat ze hun stem moesten verheffen om zich verstaanbaar te maken.

'Ik dacht dat je in Hartford was,' zei Robert. Ze was gekleed voor de gelegenheid en droeg een rok en een vest, en wat lippenstift. Ze droeg haar haar achterover. Hij kon zijn ogen nauwelijks van haar afhouden.

'Technische repetitie vanavond. Daar kunnen ze een stand-in voor gebruiken.' Ze zweeg. 'Mijn vader vertelde het me. Hij had het van een buurman gehoord. Iedereen had het over dat gedoe met die kat.'

'Fijn dat je gekomen bent,' zei hij. Hij moest iets zeggen, maar misschien kon hij er beter even mee wachten. Toch flapte hij eruit: 'Crea en ik gaan scheiden.'

Ze bleef een hele poos stil, zo leek het in elk geval, en hij vroeg zich af of hij het haar te snel had verteld. Een gescheiden man, zonder baan, vijftien jaar ouder dan zij, met een kind bovendien. Hij kon een andere baan gaan zoeken, meer geld verdienen, maar daar zou wel wat tijd overheen gaan.

'Ik heb hierna een rol in een ander toneelstuk,' zei ze. 'In Denver.'

'Zie je nou wel,' zei hij. 'Ik zei toch dat je aanbiedingen zou krijgen?'

'Ik ga vanavond terug naar New York om wat dingen op te halen. Ik hoop dat je het niet erg vindt dat er wat spullen in het appartement blijven staan tot ik weer terug ben?'

'Wanneer zal dat zijn?'

'Over drie maanden. Voordat ik naar Colorado vertrek, kan ik een dag of twee overkomen om een nieuwe flat te zoeken.'

Hij wilde zeggen dat ze dat niet hoefde te doen, dat ze er kon blijven. Maar hij was altijd erg doortastend geweest met vrouwen, had hun liefde beschouwd als iets wat hem toekwam, en dat kon hij met Sally niet doen. Hij moest haar het hof maken, haar voor zich zien te winnen. 'Weet je zeker dat je terugkomt?' vroeg hij. Hij wist niet of hij het zou kunnen verdragen als ze niet terugkwam. Hij had al zo veel mensen verloren.

'Je hebt mijn spullen. Beschouw die maar als onderpand,' zei ze. 'Hoe gaat het met Gwen?'

'Het voogdijschap wordt nog een hele toestand,' zei hij. 'Crea is ontzettend kwaad.'

'Denk je dat een rechtbank dat meisje ervan kan weerhouden om zelf de weg te vinden naar West Side?'

Robert glimlachte. Voor het eerst die dag was hij op de rand van tranen.

Zijn broer kwam het huis uit met een ijskompres op zijn hoofd, een fles Chivas Regal en drie kartonnen bekertjes in de hand. 'Wil iemand wat drinken?' vroeg hij en hij ging op de onderste tree zitten. Sally pakte de fles aan en schonk voor ieder van hen een bodempje in. 'Het barst van de goede flessen drank. Ongeopend. Allemaal kerstgeschenken van het postkantoor, van jaren.' Tegen Sally voegde hij eraan toe: 'Ze dronken allebei niet veel.'

'Mijn ouders ook niet,' zei ze terwijl ze haar drankje in één teug achteroversloeg.

'De verkoop van het huis zal wel iets opleveren,' zei Robert, 'en er is ongeveer twee ton aan spaargeld en staatsobligaties.'

'Al dat zuinig doen, al die kortingsbonnen en slapeloze nachten.' Barry nam een grote slok whisky. 'Mijn helft dekt niet eens de avocatenkosten. Het ziet ernaar uit dat ik wel een poosje zal verdwijnen.'

'Ik heb het gehoord.'

'Soms was mijn voorstelling van de risico's niet bepaald waarheidsgetrouw. Van de bedrijven ook niet.'

Robert zei geen woord.

'Misschien overdreef ik ook wel hoeveel geld ik voor je verdiende,' liet Barry erop volgen, 'en krikte ik de bedragen een beetje op. Ik genoot van het gevoel om een hele bink te zijn. Naar feesten te gaan.'

'Ik ook,' zei Robert nadat hij zijn whisky had opgedronken. 'En als je vrijkomt?'

'Ik weet het niet,' zei Barry. 'Misschien pak ik mijn oude beroep weer op. In die branche was de technologie in elk geval betrouwbaar en de regels waren duidelijk.'

De schemering viel in; de lucht verbleekte tot lichtgrijs en indigoblauw, en de gele patiolichtjes sprongen overal in het blok aan, zodat naast elke deur een fletsgele halo ontstond. Een groep meisjes begon met een dubbel springtouw te touwtjespringen tussen twee geparkeerde auto's in; de touwen sloegen hard tegen het asfalt. Aan de overkant van de straat bleef iemand maar toeteren met zijn auto. Twee huizen verderop kwam een man in een onderhemd, een blauwe korte broek en zware zwarte schoenen de stoep op hinken, zijn voetstappen piepten. Hij werd begroet door twee jongetjes, de ene met donker haar en de andere blond, die hem allebei bij de hand pakten. Robert rook dat er in de verte vlees werd gebraden. Zijn broer liet een harde boer; Sally glimlachte naar hem. En heel even, een vreemd en wonderlijk moment lang, wist Robert Vishniak waar hij thuishoorde.

Woord van dank

Woorden schieten tekort om uit te drukken hoe dankbaar ik Bill Clegg, mijn agent, ben, die ondanks talloze versies en vele jaren altijd is blijven geloven in deze roman en zijn auteur. *Rich Boy* had niet in betere handen kunnen zijn dan bij de sublieme Jonathan Karp en zijn team bij Twelve, die heel snel begrepen wat ik probeerde te doen en me hielpen om het boek te verbeteren.

Jonathan Freedman heeft sinds 2001 elke versie en elk fragment van deze roman gelezen; een extra woord van dank aan hem en aan Sara Blair voor het publiceren van een vroeg verhaal over deze personages in *The Michigan Quarterly Review*. Ik ben dankbaar voor de steun van al mijn docenten en collega's van de University of Michigan, in het bijzonder Nicholas Delbanco, Peter Ho Davies en Eileen Pollack. Veel dank aan de grootmoedige, getalenteerde en bevriende schrijvers die manuscriptversies van deze roman hebben gelezen: Natalie Bakopoulus, Sara Houghteling, Aric Knuth, Valerie Laken, Patrick O'Keeffe en Raymond McDaniel. Mijn dank gaat ook uit naar Peggy Adler, Margaret Lazarus Dean, Chris Hebert en Karen Outen. Voor Ann Arbor was er New York. Dank aan Wendy Lamb, Min Jin Lee en Andrea Louie. Meir Ribalow, die zijn vader en zijn familie tot eer strekt vanwege zijn niet-aflatende, onbaatzuchtige ondersteuning van zijn collega-schrijvers en kunstenaars, las niet alleen het manuscript mee, dat hij van commentaar voorzag, maar zorgde er ook voor dat ik in New River in Healing Springs, North Carolina, een heel vroeg hoofdstuk van *Rich Boy* kon voorleggen – veel dank aan hem en aan iedereen die ik daar heb ontmoet. Voor dit boek kreeg ik subsidie van de Ludwig Vogelstein Foundation; in de loop van de jaren heeft het Virginia Center for the Creative Arts me de zo onontbeerlijke tijd en ruimte geboden.

Juristen die me hebben geholpen met de juridische aspecten en de vastgoedinformatie van deze roman: Elliott Meisel, Michael Mervis en vooral de zeer geduldige Ronald Burton. Ze zijn stuk voor stuk briljant en de fouten die ik mogelijk heb gemaakt zijn uitsluitend aan mij toe te schrijven. Robert Barandes heeft dit boek meegelezen als advocaat; hij is een dierbare vriend en een enorme fan – godzijdank heb ik in 1998 de pendelbus naar de Hamptons niet gemist. Dank aan Lori en Arie Abecassis voor hun kennis van het noordoosten van Philadelphia, en Diane Saltzman, die me op het laatste moment te hulp is geschoten bij vragen over kunst – een vrouw mag zich gelukkig prijzen wanneer haar vriendinnen tevens een bron van informatie zijn.

Bij mijn onderzoek naar het New York in de jaren zeventig heb ik veel gehad aan het archief van *The New York Times*, met name aan de artikelen van de hand van de inspirerende architectuurcriticus, Ada Louise Huxtable, en ook aan de boeken *Living Poor: A Peace Corps Chronicle* door Moritz Thomsen; *The Peace Corps Experience, Change and Challenge, 1969-1976* door P. David Searles, en *740 Park* door Michael Gross. Mijn dank gaat tevens uit naar Nanci A. Young, die werkzaam is bij het archief van het Smith College, en de mensen van het Merchants House Museum in Lower Manhattan.

Veel mensen hebben me jarenlang bemoedigd bij het schrijven van deze roman; ik kan niet iedereen bedanken, maar voor sommigen maak ik een uitzondering: Rachel Aranoff en Neil Zuckerman; Mark 'Iceman' Eisman; en Ricki en Josh Lowitz (en de voltallige clan in Chicago); mijn bondgenoten sinds mijn studietijd, Julia Harrison en Monique Skruzny, Mindy Mervis, Naomi Morgenstern en, zeer nadrukkelijk, Marcie Wald, die getuige is geweest van mijn leven, me heeft geholpen als er problemen waren en die me al ruim dertig jaar aan het lachen maakt. Dank ook aan mijn neven en nichtje, Robin Berman, Steven Pomerantz, Jill Bucinell en Steve Swerdlow, die me enorm hebben geholpen.

Tot slot gaat mijn grote dank uit naar mijn moeder, Estelle S. Pomerantz, die me heeft voorgelezen, zich opofferingen voor me heeft getroost en me altijd verhalen heeft verteld. En naar Bill Richert, die mijn leven verrijkt op meer manieren dan hij beseft.

Inhoud

I

II